Bernard-Henri Lévy *1971 à 1972, il effectue un long séjour dans le sous-continent indien, et notamment au Bengla Desh pendant la guerre de libération contre le Pakistan comme reporter de guerre pour le quotidien parisien* Combat. *En 1973, il enseigne l'épistémologie à l'Université de Strasbourg, la philosophie à l'Ecole Normale supérieure de la rue d'Ulm et publie son premier livre :* Bangla Desh, Nationalisme dans la révolution, *chez Maspero (publié sous le titre* Les Indes rouges *dans* Le Livre de Poche *« biblio/essais »). Il est membre du groupe des experts de François Mitterrand jusqu'en 1976 et, parallèlement, il entre aux Editions Grasset comme directeur d'une série de collections dont « Figures », où s'exprimera très vite le courant dit de la « nouvelle philosophie ». En 1974, il dirige la section « idées » du* Quotidien de Paris *et collabore épisodiquement au* Nouvel Observateur, *aux* Temps modernes. *C'est avec Jacques Attali, Françoise Giroud, Marek Halter et quelques autres qu'il fonde en 1980 « Action internationale contre la faim » et c'est aussi avec Marek Halter qu'il crée le « Comité Droits de l'Homme » qui milite pour le boycottage des Jeux olympiques de Moscou et qui mettra sur pied l'année suivante Radio Kaboul Libre. En 1981 il tient un « bloc-notes » hebdomadaire dans* Le Matin *et en 1983 dirige la collection « biblio/essais » au* Livre de Poche.
Bernard-Henri Lévy *est l'auteur de cinq essais qui ont eu un grand retentissement en France et dans le monde :* Les Indes rouges, La Barbarie à visage humain, Le Testament de Dieu, L'Idéologie française, Questions de principe. *Son premier roman,* Le Diable en tête, *a obtenu le Prix Médicis 1984.*

« Au bout de ce visage, il y avait le siècle », écrit le narrateur dès les premières lignes du roman.
Ce visage, c'est celui de Benjamin, le héros, dont la destinée tragique et sombre traverse en effet le Paris de l'Occupation, le New York des années cinquante, la Rome des poseurs de bombes, les barricades de Mai 68, le Beyrouth en flammes des Palestiniens ou la Jérusalem d'aujourd'hui.
Le lecteur retrouvera là, sans doute, quelques-uns des thèmes familiers de Bernard-Henri Lévy. Mais il y découvrira surtout une histoire au grand souffle, riche en péripéties et en rebondissements, conduite par un romancier qui sait se mettre, tour à tour, et avec un égal bonheur, dans la peau d'un vieillard amer et désabusé; dans celle d'une jeune catholique découvrant avec effroi les vertiges du plaisir; ou encore dans celle de Benjamin, éternel

(Suite au verso.)

maudit, que poursuivent de ville en ville, de chimère en chimère et souvent, aussi, de femme en femme les ombres d'un passé jamais exorcisé.

Histoire d'amour ? Roman familial ? Récit d'espionnage ? Thriller ? Fresque du demi-siècle ? Fable métaphysique ? Éducation sentimentale ? Chronique galante et sensuelle ? *Le Diable en tête* est tout cela à la fois. Il croise et conjugue les genres. Et dans cette savante architecture, on ne sait ce qu'on apprécie le plus : l'audace de l'entreprise, la variété des styles et des voix, l'insistante séduction du héros ou l'intrigue qui, de bout en bout, tient le lecteur en haleine.

BERNARD-HENRI LÉVY

Le Diable en tête

ROMAN

GRASSET

Paru dans Le Livre de Poche :

L'IDÉOLOGIE FRANÇAISE.
LES INDES ROUGES *(Série biblio/essais).*
LA BARBARIE À VISAGE HUMAIN *(Série biblio/essais).*

A ma mère,
à mon père

J'ai rencontré Benjamin C. il y a quelques années, à Jérusalem.

Etais-je enclin, ce jour-là, à me soucier d'un autre que de moi-même ?

Et avais-je des raisons, surtout, de m'intéresser à un étranger dont tout, ou presque, me séparait ?

Je ne le pensais pas — lorsque, saisi à mon tour, comme la plupart des acteurs de cette histoire, par la séduction du personnage, je commençai à comprendre que j'avais en face de moi l'un de ces êtres noirs, marqués et comme élus à rebours, que l'on dirait placés au point de rencontre des forces les plus troubles de leur époque et dont la familiarité avec le Mal m'a toujours semblé lester le témoignage d'un supplément de vérité.

Au bout de ce visage, il y avait le siècle.

Cela valait bien le temps d'une enquête.

Voici.

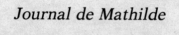

Journal de Mathilde

17 février.

L'idée de tenir un journal m'avait toujours semblé un peu vaine, ridicule, à la limite même de l'inconvenance. Ça me faisait l'effet d'un petit ménage supplémentaire qu'on s'obligerait à faire, tous les soirs, au fond de son cœur. Et l'exemple des quelques amies que je voyais, Yvonne en tête, appliquées depuis tant d'années à éponger leurs jours comme on éponge une flaque ou un suintement indésirable ne me donnait, il faut bien le dire, pas trop envie de les imiter. Que se passe-t-il, alors ? Et d'où vient que je me retrouve aujourd'hui, à vingt et un ans bientôt, dans cet état absurde de petite fille émue, guindée, un rien trop solennelle peut-être, devant la page blanche de son premier « livre aux secrets » ? Benjamin probablement... Benjamin sans aucun doute... Benjamin et l'incalculable bouleversement que sa naissance a, je le sens bien, introduit dans mon existence... Ce cahier est à lui, au fond. Je le lui donne. Je le lui dédie. A tous les sens du mot, il lui revient.

18 février.

Bon. Ne pas se dérober, déjà, aux disciplines du genre et raconter l'événement de manière aussi précise, clinique que je le pourrai.

C'était une journée d'hiver un peu triste, plutôt froide et que rien ne semblait disposer au cataclysme qui allait venir. J'étais allée de bon matin communier à Saint-Pierre. J'avais déjeuné chez Flo, comme tous les jeudis. En fin d'après-midi, malgré la neige, j'avais couru prendre chez Maggy Rouff le grand sac fourre-tout qu'Edouard m'avait, si gentiment, fait mettre de côté. Et les choses allaient si bien qu'Edouard lui-même, le soir venu, a pris son air de mari - attentif - et - prévenant - qui - sait - que - les - femmes - enceintes - ont - parfois - des - idées - bizarres pour me demander si je n'aurais pas envie, par hasard, d'« une bonne truite saumonée de chez Carrier ». J'ai répondu « non merci, quelle idée ! » et suis partie me réfugier dans ma salle de bain quand, en me déshabillant, j'ai reconnu les fameux « désordres » que Grassard m'avait annoncés — et qui devaient être, selon lui, les signes irréfutables que le travail avait commencé.

Pour être tout à fait honnête avec moi-même, je dois reconnaître que ce « travail » m'a fait, pendant les premières heures, moins d'impression que prévu. Je « souffrais » bien entendu, mais d'une souffrance étrange, tolérable. C'était comme une vague haute, lente, montant à intervalles réguliers. Ou comme une houle plutôt, un obscur roulis venu des cuisses qui m'envahissait peu à peu, me faisait monter le cœur aux lèvres, mais disparaissait très vite, comme pour ne plus revenir. Etait-ce cela l'horreur, l'atroce épreuve de l'accouchement ? Apparemment, oui, si j'en croyais l'agitation soudaine autour de moi ; Odette tout affairée avec sa coiffe de dentelle déjà de travers; Angèle jurant comme une poissonnière tandis qu'elle vidait et remplissait sans cesse sa vieille cuvette d'émail; Bernadette remontée quatre à quatre des cuisines, « des fois que Madame ait besoin d'un coup d'aide »; Edouard, hirsute, dépenaillé, arpentant la pièce comme un furieux, en pestant contre « cet âne de Grassard qui n'est jamais là quand il faut ». Mais moi, je le répète, j'observais tout leur manège d'un œil plutôt serein. Et il m'a bien fallu la moitié de la nuit pour comprendre ce qui était en train de m'arriver.

Il était un peu plus de deux heures en effet quand ça a commencé d'être réellement insupportable. C'était la même sensation, en un sens. Et la même vague, probablement, que celle qui, tout à l'heure, me paraissait encore si clémente. Mais la nouveauté, maintenant, c'est que ça ne s'arrêtait pas; que la vague, une fois lancée, semblait ne plus vouloir refluer; que c'était comme une marée folle, sauvage, sans règle ni retour; et que tout se passait comme si un manipulateur fou m'avait noué, vrillé les nerfs les uns aux autres en une sorte de court-circuit qui m'électrisait tout entière. Les accouchées parlent toujours de leurs os brisés, de leur dos défoncé, de leurs hanches écartelées, des tendons qui craquent, qui gémissent, qu'elles sentent au bord de céder. Ce qui m'a frappée, moi, c'est qu'aux heures les plus cruciales je n'avais plus ni dos, ni os, ni hanches, ni tendons du tout — mais simplement, à leur place, une compacte, totale, indivise masse de chair où se répercutait à l'infini la vibration du mal.

Pire — ce qui, avec le recul, me frappe sans doute le plus c'est l'impression d'avoir été confrontée là à une souffrance dont, pour la première fois de mon existence, je ne voyais pas le bout. Toutes les souffrances, en effet, ont un bout. Un terme. Un moment où, de guerre lasse, elles seront bien obligées de lâcher la prise. On le pressent surtout, ce moment; on le voit venir; on sait que, de toute façon, quelque temps que ça lui prenne, il ne pourra pas ne pas arriver. Alors que là, pas du tout. Pas la moindre perspective. Pas le plus mince rai de lumière au fond du tunnel. Rien qu'un malheur brut, sans issue, dont on se dit que rien, personne, aucun effort ni nécessité n'auront jamais, seuls, le pouvoir de vous libérer. Où sont-ils donc tous allés pêcher que l'accouchement était une « délivrance » ? Je me souviens surtout, moi, d'un piège; de moi prise dans un piège; de mon corps tout entier mué en un infernal piège de chair; et de cet autre corps qui, dans le piège, allait gigoter, s'enkyster, saigner — qui sait ? — jusqu'à la fin des temps...

Car c'est ça, je crois, le fond de l'histoire. Ma détresse, si j'y réfléchis bien, venait moins de la souffrance en tant que telle, de sa violence, de son intensité, de son caractère cuisant ou fulgurant, que de l'impression d'avoir un ventre fermé tout à coup. Bloqué. Bouché. Verrouillé comme une chambre forte. Tamponné comme une bonbonne. Un ventre plein, sans faille, dont je me disais que j'aurais beau pousser, pousser encore, il préférerait exploser, imploser, voler en mille morceaux que céder. Au comble de mon supplice, soûle de larmes et de fatigue, je divaguais, paraît-il, que j'étais une grosse baleine ensablée qui ne dégorgerait plus, cette fois, son Jonas. Et je demandais qu'on m'incise, qu'on me cisaille, qu'on me charcute, qu'on me dépèce — n'importe quoi plutôt que cette impasse. Non, d'ailleurs, cher Edouard, ce n'était pas de la « divagation » — c'était du *désespoir*.

Quelle solitude ! Quel abandon ! Il y avait certes Grassard. Les deux infirmières, venues avec lui, qui se relayaient pour m'appuyer sur le ventre.

Edouard, de plus en plus affolé, qui me flattait à tout hasard le flanc. Les trois domestiques, surexcitées, qui piaillaient elles aussi je ne sais quels « mots d'encouragement ». Mais, bizarrement, ça ne comptait pas. Ça n'existait plus. Ils m'apparaissaient tous comme autant de spectres, de polichinelles grotesques. Leurs voix, leurs visages même ne m'arrivaient plus qu'au travers d'un voile de brume qui leur ôtait toute consistance. Et il n'était pas jusqu'au petit crucifix suspendu par précaution au-dessus de mon lit dont, même renversée, arc-boutée à me rompre les reins, je ne parvenais plus à croiser le regard. « Abandonnée là-haut comme ici », me disais-je. Et il a même dû y avoir un moment où, lasse de tant d'appels, de suppliques, de folles promesses de chasteté ou d'éternels serments de fidélité qui n'avaient, je le voyais bien, aucun écho auprès de Lui — je me suis laissée aller, sournoisement, à Le maudire...

J'ai vu passer la nuit ainsi. Puis l'aurore. Puis une matinée où la lumière semblait hésiter à s'affirmer. Puis encore, l'alerte aérienne de la mi-journée où j'ai vaguement distingué Angèle matelassant les vitres à toute vitesse pour les empêcher de sauter. Il était deux heures moins dix de l'après-midi quand j'ai senti, enfin, mon ventre se déchirer; que je me suis vue plonger au fond d'un gouffre épouvantable; qu'un voile sombre, presque noir cette fois, m'est tombé devant les yeux; et qu'agrippée aux colonnes du lit, humant à pleines narines les dernières vapeurs de la nuit, hurlant à pleins poumons un cri que je n'entendais plus — j'ai senti là, entre mes cuisses, dans une avalanche d'humeurs et de glaires, la caresse d'une chair qui n'était tout à coup plus la mienne et qui, sans crier gare, me menait au bout de mon mirage.

24 février.

Suis-je heureuse ? Comblée ? Conforme à ce qu'on m'a toujours dit que devait être une mère épanouie ? Oui, je pense. Encore que sans excès. Sans affectation. Sans gâtisme surtout et sans cette absurde façon qu'ils ont tous de faire comme s'ils avaient assisté à la Nouvelle Nativité. Edouard, par exemple, est comme ça. C'est « mon fils par-ci », « mon fils par-là ». « L'avenir radieux » qu'il lui prépare. « Le destin héroïque » qu'il lui annonce. Et il est devenu incapable de faire trois pas dehors sans appeler la maison pour savoir comment il a dormi, combien de lait il a bu, s'il a correctement fait son rot ou si on a bien pensé à vérifier qu'il n'était pas étouffé sous son drap. Pourquoi pas ? Evidemment oui, pourquoi pas... Mais ce que je ne voudrais pas c'est que cet empressement ridicule soit une manière détournée de me culpabiliser de Dieu sait quoi. Un bébé c'est un bébé, après tout; et on ne va quand même pas m'obliger à dire que j'ai accouché de l'Enfant Jésus !

25 février

Pardon, mon bébé ! Pardon, mon innocent ! Oh oui, pardonne à ta sotte de mère ! Oublie les sottises qu'elle vient d'écrire ! Elle est si fragile, elle aussi ! Si mal armée pour t'accueillir ! Si effarée par une si petite tête où dorment tant de gros mystères ! Tu es la Promesse même, bien sûr... L'image de mon espérance... Et pour parler comme l'autre, Benjamin Premier, le merveilleux écrivain dont j'ai voulu te donner le nom, tu es « le jour subit maintenant répandu sur ma vie ». Demain, d'ailleurs, c'est décidé : ce sera jour de pèlerinage et nous irons tous les deux, dans la limousine blanche toute neuve conduite par le bon Lazare, jusqu'à la petite tombe du Père-Lachaise où repose ton saint patron — et peut-être, avec lui, une part de ton secret.

27 février.

Temps gris. Froid. Avec ce pâle soleil qui, de loin, regarde la terre en pitié. C'est de Benjamin Constant, encore, dans la seule description de paysage que contienne, curieusement, son *Adolphe.* Mais ça dit bien le temps qu'il fait ce matin et qui compromet notre pèlerinage. Le même temps eût-il dissuadé Julien Sorel d'aller, à son arrivée à Paris, saluer la tombe du maréchal Ney? Et Octave de Malivert, dans *Armance,* celle du général de Labédoyère? « La barbe, me coupe Edouard, exaspéré. Tu n'es pas une héroïne de roman. Et tu m'assommes à la fin avec tes caprices littéraires. Par le temps qu'il fait, on ne sort pas. Et on ne fait pas, en plus, courir à mon fils unique le risque des raids anglais... »

4 mars.

Edouard n'avait pas tort. Quarante-huit heures ne se sont pas écoulées en effet depuis sa réprimande que les bombes anglaises tombent en abondance sur Paris; et qu'on ne compte plus, entre Boulogne et Longchamp, le nombre d'hommes, de femmes et, selon toute vraisemblance, de nouveau-nés victimes du bombardement. Allez l'empêcher, après cela, de triompher et de me bassiner toute la soirée sur le thème : « qu'est-ce que c'est que ce peuple criminel qui nous traite comme il traitait autrefois les nations de son

Empire ? Nous avons beau être tombés bien bas — nous ne sommes pas encore les juifs ou les hindous de l'Europe ». Brrr...

5 mars.

Etait-ce trop tôt ? Fallait-il attendre deux, trois, huit jours de plus ? Et qu'est-ce que Grassard avait au juste recommandé ? Ce qui est sûr, en tout cas, c'est que pour un désastre ça a été un désastre. Et que jamais, depuis le fiasco de notre nuit dite de noces, les choses n'avaient tourné de manière aussi pitoyable. Quand il a commencé à prendre son air des grands jours, à me faire le coup du ahanement maîtrisé, à me tapoter les fesses de sa main « irrésistible » et à « pilonner », comme il dit, sur ce rythme méthodique et viril qui, d'habitude, me fait sourire, je n'ai pas pu résister — et je me suis entendue gémir : « Edouard, comme je m'ennuie. »

6 mars.

Grand tralala hier, à Saint-Roch, pour l'enterrement de la mère G. Il y a la famille au premier rang, figée dans le deuil et le chagrin. Les proches tout autour, comme une solennelle garde d'honneur. L'état-major de la Revue ensuite, juste à l'endroit stratégique qui permettra un peu plus tard, au moment de la bénédiction du corps, d'enregistrer les présences, les absences, les inconvenances éventuelles — bref, les gages d'amitié, de fidélité, donnés ou non aux G., en ce jour d'épreuve extrême. Sur deux rangs encore, les yeux baissés, confits en dévotion et ne s'occupant, j'en jurerais, qu'à s'épier les uns les autres, tout ce que la république des lettres compte encore, à

Paris, de célébrités. Et puis derrière enfin, descendant jusqu'à la rue et s'étalant sur le trottoir, l'immense foule des sans-grade qui sont là comme ça, sans raison, par curiosité sans doute et parce qu'un enterrement chez les G. c'est toujours, comme a doctement dit Lazare, tout à l'heure, dans la voiture, « grand spectacle et beau linge garantis ». Or c'est ici que nous sommes nous aussi. Dans la cohue donc. Comme n'importe quels badauds venus admirer de loin les « personnalités ». Avec un Edouard horripilant, qui manque se dévisser la tête, se décrocher la mâchoire à force de distribuer à tous vents des sourires qu'on ne lui rend pas. Et je n'ai qu'une idée, l'office fini, qui est de fuir au plus vite ce cauchemar quand, soudain, guigne des guignes ! apparaît là-bas, droit devant, la silhouette familière de Jean qui, nous ayant vus également, fait signe de l'attendre et fend la troupe pour nous rejoindre.

Qu'est-ce qui m'a pris, alors ? Est-ce l'impatience ? La fatigue ? Est-ce l'attitude d'Edouard, plutôt, quand son ami est arrivé ? Cette agaçante façon qu'il a toujours de se mettre à parler comme lui, à rire comme lui, à se tenir comme lui, à me regarder, moi aussi, tout à coup, de la même manière moqueuse, taquine que lui ? Ou est-ce autre chose encore ? Une autre raison, plus obscure ? Je ne sais pas. Je ne comprends moi-même pas bien. Mais toujours est-il que lorsqu'il est arrivé, si beau, si grand, si élégant, et qu'il a commencé à me plaisanter sur Benjamin, ma grossesse, « ma silhouette revenue et qui a perdu, dites-moi, son parfum d'adolescence » — ça m'a prodigieusement troublée. Non : agacée. Et je n'ai pas pu m'empêcher de tourner les talons en les plantant là, tous les deux, au beau milieu du tumulte.

7 mars.

C'était couru, bien sûr. Edouard n'a pas du tout, mais alors pas du tout apprécié la scène d'hier matin. Et il me l'a fait savoir, le soir même, chez Maxim's, où nous nous retrouvions pour la première fois « en amoureux » depuis la naissance de B.

Tout y est passé. Le charme de Jean. Son élégance. Les vestes de tweed qu'il trouve encore le moyen, en pleine guerre, de se faire tailler à Londres. Ses chemises de chez Hilditch and Key. Ses bottes de chez Bunting. Les « régiments de femmes » qui seraient, à l'entendre, prêtes à se damner pour lui. « Non mais qu'est-ce que je m'imagine ? Est-ce que je ne me rends pas compte que je ne représente rien pour lui, rien du tout, qu'il se fiche éperdument de moi ? Le plus embêté dans cette affaire c'est lui, d'ailleurs, Edouard. Car, que je me mette donc une seule seconde à la place de son ami. Je lui fais une offense terrible, soit. Mais à partir de là que pense-t-il ? Que telle femme, tel mari. Qu'il y est forcément pour quelque chose. Que je ne me serais pas permis cette sortie sans sa bénédiction. Et le résultat c'est une fraternité de dix ans, est-ce que j'ai bien entendu ? *dix ans,* que je m'amuse à briser avec mes caprices de gosse de riche. »

Je l'écoute. Je tente de l'apaiser. Je promets de téléphoner pour m'excuser. D'écrire. D'organiser un déjeuner. Hélas ! ça ne sert à rien. La mécanique de la fureur, une fois lancée, rien ne peut plus l'arrêter. Et ma docilité même, ma gentillesse, le fait que je ne trouve rien de solide à répondre ne font que le rendre plus fou, plus enragé encore : au bout d'une demi-heure, n'y tenant plus et voyant que les gens tout autour commencent à jaser et à nous observer en souriant, il se lève, jette sa serviette, m'attrape sans ménagement le bras et me traîne jusqu'à la sortie sous le regard ébahi des serveurs.

8 mars.

L'humeur d'Edouard ne s'arrange décidément pas. Cette fois-ci, pourtant, ce n'est pas ma faute — mais celle de ces cinq mille mètres de coton jaune qui semblent, si je l'en crois, lui passer sous le nez. « Faut-il vraiment se battre ? demandé-je. Et n'est-il pas un peu choquant de faire ainsi ses affaires sur le dos de ces malheureux juifs qu'on va, si j'ai bien compris, marquer comme du bétail ? » A mon humble avis, oui. C'est *très* choquant. C'est même carrément immoral et inhumain. Mais il n'est guère d'humeur, je le vois bien, à écouter mes arguments. Et devant tant d'animosité butée, têtue, je juge plus prudent de battre en retraite.

9 mars.

Ce matin. Nue dans ma chambre. Une de ces matinées dolentes et pleines de langueur où je pourrais rester des heures devant mes placards ouverts sans me décider à m'habiller. Et à un moment, me retournant un peu vivement, je surprends dans le miroir près du lit une image que, très franchement, je mets une seconde ou deux à reconnaître.

C'est moi, en effet. Mais moi toute. Moi entière. Moi d'une pièce, de la tête aux pieds et en passant, si j'ose dire, par « le reste ». Moi, comme j'avais presque, avec ce satané ballon, perdu l'habitude de me retrouver. Et un « moi » qui, toute modestie mise à part, et les deux secondes de surprise passées, ne me paraît point du tout déshonorant! Moins bien que « les régiments de Jean », vraiment? Hum... hum... A voir... Oui, je demande à voir... Et je serais curieuse de savoir si elles ont ces seins... cette taille... ce ventre tendu et tendre à la fois, que l'épreuve n'a pas entamé... ce teint pâle... ces lèvres roses... cet éclat roux dans les cheveux... ce galbe dans la jambe... ces fesses bombées, bien dures quand je les cambre, et dont Edouard aimait tant, au jour J moins un encore...

Le hic, bien sûr, pour le quart d'heure, c'est que tout ça somnole un peu et n'a toujours pas retrouvé son allant, sa pétulance d'autrefois. Mais c'est normal, voyons. Il faut qu'il comprenne que c'est normal; que toutes les femmes passent par là; et puis que ça revient un jour, d'un seul coup, comme le printemps...

12 mars.

C'était le jour convenu pour notre fameux « verre » de réconciliation. Et si les choses n'avaient tenu qu'à lui, à sa pompe, à son emphase, à son inutile et insupportable esprit de sérieux, il y a gros à parier qu'elles auraient de nouveau tourné à la catastrophe. Jean, par bonheur, a été plus fin. Il a tout de suite pris les devants en s'excusant le premier de ce qu'il a appelé « sa goujaterie ». J'ai répondu sans trop rougir que non, voyons, il n'y était pour rien, les torts étaient de mon côté. Il s'est récrié que pas du tout, je voulais rire, il ne voulait rien entendre de tel et était même prêt, si je le lui demandais, à se rouler à mes pieds de confusion. Et le fait est que, de fil en aiguille, à force de surenchères et d'assauts répétés de politesse, la glace a fini par se rompre — et Edouard lui-même par se laisser gagner à notre fou rire.

Ah! comme je les aime ainsi! Comme j'aime cette gaieté, cette insouciance de jeunes gens! Quel bonheur de les entendre, si libres tout à coup, s'esclaffer pour la énième fois de leurs frasques d'adolescence! Me croiraient-ils si je leur disais que je ne suis peut-être jamais si heureuse qu'en ces instants de grâce où je suis là, entre eux, petite sœur indiscrète et oubliée que tout dans leurs histoires, dans leur complicité d'hommes retrouvée devrait logiquement choquer ou exclure — et qui y trouve pourtant une étrange, secrète, presque inavouable volupté? Jean, surtout, me fascine dans ces moments. Peut-être parce que je le connais moins. Que les femmes qu'il évoque, m'étant totalement étrangères, sont enveloppées de plus de mystère. Peut-être aussi parce qu'il ne m'est rien — ni mari, ni quoi que ce soit — et que je n'ai pas de raisons *du tout,* dans son cas, de me sentir gênée, voire coupable de mon plaisir. Mais Edouard aussi, à sa façon, m'enchante! Ils m'enchantent tous les deux, en fait! Ensemble! En chœur! C'est leur complicité qui me fait rêver... Leur connivence... Et j'ai encore ri aujourd'hui, par exemple, de l'histoire entendue mille fois de la caissière de la boucherie de Bransles qui, aimant les jeunes garçons, rendait cent sous de trop, le samedi matin, à l'heureux élu du jour, et se faisait une fois sur deux, l'après-midi, cueillir au lit par les gendarmes mandés par le mari.

Oh oui, décidément, c'était ma faute, lundi dernier à Saint-Roch. J'ai été bête, méchante, mauvaise fille. Et je n'aurai pas trop de la semaine — puis, la semaine prochaine, de la grande fête de baptême qu'il désire tant — pour retrouver mes galons de femme soumise et amoureuse!

17 mars.

Impossibilité absolue de trouver un morceau de cuir dans tout Paris. J'accepte, la mort dans l'âme, un ressemelage de bois pour mes sandales d'été rouge et or. J'aurais pu attendre, c'est vrai, puisqu'il me restait, comme dit Angèle, « ces trente-six paires presque neuves qui dorment dans mon armoire à souliers ». Mais comment te faire comprendre, gentille Angèle, ce que représentent ces sandales pour moi ? Comment saurais-tu qu'un soir, il y a trois ans, parfaitement nue entre ses bras, dans la petite mansarde d'étudiant pauvre qu'il occupait rue de Picpus — mais toujours chaussée, je ne sais pourquoi... ? Bref, comment t'en vouloir d'ignorer qu'elles sont, ces vieilles sandales toutes simples pour lesquelles je t'ai envoyé courir tous les valisards de la région, mes petites pantoufles de vair à moi ?

Dieu, que tout ça me paraît loin ! A des années-lumière de nous ! Est-ce toujours le même « nous », d'ailleurs ? Le même Edouard ? Le même jeune homme fier, ombrageux, follement sympathique et hardi qui avait osé me confier un soir, au tout début : « il faut que je vous dise, chère Mathilde : je vous aime, évidemment; mais j'aime aussi votre argent, votre luxe, tout ce train que je devine, toutes ces merveilles, toutes ces splendeurs dont vous n'avez peut-être vous-même plus conscience mais qui, pour les fils du peuple de mon espèce, sont inséparables de la séduction qu'une femme peut exercer... » Il a eu l'argent, le « fils du peuple ». Il a eu le luxe. Il a même eu les affaires de Papa, que je lui abandonne de bon cœur. Je me demande parfois si, en chemin, il n'aurait pas perdu le reste.

23 mars.

Retournée à Drouot. Frappée de la fièvre qui s'est, en si peu de temps, emparée du marché. Un million pour un Sisley! Six pour un Cézanne! Cinq cent mille francs pour un Dunoyer de Segonzac! Deux cent mille, non, deux cent cinquante mille pour une vague croûte naïve dont on aurait donné le quart avant la guerre. Et ici, sur ma droite, ce vieux monsieur distingué et très « Vichy » qui offre cent mille francs pour un improbable bonnet de nuit qui aurait appartenu à Louis XVI! La « crise », apparemment, n'est pas pour tout le monde. Et Yvonne, qui m'accompagne, me fait justement remarquer, à la sortie, deux petites remorques montées sur bicyclettes où toute une série d'acheteurs différents et qui avaient, dans la salle, fait semblant de ne pas se connaître, viennent rassembler maintenant, sans complexes, leurs acquisitions. « Bizarre, bizarre... » murmure-t-elle en pouffant — et en ajoutant, un peu plus bas : « Hambourg, Hambourg, par ici le petit train pour Hambourg! » En ce qui me concerne, en tout cas, j'ai été — une fois n'est pas coutume — la sagesse même et me suis contentée d'un petit Soutine qui traînait dans un coin et dont j'ai pensé qu'il irait bien, le jour venu, dans la bibliothèque de Benjamin. Edouard, malheureusement, ne l'entendra pas de cette oreille et tonnera à mon retour contre « ce peintre juif dégénéré, gibier de psychiatrie, dont l'œuvre est un défi à l'honneur, au talent, à la qualité française tels que je veux les inculquer à mon fils ». A la trappe donc — c'est-à-dire à la cave — le joli petit Soutine.

29 mars.

« Barnet-Messin... C'est Barnet-Messin qui a eu le marché, a gémi Edouard, ce soir, en rentrant... On s'est battus, pourtant... On a espéré jusqu'à la dernière minute... On a même proposé la confection des étoiles proprement dites au prix coûtant... Mais ces idiots d'Allemands ont estimé que notre jaune n'avait pas le côté vieil or qu'il leur fallait... »

Pauvre Edouard! C'est vrai qu'il avait l'air d'y tenir, à son marché! Et son échec l'a chamboulé au point de lui couper — c'est tout dire... — et l'appétit et l'envie d'embrasser Benjamin! Oserai-je dire néanmoins que, personnellement, j'aime autant ça? et que, la « discipline de couple » mise à part, je suis plutôt soulagée que cette histoire tombe à l'eau? Ici oui, je le peux. Ce cahier devenant, déjà, si vite, mon seul, mon vrai, mon plus sûr confident.

5 avril.

Il a plu à verse toute la nuit. Mais la chaussée, de bon matin, est miraculeusement sèche. Des rayons de soleil pâles filtrent entre les feuilles. Le ciel jusqu'à l'horizon a cette couleur bleu tendre, à peine mouchetée de légers nuages blancs, qu'il ne retrouve d'habitude qu'au plein de l'été. Et je devrais être fière, joyeuse, en voyant toutes ces femmes qui se retournent et qui commentent, sur notre passage, la mine, la mise, l'équipage de mon bonhomme... Oui, mais voilà, je ne le suis pas... Je n'arrive pas à l'être vraiment... Et cela, parce qu'il y a « l'autre » printemps qui, lui, ne revient pas — et qui m'obsède maintenant, me torture. Hier soir encore... Mes lèvres molles sous les siennes... Ses mains sur mes seins morts... Cette chose dure, musculeuse, qui peine un peu pour entrer... Ce vide au creux du ventre... Toute ma chair rêche, anéantie, éteinte, tarie... Et cet idiot qui désespère, je le sens... qui se décourage... qui va flancher lui aussi, m'abandonner — et lâcher, de guerre lasse, son petit crachat hâtif... Je sais que ce n'est pas grave, encore une fois. Grassard me l'a répété, avant-hier. Yvonne aussi qui se souvient que, pour elle, après la naissance de son aîné, ça a duré presque un an! Mais il n'empêche...

12 avril.

Enfin le grand soir! C'est-à-dire la fameuse fête de baptême à laquelle Edouard tenait si fort et qu'il avait fallu, du fait des « événements », différer deux fois déjà. Disons-le tout net : je n'ai pas apprécié du tout cette fête; je n'ai aimé ni les gens qu'il a fait venir, ni la façon dont il l'a conçue; et je suis obligée d'admettre qu'elle me laisse, ce matin, une nette impression de malaise.

Je n'ai pas aimé par exemple ce jeune journaliste de *Je suis partout* que tout le monde entourait d'égards extraordinaires et qui a porté toast sur toast à la gloire de « ce nouveau Rodrigue » qu'il devinait « fier de sa race, appuyé sur un corps vigoureux et prêt, le jour venu, à reprendre où nous l'aurons laissé l'étendard de notre jeunesse ».

Je n'ai pas aimé non plus cet écrivain pédéraste si laid, si bête, qui s'est permis de tirer mon petit bonhomme de son berceau; de le serrer contre sa poitrine en disant qu'il était « sa vieille nounou amoureuse »; puis de lui raconter par le menu — « d'homme à homme », a-t-il gloussé, et toute la compagnie de s'esclaffer... — l'histoire de ce jeune gauleiter « au regard bleu nuit, à la mâchoire d'acier et aux manières de jeune prince de la Renaissance » qu'il venait de rencontrer à Vienne et auquel il ne pouvait mieux lui souhaiter que de ressembler plus tard...

J'ai détesté ce troisième avec ses poses de patricien romain, son faux masque marmoréen, qui a demandé, lui aussi, qu'on lui présentât l'enfant, ce qu'Edouard s'est empressé de faire avec une servilité qui m'a confondue; et qui, après l'avoir regardé dans les yeux, a annoncé à la cantonade que « le petit homme » était apparemment « bon pour le service des vraies valeurs viriles et païennes »...

Et celui-là encore, avait-il besoin de prendre cet air dégoûté pour me dire que « Benjamin, Benjamin, voilà un prénom bien libéral ! » ? Et cet autre de renchérir, à la limite de l'impolitesse, qu'il lui paraissait surtout « fleurer son Ancien Testament à plein nez » ? Et celui-là encore de répondre aux deux autres que « non, voyons, avec les cheveux, les yeux, la petite gueule qu'il a, cet enfant est garanti aryen pur sang » ?

Ce qui m'a déplu dans tout ce tintamarre, ce n'est bien sûr pas la politique (je suis trop ignorante en ces questions pour me permettre d'avoir un avis). C'est l'idée que tous ces gens étaient là, en fait, pour s'amuser; faire les malins; se faire valoir les uns devant les autres; pour boire aussi; manger; profiter d'une des rares tables de Paris qui ait la réputation d'ignorer les restrictions — et où le champagne en effet, le whisky, le vrai café coulèrent à flots toute la nuit. Mais que pas un — enfin presque pas un... — n'était réellement venu pour moi, pour Benjamin, ni même pour ce pauvre Edouard dont ils se moquent tous éperdument.

Comment ne voit-il pas ça ? Comment peut-il être à ce point dupe ? Jean le comprend, lui, et c'est la raison pour laquelle, à mon avis, il est resté si froid, si distant toute la soirée — et puis s'est éclipsé si tôt d'un air qui n'était pas celui qu'il prend quand il va retrouver une femme. Mais lui non. Rien. C'était même pathétique de le voir s'affairer, plastronner, aller de l'un à l'autre, les tutoyer, les appeler par leur prénom ou me lancer, quand il me croisait, un sinistre regard de comploteur triomphant — sans se douter que, pour la plupart de ces « grands personnages », il n'était qu'un vague nouveau riche, à mi-chemin du mécène et du pigeon, dont le principal mérite était, je le répète, de servir un café sans orge, malt ni pois chiche.

Enfin bref c'est son problème. Le mien étant qu'au lieu du baptême intime que j'espérais j'ai eu cette fête absurde. Cette mascarade. Cette danse de spectres autour du berceau de mon fils. Ces rictus. Ces grimaces. Ces silhouettes hideuses, carnavalesques, qui me paraissaient, je ne sais pourquoi, sentir la mort à plein nez. Je rêvais d'un joli Raphaël — j'ai eu un mauvais Bruegel. Et encore est-ce faire beaucoup d'honneur à cette kermesse...

Il est sept heures maintenant. Les derniers convives viennent de partir, sitôt après le couvre-feu. Le soleil, qui commence de monter dans la pièce où je me tiens et écris, semble vouloir chasser les miasmes laissés par cette nuit sinistre. Mais ils sont là. Ils s'incrustent. Et dans chacune des pièces maintenant désertées où nous nous sommes tenus et que jonchent les débris de la fête, il reste un vide étrange, légèrement moite, où je ne parviens pas à ne pas sentir un signe de mauvais augure.

13 avril.

« Vendredi chair ne mangeras, ni le samedi mêmement... » Jamais l'antique et précieux commandement ne m'avait paru si bien tomber qu'en ce lendemain de mangeailles qui m'a laissée si barbouillée (et je ne parle pas seulement de l'estomac !)

25 avril.

Les horreurs de la guerre, pendant ce temps, ne connaissent pas non plus de répit. Béatrice, ma gentille esthéticienne de chez Arden, se fait un plaisir, tant qu'elle me tient, de m'en livrer sa moisson hebdomadaire. Histoire de ce tankiste anglais brûlé vif dans son char... De ces Allemands en goguette qui ne connaissaient pas le coup du tourne-disque piégé... De ce cadavre d'enfant rôti, pétrifié par le phosphore, que l'on a retrouvé debout encore et stoppé en plein élan tandis qu'il tentait de gagner la bouche d'égout la plus proche... Ou de cet Italien blessé qui lance à ses camarades accourus à son secours : « n'approchez pas, ne me touchez pas, ils m'ont miné le ventre ! » Où diable va-t-elle pêcher ses histoires ? Comment ne comprend-elle pas qu'il y a des gens qui préfèrent ne pas savoir ? Je suis là, malheureusement, sans défense et à sa merci, avec ces fichus produits sur le visage, dans les cheveux. Moi qui étais venue pour me défaire de ma fatigue, je sors plus décomposée que je n'étais avant de venir.

5 mai.

Je me suis dit : « tiens, comme il fait lourd, soudain, ce matin. » Et puis : « quelle drôle de pesanteur, ici, au creux du ventre ». Et puis : « pas normal ce ventre dur, ballonné... » Et puis encore : « ce malaise... ce vertige... cette légère mais insistante nausée qui me poursuit depuis le réveil ». A la fin de la journée, pourtant, tout est devenu clair quand j'ai senti entre mes cuisses cet écoulement tiède, un peu poisseux, dont j'avais depuis un an perdu le souvenir... Quoi ? Déjà, si vite, la vie qui recommence ? La chair qui, insolente, retrouve ses saisons ? Tout ce chambardement rentré sagement dans l'ordre ?

Personne — en tout cas aucun homme — ne pourrait imaginer, ce soir, l'ampleur ni les raisons de ma mélancolie.

22 mai.

Non, non et non. J'ai beau être une épouse fidèle, loyale, disciplinée, on ne me fera pas deux fois le coup de ce vernissage Arno Breker. Passe encore le caractère officiel de l'événement. Passent aussi les invraisemblables efforts déployés par l'ambassade d'Allemagne pour réunir un comité d'honneur présentable. Peu importe même ces pauvres Derain, Vlaminck, Despiau, qui ont monnayé, paraît-il, leur caution en échange de deux ou trois seaux de charbon. Et tant pis, après tout, pour M. Cocteau si, de reconnaître un champion cycliste dans la statue nommée *Guerrier blessé,* suffit à le mettre dans cet état de transes. Le plus grave en effet, ce qui m'a, personnellement, rendue folle furieuse, c'est Breker lui-même. Sa suffisance. Sa nullité. La laideur, évidente, de ses prétendues « œuvres ». Et le fait qu'on soit en train d'en faire, malgré tout, un sommet de l'art de tous les temps !

Ce n'est qu'une faute esthétique, je le sais bien. Un péché contre le goût. Mais je suis ainsi faite qu'un péché contre le goût me paraît, moi, aussi triste et aussi grave qu'un discours de Pierre Laval ou une harangue de Mussolini.

25 mai.

C'est vrai que depuis que je tiens ce journal on me voit moins à confesse. Négligence réparée ce matin. Dois absolument veiller à plus de régularité, de discipline.

7 juin.

Dimanche. Jour de l'entrée en vigueur de la loi sur l'étoile jaune. Edouard, qui ne pense qu'à son marché perdu, est d'une humeur plus massacrante que jamais. Je me sens, moi — comme française ? comme catholique ? — salie, honteuse...

17 juin.

Restée des heures hier soir sans parvenir à m'endormir. Et pour penser à quoi, grands dieux ? A Benjamin. Mais à Benjamin mort cette fois et aux mille et une façons que le bout de chou pourrait avoir de mourir... Images de lui écrasé... Etranglé... Etouffé sous son oreiller... Axphyxié entre deux matelas... Egorgé par Edouard un jour d'ivresse... Piétiné par une foule en folie... Le visage rouge, violet, tuméfié sous les talons qui l'écrasent... Les membres brisés, réduits en charpie... Le corps tombant, tournoyant après que je l'ai laissé choir d'une fenêtre du troisième étage... Et ce sourire d'ange qui, pendant tout ce temps, ne quitte pas ses jolies lèvres... Les mères font-elles toutes des rêves de ce genre ? Le drame c'est que, moi, ce n'était pas vraiment un rêve. Mais qu'une force incontrôlée, venue du plus profond de la nuit, voulait, en pleine veille, me ramener à ces visions. Trois fois, quatre peut-être, je suis descendue jusqu'à sa chambre m'assurer de son sommeil. Et à cinq heures du matin, n'y tenant plus, je me suis installée près de lui, jusqu'à l'aube — incapable de détacher mes yeux de sa petite nuque de « rescapé ».

22 juin.

Obsédée toute la matinée, je ne sais pourquoi, par les « femmes de Jean ».

25 juin.

Coup de téléphone de Flo, très inquiète pour son déjeuner d'après-demain. Me reste-t-il du beurre ? des œufs ? des olives pour l'apéritif ? du whisky ? mais oui, mais oui, chérie — on n'est pas pour rien la femme d'un industriel bien vu par les autorités...

27 juin.

Déjeuner chez Flo. J'y trouve la petite troupe habituelle. Mais avec, en prime, un officier allemand de belle allure qui s'occupe, dit-on, des

« rapports culturels franco-allemands ». La conversation, brillante comme à l'accoutumée, ne tarde pas à se fixer sur « le » sujet du jour : cette fameuse affaire d'étoile, encore, imposée depuis trois semaines maintenant aux juifs de la zone occupée.

« Savez-vous, demande Flo pour lancer, comme elle dit, " son débat ", que la marquise de Chasseloup-Laubat, née juive comme de bien entendu, a toutes les peines du monde à se faire exempter du port de cette chose ? »

La question s'adressait en principe à l'ensemble de la tablée. Mais tous les regards, instinctivement, se tournent vers l'Allemand :

« Chasseloup-Laubat... Chasseloup-Laubat, bredouille-t-il en écorchant affreusement le nom...

— Oui, insiste Flo... Et aussi Mme de Brinon... Et aussi la comtesse d'Aramon... Et d'autres encore, j'en suis sûre, dont le cas ne tardera pas à être porté à notre connaissance...

— C'est fâcheux, concède l'officier... Vraiment fâcheux... Mais...

— Mais quoi, mon ami ? Faites-vous quelque chose ? Prenez-vous des mesures ?

— Oui... Enfin non... Ce n'est pas exactement mon domaine... Ce que je puis vous dire, c'est que l'ambassadeur en personne reçoit ce matin votre amie la comtesse d'Aramon.

— Comme c'est aimable !

— Ce n'est pas aimable, madame, c'est naturel. Il y aura des dispenses, en effet... Mais exceptionnelles, comprenez-vous... renouvelables tous les deux, trois mois peut-être...

— Tous les deux, trois mois peut-être ? Mais, lieutenant, vous êtes fou ? Vous avez perdu la tête ? C'est totalement cocasse, voyons... »

Elle a dit « cocasse » en renversant sa jolie tête blonde en arrière comme pour mieux contenir une irrépressible envie de rire. Me prenant à témoin du comique de la situation, elle enchaîne alors :

« Imagines-tu chère Lisette ou chère Marie-Louise allant tous les deux ou trois mois, comme n'importe quelles petites juives, pointer à leur commissariat de quartier ? Est-ce que ce n'est pas insensé ? »

Non, bien sûr, je n' « imagine » pas. Oui, évidemment, je trouve ça « insensé ». Mais, mue par je ne sais quelle soudaine inspiration j'ai brusquement envie d'aller plus loin et, fixant bien droit dans les yeux le pauvre garçon déjà penaud, je lâche :

« Je me demande, moi, si le plus inimaginable, le plus insensé dans cette affaire, ce ne serait pas, en réalité, la loi en tant que telle... »

Oh ! Que n'ai-je pas dit là ! A la seconde même, un silence craintif se fait autour de la table. Toutes les têtes, avec le même ensemble qu'il y a un instant vers l'Allemand, se tournent vers ma petite personne. Flo elle-même, les yeux mi-clos, la bouche boudeuse, le menton posé sur sa paume ouverte, prend son air faussement intrigué et sceptique de grande professionnelle qui sait que sa conversation est peut-être en train de démarrer et qu'il suffit de pousser un tout petit peu encore pour la faire s'emballer :

« En tant que telle, répète-t-elle, encourageante...

— Oui, en tant que telle. Parce que, au-delà de nos amis, il y a tout de même ces malheureux qui vont partir sous nos yeux vers les camps allemands.

— Oh ! les camps... »

Elle a repris le mot du bout des lèvres cette fois. D'un air déçu, chagrin, comme si elle s'attendait à « mieux ». Et se tournant vers son voisin de droite, elle minaude :

« N'est-ce pas, Monsieur le Ministre, que toutes ces histoires de camps c'est du... folklore ? »

Monsieur le Ministre n'a « guère envie », comme il dit galamment, de prendre parti entre « deux si jolies et irrésistibles rivales ». Et c'est moi qui, entrant sans réserve maintenant dans le jeu de Flo (et puis sincère aussi, je crois...), poursuis :

« Bon. Laissons, si tu veux, les camps. Mais trouves-tu normal ce climat de suspicion qui règne depuis dix jours à Paris ? Ces dénonciations qui arrivent par centaines, dit-on, à la Kommandantur ? Tous ces policiers qui envahissent nos rues et qui demain, Messieurs, vous retourneront le revers du veston des fois que vous en soyez ? Nos domestiques eux-mêmes qui commencent à nous regarder d'un autre œil et qui se demandent si, au fond, en cherchant bien...? Oui, voilà ce qu'ils ont fait avec leur fichu décret. Et ça non plus, crois-moi, un peuple ne peut pas le pardonner... »

Cette fois, ça y est. C'est parti. Elle l'a, Flo, son débat. Car ma « sortie », loin de choquer, libère tout le monde au contraire et délie les langues. C'est Yvonne, d'abord, qui renchérit :

« Mathilde a raison... Il ne faut pas accepter... Ce ne sont pas des habitudes françaises ».

Puis son voisin de droite, le jeune professeur de droit, Dujardin :

« Il nous fallait un statut des juifs, c'est sûr... Mais pas ça... Pas cette rigueur... Pas cette brutalité, cette approximation, comment dire ? teutonnes... »

Puis, à la droite du professeur, un gentil danseur italien :

« Si seulement ils s'en tenaient aux personnes... Mais voilà que, dans leur folie, ils s'en prennent même aux lieux... Absent de Paris pendant un an, savez-vous que je n'ai plus retrouvé, à mon retour, ni la rue Scribe, ni la rue Heine, ni la rue Halévy, ni la rue Meyerbeer? Je repars après-demain — et je tremble pour la place Pereire. »

Puis encore, en face de lui, une actrice du Français qui lui rétorque :

« De quoi vous plaignez-vous? J'ai failli, moi, perdre ma place parce que j'avais rappelé dans un déjeuner comme celui-ci qu'Harry Baur avait débuté dans *Les Deux Aveugles* d'Offenbach. Et quand j'ai voulu, la semaine passée, aller revoir *Pièges* au cinéma, je suis tombée sur une copie où, à la place des scènes où jouait Von Stroheim, il n'y avait plus qu'une bizarre gelée blanche et tremblotante, uniformément répandue sur l'écran... »

Et puis Flo, enfin, à qui, comme il se doit, revient le privilège de conclure :

« Tout cela est absurde! Et, en plus, tellement vulgaire! Tenez : quand ces messieurs inscrivent " Maison juive " au fronton d'un magasin, ils sont deux fois insultants. Une vis-à-vis de l'immeuble, qui ne mérite pas forcément — Mathilde nous l'a rappelé — cette marque d'infamie. Mais une aussi vis-à-vis de la clientèle que l'on ne croit pas assez grande — et c'est ça l'erreur la plus terrible — pour savoir elle-même où elle met les pieds. »

Dans le feu de la discussion, nous avons presque oublié le lieutenant Muller, tout recroquevillé dans son coin et abasourdi par ce qu'il entend. Nous avons pris des risques, c'est sûr. J'ai pris des risques, plutôt. Mais je ne suis pas mécontente d'avoir dit ce que j'avais sur le cœur. Flo, au moment de partir, m'embrasse avec une effusion dont elle n'est pas coutumière et me murmure à l'oreille :

« Bravo... Merci... Grâce à toi, mon jeudi est réussi. »

7 juillet.

Prié pour ce jeune juif que j'ai vu arrêter, hier après-midi, par des policiers sous prétexte qu'il avait osé traverser le square Lamartine. C'est bien peu de chose, une prière. C'est même dérisoire, comparé aux malheurs de ce garçon. Mais que faire d'autre ?

10 juillet.

Problèmes de ravitaillement. Nos tickets de pain sont épuisés. Les oranges, les citrons, les fruits et légumes sont introuvables. Et ça a été le défilé des valisards toute la journée à l'office, avant qu'Angèle n'arrive à la quantité de lait dont elle aura besoin pour la semaine de Benjamin. Encore un printemps comme ça et je fais comme chère Lisette de Brinon : je défonce la pelouse du jardin pour y planter des haricots et je fais venir une vache pour brouter les mauvaises herbes.

11 juillet.

Ce n'est pas parce que je n'en parle plus que « le » problème a disparu. Au contraire... Il est toujours là... La seule différence étant que j'apprends, au fil du temps, à m'y résigner... Jouer la comédie ? Simuler le désir, le plaisir ? Faire comme Yvonne qui vient de m'avouer qu'elle réussissait, pendant sa fameuse « année », à feindre jusqu'aux râles, aux crispations, aux battements de cœur accélérés ou à l'exquise langueur d'après l'amour ? Ce serait gentil pour Edouard, évidemment. Mais je ne peux pas. Au-dessus de mes forces. Je préfère encore me tenir, jusqu'à nouvel ordre, pour dispensée du devoir de l'aimer.

12 juillet.

Je savais bien que cette affaire d'étoile jaune allait tourner la tête aux gens. Voilà plusieurs jours en effet que je sentais mon Angèle bizarre. Absente. Négligente dans son ménage. Et comme rongée par un mal inavoué. Eh bien, après un interrogatoire serré qui m'a pris plus de deux heures, j'ai quand même réussi à savoir : la pauvre fille, à force d'entendre parler de tout ça, a fini par se demander si elle n'était pas juive elle aussi; elle passe des heures devant la glace à guetter sur son bon gros visage de paysanne bretonne les stigmates de la maladie; les magazines spécialisés qu'elle s'est mise à acheter et qu'elle dévore le soir, après le travail, ne font que la confirmer dans son appréhension; Mme Corbeau, la boulangère, ne s'y est du reste pas trompée qui, réputée experte en ces matières, lui a lancé l'autre matin « un regard qui ne trompait pas »; Odette, oui Odette elle-même, sa commère depuis douze ans, a eu, pas plus tard qu'avant-hier, une messe basse avec Lazare, où, en tendant bien l'oreille, elle n'a pas pu ne pas entendre, chuchoté certes, mais bien distinct quand même, allez! le mot qui la condamnait; en sorte qu'elle a vécu ces dernières quarante-huit heures avec la peur que, parvenue à ce degré de publicité, la nouvelle s'ébruite, se diffuse dans toute la rue, atteigne les frontières du quartier, se sache même, pourquoi pas, dans tout Paris et arrive ainsi, tout naturellement, dans un bureau de la Kommandantur... Au jour d'aujourd'hui, m'explique-t-elle après que je l'ai rassurée, elle n'avait plus le choix qu'entre aller se livrer — ou essayer, peut-être, en un ultime recours, de répondre à cette annonce qu'elle avait découpée dans Paris-Soir et où « une dame Esposito, 14 rue Favard, Paris 16e, tél. RIC.02.84 » se faisait fort, pour la modique somme de 2000 F, d'aider les « Français en difficulté » à établir, par arbre généalogique, leurs « véridiques ascendances »...

14 juillet.

Midi. Soleil brûlant. Climat de liesse depuis ce matin. Les berges de la Seine prises d'assaut par les baigneurs. Edouard, Jean et moi-même prudemment repliés sur les planches du Racing. Les femmes encore... La guerre... La politique surtout qui, pour une fois, est au centre de leur conversation. Edouard : « je souhaite la victoire de l'Allemagne ». Jean : « je souhaite la victoire de Staline ». Et moi (in petto...) : « je souhaite la victoire de la paix, de la joie, de l'amour — et puis aussi, très vite, celle du désir ressuscité ».

17 juillet.

Je croyais Angèle guérie. Je n'en suis plus si sûre, ce soir. Et j'ai même tout lieu de penser qu'elle a recommencé de déraisonner. Sa lubie du jour ? Qu'avant-hier, en plein Paris, à notre nez et à notre barbe, la police française aurait raflé, transporté, puis parqué au Vél d'hiv la bagatelle de vingt mille juifs. J'ai beau lui remontrer l'horreur et donc l'absurdité de son histoire; lui expliquer que vingt mille hommes et femmes ne disparaissent pas comme ça, sans laisser de traces; lui mettre sous le nez la presse de ces derniers jours où il n'y a évidemment pas un mot de sa rocambolesque invention — rien n'y fait et elle maintient dur comme fer que la femme du chauffeur de Mme X. le tient de la cuisinière de Mme Y., qui le tient elle-même du laitier qui livre chez les Z... A ce point d'entêtement, je ne vois pas d'autre solution que de capituler et de la renvoyer à ses balais.

19 juillet.

Tête lourde. Migraine. Nerfs à vif. Etranges douleurs dans les jambes. Impossibilité presque totale de dormir. Et dans les rares moments où j'y parviens, des rêves affreux qui me laissent, au réveil, plus fatiguée encore. Yvonne, à qui j'en parle, me dit que ce sont les symptômes classiques de « quand ça ne va pas bien là où elle pense ». De quoi se mêle-t-elle ?

23 juillet.

Je devrais plus voir Benjamin, m'occuper davantage de lui. Il pousse, il pousse — et moi je m'en aperçois à peine.

29 juillet.

Assez. Je n'en peux plus. Cette confession au jour le jour me devient insupportable. Relisant les pages de ce cahier, je les trouve surtout très inutiles.

1944

15 janvier.

Oui, je recommence. Ce journal qui me tombait des mains, voici que je le reprends. Et si je le reprends c'est que, bien entendu, j'en ai un besoin vital. Pourquoi? Edouard, cette fois. Le nouvel Edouard. Cet Edouard transfiguré que je ne reconnais plus qu'à grand-peine. Et l'angoisse qui me saisit quand, en le regardant, comme ce soir, si paisiblement endormi à mes côtés, j'entrevois la figure de notre avenir.

18 janvier.

Lui parler? Le raisonner? Il n'entend pas. Il n'entend plus. Je ne suis plus très sûre que nous parlions toujours la même langue. Et la seule personne qui aurait peut-être su l'ébranler, il l'a, comme par hasard, jetée hors de notre vie... Je pense souvent à lui, du reste. Je me demande ce qu'il devient. Je me repasse inlassablement le film de nos rencontres, de nos dîners, de la piscine du Racing au mois d'août, de leurs conversations de garçons. Les jours où ça va très très mal, j'essaie, en fermant bien fort les yeux, de retrouver le dessin de son visage, ses angles, ses méplats, le bleu pâle de son regard ou le sourire qu'il eut, certain matin, sur le parvis de l'église Saint-Roch, quand il s'étonna que j'aie, si vite, perdu ma silhouette d'adolescente... Las ! l'image, étrangement, ne parvient pas à prendre corps. Et ce qui me revient c'est chaque fois, à la place, la tête blême, décolorée par la stupeur, que je lui ai vue le dernier soir — quand Edouard, hors de lui, a crié : « sors d'ici, n'y remets jamais plus les pieds, il n'y a pas de place chez moi pour les dégonflés de ton espèce... »

24 janvier.

La radio... Toujours la radio... On dirait qu'il n'y a plus que la radio certains jours, qui compte encore un peu dans sa vie... Et il pourrait passer dix heures d'affilée, ces jours-là, l'oreille collée à son poste, à les écouter toutes, dans toutes les langues, sur toutes les ondes... Ce soir, pourtant, Benjamin était malade. Il errait d'une pièce à l'autre en réclamant son père. J'attendais, un peu anxieuse, Grassard qui n'arrivait pas. Et soudain, énervée, je n'ai pas pu m'empêcher de lui dire : « crois-tu que c'est en écoutant vingt fois les mêmes choses sous vingt formes différentes que tu changeras quoi que ce soit au cours de la guerre ? » Oh là là, quelle erreur ! Que n'ai-je, comme d'habitude, tenu ma langue ? Il a levé vers moi des yeux de poisson bouilli. Et, sans un mot d'explication, il a pris sa veste et s'en est allé. Il est quatre heures du matin. Je ne dors pas. Il n'est toujours pas rentré.

28 janvier.

Il sort de plus en plus souvent. De plus en plus tard. Hier, de nouveau, je suis restée la nuit entière à l'attendre. Si seulement c'était « pour la bonne cause », comme il disait jadis avec Jean ! Au moins, je n'aurais pas ces sueurs... Je ne sursauterais pas à chaque claquement de culasse dans la nuit... Je ne passerais pas ces heures à me dire que « ça y est, ils ont fini par l'avoir »... Il ne me reviendrait pas dans cet état, surtout — bestial et sentant l'alcool, tel un vulgaire violeur de caf'conc' venant réclamer son dû... La prochaine fois, c'est décidé : je pleure, je hurle, je m'enfuis toute nue sur l'avenue, ou je me fais un rempart du corps de son fils — mais pas ça, plus ça, plus de ces odieuses étreintes qui me donnent la nausée jusqu'au matin.

3 février.

Comme il est loin le temps où j'étais l'épouse d'un jeune centralien doué, moderne, plein d'avenir, qui avait trouvé dans la fortune de Papa un merveilleux tremplin à ses ambitions ! Et comme je m'en veux de n'avoir pas plus apprécié mon bonheur à l'époque où il était capable de passer ses dimanches près de moi, plongé dans des problèmes de Bourse, de banque, de loyers impayés, d'immeubles à vendre et à acheter, d'affaires à liquider ou renflouer, qui l'amusaient comme un gigantesque jeu de société grandeur nature ! Car aujourd'hui, c'est fini. Bien fini. Et les nouvelles que m'a données Mlle Favre, tout à l'heure, au téléphone, indiquent qu'il n'est pas bien différent au bureau de ce qu'il est à la maison. Bon. Je sais qu'elle voit midi à sa porte et que le point de vue de la secrétaire n'est pas forcément le meilleur pour juger de la santé d'une entreprise. Mais il est tout de même troublant qu'il n'occupe plus la vieille demoiselle qu'à dactylographier ses folies, celles de ses nouveaux amis ou à tirer les tracts idiots qu'ils iront distribuer, à la nuit tombée, dans Paris; sans parler des mœurs étranges qu'il est en train, me dit-elle, d'introduire au bureau et qui vont depuis le portrait du Führer placardé d'office dans chaque pièce, jusqu'au salut nazi qu'il exige désormais de ses plus proches collaborateurs...

15 février.

Anniversaire de Benjamin. Le sait-il? S'en souvient-il? Acceptera-t-il, pour l'occasion, de tomber un peu le masque? Depuis ce matin, avec Odette et Angèle, nous nous affairons autour du goûter. Nous essayons de rendre à la maison un petit air pimpant.

Nous avons tapissé sa chambre, sa pièce de jeux, de jolis papiers de couleur. Deux ans, c'est tout petit encore; mais c'est assez, j'en suis certaine, pour comprendre — et emmagasiner — tout ce qui se passe.

16 février.

Alléluia! Il y a pensé. Il était là, à quatre heures précises, les bras chargés de cadeaux. Et à le revoir là, accroupi au milieu des paquets défaits et renchérissant sur la joie de son gamin, je me suis même surprise, sotte que je suis, à croire un court instant à la résurrection du père d'autrefois. Et puis, patratas! Il aura suffi d'un coup de téléphone pour qu'il change instantanément d'expression; qu'il retrouve son regard des mauvais jours; et que, tel un automate dont on viendrait de remonter le ressort, il enfile son veston, décroche son chapeau et se dirige d'un drôle de pas saccadé vers la porte. « C'était Keller », m'a-t-il lancé sans se retourner — et sans un mot de consolation au bébé qu'il laissait derrière lui.

23 février.

Ce cahier est en train de redevenir ma drogue. Mon vice. Mon meilleur ami. Mon confident. Le lieu de mes aveux les plus intimes, de mes appréhensions les plus douloureuses... Ce soir par exemple, à l'heure où j'apprends coup sur coup l'exécution d'un milicien en face de la maison, le recul de l'armée allemande sur le front de l'Est, la guillotine pour les trafiquants de marché noir et le départ d'Angèle qui ne supporte plus, dit-elle, de vivre « dans cette maison de fous » —, à qui d'autre pourrais-je confier l'affreux pressentiment qui m'étreint et qui fait qu'à deux reprises déjà je me suis surprise à murmurer... le nom de Jean l'absent?

28 février.

Carrier aussi a changé. Ou plutôt ce qui a changé, c'est la façon dont on nous y reçoit. Ce sont les mêmes serveurs, en effet. Le même décor XVIIIᵉ. La même disposition de tables sous les mêmes lustres de cristal. Et c'est tout juste si, en entrant, mes pas ne m'ont pas portée tout droit vers la haute fenêtre en arceaux où nous avions, il y a deux ans, notre place constamment réservée. Mais, là, changement de programme... Accueil poli mais glacé... Air neutre du père Carrier qui nous inscrit comme tout le monde sur sa fiche... Edouard, éberlué, qui se confond en sourires complices, œillades entendues et « airs d'habitué » sans que nul ne l'identifie pour autant... Et au bout d'un bon quart d'heure, enfin, le fatidique « premier étage, c'est tout ce que j'ai... » qui nous faisait tant rire autrefois, quand il visait un provincial égaré — mais qui nous tombe bel et bien dessus, cette fois, avec la brutalité d'un couperet...

Edouard, bien sûr, blêmit. Il allume une cigarette, pour dissimuler le tremblement de ses lèvres. Mais il garde son calme et tourne les talons. A la sortie, il y a un jeune homme, dissimulé dans la pénombre, qui distribue des tracts. Machinalement, j'en prends un, que je fourre très vite dans mon sac et retrouve ce matin : c'était un appel signé d'« un groupe de serveurs patriotes », adressé à « tous les chefs de rang, commis, vestiaires » et réclamant « un châtiment exemplaire pour les pourris qui, depuis quatre ans, ont mangé avec les Allemands ».

7 mars.

Nuit sans sommeil. Pour la millième fois depuis six mois je me remémore le film des événements... La toute première dispute avec Jean... Cette joie un peu trop bruyante au moment de l'entrée de la Wehrmacht en zone sud... L'aggravation subite, le mois suivant, le soir de la générale de *La Reine morte* quand il voulut faire taire le comédien qui disait « la fleur du royaume est en prison »... La lettre à la Kommandantur, ensuite, à propos de cette pauvre famille juive cachée chez les Lexat... Et puis l'amitié avec Keller, qui, compte tenu de son état général, ne pouvait que lui donner le coup de grâce... Je reviendrai demain sur Keller. Pour l'heure, tandis que le jour se lève et que je m'apprête à vaquer à ce qui me reste de vie quotidienne, j'ai l'impression d'être l'impuissant témoin d'un cancer généralisé parvenu à sa phase ultime.

8 mars.

Keller donc. Il faut imaginer un quinquagénaire au physique de saurien. A la silhouette difforme, enflée, basse sur pattes. Aux joues comme des branchies, gorgées de graisse et de couperose. Aux yeux ronds, vitreux, cernés de lourdes poches brunes. Avec une bouche toute mince, d'où rayonne une myriade de petites rides. Et au sommet, pour couronner le tout, un crâne oblong, où ne frisent plus, de-ci de-là, que de vieilles pousses de chaume blond. Ça y est ? L'image est nette ? Eh bien, c'est ça, Keller. C'est ça qui a remplacé Jean. C'est de ce corps hideux, de cette âme encore plus laide, que vient désormais, paraît-il, la parole de l'évangile nouveau. J'ai beau savoir qu'il a fait Centrale lui aussi, connaître ses talents d'ingénieur, me dire que c'est « de ce cocktail de science et de national-socialisme que sortira (sic) la forme de l'Europe de demain » — pour moi ça ne change rien : si j'avais à me figurer le visage du diable en personne c'est de ses traits, il me semble, que je songerais à m'inspirer.

16 mars.

Que trafiquent-ils ? A quoi riment ces conciliabules nocturnes ? Qu'ont-ils besoin, quand ils se réunissent à la maison, de prendre ces airs de conspirateurs ? Leur dernière invention c'est d'arriver de façon « discrète », feutre sur le nez, et en prenant bien soin de se répartir en groupes distincts, séparés de quelques minutes. Que cela veuille dire autant de coups de sonnette stridents aux oreilles de Benjamin, peu leur chaut! Et quand je me risque à faire remarquer que toutes ces allées et venues peuvent aussi me déranger, Edouard prend son air le plus sardonique pour me demander si je fais tant d'histoires quand ce sont mes amis anglais (lesquels, je me le demande...) qui empêchent mon chérubin de dormir...!

19 mars.

Je sais, Edouard, que tu ne crois pas aux cauchemars et que tu te moquais de moi, jadis, quand tu me voyais les noter, le matin, dans mon cahier des rêves. Mais si nous nous parlions encore, je crois que je te raconterais, tout de même, celui que j'ai fait la nuit dernière. Benjamin était grand. Il devait avoir vingt ans. Son visage avait cette grâce déjà un peu exténuée qui m'a tellement séduite, naguère, chez toi. Il marchait d'un pas lent, sur un air de musique militaire, vers un point très lointain qui, de là où je me trouvais, et sous la lumière sèche du plein midi, ressemblait à l'obélisque de la Concorde. En regardant un peu mieux, je pouvais noter sans trop de peine qu'il fumait une cigarette américaine; que ses longs cheveux blonds avaient été rasés sur la nuque; et que, sous sa pèlerine brune jetée sur les épaules, sa poitrine était nue. « Tel le Christ », me suis-je entendue dire alors — avant de constater ce dernier détail : comme le Judas de Fra Angelico, il avait autour de la tête une grande auréole noire qui rehaussait la pâleur de son teint mais qui, par contrecoup, et à mesure qu'il s'approchait, semblait absorber la lumière tout autour. Là-dessus la musique s'arrête. D'étranges croassements montent de la pénombre qui s'est progressivement installée. Le « lieu reculé » de tout à l'heure se révèle une sorte de crypte où l'on descend par un escalier de pierre. Et arrivé en bas de ses marches, notre enfant tombe nez à nez avec un monstre à tête d'homme et au corps de saurien qui a une croix gammée gravée à même le crâne et qui brandit une énorme hache électrique. Cet homme, c'est Keller bien sûr. Mais quand la hache a tranché la nuque, je m'aperçois avec stupeur que la tête qui roule est une tête de saurien — et que le bourreau, au contraire, a les traits, le regard, le sourire aveugle de Benjamin.

25 mars.

Bruits de plus en plus étranges depuis quelques jours, là-haut, à l'étage, pendant leurs réunions. Des pas ? Des cavalcades ? Des corps qui s'écroulent ? Des chaînes qu'on agite ? Des meubles que l'on déplace ? Des voix ? Des halètements ? Et que signifient ces rires brefs, secs comme des jappements, qui déchirent de loin en loin l'ensemble du bourdon ? Mystère... Secret... Tout cela à la fois sans doute... Mais impossible — interdit ! — d'en savoir pour le moment davantage.

5 avril.

Déjeuner Malakoff. Des lustres que je n'y allais plus. Je les retrouve tous là, fidèles au poste, dans l'état où je les avais laissés — tels qu'en eux-mêmes, néanmoins... le vent nouveau les a changés ! Voici Flo susurrant qu'elle est frappée, depuis quelques mois, de la mauvaise mine qu'ont les SS. Un voisin qui ajoute qu'il n'aurait jamais cru, franchement, « que ces butors se rendraient si vite odieux à l'ensemble de notre peuple ». Le danseur italien d'il y a deux ans qui observe d'un air navré qu'il « ne voit plus beaucoup de juifs dans la rue depuis son retour à Paris ». Et un autre qui, avec le petit rire mauvais du monsieur bien informé qui en sait plus long qu'il ne le dit, déclare que « ce salaud de Gide se terre à Alger de peur de se voir reprocher, s'il rentre, ses articles sur Goethe et Wagner ». Chose curieuse, pourtant : sur ces dix-huit brillants convives dont la plupart furent des amis, il ne s'en trouve pas un seul pour me demander des nouvelles d'Edouard. Quand, à propos de je ne sais plus quoi, je prononce le nom de Benjamin, j'ai la nette impression de voir les regards se détourner. Et lorsqu'à l'heure du café je reprends ma place ancienne, au fond du salon, près du piano, je constate avec intérêt qu'on ne se bouscule guère pour me faire la conversation. Est-ce ainsi que les choses commencent ? Serait-ce déjà l'heure des règlements de comptes ? Dois-je me considérer, moi aussi, et à partir d'aujourd'hui, comme contaminée donc contagieuse ? Je préfère me dispenser de noter, ce matin, mon cauchemar de la nuit passée...

11 avril.

Je sais maintenant. Enfin, je m'en doutais déjà. Mais disons que j'en ai le cœur net.

La fine équipe d'Edouard est là. Arrivée à la queue leu leu, selon sa chère habitude. Montée avec ses grands airs de mystère jusqu'à la chambre interdite du premier. Et occupée, comme presque tous les après-midi maintenant, à son ballet infernal. Ai-je les nerfs particulièrement fragiles aujourd'hui ? Ou est-ce eux qui, Dieu sait pourquoi, ont décidé de se surpasser ? Toujours est-il que leur sarabande m'est plus pénible qu'à l'ordinaire. J'ai un mal fou, cette fois-ci, à attendre que ça se passe. Et au bout d'une heure, n'y tenant plus, et sentant le rythme qui, là-haut, devient carrément endiablé, je décide d'en avoir le cœur net — et d'y aller.

Je gravis à pas de loup les marches de l'escalier. Je m'arrête une seconde dans le couloir, le souffle court, le cœur battant. J'écoute une dernière fois la clameur qui, d'ici, me semble plus terrible encore. Telle une somnambule, sans bien savoir ce que je fais, mais avec l'intuition d'être en train de commettre un épouvantable sacrilège, je tourne le loquet. Et là, dans le silence provoqué par mon apparition, que vois-je ? Une pièce aux volets clos. De grands cadélabres dans les coins qui jettent une lumière incertaine. Un tas de vêtements au milieu, que l'on croirait disposés pour un feu de joie. Et puis, tout autour, figés dans la pose qu'ils avaient à l'instant où je suis entrée et semblables à des pantins dont j'aurais, d'un seul coup, cassé la mécanique, une ribambelle de visages hébétés que j'ai du mal à reconnaître : ce sont eux, bien sûr — mais avec, à la place de leurs feutres, de leurs bérets, de leurs gentils habits franchouillards, d'étranges costumes sombres qui ne sont autres que... des uniformes SS !

Keller, l'effet de stupeur passé, sera le premier à reprendre ses esprits — et à me lancer, triomphant, dans la veste grotesque qui le fait ressembler cette fois à un crapaud, ces mots énigmatiques : « Mille excuses, chère Mathilde, je crains qu'il ne soit trop tard. »

12 avril.

Impossible, bien entendu, d'avoir un mot d'explication.

13 avril.

Rien à dire. Sinon — et tout bonnement — que je ne vois pas, dans ces conditions, comment ni sur quelles bases continuer de cohabiter...

15 avril.

Voyage en vue, semble-t-il... Préparatifs de départ... Je n'en sais guère plus, puisque nous n'avons pas échangé trois mots depuis le fameux après-midi.

17 avril.

Après Angèle, c'est Bernadette qui, ce matin, parle de me quitter. Elle a entendu dire chez la boulangère que nous étions « menacés » et la pauvre enfant, depuis, vit dans les affres. Je ne peux pas le lui dire : mais franchement, et en conscience, je n'arrive pas à lui donner tort.

20 avril.

Qu'il parte! Mais qu'il parte donc! Qu'il aille vivre avec Keller! Qu'il l'enfile au grand jour, son accoutrement de clown! Ce soir, je suis à bout. J'ai hâte qu'on en finisse. Je dis qu'on n'a pas le droit d'exposer ainsi, sans vergogne, une femme et un enfant. La boulangère ne rêvait pas : je suis sûre de l'avoir vue, moi aussi, cette ombre qui, depuis huit jours, rôde autour de la maison...

22 avril.

Serais-je en train de perdre jusqu'au goût de Dieu et de la prière ? J'ai passé la moitié de la matinée à Saint-Pierre dans l'état de dévotion qui m'a toujours, jusqu'ici, allégée de mes plus grands chagrins. Or, là non. Pas de soulagement. Pas de rémission. C'était comme une soif immense qu'aucun amour, aucune pitié, aucun recueillement n'avaient plus le pouvoir d'étancher. A genoux, face à lui, les yeux pleins de larmes que l'on eût pu prendre à distance, j'imagine, pour la marque d'une ferveur extrême, c'est encore l'Autre, le Démon qui, sans merci, me possédait.

24 avril.

Voilà. C'est fait. Je sais qu'il ne fallait pas, mais je n'ai pas pu m'en empêcher. Et même si la morale conjugale le réprouve, je crois qu'au point où j'en étais je n'avais plus guère le choix. En un mot comme en cent, j'ai fini par appeler la seule personne au monde qui, dans l'état de désarroi où je me trouve, sera en mesure de m'aider : Jean.

26 avril.

A-t-il changé ? Le front peut-être, plus haut et un peu dégarni. Quelque chose dans le modelé du visage, très légèrement épaissi. Le regard aussi, victime de cette maladie qui nous frappe tous, ces temps-ci, et qui s'appelle, me dit-il en riant, « maturitas praecox ». Mais pour le reste, c'est bien le même. Je le retrouve aussi charmeur, facétieux qu'à la grande époque. Et dans l'arrière-salle de café où il a tenu à me faire venir j'ai l'impression de renouer le fil d'une conversation à peine interrompue...

« Conversation » est, du reste, un bien grand mot car je crois fort, en y songeant, que c'est moi qui ai parlé tout le temps. Il m'a posé des questions, certes. Il s'est montré très curieux de l'évolution de son ancien ami. Il m'a fait préciser mille détails sur le décor, le déroulement de la scène du sabbat SS. A propos de Keller par exemple, de ses habitudes, de ses activités, il m'a interrompue dix fois pour m'obliger à le mieux cerner. Et il m'a confirmé qu'en effet « tout ça était classique : ils se préparaient manifestement pour le grand départ vers le front de l'Est... »

27 avril.

Magique! Cet homme est magique! Et je me demande par quelle aberration j'ai pu si long-temps me priver du doux plaisir de le voir. Depuis hier, en effet, je me sens bien. Heureuse. Inexplicablement apaisée. Comme délivrée du fardeau qui était en train de m'étouffer. Résultat immédiat : je n'ai plus peur de rien; j'ai répondu à Bernadette qu'elle pouvait, si ça lui chantait, prendre ses cliques et ses claques; je suis allée moi-même, exprès, acheter le pain et regarder bien en face cette idiote de boulangère. Et pour la première fois depuis des semaines j'ai même eu le cœur de sortir Benjamin! Celui qui n'en revient pas, c'est bien entendu le zombie! Et il faut voir avec quel froncement de sourcils soupçonneux il a accueilli ma gaieté, ce matin, à l'heure du petit déjeuner ! Mais, et après ? Qu'est-ce que ça peut bien me faire ? Qu'est-ce qu'un regard soupçonneux de ce type peut encore signifier pour moi ? Comment ne comprend-il pas qu'il peut froncer, gronder, menacer ou me remettre son uniforme sous le nez, tout cela m'est devenu éperdument et merveilleusement indifférent ? Eh oui, ainsi vont les choses... Ainsi s'effondrent les empires... Ainsi s'éteignent les zombies. Et c'est ainsi que l'homme qui, avant-hier encore, était tout pour moi, m'est devenu, en quelques heures, un étranger...

1er mai.

Jean avait raison. Front de l'Est... Croisade antibolchevique... Légion des volontaires français... Et en avant vers la Poméranie... Bons baisers, cher mari ! Et va donc voir si j'y suis, du côté de chez les cosaques ! Je suis vulgaire ? C'est possible. Mais il ne s'est pas regardé, ce crétin, dans son numéro d'adieu. Il n'a pas vu l'allure qu'il avait, tout raide dans ses bottes trop neuves de Français moyen déguisé. Il n'a pas idée du mépris, oui je dis bien du mépris qu'il m'a inspiré quand il est venu, la larme à l'œil, raconter à notre enfant ses bêtises sur son « croisé de père... chevalier des temps modernes... les causes perdues dont on ne revient pas... » Et puis enfin, ce qu'il ne peut pas imaginer c'est à quel point cette maison me paraît fraîche, tout à coup, depuis qu'il s'est décidé à lever le camp... Il est huit heures. Je suis seule dans le salon. Une brise de printemps froisse la mousseline des rideaux. Et je me sens gaie, légère, insouciante. Vais-je chanter à tue-tête ? Circuler nue dans la maison ? Entrer toutes les trois minutes dans la pièce aux uniformes? Me fourrer les doigts dans le nez pendant que je dînerai? Pincer Benjamin au sang pour qu'il hurle tout son soûl? Mettre la tête exprès à la fenêtre pendant la prochaine alerte ou dire à la TSF tout le mal que je pense d'elle? J'ai l'embarras du choix. Je suis libre comme l'air. J'ai la vie, l'avenir ou, au moins, cette soirée devant moi. Et je crois que, tout bien pesé, je vais opter pour une dernière solution encore, plus raisonnable, qui sera de téléphoner tout simplement... à Jean.

2 mai.

Jean donc. Surpris de mon appel. Et plus encore, il me semble, de la rapidité avec laquelle Edouard est parti. Mais se libère aussitôt. M'invite à dîner chez Prunier. Fait tout ce qu'il peut pour m'aider à chasser, comme il dit, « toute ma vilaine petite tristesse ». Oh! je ne le démens pas! J'écoute sagement ce qu'il me raconte! Je découvre à travers ses récits un Paris joyeux, plein de fêtes et de fantaisie, à côté duquel nous étions bêtement passés, Edouard et moi. Par bribes, au hasard des anecdotes graves ou légères qu'il me confie, j'enregistre de menues informations sur sa vie à lui. Et je comprends surtout que, pendant que son ami s'enfermait dans son infamie, lui avait, depuis longtemps et en secret, pris le chemin inverse et rejoint les rangs de la Résistance. « Patriote j'étais, m'explique-t-il, patriote je suis resté. Et c'est bien par patriotisme, par amour profond de cette terre occupée que j'ai fini, au fil des mois, par faire mon choix. Quand est-ce que ça s'est passé? Oh! assez vite, je crois... Dès l'époque du baptême de ton fils, tu te souviens... Mettons, si tu veux, fin 41. Car c'est le moment où j'ai pris conscience de ce que le Maréchal (au projet politique duquel je ne nie pas avoir cru au début) ne serait plus jamais maintenant qu'un pantin entre les mains des Allemands; et que les communistes au contraire, tout déplaisants qu'ils fussent (et je ne renie pas, là non plus, tout ce que tu as pu m'entendre dire sur le sujet) étaient en train de devenir, dans le grand vide laissé par la déroute des partis traditionnels, les derniers vrais défenseurs de la France de Jeanne d'Arc et de Du Guesclin. L'entrée des Russes dans la guerre a fait le reste et m'a convaincu que... »

Le « reste », en fait, s'est un peu perdu dans le brouillard. Et je dois avouer que ce soir, toutes ces histoires d'Allemands, de Russes, de communistes, de résistants étaient le dernier de mes soucis. La seule chose qui comptait c'était lui, sa voix, son chaud regard retrouvé et cette impression de sécurité profonde, absolue, que j'éprouvais à ses côtés... Edouard était loin. Et c'est lui, Jean, qui me força à y repenser quand il me demanda — oh! le vilain hypocrite! — quel tour aurait pris ce dîner s'il avait été là, comme jadis, avec nous.

6 mai.

Comment nommer ce trouble qui m'envahit maintenant, lorsque je suis en face de lui ? Nous nous sommes revus tous les jours, sans interruption, depuis lundi. Et chaque fois ça a été la même gêne, le même émoi : mes mains qui tremblent, ma tête comme du coton, mes joues que je sens rosir, ma voix qui n'arrive plus à se « poser » — et cette effrayante incapacité, surtout, à entendre, malgré toute l'application que j'y mets, un traître mot de ce qu'il me dit. S'en aperçoit-il ? J'espère que non. Car enfin quelle bêtise! Quel enfantillage! Je connais cet homme depuis des années. Nous nous sommes côtoyés dans les circonstances les plus scabreuses. Il est — enfin il a été... — le meilleur ami du père de mon fils. Et me voilà, devant lui, semblable à toutes les godiches dont me parlait Edouard autrefois. Non vraiment, il ne faut pas. Il faut se ressaisir. Il faut absolument ne le considérer que pour ce qu'il doit être : un chevalier servant pour sortir le soir; et puis aussi, pourquoi pas? un résistant « bien placé » pour le cas où...

7 mai.

Entendu ce matin à Radio-Paris cette nouvelle qui m'a fait froid dans le dos : une femme de notaire de Carpentras, violée, tondue, torturée puis exécutée par un groupe de FFI sous le seul prétexte qu'elle avait été vue en compagnie d'un lieutenant allemand. Voilà. C'est ça l'important. C'est à ça que je dois penser. Même si je ne le fais pas pour moi, je dois le faire pour Benjamin qui a encore moins de raisons que moi de payer pour les bêtises de son père. Bien m'habituer à ne voir Jean que dans cet esprit. Le lui dire, d'ailleurs. Non, non, ne pas le lui dire! il risquerait de me trouver « intrigante »! Essayer au contraire de me mettre moi aussi, à ma façon, à l'art de la clandestinité.

9 mai.

Eh bien, non. J'ai beau faire. Beau dire. Beau prendre les meilleures résolutions. Ça revient tout le temps. Et le pire est que ça peut me prendre n'importe où, dans n'importe quelles circonstances, en face de n'importe qui et avec conséquences annexes éventuellement catastrophiques. Cet après-midi par exemple, je l'avais accompagné rue Vieille-du-Temple, chez l'un de ses amis, très « résistant » d'allure, qui semblait lui être particulièrement cher et à qui il ne m'aurait pas déplu de faire bonne impression. L'impression s'annonçait bonne. Il m'avait, au premier coup d'œil, trouvée, j'en suis sûre, à son goût. Profitant d'un moment où Jean s'était écarté avec une autre invitée, nous avions engagé une discussion assez grand genre sur la peinture moderne (que j'ai commencé, depuis le départ d'Edouard, à étudier à fond). Or, là-dessus, Jean revient. Il ne dit rien. Il ne fait rien. Il ne sourit même pas. C'est à peine s'il me regarde. Il n'est même pas impossible qu'il en soit encore à tourner dans sa tête les thèmes de la conversation qu'il vient juste d'interrompre. Mais il est là. Simplement là. Avec ses longues mains croisées sur les genoux. Et c'est assez pour que les mots me manquent; que ma langue se noue; que ma pensée, jusqu'ici si déliée, se mette à patauger; bref que j'apparaisse d'un seul coup comme une idiote intégrale. J'invoque une urgence domestique oubliée qui me rappelle avenue Ingres. Mais il est bien évident que ce n'est pas avec des ratages comme ça que je me ferai une réputation dans les milieux de « la France combattante ».

13 mai.

Décidément, on ne se quitte plus. Et les gens qui nous voient doivent commencer à croire que le grand, le fameux, l'illustrissime séducteur de ces dames s'est entiché de la petite Mathilde. Ainsi, tout à l'heure, à la réception chez les Porral! Ces œillades assassines qu'elles me lançaient toutes à la dérobée! Ces conversations qui s'arrêtaient quand je m'approchais! Ces murmures, ces chuchotis flatteurs qui suivaient de toute évidence mon passage! Je sais bien que dans ce genre de milieu une tête nouvelle est toujours, en soi, un événement. Et il est vrai qu'avec ma robe d'organdi blanc, mes épaules nues, mes cheveux ramenés en chignon au-dessus de la nuque, j'avais de quoi attirer l'attention. Mais en même temps, ça ne suffisait pas. Aussi jolie que je fusse, il y avait forcément autre chose. Et cette autre chose, je suis désolée, ça ne peut être que ça : Jean et moi... moi et Jean... notre arrivée... sa manière d'être avec moi... la façon qu'il avait — et qui les épatait toutes — de m'offrir une coupe de champagne... ce drôle de sourire narquois, mais entendu, qu'il prenait pour me présenter... bref, les idées que toutes ces idiotes ont forcément dû se faire... À voir l'air particulièrement embarrassé qu'il a eu pour m'introduire auprès de deux ou trois d'entre elles, et les regards en bouche de canon qu'elles ont braqués sur moi, je jurerais, soit dit en passant, que ce sont d'anciennes maîtresses. Belles? Belles. Mais la trentaine sonnée. La silhouette déjà un peu lourde. Et un regard vaincu, qui en disait long sur le rapport de forces!

17 mai.

Que ferais-je sans lui? En une semaine, il a réalisé le tour de force : 1. de trouver des sulfamides pour Benjamin; 2. de l'accueillir chez lui avec Odette pendant la fameuse journée du 12 où le quartier a été privé de gaz; 3. de passer une longue soirée avec son comptable à éplucher les comptes d'Edouard et à brûler des papiers compromettants; 4. d'intervenir je ne sais où pour nous obtenir du beurre, du lait, des fruits et des tickets de pain; 5. last but not least, comme il faut dire maintenant, de me présenter à l'un de ses amis, encore plus haut placé que lui, à qui il a dit, avec un délicieux clin d'œil complice : « elle a fait quelques sottises — mais t'inquiète pas, elle est des nôtres ».

Moi dans tout ça ? Moi, cela fait deux semaines que je ne suis pas allée à confesse; que je ne peux physiquement plus prier; que je n'ai même pas mis les pieds dans une église — comme s'il se passait des choses que je préférais laisser, comment dire ? sans témoin...

18 mai.

Ils ne pensent tous qu'à ça — je veux dire à leur débarquement. Il n'y a plus une conversation à Paris où l'on ne glose à perte de vue sur sa date, son lieu, les conditions météorologiques favorables ou les risques qu'il soit repoussé. Dans ce vertueux concert, il y a cependant une fausse note. Une soliste invétérée qui poursuit imperturbablement sa petite musique intime. Pardon de blasphémer, mais j'ai moi aussi ma météo. Mes risques d'être repoussée. Mes hésitations insolubles sur la date, le lieu de l'offensive. Et donc, d'une certaine façon, mon débarquement à moi. En clair, pour aller droit au but, il va bien falloir que je me résolve un de ces jours à admettre l'évidence : aussi étrange, absurde, extravagant ou idiot que cela paraisse, malgré la morale, les curés, Edouard, ou le saint sacrement du mariage, je suis tout bêtement tombée amoureuse de Jean ! Voilà, C'est fait... C'est dit... Le mot fatal est lâché... Le jour le plus long est commencé... La grande armée des démons est à mes trousses. Et rien que de les voir, ces mots — « amoureuse de Jean » — écrits là, noir sur blanc, au milieu de cette page de cahier, me donne envie de pleurer en même temps que ça me soulage un peu : je sais trop le poids des mots pour ne pas songer que le premier pas est franchi, irrévocable, sans appel, sur le chemin d'une tentation dont nul ne sait, ici-bas, à quels égarements elle peut mener.

20 mai.

Au point où j'en suis, autant tout dire. Depuis quelques jours en effet le mal s'est, comme prévu, aggravé. Et mes nuits sont le théâtre de scènes étranges qui me laissent, au petit matin, épuisée, stupéfiée... Ça commence en général par un rêve que je rougirais, même ici, d'avouer. Mon corps qui se redresse sans tout à fait s'éveiller. Une étrange brûlure au ventre, comme si le sang s'y mettait à battre plus vite. La caresse du drap sur mes jambes, mes cuisses, qui devient presque insoutenable. Des mots sans suite — ami... aimé... amant... mon amour... — que je m'entends murmurer. Son nom même qui me vient malgré moi, contre moi, au rebours de toute volonté... La vision de ses mains, de son buste, l'éclat dangereux de ses yeux... Des tentatives forcenées pour en nourrir d'autres, de visions, qui contrarient les premières et où je me figure Marie Madeleine à Béthanie, sainte Thérèse en extase... Au bout de la nuit, la force encore de courir au fond du jardin, du côté de la cabane à outils — humble pécheresse égarée qui n'a plus que le recours d'implorer le pardon des marronniers... Est-ce cela, donc, l'amour ? Cela que, depuis que le monde est monde, éprouvent les amoureuses ?

22 mai.

Va-t-il longtemps encore faire l'innocent ? Jusqu'à quand jouera-t-il à celui qui ne voit rien, n'entend rien, ne ressent rien ? Ce soir, par exemple, tout était possible. La nuit était belle et claire. L'air était si doux qu'il semblait retenir auprès de nous l'écho de nos deux voix. De l'avenue Ingres à la porte de Passy, et puis ensuite au bois de Boulogne, nous n'avons, à part les prostituées qui s'écartaient sur notre passage, pas rencontré âme qui vive. Et c'est à peine si, à la hauteur du boulevard Suchet, nous avons dû prêter attention à cette camionnette noire qui roulait à fond de train et d'où sortaient les accents d'une *Internationale* entonnée à pleins poumons. Jean s'est arrêté une seconde. Je l'ai senti serrer les poings. Il a lâché un « les salauds... ce sont des copains... ils les ont embarqués ». Mais ça n'a pas duré plus que ça. Nous avons repris notre marche. Et l'incident, grâce à Dieu, a été vite oublié. Alors pourquoi, je le répète, cette passivité ? A quoi bon cette affectation — car je ne peux interpréter ça autrement que comme une affectation — de faire comme si rien n'avait changé depuis le temps où je vivais avec Edouard ? A quoi rime surtout ce baiser de père, de grand frère, ou d'ami de la famille protégeant sa vieille camarade — il m'a effectivement appelée « camarade », ce soir ! — qu'il a eu le culot de me poser sur le front en bas de la maison, au moment de nous séparer ? Je devrais avoir l'audace de refuser des baisers comme ceux-là.

23 mai.

Tous les culots ! Ah ! oui, vraiment, tous les culots ! Aujourd'hui il n'a rien trouvé de mieux à faire que de me raconter des histoires de femmes et de me faire un cours, je dis bien un cours, sur un sujet qu'il connaît manifestement trop bien pour ne l'avoir appris que dans les livres : l'univers de la prostitution. Tout y est passé. Les prix...

Les chambres... La couleur de l'émail du bidet...
La manière de se déshabiller... Les particularités
des clients... Le fait que deux sur trois éprouvent
le besoin de parler d'amour... Et puis l'air horri-
blement cynique qu'il a pris pour me demander
si, à mon avis, « Edouard consommait lui aussi de
cette viande-là ? » Non mais, pour qui le prend-il ?
Pour qui *nous* prend-il ? Quelle idée se fait-il de
notre couple ? Et croit-il que ses hauts faits l'auto-
risent à nous insulter ainsi ? Je n'ai rien répondu.
Je me suis drapée dans ma dignité. Mais je crains
qu'il n'ait, ce soir, franchi les bornes de ma
patience.

1 h 1/2 du matin.

Rallumé une minute la lumière. Post-scriptum.
Non, mon Jean, je retire. J'efface. Tu n'as rien
« franchi » du tout, bien sûr. Edouard allait chez
les putes ? (Tu remarqueras comme je parle, mon
amour... comme j'emploie les mots de ta langue...
comme j'ai su écrire, sans trembler, « allait chez
les putes »...) Eh bien, soit, après tout... Je ne vois
pas pourquoi il n'y serait pas allé... Je ne vois pas,
surtout, ce que cela peut encore bien me faire...
Ce serait un comble, n'est-ce pas, pour un homme
qui n'est, n'était, ne sera jamais rien pour moi...
Toi seul comptes, tu le sais... A toi seul je sacrifie-
rais, outre mon futur, mes années écoulées...
Comprends-tu ce que cela veut dire ? Sais-tu le
poids d'un tel serment ? As-tu jamais connu
femme plus parfaitement, plus ouvertement
offerte ?

24 mai.

Rien. Toujours rien. Je commence à me poser des questions.

25 mai.

Pas de coup de téléphone du tout, aujourd'hui. Aurait-il appelé pendant les deux heures de panne ? Ou serait-il parti pour une de ses mystérieuses « missions » ?

26 mai.

Que fait-il ? Où est-il ? Qu'attend-il ? M'attend-il ?

27 mai.

Tout ça devient fou. Insensé. Comme est insensée, du reste, cette histoire depuis le début. D'une chose, je suis sûre en tout cas. C'est que je ne veux plus entendre parler, jamais, de « coup de foudre ». Que je récuse d'avance quiconque osera me chanter la douce fable de l'amour foudroyant et immédiatement partagé. Que je revendique le droit de rire — et de quel rire, s'ils savaient ! — de tous ces romans à l'eau de rose qui, depuis que le monde est monde, nous entretiennent, nous les femmes, dans l'illusion de la folle passion née, dès le premier jour, d'un prétendu premier regard. Nous, il y a eu mille regards. Il a fallu dix mille premières fois. Ce sont des jours, des mois, des années même où nous nous sommes vus sans nous voir, parlé sans nous entendre. Rien n'est moins conforme aux idées reçues que cette longue période indécise (et qui n'est pas encore, loin de là! achevée) où nous étions faits l'un pour l'autre, où tout nous vouait à nous aimer, et où nous vivions dans l'ignorance, dans l'innocence d'un secret dont Dieu seul avait la clef. Je n'exagère pas. Je ne dis pas Dieu à la légère. Car s'il fallait absolument une image pour remplacer celle de leur « coup de foudre », c'est peut-être celle de la « grâce » que je choisirais. Que nous dit d'autre saint Augustin quand il nous conte la lente odyssée d'une grâce aveugle, muette, aux signes nombreux mais indéchiffrables, frayant peu à peu sa voie dans le maquis d'une âme qui s'ingénie à le méconnaître?

Je cause... Je cause... Mais en attendant, j'ai mal... Je ne savais pas qu'on pût avoir si mal...

28 mai.

Bon. Tant pis. C'est décidé. Ce soir ce sera réglé. Car nous ne pouvons pas éternellement jouer au jeu de la grâce augustinienne. Et ce sera moi, puisqu'il le faut, qui prendrai les choses en main... M'habiller en conséquence... Choisir ma robe de taffetas vert, soyeuse à souhait... Eviter un corsage trop serré, impossible à défaire... Les jarretelles bien hautes... Surtout pas de chaussures lacées, les hommes détestent ça... Des dessous de soie noire — c'est ce qui me reste de mieux... Et en attendant, du calme, beaucoup de calme, un grand bain pour me détendre, une cuillerée de Phénergan pour Benjamin... « Dîner en tête-à-tête », a-t-il dit! Eh bien, il va en avoir du tête-à-tête...

28 mai. Suite, 6 heures.

Tout est prêt. Je l'attends d'une seconde à l'autre. Et je profite de ce répit pour reprendre brièvement la plume. Le plus drôle dans tout ça c'est que j'ai, depuis une heure ou deux, l'impression d'être calmée. Comme si quelque chose s'était produit qui avait refroidi mon ardeur. Ou comme si, sous l'effet d'un remède inconnu, toute ma folle fièvre des derniers jours était subitement retombée. Serait-ce que le corps se lasse de trop longtemps désirer? Que le désir lui-même s'use à rêver ainsi, en vain, d'objets qui se dérobent? Ou est-ce le parti pris d'en finir au contraire — et la certitude que, ce soir, quoi qu'il arrive, je l'aurai séduit — qui fait que, déjà, je me sens l'aimer un peu moins? Taratata! Que vais-je chercher là? Le voici du reste qui arrive...

29 mai.

Il n'y a pas eu de dîner. Pourquoi? Comment? A cause de lui ou de moi? Et qui, de nous deux, aura fait les gestes décisifs? Ces détails, n'ont, je le crains, plus d'importance. Car seul compte désormais le fait que le soir a passé. Que la nuit s'est écoulée. Que le matin est venu. Et qu'il était là encore, avec moi, près de moi, assoupi entre mes bras — si délicieusement abandonné dans la lumière qui entrait par les persiennes entrouvertes...

Non, Mathilde. Tu dois là aussi jouer le jeu. Tu ne peux pas passer ta vie à faire des romans sur des vétilles ou des péchés imaginaires et t'en tirer à si bon compte, là, sur une affaire aussi grave.

Reprends donc au début... Le grelot de la cloche au portail... Les secondes interminables avant que Lazare ne l'introduise... Sa haute silhouette en face de toi dont, pour la première fois, tu t'astreins à prendre l'exacte mesure... Cet éclat froid, moqueur, dans son regard... Sa bouche, oh! sa bouche que tu sais si bouleversante et où tu t'es promis de ne point trop t'attarder... Et puis la façon cérémonieuse qu'il a de marcher ce soir, de saluer, de s'asseoir — loin de sa place habituelle, dans un canapé neuf où son grand corps s'enfonce et semble vulnérable.

« Tiens, tiens, te dis-tu... Il n'a pas l'air si sûr de lui le don juan!... Sa voix est sourde, feutrée par l'émotion... Signe qui ne trompe pas, c'est à lui qu'aujourd'hui les silences semblent peser... » L'idée, conviens-en, te rassérène... Elle te permet sans trop de trouble de lui servir un drink... D'une voix pas bien assurée non plus mais dont tu te dis : « ça va, elle passe, et vu les circonstances, c'est le principal », tu l'interroges sur sa journée... Sans attendre la réponse, tu dis : « je ne vous connaissais pas ce superbe complet de tussor »; ou : « Benjamin vient de se coucher, je préfère attendre qu'il soit endormi pour sortir »... En sorte qu'enhardie par l'embarras qui, à l'évidence, le gagne tu peux enfin t'appliquer à le fixer froidement, sans ciller. Voilà. C'est ça. Tu as le regard qui convient... Tu es troublante à souhait... Tu contrôles parfaitement ton terrain... Et tu es en position de déclencher la seconde phase de l'offensive — celle de l'œil qui erre, folâtre, frôle, caresse le corps désiré.

Le front donc... L'angle busqué du nez... La courbe de l'épaule... Le ventre... La jambe... Le fuselage de la cuisse... Là, dans l'entre-deux... just a glance... furtif, s'il vous plaît... c'est comme ça que c'est efficace... Il y a bien cette satanée bouche, toujours, qu'il vaut mieux éviter... Mais tant pis pour la bouche... On se passera de bouche... Il faut aller de l'avant... Ne pas s'attarder en route... Ne pas risquer le faux pas, l'émotion trop grande qui, tu le sais, te paralyserait... Et puis enchaîner très vite, surtout, sur l'avant-dernière scène — celle où tout se gagne ou se perd et que tu as, cet après-midi, si minutieusement préparée devant ta glace.

Ça se joue debout, cette fois... Tu es censée faire quelques pas en direction du fond du salon comme pour aller te resservir à boire... La démarche doit être féline... Dolente et rapide à la fois... Toute l'astuce étant d'arriver, en un geste qui n'excède pas une ou deux secondes, à se retourner soudain vers lui, lever les bras au ciel, entraîner la robe avec et, d'un simple coup de reins, aussi gracieux que possible, la faire glisser par la tête.

Tu as fait le geste. Tu as donné le coup de reins. Le tout n'a pas excédé les deux secondes prévues. Et tu t'es retrouvée nue devant lui — avec juste tes bas montant haut sur les hanches... Dire qu'il n'a pas été surpris serait mentir. Et tu n'as pas pu manquer de noter la fugitive nuance d'effroi qui a éclipsé un instant dans son œil l'éventuelle lueur du désir. Mais le héros, Dieu soit loué, s'est ressaisi; et c'est lui qui, convaincu par ton audace, submergé par la violence de son désir ou mû peut-être — allez savoir! — par je ne sais quelle exquise courtoisie du cœur, a pris l'initiative du dernier acte.

30 mai.

Comme toujours dans les grandes occasions, j'ai cherché un quartier éloigné. Une rue inconnue. Une église où je fusse sûre de passer inaperçue. Et quand j'y suis arrivée, un peu après neuf heures, vêtue d'un tailleur marine tout simple et mêlée aux fidèles du coin qui venaient porter comme moi leur lot quotidien de péchés, je me suis dirigée tout droit, sans hésiter, comme si j'avais habité toute ma vie entre la rue Lepic et la place Saint-Georges, vers la petite guérite nichée à droite, au fond de la nef.

Ah! le merveilleux anonymat de la confession! Le miracle de ce prêtre obscur dont j'avais bien pris garde de ne surtout pas lire le nom! Ce visage morcelé dont ne me reviennent que les fragments à travers le fin treillis qui nous sépare! Cet œil, cette oreille, cette bouche, au choix — pour moi, aujourd'hui, c'était plutôt une bouche — dont le dérisoire et presque surréaliste relief est la plus sûre invite à parler! Ce silence qui vous écoute, merveilleusement apaisant, avec cette façon de vous suggérer que tout ça, toute cette détresse, tout cet égarement qui vous accable, c'est si peu de chose, au fond, à côté de ce qu'à lui, le Grand Fragment, il est, du matin au soir, donné d'entendre! « Est-ce tout, ma fille? » m'a-t-il demandé quand je me suis tue. Et moi, modestement, j'ai répondu : « oui, mon père » tout en sachant pertinemment que ce n'était pas complètement vrai; qu'il restait un peu à dire; mais que ce peu-là, pour rien au monde je ne consentirais à le lui livrer. Scrupule? Pudeur? Péché de mensonge maintenant, après celui de chair? Aussi loin que je me souvienne je crois n'avoir jamais tout dit à confesse. Et ça a toujours été pour moi comme une sorte de devoir, d'impératif sacré que de mentir un peu : comme si je trouvais le pardon trop facile, désaccordé à mon mérite et qu'il me fallait à tout prix, dans l'intérêt même de l'ordre que je venais rétablir, garder par-devers moi, intouchée par la grâce des mots, une petite bribe de péché, irrésistiblement fautive.

La règle, ce matin, m'a paru s'imposer avec une évidence particulière.

30 mai. soir.

Il est si beau... Sa peau est si douce... J'aime tant le froissement de ses habits quand ils se défont, le bruit que fait la boucle de sa ceinture quand elle tombe sur le plancher... Voilà une chose, typique, que je n'ai pas dite au confesseur hier matin. Et qui, chaque fois que j'y pense, me fait défaillir de honte en même temps que de volupté. Il est si beau... Sa peau est si douce... Et j'aime tant le froissement de ses habits quand...

31 mai.

Le plus bouleversant c'est peut-être cette violence que je découvre en moi et dont je n'avais, je le jure, jamais rien soupçonné. Car d'où viennent-ils donc, mon Dieu, ces cris? Ces gestes de fureur? Ce goût de frapper, de mordre, de déchirer? Est-ce en moi qu'il est cet appétit de vengeance? Oui, je crois bien que c'est de la vengeance qui me pousse parfois à... Toutes les femmes savent ça, j'imagine. Moi, je le découvre.

1er juin.

Puisque j'en suis aux découvertes, un mot de la découverte même. La vraie. La seule. Celle dont elles font toutes, depuis la nuit des temps, tant de mystère et dans le secret de laquelle je n'avais, il faut bien le dire, jamais encore été admise. Eh bien, admission faite, ce n'est pas ça. Ça ne ressemble pas à ce qui se murmurait. Ça n'a qu'un très lointain rapport avec cette impression de bonheur, de sérénité qui devrait, à les en croire, éteindre d'un seul coup tout le fol incendie des sens. Si j'avais à en parler je dirais plutôt : une bombe... Non, le mot est trop laid : une décharge dans le ventre... Ce n'est guère mieux : une fulgurance, alors — qui exploserait en moi mais qui (et c'est là l'essentiel), loin de se résoudre à cet état de calme dont on parle toujours, me laisse en éveil au contraire, en alerte, aux aguets de moi-même et de l'autre. Dans un état de tension délicieuse mais presque fébrile encore.

« La paix après l'amour », une invention des hommes pour avoir en effet la paix ? un slogan repris par les femmes pour éviter d'avoir des histoires ? C'est bien possible après tout. Notre capacité de ruse étant, comme chacun sait, illimitée.

2 juin.

Comme tout cela est différent de ce que je me figurais ! Comme le pauvre Edouard était loin du compte avec ses lourdes « techniques sexuelles » ! Comme les hommes, souvent, sont loin du compte quand ils s'imaginent que tout ça est affaire de corps, d'organes, de machines à mettre en route et dont il suffirait de percer le secret une fois pour toutes! Lui a au moins un mérite : il se laisse aimer; il me laisse rêver; il sait qu'il n'y a pas de secret; il n'essaie pas de comprendre pourquoi c'est ce geste-ci, cette attitude-là, cette menue faille dans sa silhouette, ce tressaillement dans son visage, cette éclipse du regard que nul n'aurait remarquée mais qui, à moi, allez savoir pourquoi! ne pouvait pas échapper — bref, pourquoi c'est cette poussière de petits riens qui déchaîne les plus grands, les plus foudroyants effets... Est-ce propre à lui? ou à tous les hommes qui, comme lui, ont été aimés des femmes? La foudre — la vraie? — interrompt là ma méditation. C'est la cinquième alerte aérienne de la journée et je dois sortir à toute vitesse de ma baignoire.

3 juin.

Que se passe-t-il? Je l'ai trouvé bizarre ce soir... Fébrile... Peu attentif à moi tout à coup, à mon corps, à mon plaisir... Ai-je fait quelque chose de mal? Dit quelque chose qu'il ne fallait pas? Ma façon de lui signifier qu'il devait, ce soir, « faire attention »? Ou bien cette phrase sur Benjamin, « si rétif encore et à qui il faudra un peu de temps pour s'habituer à, etc. »? Oh! parle, Jean... Parle-moi... Tu sais comme je t'aime, n'est-ce pas...? Je peux tout entendre... Tout accepter...

5 juin.

De plus en plus bizarre, vraiment... De plus en plus lointain... Cet agacement nouveau, quand je parle... Cette distraction à table... Ce sexe désespérément moite et flasque, hier soir, pour la première fois, sous mes caresses pourtant diligentes... Et puis ce coup de téléphone tout à l'heure, un peu avant minuit, pour me dire qu'il « ne rentrait pas... qu'il ne pouvait pas m'expliquer... mais que je comprendrais demain... »

Pour l'heure je ne comprends rien du tout... Ou je me refuse, plutôt, à accepter l'idée qui, tout naturellement, commence à s'insinuer en moi... Car ce n'est pas possible, voyons ! Pas comme ça ! Pas déjà ! Il ne peut pas déjà, si vite, s'être laissé reprendre par les...

Enfin attendons demain puisque demain, a-t-il dit, je comprendrai.

6 juin.

Voilà... C'était donc ça... C'était si simple, si évident que ça... Comme je suis fière de mon Jean ! Comme j'aime qu'il soit, ainsi, au cœur des choses ! Et comme je m'en veux d'être allée imaginer je ne sais quelles horreurs quand il était — ce sont ses termes — « en ligne directe avec les Alliés » ! J'exulte, du coup... Je triomphe... Je respire... Et je me dis, par parenthèse, que je n'avais pas si tort que cela, le mois dernier, de lier l'un à l'autre les « deux » débarquements...

9 juin.

Très proche à nouveau... Très tendre... Très vigoureux... Ces nuits surtout où, rentrant tard, exténué par sa Résistance, il trouve encore, je ne sais où, la force de me prendre... Et moi qui, dans mon demi-sommeil — dans un sommeil feint ? — me sens comme une petite fille doucement, longuement violée...

11 juin.

Est-ce la lumière qui change ? Ou l'ouverture du volet ? Ou la place de son corps sur le drap ? Ou sa peau elle-même qui, tel un caméléon, prendrait une nouvelle teinte chaque matin ? Hier elle était blanche. Avant-hier mordorée. Avant-avant-hier presque rose. Ce matin, je lui trouve des reflets ivoire. Et demain... Oublions demain ! Attendons la surprise de demain, puisque le regarder, juste le regarder et jouer avec les ombres que fait l'ombre avec sa peau est devenu maintenant ma vraie prière du matin !

15 juin.

Dans la presse de ce matin, rumeur selon laquelle Londres aurait été bombardée par des armes nouvelles, en grande partie dévastée et en proie, depuis trois jours, à des incendies furieux — au point que cela mettrait en péril la victoire qui se dessine depuis le débarquement. « Balivernes, ma chérie, me répond gentiment Jean. Il faut que tu cesses de gober toutes ces balivernes de la propagande adverse. Il faut que tu t'habitues à vivre, désormais, dans l'autre camp. »

C'est idiot. Ça n'a pas de sens. Mais il a eu une façon de dire l'« autre camp » qui m'a fait passer dans la tête toute une série d'images parasitaires, dont le moins qu'on puisse dire est qu'elles n'étaient pas très martiales. Il a dit l'« autre camp » — et j'ai vu, moi, un grand lit blanc, où les reflets de sa peau, etc.

21 juin.

Yvonne, Flo, Lisette et les autres repliées à la campagne, certaines déjà depuis Pâques. Et Jean, un peu inquiet de la tournure que prennent ici les événements, insiste pour que je les imite. Absurde! Impensable! Ne m'a-t-il pas dit lui-même que j'appartenais désormais à l'« autre camp »?

L'objection semble l'avoir convaincu. En a-t-il entendu tout le sens?

25 juin.

Un monstre... Je suis un monstre... Il m'a appris qu'un camarade de dix-huit ans venait de mourir, déchiqueté par une bombe qui lui avait explosé entre les mains : je n'ai pas bronché... Il m'a prise quelques heures plus tard comme il m'a dit un jour qu'il prenait autrefois les filles — très vite, au-dessus de moi, sans presque me toucher mais en portant mon plaisir à un paroxysme de violence qui m'a fait penser à « une petite mort »; et c'est là que, de fait, la méchante femme que je suis s'est surprise à penser : « tiens, un deuil de plus ».

3 juillet.

De nouveau ces histoires d'armes secrètes. Ça s'était calmé depuis un mois ou deux mais les voilà qui reviennent en force avec un luxe de détails inouïs, plus apocalyptiques les uns que les autres. Ne parle-t-on pas, maintenant, d'un système de tubulures d'acier libérant des gaz nouveaux aux propriétés surnaturelles et qui, lâchés sur la France, la transformeraient en quelques jours en une nouvelle terre polaire ? « On », c'est eux, je veux dire Jean et son « réseau » qui me cassent les oreilles toute la soirée avec leur scénario de science-fiction et à qui je me permets de retourner un « balivernes... balivernes... quand cesserez-vous donc de croire aux balivernes de la propagande ennemie ? ». Jean n'a rien répondu sur l'instant. Et il s'est contenté d'un regard bref, chargé de courroux. A la maison, en revanche, il me fera chèrement et clairement payer mon audace quand, debout, sans un mot de douceur ni d'excuse, ne prenant même pas la peine de me déshabiller tout à fait, il me pénétrera comme jamais encore il n'avait osé le faire : debout, donc... derrière moi... mes reins tendus à se rompre... ma tête qui va de droite et de gauche, sans trouver de repos... mes lèvres qu'il me faut mordre au sang pour m'empêcher de crier... ce ciel, immense, qui me nargue à perte de vue... lui qui, dans mon dos, me calant bien fort de ses deux mains, s'entête, s'enfonce — va s'empaler avec moi, s'il s'obstine, au rebord de bois de la fenêtre... moi qui me détends alors, qui sens ma croupe plus facile, plus tendre... et, au moment où il râle enfin, une drôle de jouissance étonnée, qui se brise comme un hoquet...

4 *juillet.*

Question posée à Jean : « Prend-on une femme qu'on aime comme une fille qu'on achète ? » Il a eu son air blasé, et a refusé de répondre. Seconde question posée à Jean : « Dites, oh ! dites-moi donc, cher chéri, si tous les râles d'amour sont les mêmes ? » Il a pris son air exaspéré et, sans davantage répondre, a brusquement quitté la pièce. Il me laissait, le savait-il, le doux plaisir des amantes qui est d'être seules enfin, avec l'image de l'aimé, ce docile objet du désir, cette inépuisable matière à rêveries.

5 juillet.

Je rêve... je rêve... Mais Jean, grâce au Ciel, veille... Et il attire mon attention sur les risques que je cours, avec Benjamin, en restant avenue Ingres. « Toutes les commères du quartier, me dit-il, ne sont pas obligées de savoir que tu c... avec un résistant. Et je ne réponds pas du petit malin local pour qui tu resteras la femme de ton mari. Sans parler de tous ceux qui ne rêvent, tu l'imagines, que de réquisitionner la maison... »

12 juillet.

Les Anglais sont à Caen. Les Américains à Cherbourg. Les choses se précisent. Le danger aussi. Grande sérénade de Jean, ce soir, sur le sujet. Avec, par ordre d'entrée en scène : les ragots; les menaces; les coups de téléphone anonymes que je reçois la nuit; les graffitis sur ma façade m'avertissant que le jour de la vengeance approche; et puis... et puis... avancée en dernier seulement... la vraie raison qui, à elle seule, aurait suffi à me convaincre : le bonheur de le voir jour et nuit, c'est-à-dire de m'installer chez lui, rue du Pont-aux-Dames.

27 juillet.

Nouvelle vie. Drôle de vie. Son petit appartement de célibataire. Toutes ces ombres de femmes qui m'y ont précédée. Ces résistants qui passent du matin au soir et qui m'adoptent sans façon. Repensé à Edouard pour la première fois depuis très longtemps. Avec pitié.

11 août.

La victoire totale des Alliés est imminente. Jean pavoise. Dehors du matin au soir. Réunion sur réunion. Reconstruire la France. Repenser la République... Et moi je me sens un peu niaise avec « mon petit tas de secrets »...

18 août.

Les Allemands s'apprêtent à partir. Paris, d'après Jean, est au bord de l'insurrection.

19 août.

Promené Benjamin ce matin malgré les conseils de Jean. Noté qu'il n'y avait plus un drapeau allemand au-dessus des édifices publics. Le voilà, le vrai commencement de la fin.

25 août.

Temps magnifique. Soleil radieux. Les tirs ont cessé. On pavoise dans les rues. Grand brouhaha tout autour de l'église Saint-Sulpice. Les concierges, les locataires, les commerçants qui fraternisent à qui mieux mieux. Vais-je me laisser prendre moi aussi à l'effervescence régnante ? Je mets à tout hasard à la fenêtre le grand drapeau bleu-blanc-rouge que j'ai fait confectionner par Odette.

1945

3 février.

Six mois — et quels mois! — bientôt sans rien écrire. Il y a eu la Libération de Paris. Celle de la France entière. La liesse dans tout le pays. Jean qui vole de victoire en victoire jusqu'à prendre, la semaine dernière, une haute responsabilité au ministère de l'Intérieur. La drôle de vie que je mène chez lui, moins cossue qu'autrefois, mais tellement plus excitante... Les efforts qu'il a faits pour effacer toutes traces de mon vilain passé... Les usines qui marchent à nouveau et où il a eu la sagesse de me faire embaucher, au moment voulu, des réfractaires au STO... Benjamin qui change bien sûr, qui grandit, qui en est déjà à dire « Oncle Jean » sans zozoter... Bref, le rêve... Le bonheur... L'horizon enfin dégagé... Toutes les conditions réunies pour une vraie nouvelle vie... Et cela jusqu'à avant-hier, où un événement imprévu est venu tout bouleverser.

3 février. Suite, après quelques heures d'interruption pour cause d'enfant pleurant de l'autre côté de la cloison.

Avant-hier donc. J'avais remarqué, depuis quelques jours déjà, un individu suspect qui ne me lâchait pas d'une semelle. Il le faisait d'une manière étrange, sans se cacher. Et une fois même, j'avais eu la nette impression qu'il n'attendait qu'une occasion d'entrer en contact avec moi.

Jean, à qui j'en parle, prend la chose au sérieux. Il appelle séance tenante deux de ses camarades « spécialistes des coups de main discrets ». Et il met au point avec eux le petit « scénario d'intervention rapide » que voici : le lendemain — soit aujourd'hui — je quitte la maison à l'aube; lui s'embusque à la fenêtre d'angle du salon avec un fusil; ses deux amis, en faction dans la rue de Vaugirard, m'encadrent, l'un derrière, l'autre devant, à une dizaine de mètres de distance; et au moment de l'accostage, s'il a lieu, ils se précipitent sur l'inconnu, le ceinturent et, au besoin, l'abattent.

Chose dite, chose faite. Me voici, l'aube venue, dans la rue, devant le Luxembourg. Découragés par le froid, les passants sont rarissimes. Mon homme est là, lui, en revanche, fidèle à son « rendez-vous ». Mes anges gardiens aussi que je repère à une ombre discrète, un peu plus haut, sous un porche. Et dix secondes ne se sont pas écoulées qu'ils sont déjà sur le type tandis que Jean, depuis sa fenêtre ouverte à la volée hurle : « haut les mains, ne bougez plus, je tire. » Tout, en d'autres termes, s'est passé conformément au plan. A la seule réserve près qu'au moment où l'homme met les bras en l'air, je hurle moi aussi : il tient, entre ses doigts, une grande enveloppe brune où j'ai reconnu mon nom, tracé d'une écriture épaisse, baveuse et légèrement penchée en arrière que j'identifierais entre mille — puisque c'est celle d'Edouard.

Qui est cet homme? D'où vient cette lettre? Comment savait-il où me trouver? Sonné par la brutalité de l'assaut, il ne peut articuler un mot. Et nous-mêmes, d'ailleurs, sommes trop pressés de rentrer prendre connaissance du contenu de l'enveloppe pour nous attarder à l'interroger... C'est une lettre datée du 12 janvier dernier; expédiée de Sigmaringen en Allemagne; et couvrant une vingtaine de feuillets serrés, écrits recto verso, où il me raconte en détail tout ce qui lui est arrivé depuis son départ de la maison, il y a bientôt un an...

Impossible de tout recopier. Pas envie de résumer. Trop assommée pour continuer même d'en parler. Remettre à demain donc, ce que je ne peux faire aujourd'hui.

4 février.

Froid. Neige. Un air de ville sinistrée flotte sur Paris désert. Les vieux commerçants, emmitouflés dans leurs manteaux, jurent que jamais, depuis l'autre guerre, on n'avait vu pareille froidure. Benjamin, pour tout arranger, choisit ce moment précis pour me faire un début d'angine. Et cette lettre qui est toujours là — terrible, atroce.

5 février.

Bon. Allons-y. Si je ne me résous pas à la relire maintenant je ne sais pas quand je le ferai.

En très gros, donc — et peu importe, vraiment, le détail! — ça raconte son départ de la maison.

La mort de son ami Keller, exécuté à bout portant, en pleine gare, juste avant de monter dans le train, par un jeune partisan qui s'est aussitôt noyé dans la foule.

Son séjour, seul, dans un hôpital psychiatrique

désaffecté de la région de Mulhouse où on lui apprend, cinq mois durant, à parler, penser, obéir, se battre comme un affreux SS.

Une longue étape en Poméranie où il passe l'été en compagnie d'autres volontaires français qui reviennent, eux, du front de l'Est et qui se moquent de son côté bon élève appliqué, galonné, engoncé dans son uniforme trop neuf et son accent allemand trop parfait.

Leur repli à tous, devant les progrès de l'offensive russe, dans un endroit terrible (du côté, si j'ai bien compris — mais tout cet itinéraire est si confus! — de la frontière polonaise) où on les nourrit de patates, de mélasse, d'un cube de saindoux par jour et où le pauvre chou, que j'ai connu si fier de notre luxe, de nos salles de bain de marbre, en est réduit à se laver dans un maigre ruisseau d'eau sale où barbote, avec lui, tout le bataillon.

Leur arrivée, plus en arrière encore, à Wildflecken en Bavière (je ne garantis pas l'orthographe mais je n'ai pas la patience de vérifier) où ils vont passer l'hiver dans la neige et le froid; sans presque manger ni dormir; avec, sur le dos, de minces capotes en toile de tente que la nuit n'arrive plus à sécher; et avec, sur le dos aussi, des officiers sadiques qui, sous prétexte de « parfaire leur entraînement » (jusqu'à quand, mon Dieu, jusqu'à quand!) s'amusent à les enterrer dans la neige, à les obliger à courir des nuits entières sur le verglas ou à leur faire traîner sur des kilomètres des affûts de mitrailleuse lourde que les chevaux eux-mêmes n'ont pas la force de tirer.

Et puis son effondrement alors. Sa décision de déserter. Sa traversée, dans l'autre sens, d'une Allemagne à feu et à sang. Le fringant SS d'hier, complètement méconnaissable, avec son col ouvert, sa vareuse dépenaillée, ses bottes de parade crottées, son casque sacro-saint oublié sur un banc de gare ou cette toque de fourrure russe chapardée sur un cadavre. L'adolescent, presque l'enfant encore, qu'il manque poignarder, une nuit, dans un fossé, parce que le pauvre petit, frigorifié, voulait, pendant qu'il dormait, la lui dérober à son tour. Et son arrivée à Sigmaringen enfin — exsangue, harassé et n'ayant, j'ai l'impression, toujours pas tiré son premier coup de fusil — où il retrouve ceux qu'il appelle « les planqués de la collaboration » mais aussi, il ne me le cache pas, un univers qui, comparé à l'enfer d'où il sort, lui semble « le comble du raffinement ».

Peu importe le détail, dis-je, car le pire, pour moi tout au moins, est encore à venir : le malheureux n'a plus de papiers; plus d'argent; il est démuni de tout; il a besoin d'informations fraîches, précises, sur la situation qu'il trouverait à Paris, s'il décidait de rentrer; et il n'a confiance qu'en moi, « sa femme, la mère de son enfant », pour venir au plus tôt lui apporter tout ça...

6 février.

Etat second depuis trois jours. Accablée? Non, pas vraiment accablée... Interdite plutôt... Abasourdie... Difficulté extrême à « me faire » à l'idée... Vrai effort, vraie application de l'intelligence pour réaliser qu'il est là, vivant, si proche de moi, avec toutes les conséquences que son retour va obligatoirement avoir... Et puis un peu de honte aussi à me sentir comme ça, si incrédule... : car ce retour n'est-il pas normal, après tout? n'était-il pas prévu? pouvais-je attendre, *attendais-je* autre chose?

7 février.

Reste, pour l'heure, une décision précise — et urgente! — à prendre. A savoir : obtempérer ou non à l'ordre de le rejoindre. Dans son esprit, cela va de soi : ne sachant par définition rien de mes relations avec Jean et me croyant toujours l'épouse soumise et tendre que j'ai été, il ne doute pas un seul instant de me voir accourir à son coup de sifflet. Mais moi?

8 février.

Moi, d'après Jean, je ne lui dois rien. Je n'ai aucune raison de lui obéir. D'autant que Sigmaringen est, m'explique-t-il, le dépotoir ultime de tout ce que la collaboration a pu compter de plus infect. Et qu'il serait « dément » donc, après tous les efforts qui ont été faits « pour effacer de mon dossier les vilaines ambiguïtés qui y traînaient », d'aller « me fourrer ainsi, tête la première, dans la gueule du loup ». Raisonnement impeccable, certes. A la réserve près, cependant, que cet homme est toujours qu'on le veuille ou non mon mari. Et que s'il ne l'est plus à ses yeux à lui, Jean; s'il ne l'est plus tout à fait aux miens; s'il peut, très vite, ne plus l'être à ses propres yeux à lui, Edouard — il le reste, en revanche, au regard de Celui qui nous a spirituellement unis et devant qui j'ai fait, comment l'oublier? serment d'assistance et de secours éternel.

9 février.

Jean de plus en plus insistant... Jouant tour à tour, avec une virtuosité consommée, de la carotte et du bâton... Et ne craignant même pas de toucher la corde sensible en me réveillant en pleine nuit pour me dire : « moi qui ne suis pas superstitieux, je viens de faire un cauchemar particulièrement sinistre, où je te voyais arrivant à Sigmaringen et où... » Je ne l'ai pas laissé finir et lui ai répondu du tac au tac que, cauchemar pour cauchemar, je sortais, moi, d'un autre où Edouard était un mendiant qui venait sonner à notre porte — et où c'était Benjamin qui trottinait pour lui ouvrir...

10 février.

Nouvelle discussion avec Jean, plus déterminée que jamais, et qui m'explique que l'idée de ce voyage est à la fois :

— grotesque parce qu'on n'entre pas ainsi, « comme une fleur », dans un pays ravagé par la guerre;

— suicidaire, parce que le faire aujourd'hui, à cette date, équivaudrait non plus seulement à de la collaboration, mais à de la haute trahison;

— irresponsable, parce que je laisserais derrière moi un petit garçon de trois ans « qui n'a rien fait au Bon Dieu, lui, pour payer les pots cassés »;

— impossible enfin, parce que, de toute façon et quand bien même je m'entêterais, on se bat en ce moment d'un bout à l'autre de la frontière franco-allemande et qu'il est matériellement impensable, donc, de prétendre la passer.

« Je dois passer, lui ai-je simplement répondu :

Edouard appelle à l'aide, nous ne pouvons pas ne pas l'entendre. »

11 février.

Complètement faux, du reste, de dire que c'est « impossible ». Car j'ai beau ne pas être un « grand résistant », j'ai fait ma petite enquête moi aussi : et il en ressort que je peux tout à fait, si je veux, passer par exemple par la Suisse.

12 février.

Plus de dix jours déjà. Ne pense plus qu'à ça. Ne vois plus que lui. Toutes les images d'autrefois qui me reviennent. Toutes celles d'aujourd'hui que je me figure. Jean très loin, du coup... Presque étranger... Mon corps hostile, rétif à ses caresses... Premiers ravages d'Edouard?

15 février.

Anniversaire de Benjamin. Même tristesse que l'an passé. Même fond de mélancolie. Mais avec, en plus, cette année, cette épouvantable tempête dans la tête... Fais tous mes efforts pour que cela ne paraisse pas. Mais les enfants sentent tout, n'est-ce pas? Jamais depuis sa naissance je ne l'avais trouvé si dur, si tendu, si inexplicablement colérique et rageur.

16 février.

C'est vrai que ce voyage est insensé. Qu'il ne tient pas debout une seule seconde. Que je ne vois même pas, quand j'y pense, ce que ça lui apportera de concret. Et à ce degré d'absurdité, ni la « bonté », ni la « charité », ni les « devoirs sacrés du mariage », etc. etc., ne suffisent à tout expliquer...

Quoi alors? Je ne sais pas. C'est étrange. Chercher du côté du remords, peut-être... De la mauvaise conscience... De cette idée, que j'ai toujours eue, qu'il faudrait tôt ou tard, et d'une manière ou d'une autre, expier... Oui, si souvent, entre ses bras, au plus haut de mon plaisir, ce cri qu'il n'entendait pas : « chéri, nous devrons payer! »

17 février.

Idée aussi, plus prosaïque, qu'il faut, quoi qu'il arrive, en sortir... en finir... tout dire... tout lui dire... et le faire moi-même, Mathilde, les yeux dans les yeux, sans faux-fuyants, si je ne veux pas le voir débarquer rue du Pont-aux-Dames, un matin, à l'improviste — avec notre Benjamin, qu'il ne reconnaîtra pas tout de suite, allant en trottinant lui ouvrir la porte d' « Oncle Jean »... Oui, ne serait-ce que pour ça, il faut absolument que je parte...!

18 février.

Voilà. Décision prise. Irrévocable. Jean malade, bien entendu. Mais, comprenant qu'il n'a plus le choix, il m'aide, la mort dans l'âme, à régler les mille problèmes de papiers, de passeports, de laissez-passer ou, simplement, d'organisation pratique qui vont maintenant se poser.

22 février.

Etrange paix intérieure depuis que son parti est pris. Un peu comme, l'année dernière, lorsque j'avais résolu que, le soir même, coûte que coûte, j'aurais séduit l'homme de ma vie...

26 février.

Trois jours pour obtenir un ordre de mission... Autant pour s'assurer d'un train chauffé, avec des carreaux aux fenêtres... Une nuit entière debout — ça, heureusement, ça a été le travail de Lazare — dans le hall de la gare de l'Est, avant d'arriver au guichet et de pouvoir acheter un billet... Et je ne sais combien de transactions ultra-secrètes pour me ménager en Suisse, puis en Allemagne et jusque dans ce bourbier collaborateur de Sigmaringen où Jean a, semble-t-il, quelques espions, les contacts et points de chute « indispensables à ma sécurité »... Enfin, maintenant ça y est... Je suis dans le train... La dernière portière vient de claquer... Odette, qui m'accompagne jusqu'à Annemasse, est ici, à côté de moi, bien calée dans sa banquette, comme si elle avait peur qu'on ne l'en déloge... Je n'ose pas trop bouger moi non plus, avec tous ces regards noirs, méchants, qui m'observent dans le couloir... Tournant la tête de l'autre côté, vers le quai, je vois la foule des malchanceux qui sont là depuis des jours et des jours et qui n'ont pas encore pu embarquer... J'y reconnais Jean surtout, debout au milieu d'eux, le visage tendu, creusé par le froid, qui me fait un au revoir crispé, faussement enjoué... Je sais qu'il

serait capable de me gifler s'il m'entendait : mais
la situation me paraît, moi, plutôt amusante; et
j'éprouve en ce moment une excitation singulière,
que j'ai eu toutes les peines du monde à identifier
mais dont j'ai fini par lire le sens, tout à l'heure,
par hasard, dans les yeux, inhabituellement fiévreux eux aussi, de la petite Odette : je lui ai
adressé pour la forme le froncement de sourcils
grondeur qui s'imposait, mais il était clair qu'elle
sentait comme moi − ou que je sentais comme
elle − que nous partions *pour la grande aventure.*

26 février. Suite.

Que vais-je trouver? Qui vais-je retrouver? Sau-
rai-je lui parler surtout? Saura-t-il, lui, m'entendre? Rien à faire d'autre, dans ce train, que bâtir
mon scénario... Imaginer mes répliques... Les
siennes... La scène qu'il me fera... Le sang-froid
qu'il me faudra... Bien penser en tout cas − c'est
ça, je crois, l'essentiel − à séparer nettement les
choses. D'un côté : Jean et moi... l'amour... la vie...
cette situation nouvelle qu'il doit comprendre...
Mais, de l'autre : un exposé loyal, concret, aussi
objectif et véridique que possible du climat qui
règne à Paris et de ce qui, par conséquent, l'attend...

27 février.

Quatre-vingts kilomètres hier. A peine cent
aujourd'hui. Deux jours et une nuit, déjà, enfermée dans ce compartiment. Je ne pensais pas,
très franchement, que ce pourrait être si long. Ni
que cette fichue guerre aurait mis nos chemins de
fer dans cet état. Réfléchi encore... Rêvassé...

Pensé à Edouard... A Jean que je viens de quitter... A cette phrase de lui qui me revient et qu'il avait prononcée un soir, à la maison, quelques semaines avant la naissance de Benjamin : « je crois à l'amour, comme un défroqué aux Evangiles... » Bon, ai trop sommeil pour m'y attarder... Reviendrai une autre fois sur le sens qu'il faut accorder à ces mots énigmatiques.

28 février.

Seconde nuit dans ce compartiment. La fatigue gagne... L'ennui... L'odeur pestilentielle d'humanité entassée... L'obscène familiarité, aussi, de ces visages butés, muets, murés dans leur misère et leur patience... Oh oui, cette étrange patience des pauvres ! cet air d'avoir tout vu ! tout vécu ! cette façon de vous signifier qu'au point où ils en sont, étant donné tout ce qu'ils ont dû endurer, ils pourraient rester une éternité comme ça, serrés comme des sardines, empilés sur leurs bagages, debout dans la coursive glacée, sans se plaindre ni protester ! Expérience intéressante... Je n'avais jamais vu de pauvres d'aussi près... Le seul ennui c'est que je n'en suis pas une, moi, de pauvre... Et que j'ai bien peur de ne pas supporter de vivre une troisième nuit dans ces conditions...

1er mars.

Eh bien voilà... On supporte tout... Un mauvais moment à passer — et puis, hop ! on ne compte plus les jours... on ne compte plus les nuits... on ne remarque même plus les ronflements du gros voisin d'en face... le tic si agaçant du monsieur qui n'arrête pas de faire claquer l'élastique de sa chaussette... l'œil de fouine du petit jeune homme qui me déshabille du regard depuis le départ... ou l'énorme dame brune, comme sculptée dans sa banquette, dont j'avais l'impression qu'elle m'adressait, elle, des regards pleins de reproches... Non, c'est ça, on ne remarque plus rien... Tout s'efface... Se confond... Impression d'une humanité épaisse... Amorphe... En train de pourrir sur pied... De se décomposer devant moi... Mon seul luxe restant de me remettre toutes les deux heures, sous l'œil mauvais de mes voisines, une goutte d'Elisabeth Arden derrière l'oreille (et encore : l'image que j'ai dans la tête, en faisant ça, est celle de ce criminel qui, dans je ne sais plus quel film, n'arrêtait pas d'arroser « son » cadavre de parfum pour l'empêcher de sentir...).

1er mars. Suite.

Comme eux... Je suis *exactement* comme eux... Le pli, n'est-ce pas, est si vite pris... Si mince le vernis... Tout à l'heure, en effet, arrêt brutal... Alerte. Tout le monde dehors... Dans le fossé... Monceaux de chairs emmêlées dans un désordre affreux... Et moi, Mathilde, avec eux, dans le tas, dans le monceau — le groin de l'un dans le corsage, l'haleine de l'autre sous le nez, de la boue jusque dans la culotte, et cette horrible main baladeuse que je n'ai même plus la force d'écarter... Je ne devrais pas noter ça... Si, d'ailleurs, je le dois... Car c'est à ce moment précis que, pour la première fois depuis mon départ, j'ai eu, moi aussi, un mauvais pressentiment... Peut-être l'écrire ainsi suffira-t-il à le conjurer...

2 mars.

Sur l'instant, je n'y ai pas cru... Ça me paraissait trop beau... Trop heureux... Quasi impensable... Mais quand je les ai tous vus s'ébranler;
quand j'ai vu le train se vider comme se vident les
wagons à bestiaux; quand on s'est tous retrouvés
sur le quai, fripés, le teint plombé, le pas mal
assuré; quand ce gros garçon tout rond, avec son
sourire jovial et son gentil béret noir vissé sur
l'oreille, s'est approché de moi et m'a dit : « bonjour, ma petite dame, je m'appelle Gros Paulo, les
corbeaux volent bas ce soir... » — à ce moment-là,
oui, j'ai commencé tout de même à comprendre :
« c'était ça, bien sûr, les corbeaux... Jean... le
contact de Jean... son milicien... non, son résistant... enfin, son résistant déguisé en milicien...
Annemasse donc... La Suisse bientôt... Et son
camion, là, sans doute, pour la dernière ligne
droite avant l'Allemagne... » Je suis dans le
camion maintenant, allongée sur la couchette et
bercée déjà par les cahots — qui me promettent
une nuit délicieuse...

3 mars.

Voilà... Il y a eu une nuit délicieuse en effet...
De belles routes... De riants paysages... Des postes
frontières passés comme par enchantement... Les
miracles du double jeu... « Gros Paulo » à l'aise,
semble-t-il, dans toutes les situations... Un léger
pincement, tout de même, au moment de retrouver ces vilains uniformes allemands dont je me
croyais débarrassée à tout jamais... Et puis l'arrivée enfin, exténuée, mais heureuse, à ce fameux
Sigmaringen qui avait presque fini par prendre, à
mes yeux, les couleurs d'une terre promise...

Extérieurement parlant, c'est un joli bourg, très bavarois, avec ses grosses maisons à étages, ses façades aux couleurs vives et ce côté « ville d'eaux » que la guerre n'a pas tout à fait effacé. Très vite, cependant, problème. Les dispositions prises à Paris par Jean se sont apparemment perdues en chemin — à moins (je n'ai pas très bien compris) que les amis chez qui il avait prévu que je descende ne se soient lassés d'attendre. Et ce n'est qu'à midi, après que j'ai traversé dix fois la ville dans tous les sens, frappé à cent portes différentes, essuyé mille et une rebuffades de la part de braves gens manifestement excédés par ce flot de Français qui les envahit, bref, après que j'ai vu progressivement apparaître, derrière le décor de la ville d'eaux, l'autre Sigmaringen, le vrai, celui de la crasse, de la vermine et de ces hôtels pouilleux où on loge, semble-t-il, à dix ou douze par chambre, que j'ai enfin trouvé une famille qui, pour deux cents marks par nuit, a consenti à me céder un lit...

Il est huit heures à présent. J'ai pu, sinon me reposer, du moins faire un peu de toilette et mettre des vêtements frais. Et c'est ici, dans cette pièce minuscule qui me rappelle, sottement sans doute, ce que Jean m'a raconté des « chambres de passe », que Gros Paulo doit, d'une minute à l'autre, m'amener Edouard...

4 mars.

Je crois que je m'attendais à beaucoup de choses. Et j'avais lu d'assez près la fameuse lettre pour prévoir que l'homme que j'aurais en face de moi ne serait plus tout à fait le même... Mais de là à imaginer un tel changement! une métamorphose si totale! cette méchante graisse jaune qui lui épaissit maintenant le visage! la courbe du nez, celle du menton, qui se sont effondrées, qui n'arrivent plus à s'imposer! en lieu et place de la chevelure moirée d'antan, un vilain crâne déplumé, semé de pelades grises! et puis cet air de chien battu qu'il prend pour me parler et qui est tellement le contraire de la morgue que je lui ai connue...! Le choc, à la vérité, est si fort que j'en suis presque gênée pour Gros Paulo; que je lui dirais bien, si j'osais, que « non, ce n'est pas ça, qu'il n'aille surtout pas imaginer qu'il a toujours été ainsi, le mari de la petite dame »; et un peu comme autrefois, quand, le trouvant un peu vulgaire dans un taxi, un restaurant ou un lieu public quelconque, je m'arrangeais pour faire savoir par une réflexion ou un regard discrets que je m'en étais aperçue moi aussi et que je n'étais pas forcément « solidaire », je lance tout de suite, très fort, avant même de l'embrasser et avec un petit rire de gorge dont j'ai, après coup, un peu honte : « oh, cher Edouard, quelle mine! quelle allure! mais d'où sortez-vous donc, ce soir! »

Gros Paulo, cela dit, se fiche de mes états d'âme et n'a manifestement qu'une idée qui est de prendre très vite congé, et de me laisser à ce qu'il doit considérer, je suppose, comme un incompréhensible et peu ragoûtant face à face. A peine a-t-il tourné les talons, de fait, qu'Edouard s'approche de moi. Il a le regard penaud. L'haleine forte. Et je n'ai pas le courage de lui résister quand il m'offre ses lèvres moites, légèrement nauséabondes. Sent-il ma répugnance? A-t-il conscience de son propre état? Sans doute. Car ça ne va, grâce au Ciel, pas au-delà; et c'est lui qui, spontanément, sans que j'aie besoin de rien dire, s'écarte, bredouille quelques excuses et, d'un air piteux, va s'asseoir un peu plus loin, seul, sur l'unique chaise de la pièce. Le reste de la soirée passera en banalités aimables et un peu contraintes sur Paris... Sigmaringen... sa lettre... la santé

de Benjamin... la façon dont on l'éduque...
Lazare... Odette... Jean bien sûr dont il me
demande immédiatement des nouvelles — mais
d'un air si doux, si confiant, si plein de regrets
sincères pour ce qui s'est passé entre eux, que je
n'ai pas le cœur de lui parler... Bref, tout et le
contraire de tout... Comme si, d'un commun
accord, quoique sans nous concerter, nous avions
décidé de réserver à demain les sujets vraiment
brûlants.

5 mars.

Est-ce la lumière du jour ? L'ambiance de cette
pâtisserie où il semble persona grata ? Cette succession de miliciens hâves, déguenillés, qui viennent le saluer ? Ces « mon lieutenant » par-ci,
« mon lieutenant » par-là, dont on le gratifie ?
Toujours est-il que l'homme que j'ai en face de
moi aujourd'hui est sensiblement différent, de
nouveau, de celui que je retrouvais hier. Oh ! il
n'a, certes, récupéré ni son charme ni sa beauté.
Et il a une façon de manger par exemple, glou-
tonne et presque vorace, qui m'apparaîtrait plutôt
comme un signe de dégradation supplémentaire.
Mais ce que je lui trouve, c'est un peu plus de
tenue peut-être. D'assurance. Un reste d'arrogance au fond de l'œil, qui me fait penser à Benjamin quand il défie l'autorité de Jean ou la
mienne. Et je trouve surtout, maintenant que je
le regarde un peu mieux, qu'il n'a pas, si j'ose
dire, « vieilli partout pareil » — le cou par exemple, les mains, le regard même ayant curieusement conservé quelque chose de leur éclat passé...
« Tu me trouves vieilli, me demande-t-il à
brûle-pourpoint, comme s'il lisait dans mes pensées.

— Vieilli, je ne sais pas... Disons plutôt : changé...

— Changé... Changé... Non mais, la bonne blague... C'est toi, ma petite, qui es changée... Plus changée même que tu ne crois...

— Je ne sais pas...

— Bien sûr que tu ne sais pas... Mais moi, par contre, je sais... Je vois... Rien n'échappe, tu t'en souviens, à l'œil de lynx de ce petit malin d'Edouard...

— Bon...

— Ne dis pas " bon " sans comprendre... Je n'ai pas forcément dit que tu étais plus belle... Mais je te trouve, comment dire ? plus radieuse... oui, c'est ça, plus radieuse... plus épanouie que lorsque je t'ai quittée...

— Tu me fais plaisir... Alors je dis : " bon "...

— Et moi, si tu savais comme tu me fais plaisir ! comme j'ai aimé, hier soir, dans ta chambrette, quand tu t'es collée contre moi et que j'ai senti...

— Je t'en prie !

— Et de quoi donc, ma chérie ? Un mari n'a-t-il plus le droit de se réjouir quand sa tendre et chaste épouse devient en son absence plus...

— Je t'en prie... Pour l'amour du Ciel...

— Allons... Laisse l'amour du Ciel tranquille... et parle-moi plutôt de l'autre... celui qui t'a mise dans cet état... Je veux parler, tu l'as compris, du fol, de l'immense, de l'exclusif amour que tu voues, je le sens bien, à... monsieur notre fils. »

Il a dit « monsieur notre fils » d'un ton mauvais, soupçonneux, avec un froncement de sourcils qui se voulait intimidant. Et j'ai cru retrouver là, l'espace d'une seconde, le mari jaloux, possessif, des premiers temps de notre mariage. La différence, pourtant, c'est que j'ai, moi, changé depuis ce temps. Que je ne suis plus du tout femme à me laisser impressionner par ces méthodes. Et que je suis devenue capable, le premier tressaillement passé, de lui répondre sèchement que « si j'ai fait tous ces kilomètres c'est pour parler de sujets sérieux, pas pour voir un jeune coq fatigué me faire un mauvais numéro de cocorico... » Réplique foudroyante, je dois dire : il passera le reste du déjeuner, en effet, tassé dans son coin, comme un misérable, à écouter sagement et sans plus m'interrompre mon exposé sur l'épuration... ses méthodes... ses excès... les écrivains interdits... les indignités nationales qui pleuvent de tous côtés... les prêtres eux-mêmes... les femmes tondues... les exécutions sommaires... mais le fait, cependant, que le plus mauvais moment est passé, que la fièvre est retombée, que les « comités » s'assagissent et que tout ça se passe désormais devant des tribunaux convenables...

N'empêche : rentrée dans ma petite chambre, au secret de mon lit et de mon cahier, je m'interroge tout de même sur le sens de son allusion... Sait-il quelque chose ? A-t-il deviné ? Et comment son messager, le mois dernier, a-t-il, d'ailleurs, trouvé ma trace, mon adresse ? Il va bien falloir, de toute façon, éclaircir tout ça, crever l'abcès...

6 mars.

Toujours rien dit. Pas pu, en fait. Pas su. Pas réussi à trouver la brèche par où glisser l'aveu. Et puis il faut dire aussi qu'on a passé la journée à discuter de l'autre problème — c'est-à-dire de ce qu'il va falloir qu'il fasse, lui personnellement... J'ai catégoriquement écarté, bien sûr, l'idée qu'il m'a proposée de « tout vendre », de prendre un « maximum d'argent » et de partir tous les trois, avec Benjamin, « refaire notre vie en Amérique du Sud ». En sorte qu'il reste deux hypothèses en piste qui sont : premièrement la fuite seul, sans nous, loin de tout ce qu'il aime et chérit, en un exil sans gloire dont nul ne sait le temps qu'il pourra bien durer — ou bien, deuxièmement, rentrer à Paris; affronter la justice de son pays; risquer quelques années de prison, certes; mais qu'est-ce que quelques années de prison à côté de la grâce du repentir, du pardon peut-être et de la nouvelle existence qu'il commencera alors, la tête haute, ayant expié son passé? En ce qui me concerne, ce n'est probablement pas mon intérêt le plus immédiat : mais par tempérament, par philosophie profonde en même temps qu'en fonction de ses intérêts à lui, je ne peux que l'encourager à opter pour la seconde solution.

7 mars.

C'est fini. Je l'ai convaincu. Et l'argument décisif a été, je crois, l'idée de Jean qui, « étant donné leur passé commun, son sens légendaire de l'amitié, sa position surtout et le crédit qu'il a acquis, ne pourra pas ne pas passer outre leurs différends et mettre son poids dans la balance pour voler à son secours... » Seulement voilà : je n'ai toujours pas osé, du coup, lui dire « le reste »... Je n'ai pas eu le courage de crever le « deuxième abcès »... J'ai compris, plus exactement, que ce serait si dur à entendre, que ça lui ferait tant de peine, qu'il était si loin, surtout, de s'en douter, que ça pouvait tout fiche par terre et le dissuader finalement de rentrer... Ai-je eu tort? raison? aurait-il mieux valu en finir? et qu'en dira Jean, surtout — qui semblait si fort y tenir? Bah! On verra bien. Car il est trop tard de toute façon, maintenant... Je suis dans le camion à nouveau... En route vers la Suisse... Et il est loin derrière, déjà, avec ses petits yeux rouges tout papillotants de reconnaissance... Il doit, selon nos accords, me laisser quelques jours d'avance et puis tenter de me suivre, le plus tôt possible, par ses propres moyens.

11 mars.

Retour pénible. Je ne parle pas du voyage, moins inconfortable au demeurant que l'aller. Mais du retour proprement dit. De mon arrivée à Paris. Et de Jean, dont je n'attendais pas cet état de fureur. « Ah, tu as flanché! tu n'as pas eu le cœur de tout dire! Eh bien, il faut aller jusqu'au bout à présent. Se conduire honorablement. Et réintégrer, pour l'accueillir, ce qui, dans ces conditions, et pour la peine! demeure ton domicile conjugal... » Pas envie de m'étendre... Trop lasse... Trop triste... Sans doute faut-il payer, en effet.

12 mars.

J'ai passé la journée à errer dans les grands salons silencieux. A faire entrer un peu d'air dans les chambres naphtalinées. A remettre en ordre mes meubles, mes objets, mes ustensiles familiers. A réinsuffler, autrement dit, un semblant de vie à ces lieux qui en eurent tant autrefois et que je retrouve, un an après, si étrangement décomposés... Rien n'a, en principe, bougé... Tout est à la place, exacte, où je l'avais laissé... Personne n'a pu venir, bien sûr, user ces décors désertés... Et voici pourtant une peinture abîmée, un plâtre de plafond écaillé, ce tapis de laine avachi, ce bout d'étoffe défraîchi, cette fuite d'eau venue je ne sais comment, bref, tout ce grand corps défait, inexplicablement ruiné, comme si, en le quittant, je lui avais jeté un sort, porté un coup fatal, signifié je ne sais quel muet mais irrévocable arrêt de mort... Les maisons, au fond, c'est comme les humains : elles résistent, elles se cabrent, elles tiennent tête au cancer qui les ronge en secret — jusqu'au jour où, délaissées, elles baissent d'un coup la garde et s'éteignent, elles aussi.

17 mars.

Tout est prêt... Les acteurs principaux à leur place... Le décor d'époque reconstitué... L'assemblée des spectres au grand complet — Lazare, Odette, Benjamin — n'attendant plus que le spectre-chef... Et moi au milieu de tout ça, assise dans mon fauteuil fané, la tête farcie d'images douces-amères du passé...

21 mars.

J'attends.

23 mars.

Rien de neuf : j'attends toujours.

27 mars.

Que se passe-t-il ? Est-il en train de se moquer de moi ? Croit-il que je vais passer ma vie à écouter le bruit du vent dans les arbres, le chuchotement des feuilles qui tombent ou le crissement, sur le gravier, d'un pas qui ne vient pas ?

102

29 mars.

De plus en plus tendue... Envie, par moments, de fiche Benjamin par la fenêtre... La voix de Jean lui-même, au téléphone, qui m'exaspère... Et puis cette idée infâme, ignoble, que je ne parviens pourtant pas à faire taire — et encore moins à avouer...

30 mars.

Du reste, si... Autant l'écrire, là encore... Coucher ça sur le papier... Et essayer, comme maintes fois, de l'exorciser ainsi... Mon « ignoble » idée est simple : elle me murmure que s'il n'arrive pas c'est peut-être, au fond, qu'il n'arrivera plus. Ni demain ni aujourd'hui. Et cela dans la mesure où là-bas... en Allemagne peut-être encore... ou bien, déjà, en France... ou bien encore en traversant le Rhin... Enfin bref, peu importe l'endroit; mon ignoble idée c'est qu'il est mort.

31 mars.

Je sais que ce n'est pas bien. Mais c'est plus fort que moi. Je ne peux plus me réveiller sans y penser. Ni me coucher sans m'endormir avec. Ni lire un journal, allumer une radio, sans songer que ça y est, je vais apprendre la nouvelle. Ce matin, en faisant déjeuner Benjamin, je me suis même mise à penser à la façon dont je l'accueillerai, à la personne qui me l'annoncera, aux propos qu'il me faudra improviser ou à comment je serai habillée...

1er avril.

Ça devient fou... Insupportable. J'ai beau déclencher deux fois par jour le dispositif confessionnal d'urgence, rien n'y fait : l'idée progresse, gagne du terrain, acquiert d'heure en heure un peu plus de vraisemblance et il m'arrive même d'y penser naturellement, sans remords particulier, comme à une hypothèse parmi d'autres, un peu plus vraisemblable même que d'autres...

3 avril.

Jean voit bien que ça ne va pas. Et il m'emmène gentiment au théâtre pour me changer les idées... Tu parles...! Même là je ne pense qu'à ça... A mes calculs diaboliques... A mes statistiques funèbres... A l'inconnu qui va entrer, me chercher dans la pénombre, s'approcher doucement de moi et me glisser à l'oreille : « Madame C., je suppose, si vous voulez me suivre, Madame... Une nouvelle importante... Oui, votre mari... »

4 avril.

L'homme est venu... Lugubre, comme prévu... Aussi solennel que je l'avais imaginé... Mais avec un uniforme de gendarme un peu plus inattendu... Et pour m'annoncer ce coup de théâtre : Edouard est là, vivant, en excellente santé et depuis huit jours déjà — qui m'attend bien sagement à la maison d'arrêt de Fresnes! Pourquoi? Comment? Mystère pour le moment. Le gendarme ne sait que répéter, l'air buté et les yeux au sol, l'adresse de la maison d'arrêt.

5 avril.

Première fois de ma vie que je mets les pieds dans une prison. Atmosphère lourde, suffocante, qui vous prend tout de suite à la gorge. Interminables couloirs gris, où l'on croise de temps à autre, enchaîné à son gardien, un détenu en sabots. La même odeur de moisi partout — où l'on ne sait pas très bien ce qui domine de la sueur, de la crasse ou des relents de tinettes. Au sous-sol, enfin, une voûte de granit bosselée, dégoûtante d'humidité, où l'on a construit à la diable quelques cellules complémentaires. C'est ici que je retrouve Edouard, très changé de nouveau avec ses cheveux courts, ses joues rasées de près, sa mine réjouie, presque radieuse et cet éclair de défi qui lui passe dans les yeux quand il me raconte son aventure. Après mon départ, il laisse passer quelques jours. « Réquisitionne » une voiture civile. Roule sans encombre jusqu'à Coblence. Traverse le Rhin sur un radeau avec une poignée de « camarades ». « Emprunte » une bicyclette de l'autre côté, qu'il ne lâche qu'à Châlons-sur-Marne. Se débrouille pour trouver des vêtements propres. Saute dans un train de marchandises, en direction de la gare de l'Est. Et là, bêtement, tombe sur une escouade de gardiens de la paix qui font un contrôle de routine et trouvent dans sa poche le revolver d'ordonnance qu'il a eu l'imprudence de conserver. Répondant avec son arrogance retrouvée aux questions qu'ils lui posent, il finit par se faire embarquer. D'où commissariat... Interrogatoire... Identification... Et le voilà.

6 avril.

N'ai peut-être pas assez dit, hier, ce que j'ai ressenti en face de lui. Il y avait le plaisir, sûrement, de le savoir sain et sauf. Un certain soulagement, peut-être, à le voir ici, dans un parloir de prison, plutôt qu'avenue Ingres. L'angoisse, sans doute aussi, de ces mots que je devais dire, que Jean m'avait chargée de dire et qui n'arrivaient décidément pas à franchir le seuil de mes lèvres. Et puis la surprise, surtout, de le voir si gai, si enjoué, ne se doutant de rien et me demandant le plus naturellement du monde des nouvelles de la maison, de Jean, de son fils... Oui, c'est ça le plus troublant : cet homme riche, comblé, amoureux du luxe et des privilèges de la vie ne m'a jamais paru si allègre que dans ce parloir de Fresnes...

7 avril.

Maître Chavanac, l'avocat trouvé par Jean, confirme mon impression et me dit avoir été frappé, lui aussi, par l'allégresse d'Edouard... D'autant que lui, précise-t-il, a *vu* la cellule... Les trois mètres sur trois qu'il partage avec deux autres détenus. La lucarne minuscule... La paillasse dure, tassée par tant d'occupants successifs qu'elle se confond presque avec le plancher... Cet univers sordide qui est provisoirement le sien — et où il paraît si à l'aise.

12 avril.

Deuxième visite à Fresnes... Ne me fais décidément pas à ce parloir. Ni à ce brouhaha de conversations croisées qui nous empêche de nous entendre... Mais en revanche je l'observe. Je le détaille. Et je lui trouve, à dire vrai, un plus drôle d'air encore qu'il y a huit jours... Allégresse n'était pas vraiment le mot. Il vaudrait peut-être mieux dire « paix »... Quiétude... Sérénité... Une sorte d'inébranlable confiance en la vie... Et cet irritant sourire qui ne le quitte plus et qui m'a donné envie de lui crier : « cesse de sourire comme ça, on croirait que tu as gagné la guerre ». Bien sûr, il n'a pas gagné la guerre et il n'est certainement pas assez fou pour se l'imaginer. Mais à un moment, alors que j'essayais de lui parler du procès, de sa date que nous attendions, du système de défense qu'il allait pouvoir adopter, il a eu un hochement de tête entendu, une moue pleine de lassitude, un royal geste du bras et m'a fait cette réponse tout de même très spéciale : « tu m'as bien dit, n'est-ce pas, que Jean ferait son affaire de tout ça ? Eh bien, laisse donc faire Jean, veux-tu... Il n'est pas donné à tout le monde d'avoir un résistant dans la famille... »

13 avril.

« Imbécile heureux », tranche Jean quand je lui rapporte la scène d'hier. Selon lui, en effet, « dans la famille » ne signifie rien. Ça n'avait pas de sous-entendu particulier. Et ça n'en aura pas, martèle-t-il, tant que je ne me serai pas, moi, Mathilde, décidée à lui lâcher le morceau. Pourquoi, par parenthèse, y tient-il tant ? Là où se trouve Edouard, et au point où en sont les choses, est-ce toujours aussi urgent ? Oui, semble-t-il. Et il est même allé jusqu'à me dire qu'il ferait de cette mise au point la condition préalable à son intervention.

1ᵉʳ mai.

« Réconciliée » avec Jean, après dix jours un peu frais. J'ai fini par lui raconter en effet que j'avais dit la vérité à Edouard alors que, naturellement, je n'en avais toujours rien fait. C'est moche de mentir ainsi. Mais il n'y avait pas d'autre solution.

3 mai.

Comme c'est curieux, cette rencontre hebdomadaire qui est en train de me devenir, pour des raisons que j'ignore, presque aussi précieuse qu'à lui. Encore un peu et il fera de moi une visiteuse de prison modèle, à tu et à toi avec le directeur, connue comme le loup blanc au parloir et s'entendant comme personne à négocier le passage d'un colis, d'un paquet de cigarettes ou de journaux...

5 mai.

Hourra ! coup de téléphone de Chavanac m'annonçant qu'ils ont enfin fixé la date. C'est pour le 15 au matin. Soit dix jours à peine à attendre.

6 mai.

Jean qui, depuis qu'il croit qu'Edouard sait, se démène énormément, me donne quelques détails de plus : « on n'a pas pu obtenir, m'explique-t-il, le passage en chambre civique et le procès se déroulera donc devant ce qu'on appelle une cour de justice. Chavanac te dira que c'est moins bien. Moi je prétends que c'est du pareil au même. Car le seul inconvénient d'une " cour " c'est qu'elle est habilitée à prononcer des peines capitales — ce qui, en l'occurrence, nous est bien entendu égal. Mais son immense avantage, en revanche, c'est qu'avec une belle plaidoirie, on a beaucoup plus de chances d'y décrocher un acquittement pur et simple. Par ailleurs, il faut que tu saches que je crois avoir réussi sur un front autrement plus important : le président du tribunal est un homme qui a beaucoup trop de choses à se reprocher pour se permettre de faire le malin; et parmi les jurés, tu n'auras, c'est officiel, pas un seul communiste... » Cher Jean !

15 mai.

Tout avait bien commencé. La foule, à l'entrée du prétoire, était — ce qui est plutôt bon signe — relativement clairsemée. L'arrivée du prévenu, encadré par ses deux gendarmes, moins spectaculaire que je ne le craignais. Les témoins, dont le défilé a occupé l'essentiel de la matinée, ordinaires, sans surprise ni acharnement excessifs. Chavanac égal à lui-même, avec ses inimitables effets de manches. Et puis Edouard lui-même, tout simplement magnifique avec son air humble, soumis et sa défense ultra-subtile, centrée autour des quatre points forts arrêtés entre Chavanac, Jean et lui : l'argument « idéaliste » d'abord du jeune homme en colère et épris de panache et d'héroïsme, qui avait l'impression de partir sur les traces de la Grande-Armée de Napoléon; la preuve « par les faits » ensuite, c'est-à-dire par l'ostracisme brutal dont les ralliés de son espèce étaient presque aussitôt victimes de la part d'officiers allemands haineux, sadiques, viscéralement antifrançais; une émouvante confession d'enfant du siècle, troisièmement, où transparaissait le portrait d'une génération égarée par les leçons de Rimbaud rêvant de voir « l'Alsace pressurée par les Prussiens » ou du poète communiste Louis Aragon déclarant dans sa jeunesse qu'il était « de ceux qui toujours donneront la main à l'ennemi »; et puis le repentir enfin dont sa présence ici, à Paris, dans ce prétoire était, protesta-t-il, la plus claire illustration quand il lui eût été simple de faire comme tant de camarades restés en Allemagne, réfugiés en Espagne ou recasés dans la Légion étrangère...

Oui, vraiment, tout allait bien. Les arguments portaient. L'avocat général donnait des signes d'impatience. Et on sentait flotter dans la salle à moitié vide un air d'indulgence et de pardon qui fleurait bon sa France lasse, recrue d'épurations, quand, soudain, coup de théâtre! Le dernier témoin de la partie civile, très en retard, vient d'arriver. C'est un individu d'une quarantaine d'années qui, au repos, en fait une vingtaine de plus. A la tristesse du regard, à l'usure du sourire, à la singulière fixité des muscles du visage, on reconnaît au premier coup d'œil un homme que le malheur a brisé. Et il raconte d'une voix égale, tout juste voilée par l'émotion, l'histoire devenue hélas banale d'un père de famille déporté avec sa femme et son petit garçon. Mais ce qui, en revanche, est moins banal c'est que cet homme s'appelle Grumberg, qu'il habitait pendant la guerre au 22 de l'avenue Ingres — et que c'est lui, autrement dit, qu'un matin de juin 43, au plus fort de son époque Keller, Edouard, mon mari, a dénoncé à la Kommandantur...

On devine l'effet sur la salle... La température qui remonte d'un seul coup... Les jurés qui sortent de leur torpeur... Edouard, effondré, qui ne répond rien... Dehors, quand il sortira, alertés Dieu sait comment, dix fois plus de gens qu'à l'arrivée — qui le huent maintenant, hurlent à la mort et manquent forcer la double haie de gendarmes qui lui ménagent un passage jusqu'au fourgon... Jean et moi sommes accablés aussi; honteux; épouvantés par cette histoire et ne sachant plus désormais qu'une chose : il faut attendre le 22 — date à laquelle sera prononcée la sentence...

17 mai.

Première vraie journée de printemps... Cette langueur si caractéristique dans l'air... Ces images de bois, de prairies qui m'envahissent comme malgré moi... Mais tout cela, hélas, dans un tel hiver intérieur.

18 mai.

Mon heure de parloir hebdomadaire. Je le trouve inquiet, nerveux, plus tendu qu'à l'ordinaire. Et ne sais, pour l'apaiser, qu'inventer le pieux mensonge d'une amnistie dont Jean aurait entendu parler et qui, dans les six mois, commuerait toutes les peines.

19 mai.

« Ils n'oseront pas », a dit Chavanac à Jean. Quoi ? Jean n'a pas demandé à Chavanac et moi non plus, depuis, je n'ai pas osé demander à Jean.

21 mai.

Mauvais pressentiment à 8 heures... Meilleur à 11... De nouveau mauvais à midi... Et ainsi de suite selon les heures, les humeurs, les coups de téléphone... N'importe... On y est presque... Il n'y a plus bien longtemps à attendre.

22 mai.

D'abord je n'ai pas compris. J'ai cru à une erreur. Mais non. C'était ça. C'était pis que ça. C'était pis que le plus sombre de nos plus sombres pronostics. Ils ne se sont pas contentés de le condamner : ils l'ont condamné... *à mort!*

24 mai.

Deux jours déjà... M'étonne moi-même de pouvoir continuer à vivre, sortir, parler, m'habiller et m'occuper de Benjamin. Et ne suis même pas certaine, pour autant, d'avoir la force, demain, de le regarder en face. Qui m'a dit qu'il n'y a rien de plus effrayant que les yeux d'un homme qui va mourir?

25 mai.

Pas une plainte. Pas un reproche. Mais un homme anéanti, qui a perdu tout espoir et qui m'écoute à peine quand je lui souffle que je lui ai, depuis avant-hier, dédié toutes mes prières. Une seule fois, il s'est animé. C'est quand je l'ai interrogé sur la chemise de bure qu'il portait et que je ne lui avais jamais vue. Il m'a répondu, sardonique, que « oui, en effet, c'est nouveau, car c'est l'uniforme, simplement, du quartier des condamnés à mort ».

26 mai.

Jean a, lui, presque tout de suite repris le dessus. Et il m'a aussitôt demandé de faire signer à Edouard son recours en grâce... « Il faut se battre, a-t-il dit. Jusqu'au bout. Coûte que coûte. En allant, s'il le faut, jusqu'aux plus hauts sommets de l'Etat. Car, au-delà du cas particulier, au-delà de l'ignominie de ton mari, c'est l'honneur de la Résistance qui est en jeu... La fin de cette inutile boucherie... Il faut que cesse, oui, ce combat entre Français. »

29 mai.

Jours de folie... La maison sens dessus dessous. Le ban et l'arrière-ban des amis mobilisés... Des dizaines de gens à qui nous allons répétant que justice n'est pas vengeance, que le temps du pardon est venu... Et moi qui songe, nuit et jour : « ma faute... ma très grande faute... ce voyage imbécile... ces arguments si bêtes et dont j'étais si fière, que ne l'ai-je laissé partir, s'exiler ? »

30 mai.

Hier soir, en rentrant, à la hauteur de l'avenue Bosquet, tombée sur un petit crucifix de bois noir abandonné sur le trottoir et dont la figurine de métal clair brillait sous le réverbère. C'était sûrement un signe. Mais de quoi ?

1er juin.

Edouard un peu plus loquace aujourd'hui. Je ne dis pas plus gai. Encore moins plus optimiste. Mais plus loquace, simplement. Parlant plus volontiers de lui. De sa cellule nouvelle. Des deux codétenus dont il a dû, dès le premier jour, repousser les avances. Et de cette règle étrange qui n'arrange malheureusement rien et qui veut que, le soir venu, on dépose devant la porte tous ses vêtements sans exception... « Eh oui ! me dit-il d'un ton presque badin : même réduit à cette extrémité, il y a des jeux auxquels je me refuse... »

3 juin.

Interminable dîner rue du Commandant-Pardant, chez les J. que je n'avais pas revus depuis des siècles et dont la conversation a, je dois dire, singulièrement évolué. Lui ne s'intéresse plus, semble-t-il, qu'au charme comparé des « gars » des FFI et de ceux des FTP. Et on croirait, à l'entendre en parler avec tant de chaleur et de compétence, que c'est à la source qu'il s'est informé, dans un quelconque maquis de Bretagne ou du Massif central ! Or, apparemment ça marche... Les résistants d'aujourd'hui ne dédaignent pas plus sa table que les pétainistes d'hier... Ce qui me permet de rencontrer, hors fonctions et en terrain neutre, ce Basile G. qui règne, à ce qu'on dit, sur la commission des grâces et que j'ai réussi, après dîner, à accaparer quelques instants. L'ai-je ébranlé ? Je ne sais pas. Les gens, quand j'aborde le sujet, deviennent tout de suite si méfiants, si absents...

5 juin.

Coup de téléphone de Jean. Bonne nouvelle? Non, bien sûr. Mais un incident, la nuit dernière, dans sa cellule, à une heure où le gardien s'était comme par hasard endormi : ses deux codétenus essayant de le violenter et le frappant avec une sauvagerie inouïe, parce qu'il prétendait leur résister... Chavanac, sitôt prévenu, a couru jusqu'à Fresnes. Il l'a trouvé mal en point, certes, avec quelques contusions mal placées, une nouvelle dent cassée — mais rien à côté du choc moral, de l'humiliation. Il a passé la matinée, paraît-il, sur un lit de l'infirmerie, à murmurer qu'il en avait assez, qu'il souhaitait en finir vite...

7 juin.

Je crois qu'au fond tout le monde s'en moque. Je dis bien tout le monde. Les amis. Les relations. Les partenaires d'affaires. Ceux qui lui doivent tout. Ceux que, des années durant, j'ai vus défiler à la maison. L'immense foule des courtisans qui mangeaient à sa table, vivaient de ses largesses et allaient même jusqu'à lui laisser croire qu'ils l'aimaient, lui, Édouard, et pas seulement son argent, ses fêtes. Oh! oui, il faut voir leur air gêné quand je leur mets sur la table ce galeux, ce souilleux, cet incomparable salaud de nazi que la guerre aurait de surcroît ruiné...

10 juin.

Je lui ai enfin parlé. Je l'ai fait froidement, sèchement, comme pour une affaire en souffrance que l'on classe. Et lui, de son côté, m'a fait cette réponse extraordinaire : « je le savais, bien sûr... Je m'en doutais... A Sigmaringen déjà, rappelle-toi, je ne sais quel éclat dans ta chair, dans ton regard... Je suis heureux, néanmoins, que tu sois venue me le dire... Je n'aurais pas aimé, vois-tu, que nous restions sur ce quiproquo... Ce que j'aimerais maintenant, c'est le revoir lui, Jean, une dernière fois. »

16 juin.

Ils se sont vus. Longuement. Par autorisation spéciale. En tête-à-tête dans sa cellule — où je n'avais, moi, pas obtenu d'entrer... Impossible, d'un côté comme de l'autre, de savoir ce qu'ils se sont dit...

19 juin.

Je lui ai proposé de lui amener Benjamin. Il a pris le temps de réfléchir. Mais il a fini par me dire non. Avec peine, regrets, — mais non quand même. Car à quoi bon, comme il dit, tourmenter cet enfant avec un père qu'il ne reverra plus ? N'a-t-il pas avantage, ce père lui-même, à rester en cet enfant sous les traits qu'une épouse, une mère, aura soin de lui façonner ? J'en conviens. Et nous nous séparons, très vite comme des complices.

25 juin.

J'étais si certaine du dénouement que je crois bien n'avoir pas cillé quand Chavanac me l'a confirmé.

26 juin.

Je ne lui apprends rien, bien sûr. Lui aussi, depuis longtemps, avait perdu toute illusion.

28 juin.

Petite démarche encore. Mais seule. Sans Jean ni Chavanac. Toutes séductions féminines en batterie. Avec l'amère énergie des combats désespérés. L'objet de ma demande : le droit de le voir quotidiennement.

29 juin.

C'est oui. Ils ont dit oui. Ils n'ont pas osé dire non, peut-être. Ils n'ont pas su lui refuser sa première grâce, sa dernière victoire.

30 juin.

Il lit. Il réfléchit. Il dort beaucoup. De ce sommeil lourd, pâteux, à peine troublé de rêves qui est, probablement, la seule liberté du condamné et où il s'enfonce, semble-t-il, avec une délectation particulière. Il ne me l'avoue qu'à demi — d'un air coupable.

1er juillet.

Seul enfin, depuis hier, dans une cellule plus vaste, plus propre. Faveur, là encore... Largesse directoriale... Que ne lui ôte-t-on pas, tant qu'on y est, ce « pistet », au milieu de sa porte, par où filtre toutes les heures un horrible jet de lumière ?

2 juillet.

Levé avant l'aube. Abattu un kilomètre entre les murs de sa cellule. Me l'annonce tout fièrement, sur le même ton que, jadis, ses records de jeune athlète.

3 juillet.

Couru tout Paris pour lui trouver une couverture de laine en remplacement de l'autre, celle de la prison, dont j'ai compris qu'elle était verminée...

4 juillet.

« C'est curieux, dit-il — car il en parle maintenant de manière tout à fait libre —, comme la mort, en quelques jours, s'est mise entre les choses et moi. Et comme j'ai du mal à regarder comme autrefois ces lieux, ces gens, ces objets... D'une certaine façon, je te dirais tant mieux : car c'est ce qui rendra la chose supportable; on ne pourrait littéralement pas quitter un monde dont on n'aurait, d'abord, perdu le contact, l'évidence. »

5 juillet.

Obsédé, dit-il encore, par l'image de la famille Grumberg... Le visage de la mère... Celui du père, le jour où, juste avant la guerre, il était venu, en

voisin, lui annoncer la naissance de son petit garçon...

6 juillet.

Lui ai apporté, croyant lui faire plaisir, un article paru hier dans *Combat* et intitulé « Le temps
du pardon ». « Mais non, mais non, me rétorque-
t-il après l'avoir parcouru distraitement : personne en ce monde n'a, tu le sais bien, pouvoir de
pardonner aux hommes de mon espèce. »

7 juillet.

« Qu'y a-t-il de vrai dans cette légende?
m'interroge-t-il aujourd'hui, soudain plus anxieux.
Oui, est-il vrai qu'un homme, au moment de mourir, revoie d'un seul regard le film de sa vie? Et se
peut-il que tout revienne comme ça, en une
seconde, horreurs et bonheurs confondus? » Il a
lu ça quelque part, jadis, il ne sait plus très bien
où... Mais il me demande de le retrouver — très
vite : car « rien n'est pire que ces idées vagues qui
te traversent, te poursuivent... ».

8 juillet.

C'était de Charles Baudelaire. Une page des
Paradis artificiels où il décrit cette résurrection
intégrale, panoramique du passé qui accompagne
le trépas. Je lui lis le passage.

9 juillet.

C'est lui qui m'en a parlé le premier. A propos du texte d'hier, toujours. Mais en me demandant cette fois si ce ne serait pas de la même chose qu'il s'agit quand les Saintes Ecritures parlent du « terrible livre des comptes »... J'ai dit que oui, si l'on veut. Et il m'a répondu que, dans ce cas, il fallait qu'il lise ça aussi.

10 juillet.

Fatigué. N'ayant manifestement pas fermé l'œil de la nuit. Et dans un état d'agitation tout à fait inhabituel. Il a presque arraché des mains du gardien le livre que je lui apportais. Et l'a feuilleté fébrilement, avant même de me regarder...

11 juillet.

Autorisée à partir d'aujourd'hui à le voir dans sa cellule. Nouvelle faveur.

12 juillet.

Calme. Reposé. Comme si la tempête était passée et qu'il fût revenu à son état antérieur. Aujourd'hui, nous parlons. La trahison de Judas, notamment, dont l'histoire le passionne mais qui lui demeure, dit-il, un peu obscure.

13 juillet.

Cette affaire Judas le tracasse. Pourquoi tra-
hit-il? Dans quel intérêt? Que valent ces trente
deniers face à l'énormité du geste? Et pourquoi
surtout, s'il le savait, Jésus ne l'a-t-il pas arrêté?
D'un évangéliste à l'autre, il a pris le temps de
relever les menues mais nombreuses contradictions qui ne font, à ses yeux, qu'épaissir encore le
mystère.

14 juillet.

Chartres... Meaux... Clermont... Bayeux... Tous
ces lieux de piété, tous ces missels de pierre où il
n'a jamais été, où il n'ira plus jamais et que je lui
raconte, lentement, patiemment, comme à un
aveugle ou un enfant...

15 juillet.

Comme c'est étrange, cet homme qui, à mesure
que les jours passent, endure les peines d'un chré-
tien, en formule presque les prières, en ressent
peut-être les élans — et s'obstine, néanmoins, à
refuser tout le reste.

22 juillet.

Ce sont les derniers jours, je m'en doutais, qui
allaient être les plus durs. Mais à quoi voyons-
nous, au fait, que ce sont les derniers jours?

27 juillet.

Parfaitement apaisé, maintenant. A peine un effroi vague dans le regard. C'est moi qui, en fait, m'agite... M'inquiète... Me demande si la chose, le jour venu, pourra aller sans souffrance.

29 juillet.

Le dernier verre de rhum... La cigarette... Les bourreaux tendus, concentrés, qui s'apprêtent à officier... Et puis les gueules noires, horribles, pointées sur lui... J'ai voulu tout savoir. On m'a tout dit.

30 juillet.

C'est pour bientôt, il le sent. Il m'a demandé pardon, ce matin, pour tout le mal qu'il m'a fait — pour tout celui qu'il fait, qu'il fera à notre fils.

6 août.

Il n'a, paraît-il, toujours pas voulu de prêtre.

1954

2 septembre.

Comme c'est étrange ce journal repris, abandonné, repris encore, que je n'ai jamais su tenir au-delà de quelques mois, que j'ai laissé tomber, cette fois, près de dix ans et auquel je n'ai jamais eu l'impression, pour autant, de renoncer tout à fait ! J'ai retrouvé ce matin, par hasard, en rangeant le petit chiffonnier de ma chambre de jeune fille, mon tout dernier cahier, celui de l'année 1945, à l'époque de la mort d'Edouard... Dieu, quel fatras ! Quelle naïveté ! Quelle insupportable complaisance ! On ouvrait les camps de concentration... On découvrait les chambres à gaz... Les récits des vraies victimes commençaient d'arriver, nombreux, implacables... Et moi, sourde à tout ça, je me prenais pour Mathilde de La Mole face à Julien dans sa cellule — ou pour une sainte pêcheuse d'âmes en train de recueillir le dernier soupir d'un condamné... Une intuition juste, cependant, dans tous ces bavardages : il est vrai qu'à un an, à six mois près, Edouard, tout coupable qu'il fût — et Dieu sait qu'il l'était ! — échappait à la peine de mort, purgeait une peine écourtée dans un gentil pénitencier de province et réapparaissait ces jours-ci, à peine un peu vieilli, comme tous ces anciens collabos qui sont en train, tout doucement, de reprendre les rênes du pays... Idée terrible pour mille raisons; préfère penser à autre chose.

3 septembre.

C'est fou comme l'âge peut alléger un homme. Et comme il peut, dans le cas de Jean, le décaper de toute une part de lui-même à quoi l'on était attaché, dont on pensait qu'elle lui était essentielle et dont on découvre, les années aidant, qu'elle était inutile, excédente, j'allais presque dire superflue! C'est vrai de son visage, bien sûr, non point vieilli mais séché et comme émondé de tout un trop-plein de chair, de cheveux, d'expressions qui étaient véritablement le luxe de sa jeunesse. Mais c'est encore plus vrai, je crois, de son caractère dont j'ai parfois l'impression qu'il a été soumis, lui aussi, à je ne sais quelle entreprise de réduction spirituelle. Que reste-t-il, en effet, du jeune homme fin, cultivé, du temps de notre rencontre? Du résistant héroïque, plein de courage et de panache? L'ami des avant-gardes qui me menait, en connaissance, dans l'atelier des artistes proscrits par Vichy et les Allemands? Qui le reconnaîtrait encore dans ce personnage de politicien trop habile, familier des combinaisons les plus tordues et « socialiste » comme je suis archevêque, qu'il est devenu au fil du temps — et qui, hier soir, chez les T., a fait rire toute la table en vitupérant Jean-Paul Sartre et « sa philosophie de caleçons sales, d'ongles noirs et de cheveux gras »?

Yvonne, à qui je raconte la scène, prétend que ça ne l'étonne pas et qu'elle préfère encore ça plutôt que de l'entendre faire l'éloge de Line Renaud ou du dernier « peplum » hollywoodien. L' « autre » Jean n'a jamais existé, dit-elle, que

124

dans mes rêves de jeune évaporée — et il ne fait pas de doute que nous nous sommes, « comme bien des couples », épousés sur un malentendu. Eternel retour... Eternel mari...

4 septembre.

Et moi, au fait, ai-je changé ? Là, telle que je suis, toute nue face à ma glace, dans la même position, si ça se trouve, que certain matin, il y a douze ans, juste après mon accouchement, j'avoue que je ne trouve pas ! La courbe de l'épaule, peut-être un peu plus sèche. Quelque chose d'un peu moins souple dans le modelé du ventre. Mes cheveux bien sûr, coupés tout court depuis cet hiver. Quelques rides, quasi imperceptibles, autour des yeux. Et, si je voulais être vraiment très sévère, un soupçon de maturité à l'intérieur de la cuisse. Mais à part ça, non. Je ne vois pas. C'est la même fraîcheur de teint. La même parfaite tenue des seins. Aucun de ces hideux affaissements de la chair dont j'ai toujours entendu les femmes se plaindre après trente ans. Et si Jean est devenu, si j'ose dire, moins « amateur », c'est son problème ; celui de ses dîners absurdes ; celui, sans doute aussi, de ces interminables « séances de nuit », dont j'ai, depuis longtemps, cessé de croire qu'elles fussent exclusivement « parlementaires » : je ne crois pas, moi, être devenue moins désirable...

Au moral, en revanche... Ah ! ça, au moral, c'est une autre paire de manches. Et je songeais, l'autre matin, en me relisant, qu'il me faudrait bien une douzaine de cahiers de la même taille si je voulais faire le compte de tout ce qui a évolué en moi dans ces dix ans... Ainsi, et pour ne prendre que cet exemple, de ce que « le philosophe des caleçons sales » appelle la « question juive »...

Quand je pense aux bêtises que je pouvais écrire là-dessus! à mon aveuglement! à mes simagrées de petite fille prétentieuse et gâtée qui se trouvait « si bonne » quand elle priait pour un jeune juif arrêté sous ses yeux! Enfin, passons... Oublions... Tout ça est loin, grâce au Ciel... très loin... et je me flatte d'avoir, depuis, appris la douleur de ces hommes... leur martyre... leur grandeur... Je me flatte d'avoir compris la fidélité de ce peuple qui, malgré l'épreuve, la tourmente, l'holocauste, n'a jamais cessé de témoigner pour les plus hautes valeurs d'humanité. Oui, c'est moi la catholique, moi depuis mon catholicisme, qui le dis : en cet âge de sauvagerie où nous avons, nous, les gentils, si régulièrement failli à notre mission, il n'est resté — il ne reste — bien souvent qu'eux, les juifs, pour n'avoir point trop démérité du titre de « fils de Dieu ».

Tout cela est bien sommaire, je le sais... Bien fragile... Bien vite dit... Mais enfin, c'est dit. Et c'était, depuis dix ans, l'un de mes remords les plus insistants.

5 septembre.

Cher Jean! Me croit-il si bête, vraiment? Si aveugle? Si dupe de ses manèges, de ses mensonges de collégien? Hier, cette communication téléphonique interrompue quand je suis entrée dans son bureau... La veille, le coup du « allô...? allô...? qui est là...? je vous écoute...! non, chérie, c'était une erreur... » Sa façon si touchante de se pomponner, de se parfumer, d'essayer à toute force de cacher sa calvitie, les soirs où il va « la » retrouver... Et puis, tout à l'heure, le bouquet : cette « réunion de groupe » pour laquelle il a eu le culot de mettre le smoking moiré que je lui ai moi-même offert l'an dernier, pour sa fête.

Là, pourtant, c'était trop... C'était la limite à ne pas franchir... Et je n'ai pas pu m'empêcher de lui lancer, d'une voix un peu plus acide que je ne l'aurais voulu, « que ce n'était vraiment pas la peine de se donner tant de mal... que j'avais tout compris depuis longtemps... mais que la seule chose qui me chagrinait c'était de le voir mettre, dans ces " occasions ", les smokings que, etc. » Oh, sa tête ! Sa stupeur ! Ses protestations d'innocence si véhémentes ! Et cette façon bravache qu'il a eue de me dire « qu'il allait tout annuler dans ce cas... rester à la maison... si ça pouvait me prouver que c'était vraiment à une réunion de groupe qu'il comptait aller... »

Je ne suis pas méchante, d'habitude. Mais je dois dire que là, pour une fois, j'ai éprouvé un certain plaisir à le prendre au mot — et à l'observer, toute la soirée ensuite, nerveux, fébrile, et faisant de si louables efforts pour paraître naturel !

6 septembre.

Que reste-t-il d'un homme aimé ? Que reste-t-il d'un amour écoulé ? Rien, bien sûr... Presque rien... De tout petits riens de rien du tout — mais auxquels on s'attache presque autant, finalement, qu'à la plus dévorante des passions... Lui, c'est sa voix par exemple... le bruit de son pas, sur le gravier du jardin, quand il rentre... sa toux, le matin... sa façon, si apaisante, de s'installer à sa table de travail, le soir, après dîner... ses baisers, un peu distraits, sur mon front... sa main dans mes cheveux... les bains qu'il me fait couler, toujours à la température parfaite... mes migraines qu'il devine... mes savons qu'il connaît, et qu'il pense à m'acheter... mille détails... mille attentions, qui n'en sont même plus... mille menues habitudes, prises dans la trame des jours vécus ensemble... des tics même — sa manie de dire « mon vieux »... « mon petit gars »... « par contre » au lieu de « en revanche »... — qui m'auraient tellement agacée autrefois et qui, à présent, je ne sais pourquoi, me rassurent... Oui, ce sont ces menus riens qui restent quand il ne reste rien. Ce sont eux qui me reviennent du jeune amant disparu dont la peau, dans la lumière, changeait de couleur chaque matin. Et ce sont eux qui, à ma grande surprise, me tiennent encore à lui et font qu'en dépit de tout, en dépit de l'amour évanoui, en dépit de ma jeunesse même, de mon indépendance, de ma fortune et du reste, je me sens si peu disposée à renoncer à lui.

Lui l'ignore, évidemment. Mais c'est bien, dans cette partie, le seul véritable « atout » dont je dispose.

7 septembre.

Bon, comme dirait Jean. Trêve de faux-fuyants. Si j'ai éprouvé le besoin d'ouvrir ce nouveau cahier, ce n'est pas pour le seul plaisir de faire le point de mes opinions, de mes états d'âme ou de ce qui demeure de ma jeunesse. Mais c'est, comme d'habitude, comme chaque fois que cela m'est arrivé dans le passé, pour une raison précise. Pressante. Impérieuse même et qui ne me laisserait, sinon, pas de repos. Tant il est vrai que ce « journal » n'a du journal que l'apparence; et qu'il ressemble beaucoup plus à une sorte d' « obsessional » où, de loin en loin, à intervalles plus ou moins réguliers, je viens confier le nouveau tourment autour duquel ma vie s'ingénie à graviter... Cette raison, aujourd'hui, porte un nom... Le même, d'ailleurs, qu'il y a douze ans... Benjamin, autrement dit... Mon Benjamin...

Notre Benjamin, peut-être... Benjamin tel qu'entre nous il conspire, lui aussi, à... Oui, c'est ça : si j'ouvre ce cahier, c'est à cause, et à cause seulement de cette crise sourde, lancinante depuis plusieurs années, et qui est en train, je ne sais pourquoi, d'apparaître en ce moment au grand jour...

N'en dirai pas plus, aujourd'hui. Je ne saurais pas quoi, du reste. Ni comment. Ni par où, vraiment, commencer. Tout cela est, dans ma propre tête, si confus, si embrouillé.

8 septembre.

Portrait de Benjamin. C'est un grand garçon déluré, plutôt en avance sur son âge, qui s'amuse déjà à entrer dans la chambre des dames sans frapper et que je viens d'être obligée d'expulser de la mienne manu quasi militari. Il a le front haut. Le cheveu blond coupé en brosse. De grands yeux bleu pâle fiers, pleins d'insolence. Des paupières fines et promptes, couleur de nacre, qui adoucissent un peu le regard. Une bouche immense, très dessinée, dont Yvonne m'a dit l'autre jour, d'un air rêveur, que c'était « une bouche de bouffeur de vie ». Une allure, une séduction naturelle très inattendues, presque troublantes, chez un garçon de cet âge, et je me demande parfois si Odette elle-même, ou la repasseuse, ou sa répétitrice d'anglais, n'y deviendraient pas un tantinet trop sensibles. Ressemble-t-il à son père ? Je pense que non. Jean prétend que oui. Et c'est peut-être même sur ce point très précis que vient se nouer « la crise » — et s'ouvrir entre nous la plus insoluble, interminable des querelles.

Moi : « regarde, mais regarde donc cette blondeur, cet œil bleu, ce visage si tendre malgré sa virilité naissante ». Lui : « cause, chère, cause toujours, et gare aux réveils difficiles... as-tu jamais entendu parler des lois de l'hérédité...? Cet homme, que tu le veuilles ou non, est son père... » Moi alors : « tais-toi! mais tais-toi donc! il ne faut pas dire cela! il ne faut pas y penser! car tu sais bien, n'est-ce pas : il suffit que nous l'ayons, nous, dans la tête, pour le lui refiler, sans le vouloir, comme une lèpre... » Et lui encore, explosant : « idiote! pauvre idiote! insondable folie des mères! comme s'il avait besoin de nous pour en avoir l'idée! et comme s'il n'avait pas, tout seul, cette image, ce modèle... » Ça peut durer des heures ainsi... Des soirées entières... Des jours, ensuite, où nous restons comme ennemis... Et cette horrible rancune qui achève de rendre nos corps rebelles l'un à l'autre...

10 septembre.

Je ne dis pas qu'il ne l'aime pas. Car il y a, au fond de tout ça, l'idée — qui ne peut venir, je le sais bien, que de quelqu'un d'aimant — d'un danger, d'une menace, d'une malédiction ancienne qui pèsent sur cet enfant et qu'il appartient à lui, Jean, de conjurer. Mais je pose quand même la question : pourquoi un amour si rude? si dénué de chaleur? si sévère? pourquoi ne l'ai-je jamais, je dis bien jamais, vu lui accorder un baiser, un geste d'affection vraie, un petit mot de tendresse? « Je n'ai pas que ça à faire, semble-t-il toujours en train de dire... Pas de temps à perdre avec ces bêtises... Car la situation est trop grave... La menace trop insistante... La lutte contre Edouard-dans-sa-tête trop prenante... La pente trop facile qui pourrait, si je n'y veillais, le mener droit à l'abîme... La moindre défaillance, le moindre relâchement de ma part ne pourraient être, dans ce cas, qu'une coupable faiblesse dont je me ferais éternellement reproche... » Moyennant quoi, je le répète, cet enfant est traité, lui, comme un coupable perpétuel. Dans chacun de ses gestes, dans chacune de ses paroles, je ne suis sommée de lire que l'œuvre discrète de ce père mort. Mes gestes à moi, qui sont ceux de toutes les mères, deviennent de fatales indulgences qui ne font qu'ouvrir en secret des brèches pour le démon. Et il est convaincu d'être, lui donc, son beau-père, le seul capable de faire échec à tout ça : éducateur un peu rogue, certes, mais ô combien bienveillant! à qui l'on aurait confié une tâche quasi désespérée et qui s'en acquitterait stoïquement, sans faiblesse ni démagogie... Quand je lui reproche sa dureté, la vivacité de ses remarques, la manière tranchante qu'il peut avoir, à table par exemple, de le rappeler aux bonnes manières, il me répond toujours par un sourire entendu et supérieur qui semble vouloir dire : « tu verras... je sais ce que je fais... lui, un jour, me remerciera ».

11 septembre.

Vive discussion, ce soir, comme à la veille de chaque rentrée scolaire, à propos de ces questions d'école. « Un enfant normal va à l'école, dit-il... il ne passe pas sa vie ainsi, dans les jupes de sa mère, dans les bras de ses nurses et sous l'autorité de précepteurs débiles qui ne songent qu'à lui soutirer son argent... » C'est vrai, bien sûr... Jean a, comme d'habitude, raison... Mais à cette réserve près que Benjamin *n'est pas* un enfant normal; que nous n'avons pas le droit, il le sait bien, de faire comme s'il pouvait vivre comme les autres enfants normaux; et que je ne veux courir à aucun prix le risque du camarade de classe trop malin, du professeur étourdi ou trop zélé qui, très « normalement », viendraient lui parler de son père...

Edouard, jusqu'à nouvel ordre, est mort en effet en août 44, le plus classiquement du monde, d'une balle perdue au milieu de la bataille de Paris. Et tant qu'il en sera ainsi, tant que je n'aurai pas décidé de lui tenir un autre langage, tant que je le jugerai, moi, et moi seule, trop fragile pour entendre la vérité, il faudra bien qu'il reste ici, près de moi, à l'abri de mes livres et de mon affection. Alors Benjamin « petit prince », en effet... « nabab »... « enfant gâté »... tout ce qu'il voudra... : ne mérite-t-il pas, après tout, cette consolation ?

14 septembre.

Repensé ce matin, en m'habillant, à ces histoires de tenue à table. C'est très clair en effet. Et il faudrait être aveugle pour ne pas comprendre que cette fourchette mal maniée, cette carafe trop violemment empoignée, ce pain émietté sur la nappe sont les signes, pour Jean, d'autre chose. De quoi ? De « l'autre », bien sûr... De l'atavisme sourd dont ils lui semblent témoigner... De cette filiation honteuse dont il ne peut s'empêcher de partout voir les symptômes... Dans ces moments-là, Benjamin ne l'irrite pas — il lui répugne... Et derrière ses pompeuses leçons de savoir-vivre, je crains qu'il n'y ait guère qu'une manifestation primaire de cette vilaine jalousie du passé dont je me rappelle avoir pour la première fois découvert l'absurdité, deux ou trois ans après notre mariage, à propos de Black, le chien d'Edouard...

C'était l'époque où le bon vieux Black était devenu indésirable à la maison. N'osant pas le chasser ni le vendre, Jean lui avait retiré les privilèges dont il jouissait du temps de son premier maître. Il lui avait interdit notamment celui de s'ébrouer, comme il l'avait toujours fait, dans les chambres ou les salons. Il l'avait exilé non pas même dans le jardin où on l'eût encore trop entendu, mais tout en haut, sur le toit, où il fallait que Lazare montât deux fois par jour, au risque de se casser le cou, lui porter sa gamelle. Et le jour où Benjamin, enfreignant le nouvel ordre des choses, avait osé le faire descendre et le faire dormir sur son lit, ç'avait été, contre lui et contre le chien confondus, l'occasion d'une scène si violente que j'avais dû m'interposer. Ce jour-là, donc, j'ai compris : à travers le pipi sur le tapis et les poils sur le couvre-lit, c'était Édouard encore, Edouard toujours, que Jean voyait — et cette simple image suffisait à le rendre fou.

15 septembre.

Suffit-il, d'ailleurs, de parler de « jalousie du passé » ? Je n'en suis pas si sûre, au fond... Je n'en suis, même, pas sûre du tout... Car la situation d'Edouard entre nous est si complexe, si équivoque quand on y songe !

Il est l'ami, certes... L'ancien mari... Le père maudit...

Il est le remords... La tête que nous n'avons pas su sauver... Le fantôme qui, quoi que nous fassions, quoi que nous disions, quelque répugnance que nous ayons pour ses crimes, ne cessera plus, jusqu'à la fin, de nous hanter...

Il est celui, encore, dont la mort a fait que nous nous épousions... Celui à la table, dans le lit, à la place de qui je n'ai jamais pu m'empêcher, même aux heures bénies où je l'aimais le plus follement, de voir mon cher Jean... Il est la pierre, la tombe, le cadavre sur lequel il faut bien dire que s'est, pour le meilleur et pour le pire, bâti l'édifice de notre couple...

Il est notre aventure la plus commune aussi... Notre expérience la mieux partagée... La tragédie dans quoi nous avons, une fois, communié... Et je me dis souvent que nous n'aurons jamais été aussi proches, Jean et moi, qu'en ces heures grises, lugubres, où nous luttions au coude à coude pour épargner la vie, lui d'un ami fâché, moi d'un mari désavoué...

Oui, il y a tout ça à la fois dans le souvenir que nous avons d'Edouard. Il est ce qui nous déchire — en même temps que ce qui, paradoxalement, nous unit en profondeur. Et c'est la vraie raison qui, selon moi, rend son nom si inaudible.

16 septembre.

Benjamin sent-il les choses ainsi? Non, bien sûr... Trop petit... Trop innocent... Pas assez de mémoire surtout... Et puis la fiction de la « balle perdue » qui le prive de l'information essentielle... Mais je suis convaincue, pourtant, qu'il perçoit tout ça confusément. Qu'il le pressent. Qu'il a depuis longtemps deviné de quels drames inexprimés le nom de son père pouvait être le synonyme. Et j'en veux pour preuve le fait qu'il ne dise rien, justement; qu'il n'en parle jamais; qu'il n'essaie même pas de nous interroger; bref que, sans qu'on lui ait rien dit, ni à plus forte raison rien interdit, il se comporte de lui-même comme si le sujet était tabou... Ce qu'il pense de ce père disparu? L'image qu'il en a conservée? S'il en a même conservé une? La vérité est que je n'en sais rien. Je suis incapable, moi, sa mère, de répondre à ces questions. Et nous avons réussi, Jean par sa rudesse, moi par ma lâcheté, à faire de cet enfant gai, plein de flamme, que tout son tempérament inclinait à la joie de vivre, un être finalement secret; renfermé; acceptant qu'il y ait un sujet — et quel sujet! — qui soit, dans sa propre famille, inabordable et maudit.

18 septembre.

C'est drôle comme à partir de, mettons, trois ou quatre semaines, le désir lui-même s'en va... s'éteint... ce grand corps nu, près de moi, qui ne me dit proprement plus rien... et cette idée absurde, mais dont je ne peux plus me défaire, que, même si ça revenait, je ne « saurais » peut-être plus.

20 septembre.

Dîner sous la tonnelle. Délicieuse fraîcheur de l'automne. Tous nos problèmes familiaux comme allégés par la douceur du soir. Jean, de bonne humeur, mais plus « pédagogue » que jamais, qui explique à Benjamin, d'un ton ridiculement pompeux, des choses sur la « guerre d'Indochine ». Et Odette qui vient nous fiche tout ça en l'air en disant, sans le vouloir « Monsieur Edouard » au lieu de « Monsieur Jean ». Eh bien, Jean ne bronche pas. Je fais moi-même semblant de ne pas entendre. Odette dit « oh! pardon », mais continue, comme si de rien n'était, de faire circuler son plat. Et c'est lui, Benjamin, qui, aussi extraordinaire que cela soit, rougit; se trouble; pique du nez dans son assiette; prend l'air, plus que gêné, coupable; endosse, si je puis dire, tout le poids physique, moral de la gaffe; et semble, en d'autres termes, le plus profondément affecté par cette soudaine infraction à notre commune loi du silence...

Je sais bien que ce n'est pas grave en soi. Que tout le drame n'a pas duré plus d'une ou deux minutes. Qu'on a aussitôt embrayé sur des sujets badins... Il reste que l'incident est une illustration parfaite de ce que je disais l'autre jour; et qu'on a vu affleurer là, de manière fugitive mais incontestable, tout le ravage du « tabou » dans sa petite cervelle d'enfant.

21 septembre.

Il faut que je précise. Un étranger qui me lirait pourrait, j'imagine, conclure que si Benjamin s'est comporté ainsi après la gaffe d'Odette, c'est, plus prosaïquement, qu'il sait ou, au moins, devine quelque chose des véritables circonstances de la disparition de son père... Tout est possible, bien sûr. Mais je ne crois pas. Je ne vois pas qu'il ait la moindre raison de mettre en doute la version « officielle » des choses. Et je maintiens que cet enfant a bien été épouvanté, ce jour-là, d'entendre prononcer le nom, rien que le nom d'Edouard — comme s'il avait fait sien le diktat d'un beau-père qui lui a implicitement signifié que ce nom ne devait plus être proféré sous son toit; comme s'il avait consenti, hors de toute considération « politique », à l'ostracisme porté sur la personne, l'image, le souvenir même de son papa; et comme s'il se faisait, à la fin des fins, ce calcul simple : « pourquoi braverais-je cet incompréhensible diktat? quel intérêt y trouverais-je? le plaisir que j'y prendrais ne serait-il pas bien mince, comparé à la puissance des rétorsions? les grandes personnes disposent d'armes formidables en effet, bien plus terribles que les baffes ou les fessées, et face auxquelles nous sommes, nous les enfants, si parfaitement démunis : mauvaise humeur par exemple, tension accrue pendant les repas, disputes à notre sujet avec maman... »

23 septembre.

Je connais les raisons de Jean. Je les respecte. Je les partage même, en un sens. Mais sont-ce, vraiment, les seules raisons?

25 septembre.

Je ne demande pas grand-chose en fait. Simplement qu'il en parle. Qu'il évoque de temps en temps son nom. Qu'il raconte, je ne sais pas, moi, un souvenir de jeunesse. Bref, je demande qu'il ne fasse pas comme si cet homme n'avait pas existé; et que lorsque nous remplissons, comme ce soir, un formulaire médical, il n'écrive pas « parlementaire » à la ligne : « profession du père »...

28 septembre.

Je demande... Je demande... Pour l'instant je ne demande rien du tout... Je courbe l'échine moi aussi... Je me dis que ça n'est pas si terrible... Qu'avec le temps ça s'arrangera... Que pour le reste — éducation, sport, suivi des études, etc. — il n'est pas si mauvais beau-père que ça... Ou peut-être, comme Benjamin lui-même, qu'une résistance frontale de ma part ne pourrait, étant donné le rapport des forces, que se retourner contre nous...

Ce mercredi par exemple, il y avait à la télévision la première partie de *Crime et Châtiment*. Je l'avais autorisé, invité même à regarder. Mais Jean, quand il l'a vu là, près de moi, blotti sur mon épaule, devant le poste, n'a pas pu s'empêcher de grommeler son inévitable « pas question... pas des heures pour se coucher... qu'on n'aille plus pleurnicher, après, si ce gosse est malade... » Et moi, traîtresse, je n'ai pas protesté et j'ai murmuré au contraire que « oui, je n'y avais pas pensé, Jean a sans doute raison... »

Je ne suis pas près d'oublier le regard suppliant que Benjamin m'a lancé en quittant la pièce pour monter dans sa chambre.

2 octobre.

Reste aussi la solution de lui parler moi-même. En mon nom. En tête-à-tête. Et en court-circuitant, après tout, l'imbécile interdit.

Pour être franche, j'étais sur le point d'essayer ce matin, dans la voiture, tandis que je le menais chez Mamby renouveler sa garde-robe et qu'un inhabituel silence s'était installé entre nous. Ç'aurait pu être quelque chose comme : « ton beau-père... tu as compris, n'est-ce pas ?... sa façon à lui de t'aimer... »; ou bien : « alors tu as vu, Jean... dès qu'on parle de ton père devant lui... avoue que c'est cocasse »; ou bien, très dégagée : « tiens ! cette mèche, cette fossette, je ne l'avais jamais remarqué mais c'est ce pauvre Edouard tout craché... »; ou bien, à l'inverse : « c'est drôle... les années passent... tu deviens un petit homme... et tu ne te décides pas à ressembler, etc. » Bref, il y avait mille formules, mille solutions légères qui, sans traiter, bien sûr, le fond des choses, m'auraient permis d'aborder le sujet, de prononcer les syllabes interdites, de décoincer peut-être la situation en lui signifiant que tout ça était normal, banal, qu'il n'y avait pas de quoi fouetter un chat...

Taratata! Je n'ai rien dit du tout! J'ai flanché! Sentant sans doute que ce serait, entre lui et moi, une complicité embarrassante — et, envers Jean, une forme de trahison à laquelle, malgré ses torts, je n'arrive pas à me résoudre — je n'ai tout bêtement pas osé!

8 octobre.

Et si mon hypothèse de départ était fausse? Je veux dire : et s'il en savait plus qu'il ne le laisse entendre sur le fond même de l'affaire? Il y a des jours où je me le demande. Où je me dis qu'il a pu glaner quelque part une lettre, une photo, une vieille coupure de journal. Et ce matin, par exemple cette troublante histoire qu'est venu me raconter Lazare : Benjamin jouant « à l'épuration » avec le fils de la concierge du 52 — le gamin dans la peau du « condamné » et lui dans le rôle du « peloton d'exécution »!!!

11 octobre.

Lazare toujours, avec ses airs d'éternel conspirateur, qui vient me rapporter que le jeu dure... qu'on semble y prendre de plus en plus de plaisir... qu'on en est à échanger les rôles, à inventer des variantes, à convier d'autres gamins du voisinage... Serait-il possible que...? Non, ce n'est pas possible... Je ne veux même pas le formuler... Ce serait trop atroce, vraiment... Une chose, en tout cas, est sûre : c'est qu'on ne peut pas lui laisser fréquenter comme ça les gamins du voisinage... Leur interdire, à partir d'aujourd'hui, l'accès de la maison.

13 octobre.

Tristesse. Angoisse. Cette histoire de « jeu de l'épuration » me poursuit. Je n'arrive pas à croire que ce ne soit qu'une coïncidence. J'imagine les hypothèses les plus sottes, les plus extravagantes. Et je ne peux plus m'empêcher de l'épier, de surveiller ses allées et venues, de guetter ses regards, ses sourires... Sans résultat, bien entendu — son joli visage restant désespérément lisse et limpide.

16 octobre.

Décidément, ça ne va pas. Voilà maintenant que je compte les livres de guerre qu'il a dans sa bibliothèque. Que je scrute, dans la mienne, la reliure du Robert Aron, du Bernardeau. Que je prononce à tout bout de champ, et parfaitement hors de propos, des mots censés le faire tressaillir comme « Hitler », « nazisme », « collabos ». Que je m'attarde sur des faits divers sans conséquence — Marie Besnard, Karyl Chessman, Dominici — qui n'ont d'autre mérite que de me permettre de poser, chaque fois, la question de la peine de mort. Voilà que moi, si prudente, si timorée d'habitude, vais jusqu'à exiger, hier soir, qu'il regarde avec nous le film sur la Résistance qui passait à la télévision — occasion unique, me disais-je, de l'espionner tout mon soûl, sans qu'il le sache, dans la pénombre... Le film, hélas, l'ennuie! Et il préfère, au bout de dix minutes, aller un peu plus loin et se plonger dans son *Spirou*.

20 octobre.

Test négatif aujourd'hui encore. Et pourtant je n'y étais pas, cette fois, allée de main morte!

J'avais demandé à Jean, en effet, de lui raconter « la drôle d'histoire de ces Français qui, à la fin de la guerre, sont partis se battre sur le front de l'Est sous l'uniforme allemand ». Jean, sidéré, avait hésité. Résisté. Protesté que ça n'avait aucun intérêt. Il m'avait lancé à travers la table des regards à la fois ahuris et furibonds que j'ai fait bien attention de ne pas capter. Mais devant mon insistance, à cause de la présence de Benjamin, à cause aussi, sans doute, de l'irrésistible plaisir qu'il prendrait à pontifier sur n'importe quoi, il a fini par s'exécuter.

Eh bien, rien, là non plus. Pas de réaction particulière. Pas de clignement de paupière suspect. Même pas cet imperceptible tremblement de menton qui le trahit quand il est très ému et qu'il essaie de le cacher. Rien, vraiment, que cette façon qu'il a toujours d'écouter quand l'autre lui fait son cours — poli, modeste, ses yeux bleus rivés sur la respectable bouche, avec cet air soumis et presque trop déférent de petit garçon en règle avec l'autorité... Au beau milieu de l'explication, d'ailleurs, j'en ai eu marre... J'ai dit que ce n'était pas ça... Que c'était très mal raconté... Qu'en fait ça n'avait pas de sens et qu'il fallait que Benjamin parte au judo...

Jean, pour le coup, a été franchement abasourdi. Et quant à Benjamin, je n'ai rien pu distinguer d'autre sur son visage qu'une vague, très vague expression de soulagement — un peu comme si je l'avais dispensé de sa leçon de piano ou de catéchisme.

23 octobre.

Cette incertitude me mine. Me ronge. S'insinue comme un poison dans mes gestes de tous les jours. Et fait que j'en suis presque à le regarder, lui, mon chéri, mon enfant unique et adoré, comme un étranger, un ennemi. Ce matin par exemple, à la fête à Neuneu où je le voyais si blond, si beau, si parfaitement rieur, insouciant, indifférent au mal qu'il me fait, je lui en ai voulu. Je l'ai détesté. Je me suis même laissée aller à penser — je regrette à présent, mais je l'ai pensé — que Jean n'a pas forcément tort quand il me parle de sa sournoiserie, de sa capacité infinie de dissimuler.

24 octobre.

Déjeuner Montfort-l'Amaury. Benjamin avec moi. Mon petit homme adoré!

25 octobre.

Deux mois! Ça fera deux mois cette nuit! Bizarre, d'ailleurs, que ça ne me « manque » pas davantage... Un brin de tristesse peut-être... De remords... Oui, c'est ça : de remords... De « mauvaise conscience », comme on dit de nos jours... Avec cette drôle d'idée, aussi, qui ne m'a pas quittée, par exemple, de toute la journée d'hier qu'à force, ça va « se voir »... Mais il est vrai que j'ai, en ce moment, d'autres soucis en tête!!!

25 octobre, soir.

Ça ne doit pas « se voir » tant que ça, si j'en juge par la phrase ordurière (troublante ?) que m'a soufflée ce jeune inconnu, tout à l'heure, à l'exposition Cézanne.

26 octobre.

Il fallait que j'en aie le cœur net. Je ne pouvais pas rester avec ces doutes. Et j'ai donc profité de ce samedi où je l'avais expédié chez Yvonne, où Jean, de son côté, était « en voyage » et où Odette elle-même, clouée au lit par une crise d'arthrose, ne pouvait pas venir me déranger, pour faire la plus horrible chose que puisse faire une mère à son fils : entrer dans sa chambre en son absence; sursauter comme une voleuse à chaque grincement de parquet; inspecter méthodiquement tiroirs, étagères, dessous de lit et de matelas; passer au peigne fin tout un fouillis de cahiers, de papiers, de posters dédicacés de Louison Bobet, de prospectus pour Bugatti, Aston Martin; arriver le cœur battant aux parties les plus secrètes du trésor — photos de Dawn Addams, de Mylène Demongeot, une lettre non cachetée adressée à Gina Lollobrigida, des réclames pour les rasoirs électriques Visseaux, la crème anti-acné Valderma, sans parler des billes, toupies, et Dinky Toys divers; et là enfin, souffle court, larmes aux yeux, tremblante de confusion devant ce petit univers dont j'étais en train de violer le secret, tomber très précisément sur ce que, sans trop le savoir, j'étais venue chercher : bien serrés entre deux des gros Larousse de son dernier anniversaire, une photo et un carnet. Choc, bien sûr, devant la photo où je reconnais tout de suite cet homme brun arrogant, au col de polo ouvert et au sourire avantageux. Mais choc plus fort encore à la lecture d'un épais carnet plein de notes rédigées, si j'en juge par l'écriture, sur plusieurs années — et d'où il ressort en substance : 1. qu'il ne croit pas un traître mot de ce qu'on lui a raconté de la mort de son père; 2. qu'il estime que Jean, par jalousie et par amour de moi, nous a, à tous deux, sciemment caché la vérité; 3. que cette vérité c'est qu'Edouard, s'il est vraiment mort, est mort en héros, les armes à la main, dans un maquis de la Résistance; 4. que d'ailleurs (c'est ce qui ressort des toutes premières notes, probablement rédigées à sept ou huit ans) rien n'est moins sûr que cette mort dont il est éminemment troublant, dit-il, qu'il ne nous ait jamais entendu parler qu'à voix basse et à demi-mot; 5. que, donc, il ne serait pas plus étonné que ça de le voir revenir un matin, tel Ulysse, pourfendre le prétendant — à moins qu'il ne se faufile déjà, vagabond sublime et maudit, dans le lit de sa Pénélope les soirs où Jean n'est pas là.

27 octobre.

Sans voix, sinon sans vie, depuis hier. J'avais tout prévu, tout imaginé — sauf cet abracadabrant coup de théâtre.

28 octobre.

Rien dit à Jean, dont je redoute la réaction. Rien au principal intéressé, que je n'arrive même plus, depuis deux jours, à regarder en face.

29 octobre.

Gabin. Arletty. Ça s'appelle *L'Air de Paris*. C'est le dernier film de Carné. C'est, par conséquent, tout ce que j'aime. Et Jean qui, en plus, se met en quatre pour égayer notre soirée. Peine perdue! Je n'arrive pas à m'intéresser une seule seconde à cette histoire de boxeurs. Je ne touche pratiquement pas au plateau de fruits de mer qu'on va prendre ensuite à la Coupole. Je n'ai en tête, toute la soirée, que mon épouvantable imbroglio.

1ᵉʳ novembre.

N'avais pas tort d'appréhender de parler à Jean qui a été, je dois dire, horrible. Plus injuste et obtus que nature. Menaçant d'aller de ce pas « affranchir ce petit idiot ». Raillant que « voilà, ça y est... c'est lui qui avait raison... exactement ce qu'il avait prédit... » Maudissant « ce salaud d'Edouard qui, non content de laisser traîner ses mômes derrière lui, vient ensuite vous pourrir la vie ». Hurlant, tel un dément, que « c'est trop facile... tout le monde n'a qu'à faire pareil... ordure de son vivant... sublime héros après sa mort... » Et répétant tout le temps, comme si c'était ça l'important, que « quant à la casquette qu'on veut lui faire porter, alors là, sapristi, on repassera : on n'a pas fait la guerre qu'il a faite pour qu'un fils de collabo vienne vous donner des leçons de Résistance... »

Grâce au Ciel, il se contente de crier; je ne crois pas qu'il fera la folie d'aller parler à Benjamin.

2 novembre.

Je comprends sa réaction. Son aigreur. Sa tristesse, peut-être. La drôle d'impression que ça doit faire d'avoir élevé pendant dix ans, plutôt bien que mal en fin de compte, l'enfant d'un père indigne et puis, les dix ans passés, de voir resurgir le père indigne, paré de toutes les vertus, drapé de tous les songes de l'enfance, auréolé d'une gloire stupide — et qui vient, par-dessus le marché, vous coiffer au poteau du sentiment. Mais est-ce une raison pour se conduire de cette façon ? Pour ajouter à l'horreur de la situation celle de querelles conjugales sans objet ? Et pour me laisser seule, encore une fois, avec cette tragédie sur les bras ?

Car la vraie tragédie, ne lui en déplaise, ce n'est pas que son beau-fils semble lui préférer un père mort ; ni qu'il prétende, du haut de ses douze ans, lui dénier, comme il dit, « ses titres de résistance ». Mais c'est qu'il ait pu, lui, et lui seulement, bâtir cette fable étrange ; nourrir dans le secret de son cœur une telle hallucination ; vivre ainsi, à notre insu, dans cet univers de folie. La vraie tragédie c'est que nous n'ayons aucun moyen surtout, nous qui l'aimons, de réagir, d'intervenir, de désamorcer le piège. Lui parler ? Au point où il en est, ça pourrait avoir des conséquences catastrophiques. Le laisser à ses songes ? Plus ils durent et plus le réveil, quand il se produira, sera difficile à supporter. Oui, c'est ça le pire : quand on est dans une situation telle que tout ce qu'on peut faire se retourne immanquablement contre vous.

4 novembre.

Nouvelle discussion. Un peu plus calme, heureusement. Mais qui ne nous éclaire pas davantage. Sa thèse : que cet enfant est un pervers, un
cynique — qu'il l'avait toujours dit, du reste, et
qu'on va commencer à le payer. La mienne : que
si nous payons quelque chose, c'est d'abord notre
silence, notre obstination à ne rien lui dire, l'ambiance de mystère que nous avons ainsi laissée se
créer — ce halo de martyre, propice à toutes les
imaginations, dont nous avons de nos propres
mains nimbé le visage d'Edouard.

6 novembre.

Il ne dit rien à Benjamin. S'en tient aux strictes
règles de prudence dont nous sommes finalement
convenus. Mais ne peut s'empêcher pourtant, par
mille et un biais, de laisser filtrer ses sentiments... Ça donne des rappels à l'ordre inces-
sants... Une irritation chronique, toujours au
bord de tourner au coup de gueule... Une manière
nouvelle de lui parler, avec une vivacité sèche,
presque cassante, les mots pincés entre les lèvres
comme s'ils avaient quelque chose de dégoûtant...
Des phrases maladroites, proches du lapsus
irréparable : « on se demande d'où sort ce
gosse... »; ou : « de qui est-ce qu'il tient ces petits
regards suffisants ?... » ou encore : « où as-tu bien
pu aller me pêcher une tête de mule pareille ?... »
Il n'a jamais été, c'est certain, particulièrement
tendre avec lui. Mais je dois dire que là, depuis
cinq ou six jours, il est en train de se surpasser.
Ce qui n'est pas forcément le meilleur moyen d'aider cet enfant à sortir de son pétrin...

9 novembre.

Chaque fois que nous sommes tous les trois ensemble, maintenant, j'ai la nausée... Envie de vomir... Une peur panique qu'il s'énerve; que ce soit plus fort que lui; et que, soudain, sur un coup de sang ou de gueule, il lui lâche sa grenade à bout portant... Résultat : je limite au maximum les contacts. Je rentre de plus en plus tard pour être bien sûre que le gosse aura dîné avant nous. Moi qui, il y a quelques semaines, déployais des ruses d'Indienne pour le faire admettre à nos soirées télévision, lui trouve régulièrement petite mine, passé neuf heures du soir. Et c'est moi encore qui, hier, alors que le pauvre chou attendait comme le messie la sortie au cinéma que nous lui avions promise, ai prétexté un malaise qui nous obligeait à la reporter... Je n'ai pas fait ça de gaieté de cœur, c'est évident. Mais il y aurait eu le restaurant après — avec son huis clos effrayant où chacun de ses mots, chacune de ses questions, chacun de ses commentaires sur le film, auraient risqué de mettre Jean hors de lui et à deux doigts, donc, de l'éclat fatal.

10 novembre.

Ouf. Jean parti pour deux jours à Bruxelles. C'est triste à dire, mais on respire tout à coup beaucoup mieux. Et on peut passer une soirée presque normale, seuls dans ma chambre à coucher à lire paisiblement, lui son *Moby Dick*, et moi le *Contre Sainte-Beuve* qui vient de sortir. Quelle merveille! Quelle splendeur! Quelle formidable raclée administrée à ce vilain philistin d'Oncle Beuve : « si tous les livres du xixe siècle avaient brûlé sauf les *Lundis* et que nous n'ayons qu'eux pour connaître ce siècle, nous serions amenés à croire que les seuls écrivains du temps étaient Vinet, Sénac de Meilhan, Vicq d'Azyr... »

« Vicq d'Azyr...? Vicq d'Azyr...? quelle drôle d'idée de s'appeler Vicq d'Azyr! » s'exclame Benjamin qui est arrivé à pas de loup derrière moi et qui commence, le sacripant, à lire par-dessus mon épaule. Il rit beaucoup de mon écriture torturée. Il m'arrache le cahier des mains, que j'ai toutes les peines du monde à lui reprendre. Et l'incident se termine, comme au bon vieux temps, par une véritable course-poursuite, très gaie, dans l'escalier.

11 novembre.

Est-ce déjà le retour de Jean qui nous trouble? Ou le climat général, décidément et définitivement pourri? Toujours est-il que le répit aura été de courte durée. Et que Benjamin avait perdu ce matin sa jolie gaieté d'hier soir, arrivant à la table du petit déjeuner avec son air tendu, sa mine chiffonnée, ses yeux gonflés des mauvais jours.

M'accompagnera-t-il chez Fath prendre livraison de ma jupe de flanelle grise et de mon cardigan de jersey assorti? Chez Dior, où il sait bien, le petit coquin, que Georgia, le mannequin-cabine, sera si heureuse de le revoir? Ou encore, tiens! à l'Orangerie — car j'ai tellement envie de lui expliquer une bonne fois, pourquoi, contrairement à ce que tout le monde dit, c'est Monet et pas Manet qui est le grand peintre qu'il faut aimer?

« Allons, maman, me coupe-t-il, ne te fatigue pas ainsi... je ne suis plus un bébé, tu sais... et, avant de me parler de Dior, Fath et patati et patata, dis-moi plutôt pourquoi vous vous bagarrez tout le temps, ces jours derniers, avec Oncle Jean... »

Trop désarçonnée pour répondre, j'ai fait le tour de la table pour le serrer dans mes bras...

12 novembre.

Jean rentré hier soir. D'humeur aussi massacrante que prévue. Lançant partout autour de lui de vilains regards de fouine. Me demandant tout de suite, avant même de m'embrasser, à quoi j'ai occupé ma soirée. Et attendant que Benjamin lui lance un sonore : « bonsoir, Oncle Jean ! » pour feindre de découvrir sa présence dans la pièce. Regards atterrés de Benjamin dans ma direction. Lâchement, je tourne la tête.

13 novembre.

Il est fou. Je crois que cet homme est fou. C'est Benjamin qui, tout mignon, avait pris l'initiative de renouer et lui avait demandé des explications sur ces attentats en Algérie dont la télévision n'arrête pas de parler depuis quelques jours. Eh bien, Jean, pour toute réponse, a commencé par lui lancer un regard noir. Alerté par un discret coup de pied sous la table, il a consenti à maugréer, le nez dans son assiette, quelques propos sans suite. Il s'est animé un tout petit peu en lâchant, « contre ces terroristes », une ou deux bordées d'injures à la limite, selon moi, du racisme. Et puis, tout à coup, je ne sais plus comment c'est venu, il a haussé le ton et, détachant bien ses mots, comme si chacun devait porter, il a déclaré : « je vais te dire, petit... tu sais ce qui s'est passé en 40 ? d'un côté il y avait les salauds qui attendaient que ça se passe et donnaient la main à l'ennemi... de l'autre, il y avait ceux qui disaient non, qui refusaient le fait accompli et qui, comme ton Oncle Jean, tu entends, petit crétin, comme ton Oncle Jean, résistaient à la chienlit. Eh bien, aujourd'hui, c'est pas compliqué. La chienlit, c'est les terroristes. Et crois-moi qu'on va y résister — n'en déplaise aux fils de collabos »... Je sais que je n'aurais pas dû. Mais ça a été plus fort que moi : j'ai bêtement éclaté en sanglots — quittant brusquement la table et les laissant en tête-à-tête. Il est minuit à présent. La maison est redevenue silencieuse. Je ne sais pas comment le dîner s'est terminé. Et je n'ai même pas eu la force d'aller dire bonsoir à Benjamin. Il sera toujours assez tôt, demain, pour faire l'inventaire des dégâts.

14 novembre.

Il est sombre, mon petit. Si affreusement sombre. Ne desserrant pas les lèvres de la journée. Et ne prenant même pas la peine de me poser de questions.

15 novembre.

Jean pas bien dans sa peau non plus, depuis l'incident. Refuse, bien évidemment, d'en parler. Encore moins de faire son mea culpa. Mais il regrette, je le vois bien.

16 novembre.

Pas un mot sur l'essentiel, comme je le disais hier. Mais tous les prétextes sont bons pour provoquer des scènes. Ainsi, ce soir, nos avis divergents sur *Le Rouge et le Noir* d'Autant-Lara suffisent à mettre le feu aux poudres. Lui trouve ça épatant. Moi je suis un peu déçue. Gérard Philipe me paraît déplacé dans le rôle de Julien. Danièle Darrieux pas Mme de Rênal pour deux sous. Antonella Lualdi — une brune! — ridicule en Mathilde. Et je lui dis que ce qui me choque le plus c'est qu'on ait réduit à presque rien l'épisode Mathilde justement. Eh bien, c'est assez pour déchaîner ses foudres. Tout y passe, depuis ma « sottise », mes « minauderies », mon « inculture cinématographique », mon « goût de gâcher une soirée qui aurait pu être agréable » — jusqu'à, comme de bien entendu, et même si ça n'a, en l'occurrence, aucun rapport, « mon passé »...

17 novembre.

Zut! Il m'embête avec mon passé. Je suis fatiguée de lui répondre. Pas pu m'empêcher de repenser à la phrase « ordurière » du jeune inconnu il y a trois semaines.

18 novembre.

Pour la première fois, au terme d'une dispute un peu plus vive que de coutume, j'ai menacé de partir. Jamais, en neuf ans de mariage, nous n'en étions arrivés là.

19 novembre.

A-t-il entendu? Le ton, ce soir, est monté plus haut que jamais. Il a beuglé ses plaintes habituelles sur le thème « enfant de collabo... pas moi qui vais payer... trop facile de tout me mettre sur le dos... » Et, à un moment, il a ouvert grand la porte et, debout dans le couloir, tel un halluciné, il a hurlé : « va donc, mais va donc lui dire, espèce de s..., comment, le samedi, quand il n'est pas là, sa chère môman lui dévalise sa chambre... »

20 novembre.

Plus sombre que jamais. Nous fait la tête à tous les deux, maintenant. Oui, j'en suis sûre, il a entendu.

21 novembre.

Premier accroc sérieux avec Jean : « on ne coupe pas son pain avec les dents », lui a dit celui-ci sur un ton plutôt moins brutal que d'habitude. Mais B., au lieu d'obtempérer, continue. Lentement, calmement, d'un air de provocation tranquille, il émiette un, deux, trois morceaux de pain qu'il laisse choir un à un, entre eux deux, sur la nappe. Et quand Jean, vert de rage, lui ordonne de quitter la table, voilà mon petit garçon toujours si doux, si soumis, qui se lève en sifflotant, un fin sourire aux lèvres, et qui fait le geste de lui envoyer sa serviette à la figure.

22 novembre.

Soirée chez Pierre Véricourt, un exportateur de je ne sais quoi (d'armes, peut-être...) à qui Jean semble avoir rendu service. Luxe du lieu. Charme des invités. Incontestable savoir-faire de la très jeune maîtresse de maison qui me rappelle moi il y a dix ans. Je me sens terriblement loin de tout ça. Incapable de détacher ma pensée de la catastrophe qui, j'en suis convaincue, se prépare.

23 novembre.

Vague, très vague tentative de recoller les morceaux en allant tous les trois — depuis que Jean se sent coupable, on sort presque tous les soirs! — aux Bouffes-Parisiens voir *La Machine infernale*. Elvire Popesco admirable dans le rôle de Jocaste. Jean Marais plus beau que jamais dans celui d'Œdipe. Quelques très grands moments de théâtre quand, par exemple, il retrouve sous un drap blanc le fantôme de sa mère disparue. Mais la vérité c'est que, pendant toute la durée de la représentation, je n'ai à nouveau eu d'yeux que pour mon fils à moi, que je sentais si noué, là, dans le noir — et que j'ai, sans le moindre doute, senti tressaillir quand Marais s'est crevé les yeux.

24 novembre.

Chacun son tour. Et sans doute était-ce le mien de faire mon petit faux pas au bord de l'abîme. Nous avions à déjeuner des journalistes amis de Jean. La discussion tournait autour de Yalta, la CED, le danger russe, la guerre. Vers le milieu du repas, l'un des convives a évoqué une certaine « école d'Uriage », soi-disant liée à la Résistance, mais sur un ton qui m'a semblé fleurer au contraire le pétainisme. Et je murmure alors, d'un air que, avec le recul, je suppose un peu rêveur : « comme c'est loin de la grande Résistance telle que je l'imaginais : libre, gaie et pleine de noblesse »... Je n'achève pas ma phrase, néanmoins. Car Benjamin, en face de moi, me regarde avec des yeux exorbités : je venais, sans m'en apercevoir, de prononcer les mots qu'il avait lui-même écrits au dos de la fameuse photo de son père...

25 novembre.

Fatiguée de scruter les airs, mines, regards de Benjamin. Aujourd'hui, il n'a plus d'air, plus de mine, de regard du tout — voilà !

26 novembre.

Fallait-il noter la manière farouche qu'il a eue de m'envoyer paître quand je lui ai proposé d'aller voir *Clair de Terre* au cinéma ? Je ne sais pas. Je ne sais plus ce qu'il faut noter.

27 novembre.

J'en arrive à deviner ses états d'âme à un battement de paupière, un frémissement de la lèvre, une ride un peu plus accusée sur le front ou la façon dont la lumière joue avec le joli bleu de ses yeux.

28 novembre.

Il y a des jours où, à trop intensément l'observer, c'est moi, l'observatrice, qui me surprends à sursauter. Regard ironique qu'il me jette... Air penaud que je prends... Attention ! l'affolement, dans ces cas-là, me ferait avouer n'importe quoi...

29 novembre.

Nous y voici. Il est entré dans ma chambre. Sans frapper. Sans égard à ma tenue. Et, se plantant devant moi il a dit : « ça va, maintenant je veux savoir ». Comme je n'ai pas répondu, il a répété : « j'ai dit : ça va, je veux savoir ». Et quand je me suis mise à pleurer, il a répété encore : « ça va, ça va, arrêtez votre cirque, s'il y a quelque chose à savoir, je veux le savoir tout de suite ». Je n'ai de nouveau rien répondu — et il a quitté la chambre comme un voyou en maugréant qu'il « saurait bien comment savoir ».

30 novembre.

Répétition de la question. Presque féroce cette fois. Un je ne sais quoi de menaçant dans l'œil.

1er décembre.

Conseil de discipline. Motif : a rossé un camarade qui, dans une conversation d'enfant, l'avait appelé : « p'tit gars ».

3 décembre.

Jean rentré de voyage, essaie de le gronder pour l'affaire du conseil de discipline. Benjamin l'insulte.

4 décembre.

Enfermée dans ma chambre. Je l'entends depuis ce matin arpenter la sienne comme un fou, venir errer dans mon couloir, s'approcher même de ma porte. C'est idiot. Mais j'ai presque peur.

6 décembre.

Le tout est de se calmer... De reprendre tout le problème à zéro... Là... Posément, en s'y mettant à deux, avec Jean... Il y a forcément une solution, voyons... Ce n'est pas possible qu'il n'y en ait pas...

7 décembre.

Plus la peine de chercher. Il a trouvé. *Tout* trouvé. Et je crois que c'est le dernier mot, de ma vie, que j'écrirai dans un journal.

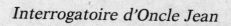

Interrogatoire d'Oncle Jean

Hiver 1984. J'ai retrouvé Oncle Jean.

Je lui ai adressé une longue lettre, d'abord, où je lui exposais mon projet; le sens de mon enquête; les raisons qui m'ont poussé à m'intéresser au cas de Benjamin puis à tenter de reconstituer le fil de sa biographie; ce que je savais; ce que j'ignorais encore; et pourquoi j'avais besoin de lui, notamment, pour la période qui me demeurait, à ce jour, la plus obscure — soit celle de son adolescence.

Non sans quelque coquetterie, il m'a répondu, par lettre aussi, qu'il était « un vieil homme à présent... très éloigné de tout ça... très fatigué... il avait tellement parlé, déjà... répondu à tant de questions... mais enfin si j'y tenais... si je croyais vraiment qu'il pouvait m'être utile... un écrivain, n'importe comment, ce serait forcément mieux que la horde de juges, de policiers, d'échotiers de la presse à scandale qui le poursuivaient depuis le drame et qui en donnaient, de surcroît, une idée si tendancieuse... ».

Je suis allé avenue Ingres alors, dans cette vieille maison magique, presque enchantée pour moi, où j'ai trouvé un homme usé en effet, décati, à l'éloquence tantôt pompeuse, tantôt rude au contraire, presque vulgaire, qui m'a paru bien loin, pour le coup, du fringant séducteur si cher, quarante ans plus tôt, au cœur de la belle Mathilde — mais dont la mémoire en revanche, la vivacité d'esprit, la volonté de parler, de se raconter, m'ont, elles, favorablement surpris.

Sur le moment, d'ailleurs, cet empressement a même dû me paraître suspect. Et je me souviens de l'avoir trouvé bien étrangement loquace, ce « vieil homme fatigué, très éloigné de tout ça, etc. ». Mais j'étais trop avide de savoir, trop pressé de le questionner et de l'entendre pour m'attarder longtemps, je pense, à ce détail; et je me suis moi-même vite pris au jeu de ce qui allait devenir, au fil des jours, un interrogatoire en règle, mi-littéraire mi-policier, où j'allais assumer tour à tour le rôle du flic, du procureur, du redresseur de torts ou de l'interlocuteur à l'écoute flottante, distraite.

Cet interrogatoire, le voici. Aux corrections, contractions, rectifications d'usage près, je le publie tel quel, dans la forme, dans l'ordre, dans la succession même des « séances » où il fut effectivement conduit. Je crois qu'avec ses faiblesses, ses approximations, ses souvenirs trop précis au contraire et que l'on devine mûris, médités, longuement élaborés ou calculés, il donne une image assez précise de Benjamin C. entre le moment où l'a laissé le journal de sa mère — et celui où commencera, pour lui, le temps de la tragédie.

1

— Oui, bien sûr, je me rappelle cette affaire du journal de Mathilde. Ça se situait en novembre, peut-être en décembre 54. Une de ces soirées heureuses d'autrefois où on aimait bien, tous les deux, s'attarder après le spectacle dans un bistrot du quartier. Cette fois-là, si ma mémoire est bonne, on était allés au théâtre. On avait grignoté un pied de porc près des Halles. On s'était pris un dernier verre du côté du Pam-Pam ou du Fouquet's. Et ce n'est que vers trois ou quatre heures du matin que nous avons fini par rentrer et que, traînant quelques secondes de plus qu'elle au rez-de-chaussée, j'ai entendu, là, juste au-dessus de votre tête, un cri horrible. J'accours, bien sûr. Je déboule dans la chambre et j'y trouve une Mathilde debout, les mains sur les oreilles, fixant d'un air ahuri quelque chose à l'intérieur de son secrétaire. « Qu'est-ce que c'est ? » je demande, gagné moi aussi par la panique. Comme elle ne répond pas je m'approche : ce sont ses fameux cahiers, tout en désordre, que quelqu'un avait lus en son absence sans essayer de se cacher.

La suite, vous la connaissez. Non ? Eh bien, c'est Mathilde cavalant comme une folle jusqu'à la chambre de son fils ; le trouvant endormi en travers de son lit, tout habillé ; redescendant, remontant, redescendant encore l'escalier ; s'effondrant sur son propre lit, en proie à une vraie crise d'hystérie; puis passant les deux heures qui suivent à relire ce qu'il venait de lire et qu'elle semblait redécouvrir, par le fait, sous un jour nouveau. Que les yeux de son fils aient pu se poser sur ces pages qu'elle avait écrites pour elle, en changeait apparemment le sens. Et je l'ai vue, jusqu'à l'aube, trembler, frissonner, gémir — comme si, je vous le répète, elle lisait tout ça pour la première fois.

— *Le lendemain?*
— Le lendemain, ça a été pire encore. Car tout était clair soudain; et nous étions comme des généraux vaincus qui, l'affolement de la bataille passé, ont tout le temps de faire le bilan des dégâts... Parce que là, côté dégâts, on était servis! Il y avait la vérité sur son père, bien sûr; tous ses rêves de même qui s'effondraient; le ciel qui, d'un coup, lui était tombé sur la tête; et la révélation, dans la foulée, des mensonges probablement stupides dont on avait bercé ses premières années. Mais il y avait aussi le reste. Tout le reste des cahiers, je veux dire. Je n'ai jamais eu le privilège, moi, notez bien, d'y avoir accès. Mais on peut facilement se douter qu'elle y avait mis ses pensées; ses humeurs de bonne femme; tout un tas de choses intimes sur elle, sur lui, sur moi ou sur nos rapports à tous les trois dont il n'était pas spécialement recommandé qu'elles tombent entre ses mains!

Le petit déjeuner fut glacial. Le déjeuner constipé. À cinq heures, quand je suis rentré de mon petit tour à l'Assemblée, j'ai eu l'impression d'avoir affaire — passez-moi la crudité de l'image, mais c'est vraiment l'impression que j'ai eue — à un couple d'amants qui ont passé leur première nuit ensemble et qui se sont vus pour la première fois à poil. Et sur le coup de dix heures du soir, ne supportant plus de les voir se frôler ainsi, s'éviter, se regarder en chiens de faïence, j'ai pris l'initiative de la confrontation qui s'imposait : j'ai pris Mathilde par le bras; je l'ai menée jusqu'à son fils; je l'ai fait asseoir, presque de force, au bord de son lit; je lui ai dit, à lui : « bon, ça va maintenant, mon petit gars, on sait ce que tu as fait, vois dans quel état ça a mis ta mère », et on a pu, à partir de là, commencer à déballer notre histoire : Edouard... notre amitié à tous les trois... son cœur qui, entre les deux, balance... l'Histoire qui se charge de trancher... mon rôle lors du procès... pourquoi il a quand même été condamné... que c'est pour son bien à lui, Benjamin, qu'on a décidé de lui mentir... bref, tout... toutes nos affaires les plus intimes... tous nos secrets déballés sans pudeur, sans retenue !

Il faut que vous vous figuriez la scène. L'enfant est assis dans son lit. Il a les bras croisés. Un gros oreiller dans le dos. Ses petites lèvres bien serrées, dans le genre « j'écoute mais je n'en pense pas moins ». Il ne dit rien, d'ailleurs. Il nous observe. Le regard dur, imperturbable, il contemple le manège de ces grandes personnes qui dépensent tant d'énergie pour lui raconter leurs salades. Et lesdites grandes personnes, en effet, parlent, parlent, parlent à s'en donner le tournis, à ne plus très bien savoir elles-mêmes ce qu'elles disent, à se prendre les pieds dans leurs propres explications ou à se couper sans cesse la parole comme les potaches en train de faire assaut d'éloquence pour gagner les faveurs du maître. Au milieu de la nuit, quand on décroche, il n'a toujours pas dit un mot. C'est à peine si on l'a vu cligner des yeux. Jamais de ma vie je ne me suis senti aussi *jugé*.

— *Les jours suivants ? Vous en reparlez ?*
— Justement non. Jamais. Ça peut vous paraî-

tre bizarre et c'est peut-être bien, après tout, une autre de nos erreurs. Mais le fait est, c'est vrai, qu'on n'y est plus du tout revenu et que s'est noué entre lui et nous une sorte de contrat tacite aux termes duquel le sujet était comme forclos. Pourquoi ? Je ne sais pas très bien. Ces choses sont si loin, n'est-ce pas ? Et elles étaient, à l'époque déjà, si confuses dans notre esprit...

— *L'enfant a tout de même bien accusé le coup ? Réagi d'une manière ou d'une autre ?*

— Il a réagi de mille manières. Mais, je vous dis, en silence. Sans livrer ses états d'âme. Sans en parler même à sa mère qui a cessé là, tout d'un coup, de jouer son rôle de confidente. Et de taciturne qu'il était déjà, par nature, il est devenu franchement triste, mélancolique, agressif contre son environnement.

Je le revois, dans les mois qui ont suivi, de plus en plus seul par exemple... Se fâchant avec les rares copains qu'il pouvait avoir dans le quartier... S'enfermant de longs après-midi dans sa chambre à ne rien faire... Nous parlant, à sa mère et à moi, avec une brutalité nouvelle... Et je le revois aussi, debout devant sa glace pendant des heures, en train de se scruter le visage comme s'il allait y voir apparaître un signe, une vérité inattendue...

Tantôt il se contentait de regarder. Tantôt il imprimait à ses joues avec les doigts de légères mais méthodiques déformations. Tantôt, saisi d'une véritable rage, il se les prenait à pleines mains et les regardait ensuite s'affaisser. Tantôt encore, misant sur la tension des mâchoires, la tenue du menton, la fixité des pommettes ou celles des prunelles, il se composait un masque qu'il jugeait, je suppose, plus viril. Et lorsque, fatigué d'avoir à le tenir ainsi, par la seule force de la volonté, il le laissait craquer, il avait l'habitude

166

d'adresser à sa véritable image retrouvée des bordées d'injures ordurières.

C'est une histoire parmi d'autres. Je pourrais vous en raconter des tonnes de ce calibre. Mais je doute que ce genre de petites choses puisse réellement faire votre affaire ni qu'elle fasse avancer d'un pas votre...

— *Si, si... Vous avez tort... Je cherche le maximum d'histoires au contraire... Le maximum d'informations... Tout ce qui peut, de près ou de loin, m'éclairer la psychologie de cet enfant... Et tout ce qui m'aidera à recomposer le puzzle des événements que vous savez.*

— Hum... Je suis sceptique... Mais enfin, puisque vous le dites... A propos de « psychologie », vous croyez à ces histoires « psychosomatiques » dont on fait si grand cas de nos jours ? Si oui, j'ai peut-être quelque chose qui m'était sorti de la tête mais qui me revient : c'est que, deux ou trois jours à peine après sa découverte des carnets et notre sérénade nocturne, le gosse est tombé malade. Mais attention ! Pas n'importe quelle maladie ! Ça a commencé une nuit encore. On dormait à poings fermés sa mère et moi, quand des hurlements nous ont réveillés en sursaut. Et, nous dirigeant à toute vitesse jusqu'au lieu d'où ça semblait venir, nous sommes arrivés à la cuisine où nous tombons sur un Benjamin nu, écumant, convulsé, et qui, à l'instant où nous le surprenons, est en train de ramper vers le Frigidaire en quête, je suppose, d'un peu d'eau. Le médecin, aussitôt alerté, le pique, l'examine, tâte l'étau qui, à l'entendre, lui verrouille le thorax. Constate que, dans l'état où il est, il ne peut quasiment plus respirer. Et, après auscultation, lâche, fatidique : « infarctus ! ». Panique dans les rangs. Tout le monde sur le pont. Départ en ambulance. Arrivée en pleine nuit aux urgences de l'hôpital

Foch. Mathilde qui suit tout ça de l'air égaré que vous devinez. Le gamin qui lui broie littéralement la main en hurlant que « ce n'est pas possible, il n'y a pas d'antécédents dans la famille ». Ou qui, d'une voix plus étouffée, murmure que « non... ce n'est pas sa faute... il n'a pas mérité ça... il n'est pas le coupable qu'on croit... il ne veut pas payer comme ça... » Et puis enfin, vers cinq ou six heures, les examens achevés, ce verdict catégorique auquel, dans mon for intérieur, je n'avais pas une seule seconde cessé de croire : « tous les signes extérieurs de l'infarctus, certes — mais pas la moindre trace, bien évidemment, d'une alerte cardiaque réelle »...! Nous sommes soulagés bien sûr. Mais reste le mystère de cette douleur qui ne sera, lui, jamais élucidé. Et qui — tenez-vous bien! — reviendra tous les huit jours à peu près, pendant un mois et demi environ, de la même manière, avec les mêmes symptômes arrivant dans le même ordre et suivis surtout, chaque fois, des mêmes étranges proclamations d'innocence...

— ... comme si le sujet avait intériorisé la culpabilité paternelle...

— Vous croyez qu'on peut dire les choses comme ça? Peut-être. Je ne sais pas. Ce que je peux vous dire, moi, c'est que les histoires — toutes les histoires — de culpabilité ont en effet commencé bizarrement à le préoccuper. Et on en a eu un exemple, caricatural mais net, quand il s'est mêlé de prendre fait et cause dans l'affaire Fesch. Vous vous souvenez de l'affaire Fesch? Non, vous êtes trop jeune... C'est un des grands faits divers des années cinquante. L'histoire d'un jeune fils de banquier collabo de Saint-Germain-en-Laye qui tente un hold-up; le manque; abat un gardien de la paix; blesse un passant dans sa fuite; passe devant les assises de la Seine qui le condamnent à mort; implore la grâce du président Coty qui —

nous sommes à l'automne 57 — la lui refuse; et, sous prétexte qu'il s'est, pendant ces trois années de prison, converti au catholicisme, voit les âmes faibles et les cœurs sensibles verser des torrents de larmes sur son sort. Eh bien, mon Benjamin est du lot. Alors que toute la France réprouve ce type qui a tout de même assassiné un père de famille innocent, lui s'émeut; découpe ses photos dans les magazines; lui trouve des airs de « Rimbaud »; milite — il a tout juste quinze ans — pour la révision de son procès; se trouve, lui qui, depuis deux ans, ne voulait plus foutre les pieds dans une église, au nombre des fidèles qui, le matin de l'exécution, sont venus entendre je ne sais plus où la messe dite pour le voyou; et fait de tout ça, j'en ai bien peur, un véritable casus belli contre moi. Ainsi ai-je droit à des provocations quotidiennes. Des photos du martyr placardées, la nuit, dans mon couloir. Des invectives continuelles contre « mes flics gras et moches » qui, par solidarité avec leur collègue abattu, réclament la mort du coupable. Des petites phrases vipérines présentant celui-ci comme un « antéchrist » dont le seul crime a été de porter en pleine lumière une infamie qui est, en réalité, le « secret honteux de la bourgeoisie ». Et tout cela, je dois le dire, avec l'active complicité de sa mère, qui ne peut pas s'empêcher, elle, de tomber en dévotion devant ce beau visage d'« archange », le miracle de sa conversion, la jolie petite Véronique, sa fille, qu'il va laisser derrière lui ou le fait que ce héros ait crânement refusé la cigarette, le verre de rhum, l'ultime dîner aussi que la loi, paraît-il, réserve aux derniers instants des condamnés.

— *Pour vous, le sens de tout ça était clair? Il ne faisait pas de doute que ces « provocations » étaient expressément dirigées contre vous?*

— Et vous, mon vieux, qu'en pensez-vous ? Que croyez-vous qu'il avait dans la tête quand il prenait ainsi fait et cause pour ce Fesch ? Que croyez-vous qu'il cherchait, le mercredi, quand arrivait *Paris-Match* et qu'il le feuilletait comme un affamé dans l'espoir de trouver une photo inédite de l'enfant, de l'épouse ou du tueur lui-même ? Et que croyez-vous qu'il voulait dire quand il m'envoyait en pleine figure que « vous, les bourgeois, c'est toujours pareil... vous expédiez vos monstres à l'échafaud... et vous vous coulez des jours tranquilles, ensuite, lavés de tout soupçon » ? Oui, hélas, le sens de tout ça était clair. Et il était difficile, il me semble, de m'agresser de manière plus directe. Cela dit, vous vous en doutez : ce n'était pas encore ça le plus grave et si je vous raconte cette histoire ce n'est pas pour me plaindre, vingt ou vingt-cinq ans après, de comportements dont je suis prêt à admettre, après tout, qu'ils n'avaient rien de vraiment exceptionnel entre un beau-père et un beau-fils. L'essentiel à mes yeux c'était — c'est toujours — ce que ces comportements révélaient de sa personnalité profonde. Dès cette époque, aussi terrible que ce soit à dire, les jeux étaient faits : le fils était malade du père ; il le portait comme une malédiction ; et il se préparait déjà à une vie tout entière placée, nous le savons aujourd'hui, sous le signe de cette malédiction.

— *N'allons pas si vite en besogne, voulez-vous ? L'enfant n'a que douze ou treize ans — quinze au moment de l'exécution de ce Fesch. Et à la lecture des papiers de sa mère j'avais plutôt, moi, l'impression de quelqu'un de doux, de studieux...*
— Sa mère, comme toutes les mères, le voyait avec les yeux de l'amour...

— *Et vous ?*

170

Moi aussi, bien sûr. Mais je crois que ça ne m'empêchait pas d'être lucide. Exigeant. Et je n'acceptais pas, comme elle, de me raconter d'histoires. Le gosse était doux, c'est vrai. Studieux, c'est vrai aussi. Il avait de bonnes notes, c'est vrai encore. Mais saviez-vous par exemple que s'il avait de si bonnes notes c'était *aussi* parce qu'il trichait? Mathilde parle-t-elle dans son journal des documents qu'il cachait, les jours de composition, dans les chiottes du lycée? Raconte-t-elle le coup des compositions d'histoire où il savait que Baillangeat, le professeur, donnait toujours un sujet qu'il avait traité en cours, et qu'il suffisait donc de tenir prêts dans son cartable autant de devoirs que de sujets possibles et d'extraire le bon, au dernier moment, juste avant le ramassage des copies?

Ce sont des détails, vous me direz. Et j'ai peut-être tort de vous les rapporter. Mais c'est ce que vous voulez, n'est-ce pas? Ce que je vous raconte là n'est pas forcément en contradiction avec ce que vous savez par ailleurs : car le garnement, en même temps, était, sans conteste, brillant; à cent coudées, j'en suis sûr, au-dessus de ses camarades; pas du tout obligé, autrement dit, de recourir à ce genre d'expédients; et capable, après tout, d'avoir les mêmes notes sans trafiquer. Mais alors dites-moi : qu'est-ce qu'un bonhomme qui copie pour le plaisir? sans en avoir vraiment besoin? pour l'amour de l'art en quelque sorte? parce qu'il a l'impression d'un triomphe qui n'en sera que plus difficile et méritoire? Arrêtez-moi si je dis des bêtises : mais, chez moi, ça s'appelle un *tricheur*.

— *Un tricheur n'est pas encore un maudit. Ni quelqu'un qui, pour reprendre vos termes, se préparerait à une vie tout entière placée sous le signe de la malédiction.*

— Non certes. Mais beaucoup de choses étaient à l'avenant. Prenez par exemple ces fameux essayages chez les couturiers où sa mère s'amusait à l'amener. Dès le début, j'étais contre. Je trouvais ça déplacé. Indécent. Sans parler de l'agacement à entendre le soir, chez moi, un morveux de douze ou treize ans poser à l'arbitre des élégances. Mais enfin, je passais. Je prenais sur moi. Et je faisais semblant de ne pas faire attention quand je les entendais caqueter tous les deux sur la ligne « H » par-ci, la ligne « A » par-là, la « mode fuseau », la « mode new-look », etc. Seulement, un matin, j'ai quand même reçu un coup de fil d'Alexandra Chimet, complètement affolée, ne sachant pas par quel bout commencer, m'expliquant que si elle avait pris l'initiative de me déranger c'est parce que la pauvre Mathilde, elle en était convaincue, succomberait, elle, à la nouvelle. Enfin bref, après moult détours, précautions, circonlocutions, j'ai quand même fini par comprendre que, pendant que maman s'attardait à ses essayages, on avait retrouvé mon cher beau-fils enfermé dans un placard avec un mannequin de passage qui l'initiait apparemment à des plaisirs plutôt douteux... Quel « plaisir » un gamin de douze ans — car il avait douze ans ! — pouvait-il bien trouver à ça, je me le demande encore. Mais ce dont je suis sûr c'est que les placards sombres n'étaient pas les lieux rêvés pour une éducation saine, normale, responsable.

— *L'histoire est, en l'occurrence, plutôt rigolote !*

— Ah ! vous trouvez ? Eh bien, je vais vous en raconter une autre, dans ce cas, qui vous fera peut-être un peu moins rire...

Il y a eu dans les années cinquante un autre grand fait divers qui a défrayé la chronique. Je m'en souviens moins bien que de l'affaire Fesch, mais c'était en gros l'histoire d'un bellâtre de province qui séduisait une jeune écervelée et exigeait d'elle, en gage d'amour, qu'elle lui immolât la petite fille qu'elle avait eue d'un premier lit. La pauvre femme, égarée et, aux dires de ses avocats, proprement ensorcelée, fait deux, trois, quatre tentatives infructueuses jusqu'au jour où elle a l'idée de noyer le bébé dans une lessiveuse d'eau bouillante. Les assises de la Somme la condamnent à la prison perpétuelle — réservant un sort plus clément à son amant qui n'a cessé de plaider, lui, que jamais, au grand jamais il n'avait une seule seconde pensé que la possédée puisse prendre au mot ce qui n'était à ses yeux qu'un badinage macabre. L'affaire, donc, fait grand bruit. Pendant des mois, Paris ne parle que de ça. Et un soir, à la maison, alors que nous recevons quelques bons amis, la conversation, comme de juste, s'attarde sur le sujet : si la folle était vraiment folle... si son complice était vraiment complice... si le pauvre petit bébé ébouillanté a eu ou non le temps de souffrir... qu'on se demande ce qu'ils lui trouvent tous : en fait de séducteur, il a surtout l'air d'un garçon coiffeur... que la fille, par contre, quelle classe, avec sa dégaine à la Ingrid Bergman !... et puis cette question, qui est, de toutes, la plus vertigineuse : « comment un homme sensé — car il est établi que lui l'était — peut-il, même en jouant, demander à la femme qu'il aime une chose aussi abominable... » Eh bien, mon vieux, vous me croirez si vous voulez, mais, à cet instant précis de la discussion, profitant d'une plage de silence, une petite voix s'élève en bout de table, qui polarise tous les regards. C'est Benjamin qui, ouvrant pour la première fois la bouche, déclare : « oh ! ce n'est pas compliqué ! interrogez donc Oncle Jean; il vous dira ce qu'il a demandé à maman quand il s'est installé avenue Ingres... »

Tête des invités. Rires embarrassés. Petites

phrases qui fusent dans le style : « comme c'est amusant...! comme cet enfant a de l'esprit...! » Et l'enfant, content de lui, qui, sans rien ajouter, se lève et monte dans sa chambre. Sachez simplement qu'une fois les amis partis — et je crois bien que, ce soir-là, ils ne se sont pas beaucoup attardés —, je suis allé rendre au chenapan une petite visite de ma façon. Et alors que je lui administrais la première — et, du reste, dernière — fessée de sa vie, il me soutenait encore cette thèse ahurissante : « je sais, j'ai la preuve qu'en 1945, après la mort de papa, profitant du chagrin de maman, vous avez tout fait pour obtenir d'elle que, d'une manière ou d'une autre, elle me liquide! » Délire pur, évidemment. Pas l'ombre d'un début de fondement. Mais vous imaginez quand même l'effet que ça peut faire. Les questions qu'on est amené à se poser. Le soupçon, par exemple, que dans ces fichus cahiers qu'il a lus et dont je ne sais, moi, rien, Mathilde ait pu écrire des conneries de cet acabit. Ah, le doute, mon vieux, le doute! Je ne sais pas si ce gamin était déjà doué pour ce qu'il allait un jour devenir : mais ce que je peux vous dire, c'est qu'il s'entendait comme personne à vous fiche en l'air un couple!

Alors, vous me direz, bien sûr, que c'était la mode. Et que tout ça ne valait pas la petite Sagan qui, à peu près au même moment, se taillait un succès de librairie avec son histoire d'adolescente tordue foutant la vie de son père en l'air et organisant quasiment le suicide de sa future belle-mère. Mais justement! Tout se tenait! Car Benjamin, figurez-vous, avait lu l'histoire en question. Il en avait même fait son livre de chevet. A l'âge où ses copains lisaient la Bibliothèque verte ou *Le Dernier des Mohicans,* lui se vautrait dans cette atmosphère frelatée. Et quand on en a tiré un film, ils ont bien dû, avec sa mère, aller le voir

174

sept ou huit fois. « On a les héros qu'on peut », je leur disais; et : « je me demande ce que vous pouvez bien trouver à cette sauvageonne mal peignée qui ne pense qu'à faire la fête à Saint-Tropez et qui, je vous le prédis, ne passera pas l'année ». Sur ce point précis, je reconnais m'être trompé. Mais sur l'essentiel, je voyais juste : il n'était pas sain que le premier personnage de roman auquel ce gosse s'identifiait fût celui-là.

— *Pardonnez-moi d'insister. Mais j'ai l'impression, quand je vous écoute, d'avoir affaire à un petit bonhomme infâme, sans foi ni principe, qui ne se serait intéressé, entre huit et douze ou treize ans, qu'au sexe, à la littérature d'avant-garde ou aux faits divers crapuleux. Franchement, est-ce que vous n'en rajoutez pas un peu ? Ce garçon n'avait-il pas d'autres passions, d'autres intérêts dans la vie — des jeux peut-être, dont vous ne me parlez pas ?*

— Justement, c'est tout le problème. Vous voulez savoir concrètement quel était à cette époque son amusement favori ? Ce n'étaient ni les soldats de plomb, ni les matchs de football, ni les parties de gendarmes et voleurs, ni même la lecture, la télé, le Monopoly ou le cinéma. C'était d'aller s'enfermer seul, tout au fond du jardin, dans une vieille cabane à outils que sa mère avait eu la faiblesse de lui donner et là, dans la solitude et le silence donc, de se jouer d'invraisemblables petits sketches dont il était le héros en même temps que l'auteur, l'acteur, le metteur en scène ou le souffleur — le thème, lui, variant peu puisqu'il s'agissait toujours, sous une forme ou sous une autre, de célébrer la vie, la mort, la geste, la gloire et les hauts faits d'un illustrissime personnage nommé Benjamin C.

La cérémonie, car c'en était une, se déroulait évidemment en cachette quand on était bien certain que, les parents sortis, on avait le jardin tout à soi. Et, comme pour les stations devant la glace, c'est par hasard d'abord, puis au prix de ruses inouïes, que nous avons réussi à surprendre son manège.

Ça donnait par exemple une suave voix de speaker lançant dans un micro imaginaire : « pensez-vous, cher ami, que l'on puisse affirmer sans risque de se tromper que Benjamin C. est un génie ? »; et une deuxième voix, grave, responsable, qui répondait : « oui, certes, on peut le dire, la chose est même scientifiquement prouvée, tant est grande l'étendue des talents, des compétences... », etc.

Ou bien un débat contradictoire du type de ceux qu'on commençait à voir apparaître à la télévision et où il mimait tour à tour, en changeant de ton chaque fois, quatre, cinq, six partisans, adversaires, spécialistes de Benjamin C., disputant si, oui ou non, son « œuvre immense et universelle » méritait d'être mise sur le même pied que celle de Goethe, Shakespeare, Cervantès ou Françoise Sagan.

Ou bien encore, dans un autre genre, une réception de Prix Nobel où on entendait d'abord Sa Majesté le roi de Suède s'incliner « devant ce savant hors pair dont les fracassantes découvertes allaient à n'en pas douter changer le destin de l'humanité »; puis le récipiendaire, humble et ému comme il se doit, répondre que « non, ce n'est pas son seul mérite, cette victoire sur le cancer est celle de toute son équipe et puis, qu'on se le dise, entre la justice et sa mère, il choisira toujours sa mère ».

Ou bien enfin son numéro le plus au point, celui auquel il tenait apparemment le plus — une voix sépulcrale déclarant simplement, dans une langue bien martelée, entrecoupée de longues plages de silence : « j'ai l'honneur, Mesdames et Messieurs, ainsi que l'atroce douleur, de devoir vous annoncer la mort, tout à l'heure, à 17 h 12 GMT, du président Benjamin C., oui, j'ai bien dit Benjamin C., bienfaiteur de son pays, grand bâtisseur d'empire, héros de la Résistance s'il en est, dont nos auditeurs ont en mémoire l'admirable conduite pendant la guerre, en face de l'occupant... » Sur quoi la voix se taisait, relayée presque aussitôt par un assourdissant concert de casseroles censé mimer, je suppose, un roulement de tambour. Par des pas longs et sourds sur le plancher, dont une voix de basse expliquait que c'étaient ceux de la foule innombrable défilant devant le catafalque. Par des pleurs, de vrais beaux pleurs, dont il réussissait à créer l'impression qu'il venait des quatre coins de la cabane. Et puis par une autre voix enfin, plus fiévreuse que celle de tout à l'heure, qui pouvait rappeler celle d'un Raymond Marcillac enroué commentant un match de football au ralenti — et qui décrivait, elle, avec un luxe infini de détails, l'arrivée au cimetière; les premières poignées de terre sur la bière; les oraisons funèbres, bouleversantes d'émotion contenue; les personnalités, les chefs d'Etat, les rois et les reines même qui avaient tenu à faire le voyage; et puis l'essentiel enfin : « ces dizaines, que dis-je? ces centaines, ces milliers de jeunes femmes, plus belles les unes que les autres, qui se sont, sans se concerter, donné rendez-vous ici et dont la foule, malgré sa très grande tristesse, ne peut pas s'empêcher de scruter discrètement les visages — car elle sait, Mesdames et Messieurs, que sur l'un d'entre eux, hier, avant-hier peut-être, le président, avant de s'en aller, a posé son dernier baiser ».

Je ne garantis pas au mot près l'exactitude du « texte ». Mais l'« esprit » était celui-là. Et c'étaient des heures et des heures, parfois des journées entières, qu'il occupait à ce genre d'idioties.

— *Et à part ça?*
— Quoi, à part ça?

— *Je veux dire : à part cette fantaisie, en effet assez étrange, il y avait sûrement autre chose... D'autres façons de s'occuper? Une autre ouverture sur le monde...*

Prenons le problème à l'envers. Puisque vous me parlez de vision du monde, réfléchissons ensemble une minute à ce que pouvait bien être, dans ces années cinquante, l'univers d'un gamin de Paris. *Les Trois Mousquetaires?* Je vous ai dit qu'il préférait les livres obscènes. Darrigade, Fausto Coppi, Jean Stablinsky? C'est tout juste s'il ne les prenait pas pour des danseurs mondains ou des vedettes de cinéma. Les premiers shows de Gilbert Bécaud, celui que tous les jeunes de France n'appelaient déjà plus que « Monsieur 100 000 volts »? Il préférait les Cadillac framboise de Ray Sugar Robinson. Le destin d'un Louis Lachenal peut-être, vainqueur de l'Anapurna, tombé dans une crevasse de la Vallée Blanche? Celui de Jean Coquelin, le brave petit cheminot de l'express Saint-Malo-Rennes? Toutes ces belles, grandes, nobles histoires héroïques d'une époque qui avait les moyens de fournir à sa jeunesse son content de rêve et d'idéal? Allons donc! Tout cela ne le concernait pas. Il trouvait que ça faisait « con », « boy-scout », « cucu la praline »! Et quant au jour d'octobre 57 où tous les garçons de son âge avaient le cœur qui battait à l'unisson de « bébé lune », le premier Spoutnik, savez-vous ce qu'il faisait? J'avais, en prévision de cette nuit historique, réservé la meilleure table du restaurant de la Tour Eiffel : eh bien, il me l'a renvoyée à la figure, ma table — et, avec elle, mon enthousiasme, mes jumelles neuves, mon bébé lune. Il avait préféré, à la dernière minute, aller s'enfermer dans une salle de cinéma, où on jouait *Johnny Guitare.*

— *Ah! Un certain goût, donc, pour le cinéma...*
— Croyez-vous qu'on puisse appeler ça un goût pour le cinéma? Je vous dis : *Johnny Guitare...* Des westerns... Des films policiers en pagaille, de préférence américains, avec un maximum de sang, de sexe... Et puis, pour couronner le tout, cette petite gale nommée James Dean, qui a, comme vous le savez, empoisonné toute une génération et qui n'a pas oublié, hélas, de le contaminer... Il fallait les voir, tous, béats devant leur idole! S'arrachant ses reliques! Répertoriant ses répliques! Voyant, revoyant, se soûlant de ses films! Rêvant de se tuer comme lui, à vingt ans, dans une Porsche Spider blanche! Et maudissant le Ciel de les avoir faits bruns, ou trop blonds, ou pas assez blonds, ou le nez trop busqué, ou l'œil pas assez ceci, ou la bouche pas assez cela, bref pas assez bien lotis pour se grimer en petite frappe californienne. Désolé, mon vieux, mais on ne me fera pas croire que c'est « ça » le goût du cinéma. Avec le recul, je ne peux pas y voir autre chose qu'un bon petit délire collectif à l'échelle d'une jeunesse molle, malade, sans idéal ni gouvernail, à qui aura manqué une bonne guerre. Tenez : je vais vous révéler une dernière chose. Cette affaire James Dean avait fini par prendre de telles proportions que je la soupçonne d'avoir fait un mal de chien à cette pauvre Mathilde. Mieux : je ne crois pas me tromper beaucoup en avançant que de voir son fils adoré plonger chaque jour un peu plus dans cette fange n'a pas été pour rien dans le déclenchement de sa maladie...

« *Oncle Jean* » commence à dérailler. Il est manifestement fatigué. Et je sens bien que je ne pourrai plus, aujourd'hui, en tirer grand-chose d'intéressant. Je suspends donc la séance. Et il me concède, de bonne grâce, un second rendez-vous pour le lendemain.

2

— *Benjamin a donc quinze ans. Et je vous ai arrêté au moment où vous vous apprêtiez à aborder la maladie de sa mère...*

— C'est ça. Nous sommes en 1957. Au printemps 57 exactement. Et Mathilde, en effet, tombe très gravement malade. Vous voulez parler de cela aussi ?

— *Oui, pourquoi pas... S'il ne vous est pas trop pénible d'évoquer la...*

— Mais non, voyons ! On était d'accord comme ça... Je vous ai dit que je répondrai à toutes vos questions, sans exception... Vous souhaitez savoir quoi, au juste ? Tout ? Depuis le début ? Toubibs, symptômes, traitements, réactions du môme et le reste ? Bon. Eh bien, en avant ! Ça fait si longtemps, en plus, que je n'ai raconté ça à personne !

Ça a commencé, je me rappelle, au moment des vacances de Pâques. J'avais débloqué huit jours sur une session parlementaire pourtant chargée (c'était l'époque « dure » du gouvernement Mollet...) et nous étions partis, comme d'habitude, prendre un peu de bon temps à l'hôtel du Cap près d'Antibes. Comment ? Vous ne savez pas qu'on venait là tous les ans ? Tiens ! Comme c'est curieux ! Mathilde raffolait de l'endroit, pourtant. Pour rien au monde elle n'aurait manqué sa réouverture, chaque printemps, au mois d'avril. Elle en aimait le site, je pense. Le calme. Le luxe. L'appartement, toujours le même, qu'on lui réservait, au rez-de-chaussée, de plain-pied avec la pelouse qui descendait vers le rocher. Elle aimait Jeannot aussi, le maître nageur, qui, du reste, le lui rendait bien et l'accueillait chaque fois avec un bonheur touchant — « mon petit poisson », il l'appelait sous prétexte qu'elle lui « étrennait » sa mer et qu'elle était capable de nager des heures dans une eau qui, en général, était encore sacrément froide ! Bref, tout ça pour dire que cette année-là, ça ne va pas ; que le bon Jeannot la voit remonter au bout de deux ou trois minutes toute blême, claquant des dents ; et que la semaine s'écoule sans qu'il la réaperçoive une seule fois ni au bord de la piscine, ni du côté des cabanes, ni à plus forte raison dans l'eau. Officiellement, elle est « fatiguée ». Comme toujours dans ces cas-là, elle se trouve mille bonnes raisons de l'être. Elle dit que « d'ailleurs, ça tombe bien : cela faisait si longtemps qu'on n'était pas restés tous les deux à flemmarder le matin au lit, à sommeiller l'après-midi sur une terrasse ensoleillée ou à écouter le chant des grillons, après dîner, dans le parc ». Quant à moi, je marche ; je pense qu'elle n'a guère qu'une petite maladie de bonne femme ; et je ne m'inquiète pas outre mesure quand, le dernier ou l'avant-dernier soir, elle me fait tâter comme par jeu, la drôle de petite boule qu'elle sent poindre, depuis quelque temps, sous son sein.

En ce temps-là, vous savez, on n'était pas avertis comme aujourd'hui. Il n'y avait pas tout le matraquage actuel sur la vigilance, le dépistage précoce, etc. Alors, que voulez-vous ? Mathilde n'a pas quarante ans. Elle est plus belle qu'elle a jamais été. Elle pète, si j'ose dire, de santé. Il n'y a qu'à voir la façon dont les hommes, tous les hommes, au Cap d'Antibes comme à Paris se retournent sur son passage. Et c'est vrai que j'attends bien cinq ou six semaines avant de faire venir Grassard, le médecin qui la suit depuis toujours et qui l'envoie, lui, sans tarder, consulter un spécialiste. La boule a grossi. Elle est de la taille d'une noix. Le contact du soutien-gorge suffit à l'irriter. Et il ne faudra pas longtemps, vous l'avez compris, au spécialiste, pour nous asséner son diagnostic.

— *Comment réagit-elle ?*
— Comme elle est. C'est-à-dire formidable ! Avec un courage, un sang-froid exceptionnels. Forçant elle-même le médecin à prononcer le mot de « cancer » et lui posant tout de suite les questions directes, précises, presque techniques qui s'imposent : quand, comment, quel degré de gravité, combien de chances réelles d'éviter l'amputation... Je me revois, moi, effondré. Et elle, au contraire, nette. Les idées claires. Sidérant le toubib, intimidé, qui n'avait apparemment jamais vu ça.

— *Elle pense guérir, j'imagine ?*
— Et comment qu'elle pense guérir ! Elle y croit dur comme fer, vous voulez dire ! Elle préfère encore mourir, me dit-elle, plutôt que de perdre ce foutu sein ! Et il faut voir avec quelle ardeur, du coup, elle se met à son traitement ! Elle a droit à tout, la pauvrette : les médecins incompétents... les infirmières sadiques... les querelles entre spécialistes... les hôpitaux lugubres, sentant la crasse et le graillon... les nouvelles amies à tête chauve, gorge noircie, poitrine ratatinée... les grenouilles de salle d'attente, comme on dit grenouille de bénitier, qui, rôdant autour des ingénues dans son genre, lui glissent de leur ton de commères : « si belle ! si jeune ! et pourtant... laissez-moi tâter... oh ! doux Jésus ! ils ne vous ont

donc rien dit... mais vous êtes très, très mal en point »... Et puis la salle aux rayons elle-même, où elle ne peut pas entrer sans avoir aussitôt envie de vomir mais où elle entre quand même, tel un petit grenadier montant au feu, en faisant bien attention de ne rien laisser paraître de son émoi — pauvre biche sans défense qu'ils sanglent bien fort sur la table, marquent comme une bête de boucherie et bombardent ensuite, tranquillement, sans se presser, avec leurs saloperies de machines à tuer.

Oui, je m'emporte. Mais mettez-vous une seconde en situation! Essayez d'imaginer ma Mathilde toute nue, toute vulnérable, entre leurs sales pattes d'idiots! Elle encaisse tout, vous m'entendez : tout, sans rien dire, sans geindre ni rechigner, trouvant toujours un mot gentil pour les connes revêches qui la manipulent. Et elle sort de ces séances crevée, vidée, tenant à peine sur ses pieds, plus faible encore qu'à l'arrivée, le cœur carrément, cette fois, au bord des lèvres — mais souriante pourtant, presque radieuse... Question de confiance, mon vieux. De foi en son étoile. D'optimisme inébranlable. Elle a l'impression d'être un soldat courageux en train de mener une guerre dure, sans merci, où il laissera peut-être des plumes, mais dont il n'est pas possible qu'il ne sorte pas finalement victorieux. Elle le dit comme ça, du reste. Presque dans ces termes. Et c'est formidable de l'entendre, elle qui ne s'était jamais intéressée ni de près ni de loin aux choses militaires, en retrouver tout à coup les mots, les phrases, les tournures d'esprit, les réflexes et parler de son joli petit corps de femme comme d'un gigantesque champ de bataille « infiltré » par les cellules malignes; « déstabilisé » par leur prolifération; et qu'il faut « bombarder », « nettoyer », « quadriller », à la façon dont, au même moment, procède l'armée française en Algérie! J'ai lu quelque part que c'est une réaction classique chez les cancéreux. Mais pour moi, sur le moment, ça fait quand même un drôle d'effet — et c'est la preuve, surtout, qu'elle se bat comme une lionne, sans faiblesse, avec une détermination farouche...

— *Quand enregistrez-vous les premiers résultats encourageants ?*

— Aux alentours de la mi-juillet, soit trois mois après le Cap d'Antibes et deux après la première visite au spécialiste. La tumeur a commencé de fondre. Elle est devenue tendre tout autour. Mathilde a pu recommencer de porter ses soutiens-gorge normaux. Il y a même des jours où il faut la chercher, la boule, pour la sentir. Et les toubibs, tout contents, lui disent que ça y est, l'assaut a été repoussé — on peut lever le blocus, cesser le tir de barrage, envisager même un armistice et en profiter pour, à toutes fins utiles, fortifier définitivement le front. En clair : ils nous invitent à partir en vacances, tête légère, cœur en fête et, si possible, sans enfant — ce que nous faisons, croyez-moi, sans beaucoup nous faire prier : Benjamin doit, de toute façon, aller dans une famille anglaise; et moi je nous prends illico une paire de billets d'avion pour Venise, où nous filons, complètement rassérénés.

Mathilde est si différente déjà! Si pleine de vitalité! Si belle, de nouveau, dans ses tenues d'été! Je ne voudrais pas vous faire le vieux coup des amants de Venise. Mais c'est vrai qu'on passe un formidable moment, là, pendant ces trois ou quatre semaines, à nous réveiller chaque matin face à la mer dans notre chambre du Cipriani; à flâner des matinées entières dans les rues les plus bêtement touristiques de la ville; à nous arrêter à midi, morts de soif et de faim, au Florian, à la Fenice, ou dans une trattoria toute simple qu'elle découvre avec une joie d'enfant; à nous attarder le soir, après dîner, à la terrasse du Gritti; à passer nos nuits, tels des collégiens, à guetter l'ombre des peintres, des musiciens, de ses écrivains préférés entre le Ponte dei Barcaroli, le quai des Schiavoni ou les salons du Danieli; et puis aussi, de temps en temps, les après-midi où il fait très chaud et où nous avons besoin de souffler un peu, à entrer dans une de ces petites églises de quartier où je l'entends s'exclamer en riant que « de toute façon, ce n'est pas la peine de se fatiguer, on y prie comme on respire » et où elle remercie au passage, presque du bout des lèvres, avec une désinvolture qui me laisse pantois, « son Seigneur qui l'a délivrée ».

Je ne dis pas que, pendant ces semaines, nous ne pensons plus du tout à la maladie. Mais je dis qu'elle est loin maintenant. Irréelle. Fictive. A l'image de cette drôle de ville, fictive aussi, dont Mathilde dit qu'on a tout le temps l'impression d'y déambuler au milieu d'un peuple de spectres et d'illusions. Et le fait est que nous pouvons passer des journées entières sans éprouver le besoin d'en parler entre nous; que, lorsque ça nous arrive, ça peut aussi bien être, à présent, sur le ton de la rigolade ou de l'humour; et que le monceau de bouquins sur le sujet que nous avions apportés dans l'idée de les potasser ne sont pas, de tout le séjour, sortis une seule fois des valises ! Pour une résurrection, c'est une résurrection. Et ça l'est, d'ailleurs, sur tous les plans : car s'il est vrai que notre couple avait parfois tendance, depuis trois ou quatre ans, pour les raisons que vous savez et pour quelques autres que vous devinez, à battre un peu de l'aile — ce voyage de convalescence aura aussi été comme un nouveau voyage de noces...

Et puis c'est là-dessus, bien sûr, qu'arrive la rechute...

— « *Là-dessus* », c'est-à-dire ?

— Fin août. Mi-août peut-être, je ne sais plus... Les derniers jours du voyage en tout cas... Cette foutue fatigue qui la reprend. Son bel appétit qui fout le camp. Des nausées, des étourdissements. Un retour sur les chapeaux de roues à Paris. Et le toubib, à l'arrivée, dont il suffit de voir la tête pendant qu'il l'examine pour tout comprendre : la vérité c'est que Mathilde n'était pas guérie du tout; que l'armistice n'était que provisoire; et que son mal, pendant que nous batifolions entre la terrasse du Gritti et la casa Frollo, était sournoisement entré dans sa deuxième phase — celle de la dissémination, discrète d'abord, puis de plus en plus effrénée, désordonnée, de ces fameuses métastases dont on nous avait tant parlé et au rythme desquelles nous allons vivre désormais.

Les choses, à partir de là, ne vont plus traîner. La machine se désagrège à vitesse grand V. Les résistances naturelles de l'organisme s'effondrent une à une. Elle attrape comme une éponge toutes les saletés, tous les microbes qui passent à sa portée. De perfusion en perfusion, ce sont le foie, les reins, les os, les vertèbres même qui, tour à tour, vont lâcher. Et j'oublie les sombres crétins qui, ne sachant plus à quel traitement la vouer, ont essayé, dès novembre, et alors que ce n'était depuis longtemps plus le problème, la vilaine amputation qu'elle avait, jusque-là, tout fait pour éviter...

Oh, ma reine ! ma princesse tendre ! je la revois, ce matin-là, pleurant doucement, le dos bien droit, la nuque raide, comme une enfant punie. Je la revois, dressée sur son séant, qui ouvre sa chemise et me montre une petite chose brune, fripée déjà, dont il faut que je sache, s'écrie-t-elle, que je la vois pour la dernière fois. Je la réentends, retombée dans ses oreillers, me glisser dans un souffle et d'une voix très lasse que « de toute façon peu importe... ça ou autre chose... vu que je vais pourrir là, sur pied, comme un gros champignon empoisonné... ». Le mot est atroce, vous ne trouvez pas ? Si je vous le rapporte, c'est pour essayer de dater un peu les choses. Car c'est à partir de ce moment-là, il me semble, qu'elle a commencé à lâcher prise; et qu'elle n'a plus résisté que mollement, pour la forme, par habitude.

Comment est-ce que je réagis ? Comme je peux, mon vieux... En lui disant que ça va s'arranger... Qu'une infirmière bien informée vient de me révéler je ne sais quoi... Que j'ai lu dans un journal qu'une équipe de médecins javanais est en train de découvrir, etc. Ou qu'elle a bonne mine ce matin, bon pied, meilleur appétit... Enfin bref, toutes les bêtises qu'un mari peut débiter dans ces cas-là et qui font chaud au cœur même si on n'y croit pas complètement... Avec aussi, peut-être, cette règle d'or à laquelle j'essaie de me tenir : rester naturel... faire comme si de rien n'était... lui raconter la chute du gouvernement... la nuit des barricades... les dernières nouvelles du complot gaulliste... bref, ne jamais oublier de faire semblant de croire à « la vie qui continue ». Ça marche parfois, notez bien. Et il y a des jours où, avec son amie Yvonne et quelques autres, rares, qu'elle tolère encore à son chevet, on arriverait presque à recréer une ambiance normale. Sur le fond, pourtant, personne n'est dupe; et notre comédie ne l'abuse, elle, jamais longtemps...

D'ailleurs, soyons sérieux ! N'avait qu'à se regarder dans une glace ! Ne pouvait pas ne pas se dire quand elle se voyait là, au réveil, sans maquillage, et avant de s'être enduite de ses satanés couches de crème, que Venise, les gondoles, le Palais des Doges, c'était décidément bien loin ! Et fallait une dose non plus seulement d'optimisme, mais bien d'imagination qu'elle n'avait plus depuis un moment pour continuer de se reconnaître, oui je dis bien de se reconnaître, derrière ce masque osseux, cireux, presque diaphane par endroits, dont la couleur virait déjà au bleu dans la région des maxillaires et qui — c'est terrible à dire, mais c'est la vérité, — sentait la mort.

Tenez : les cheveux... Elle avait beau en rire... Dire « ce n'est pas grave, ça repousse »... Collectionner les postiches les plus chics de chez Carita, Bertrand ou Dessange... Expliquer en riant : « c'est formidable, ça m'amuse et ça permet surtout de changer de tête quand on en a envie... » Au fond d'elle-même, je le voyais bien, elle n'en croyait pas un traître mot. Et, à son miroir, quand elle faisait sa toilette, elle ne pouvait pas ne pas avoir le cœur serré devant cette petite tête glabre, rabougrie, où ne subsistait plus qu'un peu d'étoupe blonde.

Je n'y étais pas, me direz-vous ? Exact, je n'y étais pas. Mais j'y étais, en revanche, la nuit. Et le soir quand elle se déshabillait. Et le jour quand ça la grattait. Et dans les moments d'accablement où elle envoyait balader toutes ses perruques. Croyez-moi : ce n'était pas joli-joli ! Ça vous changeait une personnalité ! Et j'avais besoin de beaucoup de cran (en même temps, mais ça va de soi, que de beaucoup d'amour) pour lui donner le dernier petit plaisir physique qu'elle avait l'air d'apprécier — et qui était de sentir mes lèvres lui caresser le crâne !

— *Et Benjamin ?*
— Il encaissait lui aussi... Tant bien que mal... Plutôt bien que mal, d'ailleurs... Avec une certaine pudeur... Une certaine dignité... Une volonté nette, par exemple, de geler provisoirement son différend avec moi et de donner à sa mère (elle

n'y a pas vraiment cru, mais l'intention y était !)
l'image d'un fils et d'un mari qui ne s'étriperaient
pas trop après son départ... Et puis, il avait un
truc assez spécial mais qui est, je crois, tout à fait
« pour vous » et qui consistait, les derniers temps
surtout, à passer le plus clair de ses journées
enfermé dans la bibliothèque de sa mère; et là,
avec un acharnement, une opiniâtreté de menia-
que, à se cogner un à un, méthodiquement, presque dans l'ordre des étagères, les gros bouquins
aux pages jaunies et aux couvertures reliées en
pleine peau dont elle lui avait dit un jour que
c'étaient ses « livres de jeune fille ». A quoi ça
correspondait dans son esprit, je l'ignore. Et ce
n'est pas à moi qu'il allait venir faire ce genre de
confidences. Mais ce que je peux dire c'est que ça
avait l'air d'être très important pour lui. Ni moi,
ni sa mère, ni aucune autorité au monde n'auraient pu l'arracher à cette occupation. C'était
comme un marathon, une marche forcée, une
course contre la montre peut-être, qu'il s'imposait
Dieu sait pourquoi. Et non content d'y consacrer
ses jours il y usait jusqu'à ses nuits puisqu'il
n'était pas rare qu'Odette et Lazare, prenant leur
service le matin à sept heures, le retrouvent
encore à sa table, la mèche en désordre et l'œil
rougi, en train d'abattre un peu de besogne. Le
plus extraordinaire dans toute l'histoire étant que
l'accélération de son rythme de lecture était pro-
portionnel à la dégradation de l'état de santé de
Mathilde; que plus la mère baissait, plus le fils
s'emballait; qu'à mesure que la maladie progres-
sait, il paraissait pris d'une fièvre qui l'invitait à
lire plus, plus vite, toujours plus vite et plus longtemps; et que, les tout derniers jours, au moment
de l'agonie, c'est tout juste s'il consentait à lui
distraire par-ci, par-là quelques minutes : il venait
sans rien dire, sans rien faire, sans presque songer à l'embrasser, avec ce regard d'idiot que lui

donnait l'excès de lecture — n'ayant manifestement qu'une idée, qui était de retourner au plus vite à la paix de son cabinet.

C'est une drôle d'histoire, vous ne trouvez pas ? Quant à savoir comment l'interpréter, encore une fois c'est votre affaire. Moi, ce que je peux essayer c'est vous raconter ce que faisait Mathilde pendant ce temps-là... Quel comportement elle avait... Quel regard sur elle-même... A quoi elle s'occupait, de quelle façon s'organisait le cours de son existence... Hein ? Vous voulez que l'on parle de tout ça ? De la dernière vie quotidienne de Mathilde... ?

— *Si vous y tenez, mais je...*

— Je ne sais pas si on peut encore parler de « vie quotidienne », d'ailleurs. Il y avait l'hôpital qui l'occupait déjà pas mal. Les soins à domicile. Le train de la maison auquel, vaille que vaille, elle essayait de s'intéresser. Et ces pauvres soirées que nous passions en tête-à-tête et où elle trouvait le moyen de s'inquiéter de ma fatigue, de ma santé, de l'emploi de ma journée, ou des nouveaux locataires que j'avais trouvés pour « ma » rue du Pont-aux-Dames. Non. La vérité c'est que malgré ses pathétiques efforts elle n'était plus à ce qu'elle faisait. Elle était là, certes, apparemment présente aux choses — mais absente en même temps, distraite, indifférente. Et ceux qui la connaissaient un peu savaient bien que ses centres d'intérêt étaient désormais ailleurs, dans un monde qui n'était plus vraiment le nôtre.

Elle classait ses papiers par exemple. Détruisait d'anciennes photos. Refeuilletait, pour la énième fois, les cahiers de son journal. Faisait descendre des cartons de livres à la cave. En faisait remonter d'autres. Lisait, relisait elle aussi des bouquins qu'elle savait par cœur. En ouvrait d'autres qu'elle ne connaissait pas, dont je l'avais souvent entendue dire qu'elle les réservait « pour plus tard » — et qu'elle reposait très vite, après en avoir parcouru quelques pages. Et puis elle pensait à son fils. A ce qu'il allait devenir sans elle. Aux prestigieuses carrières qui s'offriraient à lui mais où elle ne serait plus là pour le guider. A nos rapports à tous les deux, de plus en plus mauvais, dont elle redoutait que, elle partie, ils ne s'aggravent encore. Au passé également, si sombre, qu'elle remâchait sans arrêt et dont elle ne faisait plus semblant d'ignorer qu'il pesait comme une menace sur la tête de son enfant. Ou encore aux conseils, suggestions, admonestations et exhortations en tout genre qu'elle comptait lui laisser en guise de testament et que je l'ai vue enregistrer sur son gros magnétophone, une nuit, dans la salle à manger, la voix rauque, cassée par la douleur... Bref, voilà comment elle s'occupait. Et encore, jusqu'à Noël seulement. Car après, ça change à nouveau : elle entre dans la phase que j'appellerai la « phase trois » de sa maladie — celle d'une souffrance nue, brute, qui ne connaît pratiquement plus de trêve et qui suffit à mobiliser ce qui lui reste d'énergie.

Vous savez ce que ça veut dire une souffrance qui ne connaît pratiquement plus de trêve ? Vous concevez un corps qui, pas une seconde du jour, pas une seconde de la nuit, n'est laissé en repos ? Vous réalisez ce que cela peut signifier la pression constante, permanente d'un mal qui vous cherche, vous tâte, vous fouille, vous dépouille et, finalement, vous bousille sans que vous puissiez rien faire pour le chasser, vu que c'est en vous qu'il gîte et de l'intérieur qu'il vous attaque ? Non, vous ne réalisez pas. Personne ne peut réaliser. Moi-même, quand j'essaie d'y repenser, je sais bien que tout ce que je revois, toutes les images qui me reviennent, sont à cent lieues de la réalité. Et il me faut faire un effort énorme pour arriver à la revoir, simplement à la revoir, telle qu'elle était alors — râlant, hoquetant, suffoquant de douleur et n'occupant plus son temps qu'à essayer de trouver la position où elle aurait un peu moins mal...

Il y avait les jours où elle se mettait en chien de fusil... Ceux où elle se sentait mieux à quatre pattes, les coudes au corps, de gros oreillers sous le ventre... D'autres où elle n'eût pour rien au monde renoncé à se tenir accroupie, les bras en croix, le dos contre la tête du lit dont elle agrippait les barres... Les matins fragiles où elle devinait d'instinct que peu importait la position, l'essentiel était de ne pas bouger, de rester là où la nuit l'avait échouée — pas un geste, pas un souffle, à peine un froissement de draps... Les nuits, au contraire, où un grand bruit m'éveillait : c'était elle encore qui, ivre de douleur et rassemblant au fond d'elle-même je ne sais quelle ultime ressource, se levait, trébuchait, bousculait quelques meubles sur son passage et se mettait à tourner, danser, pirouetter comme une toupie folle, entre les quatre murs de la chambre... Et puis il y avait les soirs où, en rentrant de l'Assemblée, je voyais son lit vide : je savais qu'il fallait filer vers les toilettes où j'allais la retrouver nue, immobile et comme tétanisée — à genoux sur le carrelage, le front posé au sol ou contre la cuvette, une petite mousse rose écumant au coin des lèvres et le derrière baignant dans ses propres déjections... Oui, c'était ça Mathilde, les derniers temps; et c'est aussi ce genre d'images que j'ai conservées d'elle...

Cela dit, attention! Ne pas se méprendre non plus sur le gabarit de la bonne femme! Je vous la décris râlant, hurlant, hoquetant et ramassée autour de ses plaies. Mais je ne voudrais pas pour autant vous donner l'impression d'une mijaurée, d'une chichiteuse. Et ce fut même à mon avis le truc le plus prodigieux de ces semaines que de voir avec quelle fermeté, quelle noblesse de cœur, elle continuait, jusqu'à cette extrémité, de recevoir son calvaire... Ce calvaire, pour elle, était un fait. Une fatalité. Je la soupçonne même, à certains moments, d'y avoir vu une forme de pénitence. Et je l'ai plusieurs fois entendue me répéter des sornettes qu'elle était allée pêcher dans ses bouquins et où on voyait le Ciel punir les mortels en leur envoyant des maladies. Comment s'appelait déjà ce Grec dont la blessure au pied sentait si mauvais? C'est ça, oui, Philoctète. Elle se prenait pour Philoctète. Elle était une maudite... Une damnée... Une pécheresse expiant des crimes qu'elle ne connaissait pas mais qu'elle acceptait de bon cœur, par principe... Elle était catholique, ne l'oubliez pas. Et croyante. Et fervente. Et du genre à vous dire que le Christ n'était pas venu abolir le mal mais nous aider à le supporter. Alors la souffrance, vous savez... La mort... La peur de la mort... Des péripéties, tout ça! Rien que des péripéties!

Les tout derniers jours, du reste, elle était presque redevenue gaie. Elle réclamait Benjamin. Elle retrouvait un peu de goût à manger. Je me souviens même comment le soir de l'extrême-onction nous fûmes tous suffoqués par l'extraordinaire juvénilité qu'avaient retrouvée ses traits, certains d'entre les présents criant qu'« alléluia, le sacrement l'avait guérie » — les autres, plus raisonnables, songeant qu'il avait donné le branle à ce travail d'apaisement de la chair qui ne commence, d'habitude, qu'aussitôt après le trépas. Et me croirez-vous si je vous raconte comment la veille, ou l'avant-veille, elle trouvait encore le moyen, entre deux injections de drogues, de s'extasier à propos d'un grand papillon noir venu se poser sur son drap — le même, murmura-t-elle, qu'elle voit revenir, régulièrement depuis vingt

194

ans, pour tous les grands événements de son existence... ? Une fois ou deux, peut-être, j'ai cru déceler un signe de tristesse... Un léger voile dans le regard... L'œil qui chavire, qui n'arrive plus à se fixer... Et cet effroi furtif, mais déchirant, qui donnait à penser qu'elle venait de voir quelque chose d'horrible, dont nous ne pouvions, nous les vivants, avoir idée... Mais, même là, je vous fiche mon billet que ce n'était pas ce que vous croyez; et que si elle avait peur de quelque chose, c'était moins de la mort, encore que −, mettons, de l'enfer... Elle partait sereine − sans amertume, sans regret.

Si, pourtant. Elle en avait peut-être un, de regret, en cherchant bien. Mais un tout petit... Un tout mignon... Un que vous ne devinerez jamais tant il était naïf... Un qu'elle-même se serait fait couper la langue plutôt que de l'avouer à qui que ce soit... Ce regret, *son seul regret,* c'était, en un mot, d'avoir une maladie sale... sordide... un peu vulgaire... une maladie si peu accordée, c'est vrai, au raffinement de sa nature... Et si elle avait pu exprimer un vœu, ç'aurait été de peiner, suer, mourir les mille morts que le Ciel, comme elle disait, voulait lui imposer − mais avec des tourments plus propres, plus délicats, j'allais presque dire plus esthétiques. Ah, si elle avait pu troquer cet infect cancer contre une jolie tuberculose ! Mourir d'un virus discret, qui ne se serait trahi que par une douce pâleur du visage !... S'éteindre dans le calme, la paix, à la façon des poètes romantiques dont elle pourchassait l'ombre à Venise ! Comme elle aurait été heureuse de finir dans la peau d'une de ces créatures diaphanes, immatérielles, que la douleur ennoblit et à qui elle vient conférer un appoint de charme et de grâce ! Elle ne disait, je vous le répète, explicitement rien de tel. Mais, plus j'y réfléchis, plus je suis persuadé que c'est ainsi que ça se passait dans sa tête. Je suis convaincu qu'aux pires moments, quand elle souffrait le martyre, quand elle ne pouvait plus penser à rien, il lui restait tout de même un peu de ce songe. Et je crois, à l'inverse, qu'une femme qui ne rêvait que de misères exquises, de langueurs distinguées, de mouchoirs de dentelles pour ses crachotements de poupée, ne pouvait pas connaître pire destin que celui de finir dans ce cloaque, cette pestilence.

Un dernier souvenir, à ce propos. C'était la fin. Des signes, de plus en plus nombreux, indiquaient que tout n'était plus qu'une question d'heures. Les médecins lui administraient piqûre de morphine sur piqûre de morphine. Le corps, las de lutter, foutait le camp par tous les bouts. Ce n'était plus qu'une carcasse, retentissant de glouglous divers, qui ne tenait plus à la vie que par un fil. J'étais moi-même là par devoir, ignorant même si elle était encore capable de me reconnaître. Et tout à coup elle s'est réveillée. Redressée. Ses lèvres, soudain très rouges, se sont mises à remuer. Et, de ces lèvres sont sortis ces mots, qui me sont restés gravés, à jamais, dans la mémoire : « oh! doux Jésus... pouvoir enfin m'abandonner... dans ce grand fauteuil de laque blanche... toute frêle... toute fragile... auprès d'un robuste mari qui me ferait la conversation... » C'était beau, n'est-ce pas ? C'était émouvant... C'était comme un aveu ultime, un bouleversant cri du cœur... Le plus bouleversant dans ce cri étant, soit dit en passant, que le texte lui-même, la phrase, la suite des syllabes prononcées ne lui appartenaient pas vraiment puisqu'elle venait de les voler, comme elle faisait de plus en plus souvent, à l'un de ses écrivains favoris...

Je vois que vous êtes surpris. Je comprends ça. Mais il faut que vous sachiez que Mathilde avait toujours été une grande liseuse. Et qu'elle faisait partie de ces gens qui, passant leur vie au milieu des bouquins, étaient capables de vous lâcher tout à trac, en plein milieu d'un dîner, que la mort de Lucien de Rubempré ou le suicide d'Emma Bovary étaient parmi les grandes émotions de leur existence. Eh bien, c'est un peu ça qui se passe. Mais ça aggravé. Poussé à l'extrême. Comme si ce qui n'avait été de son vivant qu'une singularité de caractère devenait à présent un travers; un dérèglement de l'esprit; presque un trait de démence. Et comme si, à la façon de ces vieux qui, perdant la mémoire du présent, ne sont plus envahis que par celle du plus lointain passé, elle perdait peu à peu le sens du réel, le contact avec le monde concret et se mettait à évoluer dans un univers de chimères et de papier. Oui, c'est bien ça : Mathilde, à l'article de la mort, parle comme un livre... comme les livres... comme les livres qu'elle a lus et aimés dans sa jeunesse... et elle ne peut plus parler, notamment, de sa propre mort, qu'à l'aide d'un hallucinant, intarissable déluge de citations que je suis bien incapable, moi-même, d'identifier mais que Benjamin, lui, par contre, prend un malin plaisir à repérer à chaque coup.

« Je voudrais commencer une autre vie, dit-elle par exemple, celle-ci est usée jusqu'à la corde »... Ou bien : « Depuis le temps que ça dure, les vivants auraient quand même dû prendre le pli de mourir »... Ou bien : « La mort, voyez-vous, nous est toujours servie à petites doses, car nous ne pourrions pas l'avaler d'un seul coup »... Ou bien : « Attention, cher, attention, ni dalle, ni tertre, ni épitaphe, mais une tablette de marbre toute simple, de la forme d'une carte à jouer »... Ou bien encore, un soir où la souffrance est particulièrement intolérable : « Tuez-moi, tuez-moi vite, si vous ne me tuez pas, vous êtes un meurtrier... » Ou le tout dernier jour enfin, sentant ses forces qui se dérobaient : « Laissez-moi me livrer à présent aux devoirs de ma religion; j'ai bien des fautes à expier; mon amour pour vous fut si grand... » Et puis, tout de suite après le départ du prêtre, le petit visage, bouilli de larmes, qui trouve la force de me demander : « Est-ce qu'on peut voir encore que je souris ? » — et qui, devant ce qui a dû être une imperceptible hésitation de ma part, conclut par cette phrase dont je comprends de nouveau, à l'air ridiculement entendu de son fils, qu'elle n'en est pas l'auteur : « Bon, je vois que vous hésitez; permettez-moi de penser alors que ça ne vaut plus la peine de continuer »... Sur quoi elle retombe. Entre doucement en somnolence. Et ne reprend en effet plus ses esprits.

Drôle d'histoire, n'est-ce pas ? Possédée jusqu'au bout par sa passion, elle aura plagié jusqu'à son dernier soupir et emprunté à d'autres ces fameux « derniers mots » dont on dit toujours qu'ils sont la vérité des moribonds.

3

— *Vous voici donc seul à seul avec votre beau-fils.*

— Si on veut... Parce que, quand une femme du gabarit de Mathilde s'en va, elle ne peut pas disparaître tout à fait. Vous continuez de la voir, de l'entendre, de sentir sa présence, son odeur, pendant des mois sinon des années. Et...

— *Ma question est, pardonnez-moi, plus prosaïque. Je me demande surtout quel effet ça fait à deux vieux ennemis comme Benjamin et vous de se retrouver tout à coup face à face.*

— Holà! Pas si vite! Ce môme n'était pas mon ennemi, sapristi! En aucun cas. Et s'il a pu m'arriver d'avoir des torts...

— *Des torts?*

— Oui, des torts. Qui n'en a pas? Quel est le père, ou le beau-père, qui peut se flatter de n'avoir jamais commis d'erreur? Je sais bien, par exemple, que j'étais un peu dur. Que j'ai pu manquer de chaleur. Je suis conscient, avec le recul, que dans une affaire comme celle de son père j'aurais dû agir avec, mettons, plus de... doigté. Mais mettez-vous à ma place, à la fin! Vous héritez d'un môme pas simple. Vous vous sentez responsable de ce qu'il va devenir. Or il est encom-

bré d'un père qui est quand même ce qui se fait
de plus sérieux au rayon « crimes de guerre et
articles nazis en tous genres »; vous savez que,
quand il l'apprendra, il en sera fatalement secoué;
vous vous dites qu'il sera tenté de le défendre, de
lui trouver des excuses, des circonstances atté-
nuantes; vous voyez même des psychologues —
ça, Mathilde ne le savait pas... — qui vous disent
tous qu'il y a des risques pour qu'il vous fasse,
autour   de   l'adolescence,   une   «   crise
d'identification »; et vous avez ladite Mathilde qui
arrive par là-dessus avec son côté mère poule et
qui, pour tout arranger, s'oppose à ce qu'on lui
dise la vérité...

— *Vous essayez de la convaincre?*
— La question n'était pas de la convaincre. Car
elle savait bien, au fond d'elle-même, que j'avais
raison — et qu'il faudrait bien, un jour ou l'autre,
qu'elle se décide à sauter le pas. Seulement, je
crois que c'était comme ça... Plus fort qu'elle... Et
que c'était presque chez elle un problème de tempérament. Elle n'était pas menteuse, non, ce n'est
pas ça. Mais lorsqu'une vérité était un peu délicate, ça ne venait pas. Ça ne sortait pas. Elle vous
la tournait et retournait indéfiniment sans réussir à la lâcher. Et quand elle s'y décidait enfin,
elle avait cette autre fichue manie qu'au lieu d'y
aller franchement, de tout balancer d'un coup, en
bloc, histoire de s'en débarrasser et de ne plus
avoir à y penser, elle en gardait toujours des
petits bouts dans la tête, tout coincés, comme si
ça la rassurait.
Ce qu'elle aurait aimé, autrement dit, ç'aurait
été de lui balancer l'histoire à son heure, et surtout à sa façon, agrémentée de tout le flou possible, de toute l'imprécision requise — un peu
comme elle faisait avec ses curés quand elle allait
se confesser, ou bien même avec moi quand elle

200

partait seule en voyage et que, décidant de prolonger de huit ou dix jours, elle m'en informait peu à peu, au compte-gouttes, en huit ou dix coups de téléphone distincts, alors qu'il aurait été si simple de faire tout le boulot en une seule fois. Le malheur, là, bien sûr, c'est que Benjamin ne l'a pas attendue — et qu'il a fini par s'avaler sa vérité tout seul, d'un trait, sans faire de détail...

— *Elle vous reproche, elle, dans son journal, d'avoir fait peser une sorte d'« interdit » sur le nom, l'image du père de cet enfant...*

— C'est vrai. Je ne le nie pas. Et je n'en ai pas honte. Car mettez-vous à ma place, étais-je en train de vous dire. Vous héritez de ce môme « pas simple ». Vous ne lui voulez que du bien. Vous aimez la mère à la folie. Et vous avez tout cet imbroglio avec lequel il faut bien se débrouiller. Alors, vous faites quoi, vous, dans ce cas ? Vous bétonnez, bien sûr. Vous n'avez pas d'autre solution que de bétonner. De verrouiller. D'installer un bon petit cordon sanitaire des familles. D'empêcher par tous les moyens cette « image » du père, comme vous dites, de venir lui travailler la cervelle. Et vous n'avez surtout pas envie de jouer au beau-père chic, moderne, qui trouve toute l'histoire pittoresque et charmante — « le papa envoyait des juifs à Dachau ? mais voyons, ça va de soi ! pas de quoi fouetter un chat ! on va en parler ensemble, librement, au coin du feu ! »

— *Je comprends. Mais de là à ce silence total, terrible... N'importe quel psychologue aurait pu vous expliquer qu'un père, quoi qu'il arrive...*

— Eh là, mon vieux, attention ! Primo, le silence total, je vous le rappelle, était moins mon fait que celui de Mathilde. Mais secundo, quand les psychologues me donnaient leur théorie sur « le père », ils parlaient en général, dans l'abstrait, c'étaient des théories qui valaient pour des situations normales, classiques. Tandis que là, nom d'une pipe, il s'agissait — combien de fois et sur quel ton devrai-je vous le répéter? — d'une situation qui était tout sauf classique...

Alors, que j'aie commis des erreurs, encore une fois, c'est possible. Mais sur le fond, je pense que je n'avais pas le choix. Et je continue de penser que mon calcul, pour brutal, voire inhumain qu'il vous paraisse, était, compte tenu des circonstances, le seul possible : un père qui avait livré des juifs, porté l'uniforme SS, etc., n'était pas un père; il ne pouvait pas être un père; il ne devait surtout pas, dans l'intérêt même du gosse, garder une image de père; et comme nous avions la chance, dans notre malheur, qu'il soit mort assez tôt pour ne quasiment pas connaître son fils, je me disais qu'il devait être encore possible d'effacer les quelques traces qu'il avait pu laisser dans le paysage.

D'ailleurs, je ne sais pas pourquoi je dis « mon » calcul. Car ce n'était pas le mien seulement. Et je n'aurais peut-être pas été tellement ferme, tellement convaincu de mon bon droit si je ne m'étais senti assuré de son aval.

— *Son aval?*
— Oui, l'aval d'Edouard.

— *Comment, cela, « l'aval d'Edouard »?*
— Eh bien, oui... son aval... sa permission, quoi ! On s'est revus une dernière fois, quelques jours avant l'exécution — vous ne saviez pas ?

— *Si, mais j'ignorais de quoi vous...*
— De quoi on a parlé? Il n'y avait pas mille sujets, vous savez! Il a dû me dire un mot de Mathilde... Un autre de la situation politique d'ensemble... Quelques considérations oiseuses sur le

« communisme » qu'il voyait maintenant, du fond de sa geôle, comme « l'approximation peut-être la moins infidèle » (ce sont ses mots) de son rêve fasciste avorté. Mais le gros de la conversation a porté, bien entendu, sur ce fils qu'il laissait derrière lui et auquel il se rendait bien compte, lui, qu'il allait faire beaucoup de mal.

Alors sa théorie — je dis bien *sa* théorie car je n'ai fait, moi, à la limite, que lui emboîter le pas — c'était qu'il était un raté dans la vie de ce môme. Un ratage horrible, monstrueux. Qu'on devait pouvoir effacer ça. Tout reprendre à zéro. Recommencer tout le binz comme, au tableau noir, un calcul mal fait. Le nettoyer très vite, ni vu ni connu, comme — ce sont ses mots, toujours — « un vilain petit dégueulis ». Et son idée, donc, c'est qu'il m'appartenait à moi, Jean, non pas seulement d'assurer le relais, de reprendre le flambeau, de le « remplacer » comme dans un cas de figure classique — mais proprement de l'effacer, de le liquider, de le rayer des cadres, de faire comme si, réellement, il n'avait *jamais existé* et de devenir donc, pleinement, en tous les sens du terme, le véritable père de Benjamin.

Ça peut vous paraître un peu tarte, dit comme ça. Mais il faut se replacer dans le climat... La cellule... La mort toute proche... L'espèce de vague grandeur que ce genre de situation confère toujours, même au dernier des lâches ou des couillons... L'émotion de se retrouver aussi... Face à face... Comme autrefois... Presque copains de nouveau, spontanément copains, en train de monter « un coup » ensemble... Et puis le passé surtout, qui revient... Les souvenirs... Cette façon qu'ont les mourants de récapituler leur vie et de se dire qu'au fond, sans qu'on s'en aperçût sur le coup, elle conspirait tout entière à ce qui est en train, là, maintenant, de se dessiner... Et notre histoire à tous les trois, avec Mathilde, qui, de ce point de vue, et à tort ou à raison, ne peut lui apparaître que terriblement prémonitoire et...

— *Attendez! Je ne comprends pas.*

— Oui, je veux dire que lorsqu'il me demande d'assassiner sa mémoire — car c'est à ça que ça revient, n'est-ce pas ? — il n'a pas vraiment l'impression de faire une chose extraordinaire, un sacrifice, un acte de renoncement... Son idée c'est plutôt de revenir à la normale, à la situation de départ, à ce que les choses auraient dû être, en principe, si elles avaient tourné comme elles auraient dû entre nous trois...

— *Parce que ?*

— Quoi ? Vous ne savez pas ça non plus ? Ah ! mais ça, alors, c'est incroyable ! Vraiment incroyable ! Car c'est moi, bien sûr, qui rencontre Mathilde le premier... Très tôt... Bien avant la guerre... A un moment (l'automne 38) où Edouard est encore un gentil centralien bien bûcheur qui ne pense pas trop aux filles et où j'ai un peu de temps, par contre, pour baguenauder, par un bel après-midi de septembre, au volant de ma MG devant chez Chanel, rue Cambon; pour y voir apparaître, radieuse comme une jeune étoile, une adolescente très belle aux bras chargés de paquets; pour me précipiter quand ce qui devait arriver arrive et que s'effondre d'un coup la montagne de cartons; et pour faire connaissance, là, à quatre pattes sur le macadam, comme dans les films, avec celle dont j'ignore encore qu'elle est la femme de ma vie.

Pourquoi ça a tourné comme ça, alors ? Et comment « la femme de ma vie » peut-elle se retrouver en train de se marier deux ans plus tard avec mon meilleur ami ? C'est le destin, ça, mon vieux... L'ironie du destin... L'époque peut-être aussi, où il faut savoir qu'on ne « couchait » pas

comme aujourd'hui et où il y avait, très nettement séparées, les « filles » et les « femmes ».
Disons que moi je devais préférer les « filles ».
Ou, plus exactement, que je n'aimais chez une
« femme » que l'idée de la transformer très vite
en « fille ». Et que Mathilde était beaucoup trop
jeune pour ça; trop bourgeoise; trop catholique;
que son père, qui vivait encore (il meurt début 40)
ne badinait pas avec les principes; et que, de mon
côté, perdu comme je l'étais dans des histoires de
jupons miteuses, mais qui me tournaient la tête,
je n'ai tout bonnement pas vu l'être exceptionnel
que c'était.

La guerre a fait le reste... La mobilisation... La
débâcle... Edouard (à qui je l'avais évidemment
présentée) se débrouillant je ne sais plus trop
comment pour revenir plus vite que moi à Paris,
la revoir, la sortir, la courtiser comme il
convient... Le papa qui le trouve brillant, plein
d'avenir, tout à fait le gendre qu'il lui faut pour
prendre sa suite à la tête des affaires... Ma réputation d'amateur de femmes qu'il entretient com-
plaisamment mais qui, bien sûr, n'arrange rien —
« ah! c'est comme ça... Monsieur est irrésistible...
Eh bien, on va voir ce qu'on va voir... » Et puis ce
mariage enfin, sinistre, où je nous revois, elle agacée, irascible, étrangement absente; lui heureux,
flottant sur son petit nuage; et moi qui, sans rien
dire encore, bien décidé à ce que le sujet ne soit
jamais abordé entre nous trois, commence tout
de même à me demander si je n'aurais pas fait,
par hasard, à mon vieux copain, un cadeau un
peu... inconsidéré!

Comme vous voyez, le coup classique... Le
drame bourgeois dans toute sa splendeur! Et il
n'y aurait vraiment pas de quoi s'y attarder s'il
n'avait eu la chaîne de conséquences que vous
savez — à commencer, donc, par Edouard qui,

même s'il conduit sa petite affaire de bonne foi, ne se départira jamais de l'idée vague, incertaine, longtemps informulée, que s'il a épousé Mathilde c'est un peu, au fond, *à ma place*... Mais bon! Voilà que rien que d'y penser me remet les larmes aux yeux... Pourquoi est-ce que je vous reparlais de tout ça, déjà...?

— *Nous parlions de Benjamin et de...*
— C'est ça, oui, Benjamin... Le résultat de tout ce malentendu, finalement... Pauvre mioche!

— *Et vous vous étonniez que je puisse dire :* « *Deux vieux ennemis comme Benjamin et vous...* »
— En effet... Mais vous comprenez mieux pourquoi, n'est-ce pas? Vous voyez ce que représentait ce gosse pour moi? Il était deux fois sacré : une à cause de la mort d'Edouard, une autre à cause de celle de Mathilde — et le fait est que de l'élever dignement est devenu mon souci numéro un. Je n'irai pas jusqu'à dire que je lui ai sacrifié ma vie. Mais c'est vrai qu'il y a beaucoup de choses qui, à dater de ce jour de juin 1958, sont passées au second plan.

— *Comme quoi?*
— Je n'ai pas d'exemple précis à vous donner, comme ça, au pied levé. Mais c'est toute la vie qui s'en ressent : la maison qu'il faut tenir... les profs qu'il faut aller voir... les toubibs... les maladies... les voyages plus difficiles... un minimum de présence nécessaire... les vacances à organiser autour de lui... les bonnes femmes qui ne comprennent pas toujours... la carrière qui s'en ressent, qui ne sera jamais plus ce qu'elle aurait pu être... et puis l'exemple à donner, en même temps... très important, ça, l'exemple... l'idée qu'il n'a plus que vous au monde, ce môme... J'avais quarante ans : et je

devais être à la fois son père, sa mère, son tuteur, son grand frère, son grand-père — alors que je n'étais, en fait, que le beau-père...

— *Et lui ?*
— Lui ?

— *Oui, comment voyait-il les choses ? Comment est-ce qu'il vous considérait ?*
— Hum... Je ne sais pas... Disons qu'il ne me payait pas vraiment de retour... Oui, c'est ça, disons ça : il ne me payait pas vraiment de retour...

— *Mais encore ?*
— Je vous ai tout dit déjà... Je vous ai donné mille exemples de cette hostilité...

— *Oui... Mais là... Dans la situation nouvelle créée par la disparition de sa mère... Est-ce que ça a tendance à arranger les choses — ou est-ce que, au contraire, ça les aggrave ?*
— Vous ne trouvez pas que ça commence à bien faire, le côté vieux grincheux pestant contre un jeune qui l'a un peu bousculé ?

— *Il ne s'agit pas de ça, vous le savez bien. Il est très important pour moi, pour vous, pour nous tous de savoir si, dès cette époque...*
— Je sais... Je sais... Mais tout ça semble si vain... Si dérisoire... Je ne saurais même pas par quel bout commencer...

— *Juin 58... On est en juin 58... Aux lendemains de la mort de Mathilde...*
— Ouais... Il y aurait bien cette vieille histoire de testament... Vous connaissez l'histoire du testament ?

— *Non. Je ne savais même pas qu'il y avait eu un testament!*

— Enfin « testament », façon de parler. Car le problème de la succession proprement dite était réglé d'avance puisque c'est Benjamin qui, à sa majorité, devait hériter de l'ensemble de la fortune. Mais elle avait tenu, malgré ça, à rédiger quelque chose... Un papier officieux... Le genre de truc qu'on écrit pour exprimer ses dernières volontés... ses recommandations ultimes... les menues donations qu'on a à cœur de faire avant de partir... Et maître Barbezieux, son notaire, était venu à la maison, le lendemain du décès, nous en donner lecture...

— *Et alors?*

— Bon... Et alors, on est tous autour de lui — debout, terriblement émus, certains d'entre nous au bord des larmes, ici même, dans ce salon où nous sommes et où elle avait l'habitude de se tenir. Il y a là Benjamin, moi, les domestiques, Grassard, ainsi qu'une poignée de fidèles que Barbezieux m'a discrètement conseillé, quelques heures plus tôt, au téléphone, de convoquer. Et il commence, la gorge un peu serrée lui aussi, son énumération : « à Jean, mon mari chéri... à Yvonne, mon amie de toujours... à Odette qui, jusqu'au bout... à Lazare... à Angèle, mon ancienne femme de chambre... aux œuvres de l'arrondissement... à l'hôpital machin... au dispensaire bidule... à Grassard... à Chavanac... à l'hôtel du Cap... à Jeannot... à M. le concierge de l'hôtel Cipriani à Venise... » Bref, le cher ange a pensé à tous. Elle a prévu un petit quelque chose pour chacun. Il n'y a pas une infirmière, une vieille amie, une couturière, un fournisseur attitré qui n'aient droit à un mot, un souvenir. Et c'est tout son univers de jeune femme qu'on voit défiler ainsi, en petits morceaux, depuis ses robes et ses bijoux jusqu'à ses crucifix, ses images pieuses, ses bibelots, telle petite vierge rapportée d'un séjour à Florence — ou ses pensées simplement qu'elle adresse à chacun avec sa grâce, sa gentillesse habituelles. Mais il y a un hic, pourtant, dans le tableau. Il y a un défaut qui nous saute tous, tout de suite, aux yeux. C'est qu'il y a un nom et un seul qui manque à la liste : et ce nom c'est, vous l'avez deviné, celui de Benjamin.

Stupeur... Incrédulité... les invités qui n'osent plus ouvrir la bouche... Les domestiques qui, à tout hasard, fixent le bout de leurs souliers... Benjamin qui ne bronche pas mais regarde droit devant, les yeux dans le vide... Moi qui, reprenant le premier mes esprits, lance : « ce n'est pas possible, voyons ! on a dû sauter une ligne, un mot ! cherchez mieux, Barbezieux, cherchez mieux... » Le pauvre Barbezieux qui cherche... recherche... refeuillette ses papiers à l'endroit, à l'envers... un peu plus et il les secouerait comme si le nom manquant y pouvait être coincé et qu'il allait le faire tomber... Au bout de cinq minutes pourtant, suant de confusion, son visage poupin au bord de l'apoplexie, il est bien obligé de bafouiller qu'« en effet... c'est indubitable... le nom de l'enfant ne figure pas... »

Je me souviens à ce moment-là de la fameuse bande magnétique que je l'avais vue enregistrer la dernière semaine, sur la table de la salle à manger. « Bon sang de bonsoir, m'écriai-je... c'est ça... c'est forcément ça... un document spécial... un testament spécial pour toi, petit gars... » Et j'envoie Odette chercher dans la chambre. Comme elle ne trouve pas, je demande à Lazare de fouiller dans le salon. Comme il ne trouve pas lui non plus, je m'y mets moi aussi, j'y mets Barbezieux, j'enrôle tous les amis présents, c'est la mobilisation générale pour retrouver cette fichue bande. Et la scène tournerait presque au burlesque si l'issue n'était, hélas, tragique : on a beau chercher, mettre la baraque sens dessus dessous, on a beau, après le départ des invités, consacrer deux pleines journées à la passer au peigne fin, il faut bien, à nouveau, se rendre à l'évidence : aussi incroyable que cela paraisse, tant la bande elle-même que le document écrit qui lui avait servi de brouillon se sont purement et simplement évanouis dans la nature.

Bon. Voilà déjà une histoire. Vous voyez qu'elle est assez triste. Mais là où ça devient encore plus triste — et je réponds à votre question — c'est quand on voit la réaction du gosse. Car enfin il pourrait penser que l'objet est resté dans un endroit auquel on n'a pas songé... Il pourrait se dire qu'elle a effacé la bande elle-même, sans le vouloir, un jour où elle n'avait plus sa tête... Ou bien au contraire — et c'est, aujourd'hui encore, ma thèse — qu'elle l'a effacée *exprès*, pour la réenregistrer autrement, mais qu'au dernier moment, juste avant de le faire, les forces lui ont manqué... Mais non ! Il lui faut un coupable ! Il a besoin d'une tête de Turc ! Et c'est à moi, comme par hasard, qu'il a l'amabilité de penser — m'accusant ni plus ni moins que d'avoir subtilisé, puis fait disparaître, le viatique que lui laissait sa mère...

— *L'émotion, j'imagine... La tristesse...*
— Hum... Si on veut... Encore que je n'aie pas eu l'impression, si vous allez par là, que « la tristesse et l'émotion » l'aient particulièrement étouffé le surlendemain par exemple, au moment des obsèques. Vous voulez cette histoire-là aussi ? Ce n'est pas joli joli, je vous préviens... Mais enfin, puisqu'on a commencé...

Il s'est levé tôt, ce matin-là. Il a passé une grande heure dans la salle de bain à siffloter des airs de jazz. Dès le petit déjeuner, il a tenu à mettre le pantalon 24/24, le gilet noir en velours, la chemise blanche à col glacé qu'il réservait en général pour ses surprises-parties. Tout dans sa mise, dans son comportement, dans la façon qu'il a de regarder constamment l'heure à son poignet, trahit une fébrilité, une agitation extrêmes. Mais quand sonne enfin l'heure H et que les gens commencent d'arriver, virage à 180° ! Il se compose un vrai visage d'endeuillé, tout à coup. Il donne tous les signes visibles du chagrin le plus accablé. Il n'a plus son pareil pour saluer... s'incliner... grommeler des remerciements consternés... esquisser de pâles sourires de jeune-homme-bouleversé-qui-fait-face... arrêter d'un geste las un hommage un peu verbeux... en encourager un autre du regard quand il lui paraît plus authentique... hocher la tête... faire des mines... des moues... s'essuyer une larme au coin de l'œil si on évoque en sa présence les sublimes vertus de la disparue... Bref, un singe ! Un vrai petit singe savant qui aurait passé son temps depuis deux jours à répéter son rôle devant la glace et qui le jouerait à présent, avec une maestria et une délectation presque indécentes !

Bon, me dis-je. C'est sa façon à lui de surmonter sa douleur. Et c'est probablement aussi, comme me le confirmera le psychologue quelques heures plus tard, sa manière de « se réapproprier symboliquement » la mémoire de la défunte (un peu comme, à l'automne suivant, quand il se permettra de vendre à un bouquiniste, sans m'avoir consulté, sa fameuse « bibliothèque de jeune fille »). Mais là où ça ne va plus, par contre, et où je suis bien obligé de dire « stop ! » c'est quand son manège dégénère et qu'il trouve encore le moyen de le retourner contre moi. Car voici qu'au bout d'un moment, je gêne monsieur ! Je l'embarrasse ! Mon regard, je suppose... Le fait que je le

211

connaisse trop bien... Ma simple présence, à côté de lui — en qualité, tout de même! de veuf en titre... Et qu'est-ce qu'il en fait alors, du « veuf en titre »? Il l'écarte... Il le balaie d'un revers de main... Il lui marche quasiment sur les pieds, au cimetière, pour être en tête du cortège... Et il offre à tout Paris le spectacle assez ahurissant d'un fils et d'un mari jouant des coudes comme des malfrats — je n'ose pas dire comme des vautours — autour de la dépouille sacrée.

Voilà. Je vous raconte ça calmement, sans passion et sans nier, bien entendu, qu'il était aussi « triste et ému ». Ce que je veux vous faire sentir c'est que la rancœur contre moi était si forte qu'elle en étouffait tout le reste; j'étais de trop dans sa vie; et la mort de sa mère, loin d'arranger les choses, ne faisait, en ce sens, que les aggraver.

— *On est, si j'ai bien compris, à la veille des grandes vacances...*

— Exact! Et toute modestie mise à part, je dois vous dire que, là encore, je fais ce que je peux pour que les choses se passent bien.

Je sais en effet qu'il a un rêve qui est de connaître les Etats-Unis. Il en parle depuis un an ou deux déjà. Sa mère lui avait dix fois promis de l'y amener. Elle avait été au bord de le faire, je crois, au lendemain de notre séjour à Venise. Mais ça avait échoué, pour les raisons que vous connaissez... Alors, sachant ça, je me secoue. Je me prends gentiment par la main. Et malgré mon propre chagrin, malgré le fait que je n'aie personnellement qu'une envie qui serait de rester ici, avenue Ingres, malgré la saison politique aussi dont le moins qu'on puisse dire est qu'elle est, en cet an de grâce 1958, particulièrement chaude et agitée, je réserve deux chambres au Pierre qui est à cette époque (peut-être l'est-il encore, je ne sais pas) le meilleur hôtel de la ville; et je me retrouve avec lui au cœur de l'été new-yorkais.

Est-il content? Va-t-il le montrer? Logiquement oui, me dis-je. Et sans forcément croire au miracle, je suis en droit d'attendre un mieux; un répit; je suis en droit de m'attendre au moins à ce que ce changement d'air l'aide à se changer les idées. Eh bien, non, mon vieux! Rien! Le miracle c'est que rien ne bouge justement! Il a apporté dans ses bagages toute sa cargaison de griefs, de rancunes, de faux procès, de ressentiments. Au sommet de l'Empire State Building ou devant la statue de la Liberté il est encore capable de ruminer et de remettre sur le tapis l'affaire de la bande magnétique disparue. A la limite même c'est pire qu'à Paris, car il y a cette proximité terrible tout à coup... cette promiscuité de chaque instant... le moindre de mes gestes, de mes regards, la mine que j'ai en m'habillant, le pyjama que je mets le soir, mon enthousiasme devant un monument, mon mauvais accent, tout un tas de détails qu'il pouvait ne pas remarquer avenue Ingres mais qui prennent tout à coup, ici, un relief démesuré et qui l'agacent, le crispent, me rendent insupportable à ses yeux... Et je ne vous dis rien de New York même qui devait, dans mon esprit, nous rapprocher et qui devient au fil des jours comme une énorme pomme de discorde.

— *Comment cela?*

— Admettons que, par tempérament, je n'étais pour ma part ni spontanément ni particulièrement new-yorkais. Trop « français », si vous voyez ce que je veux dire... Trop amoureux de mon pays, de ses terroirs, de ses bons vins, de sa bouffe... En sorte qu'il y avait dans ce grand bazar, sympathique certes, mais dur, crasseux, sans style ni culture véritables, qu'était Manhattan, quelque chose qui ne collait pas avec ma vision du monde.

Mais c'était mon droit, pas vrai ? Ce n'était pas un crime en tout cas ? Ç'aurait même pu être, si on avait été malins, l'occasion de débats intéressants, constructifs, qui nous auraient enrichis tous les deux ? Eh bien, ça n'a pas été son avis, là non plus. Car il est devenu, dans le même temps, d'un dogmatisme effarant. Cette ville où il n'avait, la veille encore, jamais fichu les pieds est devenue sa chose tout à coup, son truc. Il s'est mis à la défendre bec et ongles comme si la moindre critique que je pouvais faire l'atteignait personnellement, lui, dans sa chair. Je ne pouvais pas formuler une réserve, sur l'architecture des gratte-ciel, par exemple, sans me voir immédiatement traiter de crétin, aveugle aux vraies « cathédrales de notre temps ». Je n'avais pas le droit de me sentir mal à l'aise devant une bataille d'ivrognes sur la Bowery, dans un coupe-gorge de Little Italy ou dans un souk de Chinatown sans devenir un « raciste » incapable de comprendre « l'esprit cosmopolite ». Il suffisait, d'une manière générale, que je trouve un endroit laid, lugubre, insalubre ou peu propice à la détente dont nous avions besoin pour que je devienne un « croulant », que l'endroit devienne « sensass » et que nous n'en décollions plus pendant huit jours. Et l'après-midi, aux heures de grande chaleur, quand le macadam était bouillant, presque fondu, son grand jeu était de décréter qu'il fallait « se mettre au frais — ce qui, en clair, signifiait : descendre dans le métro; se traîner le long de ses boyaux puants; enjamber avec délices les tas d'ordures qui le jonchaient; risquer dix fois l'accident, la bagarre, le coup de couteau; et refaire enfin surface plus loin, n'importe où, à l'aveuglette, telles de grosses taupes rescapées de je ne sais quelle cavalcade infernale et qui remonteraient d'un seul coup, sans savoir où ni comment, à l'air libre.

214

Le tableau vous semble peut-être un peu noir. Mais c'est pourtant bien ainsi que se déroulaient nos journées. C'est à ce régime qu'il nous faisait vivre — sur ce régime que *j'acceptais* de vivre. Avec, en prime, des discours à n'en plus finir sur la « sauvage beauté de tout ça ». Des proclamations puériles sur l'importance de cette ville qui était à sa génération — il n'avait pas dix-sept ans ! — ce que fut Constantinople à celle des romantiques. Et puis enfin, pour couronner le tout, cette authentique vérole qu'il a trouvé le moyen d'attraper au passage et de rapporter à Paris : le rock'n roll.

Vous n'avez pas l'âge, là non plus, de vous souvenir. Mais c'était l'époque de Gene Vincent, Eddie Cochran, Bill Haley. Des petits gars qui avaient appris à grattouiller la guitare dans les quartiers noirs de Nashville, ou de la Nouvelle-Orléans. Leur musique, si on peut encore appeler ça une musique, était un tintouin de sons, de cris, de fausses notes, d'onomatopées ou de grognements auquel ils donnaient des titres aussi suggestifs que « Be bop a lula », « Rama lama ding dong », ou « Awababello babello bim bam ». Et il suffisait, comme cela m'est arrivé un soir — car il aura fallu que je boive le calice jusqu'à la lie — de voir l'un de ces zigs une demi-heure sur une scène avec ses chaussettes phosphorescentes, sa chemise noire trempée de sueur, ses cheveux gras et sales lui tombant sur les yeux, cette incroyable façon de se caresser la cuisse d'une main, de serrer bien fort le micro de l'autre, de hurler à une foule en folie un hystérique « fais-moi vibrer de plaisir » pour comprendre qu'on était en train d'assister à une cérémonie d'un genre très spécial qui n'avait plus grand-chose à voir, je le répète, avec la musique...

Benjamin, hélas, a marché là-dedans. Je l'ai vu, de mes yeux vu, le soir dont je vous parle, tomber littéralement amoureux du zig aux chaussettes phosphorescentes. Et il a même réussi, dans les tout derniers jours du séjour, alors que je n'en pouvais plus, que j'étais déjà sur les rotules, que j'en avais plein les bottes de ces cabots pédérastiques et de leur boucan, à me traîner jusqu'à Memphis, dans le Tennessee, qui était en quelque sorte La Mecque de la nouvelle religion — et où il y avait un cinéma désaffecté, où le premier teenager venu pouvait enregistrer pour de vrai, et pour cinq dollars, son premier disque...

Bon. Silence, bien sûr... Indulgence... Convalescence... Mais je commence à trouver, néanmoins, que tout ça sent assez mauvais... Et c'est le moment, je crois bien, où j'ai pour la première fois réalisé la profondeur du fossé qui nous séparait...

— *Est-ce que ça ne va pas rentrer dans l'ordre à Paris, avec la rentrée?*

— Non, justement! Car il rapporte cette lèpre à Paris, je vous l'ai dit, où elle va orienter, désormais, l'essentiel de ses comportements.

Je ne vais pas vous raconter les choses en détail. Mais ce que je peux vous dire c'est qu'il lui faut de l'argent, par exemple, pour se payer les concerts, les posters, les disques surtout qui sont devenus, pour lui, une véritable drogue. Et que, comme il ne dispose que de l'allocation raisonnable qu'un père peut, sans trop le pourrir, donner à un garçon de son âge, il se met à voler. Je veux dire, pour le moment, à me voler. Et il prend l'habitude, le soir, quand il me croit couché, d'entrer sans bruit dans mon antichambre; de palper, d'une main étonnamment experte, la doublure de mon veston; et quand il a la chance d'y trouver une liasse un peu épaisse de billets de cent nouveaux francs, d'en barboter un ou deux, en pensant que je n'y verrai que du feu. Bien entendu, il se trompe. Je vois, je comprends tout. Je m'amuse même certains soirs, caché derrière la porte des toilettes qui donne sur l'antichambre, à épier son manège, ses prudences, ses tâtonnements, son anxiété terrible au moment de toucher le veston ou ses déconvenues comiques quand il s'avise que la poche est vide. Mais enfin, je ferme les yeux... Je lui laisse croire que je ne sais rien... Et songeant qu'à tout prendre autant vaut qu'il se serve ici plutôt qu'ailleurs, il a même dû m'arriver, dans un accès subit mais raisonné de libéralisme, de laisser traîner exprès la petite liasse miraculeuse.

Plus préoccupante, en revanche, m'apparaît la question de ses fréquentations. Je me souviens d'un de ses nouveaux copains. Ses camarades l'appelaient « Tony la Bastoche ». Il portait, hiver comme été, un blouson de cuir clouté, couleur grenat; des bottines pointues à talon; des chemises noires à pois qui le faisaient ressembler à un maffioso italien des années vingt; un peigne d'écaille immense qu'il enfilait dans son ceinturon, sur le ventre. Il avait l'habitude, quand un « croulant » de mon espèce osait lui adresser la parole, de glisser la main dans la poche-revolver de son blue-jean, de faire doucement claquer les doigts de l'autre au rythme d'un rock'n roll imaginaire, de branler du chef comme un débile, les yeux mi-clos, la bouche ouverte, sans daigner, bien entendu, émettre la moindre réponse. Et je crois que le rêve secret de Benjamin aurait été de lui ressembler; d'être né, comme lui, à Aubervilliers, d'une famille de paysans enrichis dans la boucherie; d'avoir la même banane brune au sommet du crâne; et d'être capable de casser le même nombre de fauteuils que lui dans un concert de Paul Anka.

Car il y avait aussi les concerts eux-mêmes. Minables certes. Même pas — c'est tout dire ! —

le niveau de l'Amérique. Mais loin que cette indigence refroidît les passions, elle semblait au contraire les fanatiser davantage — comme si, dans le désert ambiant, le plus grotesque des nains (en l'occurrence Paul Anka) devait prendre des allures de géant. Et un soir notamment, la bousculade dégénéra en bataille rangée avec la police; les gardiens de la paix, exaspérés par ces roquets surexcités, embarquèrent les plus remuants; et c'est au commissariat que je dus, à trois heures du matin, prendre livraison de mon gamin. Que croyez-vous qu'il me dit alors? Croyez-vous qu'il était confus, honteux, dessoûlé? Pensez donc! Il était heureux, au contraire. Euphorique. Et je l'entends encore, dans la voiture, sur la route du retour, articuler d'une petite voix faible, cotonneuse, comme en état d'hypnose : « c'était bath, tu sais... super bath... Les sales flics déchaînés... Le sang qui giclait partout... Et nous, les copains et moi, au milieu de tout ce bordel... Eh bien, voilà... ça y est... on l'a eu, notre baptême du feu... »

Et j'oubliais, enfin, le Golf Drouot! Vous savez ce que c'est que le Golf Drouot?

    — Un peu... comme tout le monde.
    — Non! Est-ce que vous savez ce que c'était *vraiment* que le Golf Drouot? Pas la légende... pas le mythe... pas l'endroit « gai... frais... convenable... où l'on ne buvait que du jus de fruit... » Car j'y ai été voir, moi, dans l'endroit « gai et frais »... Et je peux vous dire que ce n'était pas du tout ça! C'était, je m'en souviens, un vendredi — seul soir où, par parenthèse, ces singuliers antiracistes qui géraient le troquet admettaient les plus de dix-huit ans! J'avais, comme tout un chacun, acquitté mes 575 francs de droit d'entrée. Gravi sans appréhension particulière le fameux escalier en colimaçon tapissé de photos d'idoles. Croisé, sans

trop me formaliser, d'étranges créatures aux hanches minces, aux chemises ultra-cintrées, au sexe approximatif et à l'allure décavée. Et, poussant un peu plus loin encore, droit devant, dans la direction de la musique dont me parvenaient maintenant les échos, je pénétrai enfin dans la vaste pièce lambrissée de teck, aux parois punaisées d'innombrables pochettes de disques, qui était manifestement le cœur de l'endroit.

Imaginez une cave sombre, enfumée, surchauffée, à l'atmosphère lourde, irrespirable, où vous seriez happé, dès l'entrée, dans un tourbillon de bruits, d'odeurs, de gestes inquiétants. Imaginez, au beau milieu de la pièce, une sorte d'autel de bois où des androgynes à guitare, généralement laids et avinés, viendraient officier à tour de rôle, non sans avoir pris soin, d'abord, de se prosterner quelques secondes devant un Elvis Presley grandeur nature placardé sur un panneau de bois, derrière eux. Imaginez tout autour, entassés sur des gradins, tout un parterre de coiffeurs, serveurs, employés encanaillés et voyous endimanchés qui siffleraient, trépigneraient, hueraient ou, au contraire, applaudiraient les gladiateurs de la soirée. Imaginez encore dans le coin le plus reculé, à l'abri d'une ombre propice aux plus infâmes manigances, un carré d'adultes vicelards, prétendus « professionnels du disque », qui observeraient le tout en ricanant, sans un brin d'émotion, avec le cynisme typique du marchand d'esclaves qui sait que, de toute façon, il aura avant la fin de la soirée son compte de chair fraîche. Et figurez-vous Benjamin surtout, incroyablement à l'aise dans cette fange — que je vois, de loin, en grande conversation avec un type d'une trentaine d'années, en bras de chemise et gilet de cuir noir qui semblait avoir avec lui des rapports d'extrême — pour ne pas dire tendre — familiarité et dont mes voisins m'apprirent, presque indignés de mon ignorance, que c'était Henri Leproux soi-même, maître de céans et organisateur de la bac-chanale...

Alors là, c'est vrai, j'ai craqué. J'ai trouvé que c'était trop. Je me suis précipité sur le Leproux à qui j'ai dit que c'était une honte. Je l'ai traité de salaud, de satyre, de corrupteur de la jeunesse. Et, voyant ce cornichon de Benjamin qui me regardait sans comprendre, tout prêt, ça crevait les yeux, à prendre le parti du bonhomme, j'ai fait ce que j'aurais sans doute dû faire depuis des mois déjà; je l'ai giflé à toute volée... Sidération de l'assistance... Le bruit, la clameur, tout le pépiement de la volière s'arrête comme par enchantement... Le guitariste de service lui-même, pétrifié sur son podium, ravale sa dernière fausse note en roulant des yeux effarés... Et puis, au bout de quelques secondes, l'effet de surprise digéré, la clameur repart, recommence, s'enfle à nouveau, mais pour devenir tumulte maintenant, cri de guerre vengeur et impitoyable — des cen-taines de « copains et de copines » surexcités scandant en chœur, le poing levé : « les croulants à la porte... » Le croulant, vous pensez bien, ne se le fait pas dire deux fois; très digne, la tête haute, se frayant tant bien que mal un passage à travers une foule prête à le lyncher, il prend la porte en effet — avec, sur ses talons, un gamin qu'il a conscience d'avoir, jusqu'à nouvel ordre en tout cas, arraché à un univers de perdition.

Vous dire que l'intéressé l'a bien pris serait évi-demment mentir. Il a eu l'impression, c'est sûr, d'une humiliation formidable... Qu'est-ce que vont penser les copains par-ci... Qu'est-ce que vont pen-ser les copines par-là... Mais, entre nous, je m'en moque. Il peut piailler, gueuler, menacer même, il ne m'enlèvera pas de la tête que j'ai fait, ce jour-là, mon devoir. Et puis surtout, soyons franc, à côté de ce qui se prépare, des bêtises qu'il s'apprête à faire, des gros nuages qui, déjà, commencent de poindre à l'horizon, ces histoires de Golf Drouot ne vont pas tarder à apparaître, hélas, comme d'inoffensives plaisanteries de collégien... Mais arrêtons-nous là — voulez-vous ? Et remettons à demain matin la suite de ce récit.

4

— Donc, je n'ai encore rien vu. Les cheveux blancs que je me suis faits ne sont rien à côté de ce qui va venir. Et c'est à partir de maintenant que l'éducation de Benjamin va commencer à me poser de vrais problèmes.

— *Pardon. Je n'y suis plus. Nous sommes en...*
— Disons, pour fixer les idées, 1959... La rentrée scolaire 59... Il vient d'avoir son deuxième bac... Math élem... Mention bien ou très bien, je ne sais plus... Dans d'assez bonnes conditions, en tout cas, pour que je le pousse à aller plus loin et à préparer les Grandes Ecoles... Lui, malheureusement, n'y tient pas... Il proclame à qui veut l'entendre... qu'il ne veut plus s'intéresser désormais qu'à la littérature... Moralité : il s'inscrit, à mon grand désespoir, en « propédeutique » — et entame là les plus longues, les plus absurdes grandes vacances de sa vie.

— *Physiquement, à quoi ressemble-t-il ?*
— Ah ! physiquement... Je n'aurai pas, hélas, le talent de Mathilde pour vous le dépeindre... Mais disons qu'il est grand. Blond. Beau. Avec une élégance, un port assez exceptionnels. Les mêmes yeux bleu pâle, toujours, que lui a laissés sa mère. Et puis aussi, dans l'expression, la façon de regar-

der, la hauteur du front sûrement, la moue arrogante quand il sourit, le tremblement léger du menton quand il ne se sent pas très à l'aise, quelque chose dont on devine qu'il n'est pas vraiment à lui et qu'il lui vient plutôt... comment dire ? de l'autre côté. Oui, c'est ça... Je crois que je peux dire ça... Benjamin, à ce stade de son existence, se met à ressembler à l'« autre côté ». Lui qui n'a pas vraiment connu son père reproduit tout à coup ses tics, ses attitudes. Et c'est au point que, dix fois par jour, je tressaille en le regardant — et en voyant à sa place, derrière et, pour ainsi dire à travers lui, l'ombre de celui qui le hante et qui fut autrefois mon ami.

— *Ça vous fait quel effet ?*
— Aucun effet spécial.

— *Pourtant...*
— Ah ! écoutez : vous n'allez pas recommencer ! Je confirme : aucun effet spécial... Ni chaud ni froid... Et il n'y avait vraiment que lui pour imaginer que je pouvais encore avoir (si tant est que j'en aie jamais eu) un problème personnel par rapport à ça. A la limite même, je vais vous dire : tant que ça restait au niveau physique, je trouvais qu'il n'y avait qu'à s'en féliciter; et Edouard n'était pas, lui non plus, trop mal de sa personne, je me souviens que je lui disais souvent en plaisantant : « tu vois, petit gars, c'est à ton père, au fond, que tu dois tes succès auprès des femmes ».

— *Parce qu'il commençait à s'intéresser aux femmes ?*
— Je dirais que les femmes commençaient à s'intéresser à lui ! Et que ça prenait même, au fil des mois, des proportions assez ahurissantes ! Car ça valsait, mon vieux... Ça défilait... Et il avait

déjà, à cet âge, un tableau de chasse à faire pâlir d'envie les meilleurs tireurs de la place.

— *Quel genre de femmes?*
— En principe (je dis « en principe » car il y aura bientôt l'exception Malika), il ne pouvait pas supporter les filles de son âge; il les trouvait sottes, moches, vulgaires et légèrement repoussantes; et il leur préférait des femmes, disons pour être poli : plus « mûres ».

— *Il exprimait cette préférence? Ou c'est vous qui...*
— Non, non, il l'exprimait. Il la théorisait. Il en faisait même, le cas échéant, matière à provocation. Et je me souviens d'un cocktail que j'avais donné à la maison, fin 1960, et où, sous prétexte qu'un invité quelconque avait osé, au détour d'une non moins quelconque conversation, parler en sa présence de « jeunes filles en fleur », il s'était littéralement jeté sur lui et s'était mis à crier, très fort, sur ce ton de défi véhément qui était censé être, je suppose, celui de ses maîtres surréalistes : « en fleur... en fleur... non mais, savez-vous bien ce que vous dites... avez-vous jamais flairé ces fleurs-là d'un peu près...? Faut-il vous recommander d'aller vérifier par vous-même l'odeur, la moiteur d'une chair de jeune fille? Allons, monsieur, allons, le premier amateur venu vous dirait qu'il n'y a rien de plus poisseux, gommeux, visqueux, sirupeux et donc de plus écœurant que vos jolies nymphes de printemps, dussent-elles avoir le minois de Mademoiselle votre fille en personne ». Sur quoi il salua. Tourna crânement les talons. Et, très fier de son éclat, s'en alla vaquer, comme il dit, à des « amours mieux odorantes ». Il n'avait pas dix-huit ans, je vous le rappelle. Mais c'était comme ça que, décidément bien précoce...

— *Et les femmes qu'il fréquentait en avaient donc... ?*

— Quarante... Quarante-cinq peut-être... Le style passé bien rempli... Expérience garantie... Références peu sérieuses s'abstenir... Le style de femmes maîtresses d'elles-mêmes, de leur corps, de ses cérémonies intimes... Et puis le style à avoir bourlingué... Roulé leur bosse. Accumulé les maris chics, les amants valorisants... Il disait : « un corps ne me fait bander que quand je sens une mémoire derrière ».

— *Vous les connaissiez personnellement ?*

— Souvent oui. Et c'est même là, pour ne rien vous cacher, qu'était le seul véritable hic. Le chenapan allait généralement chercher des épouses de diplomates, d'industriels, d'hommes politiques avec qui j'étais en affaires et qu'il ne pouvait rencontrer que par mon intermédiaire.

Vous aviez Amélia par exemple, la femme d'un attaché d'ambassade sud-américain qu'il avait draguée à la maison, sous mes yeux.

Dominique, dont le mari, député comme moi, n'avait pas plus tôt filé, chaque samedi midi, dans sa circonscription normande qu'il était déjà là dans ses murs, que dis-je! dans ses draps, ses pantoufles, ses robes de chambre de soie ou derrière son bureau.

Bérénice, maîtresse attitrée d'un de mes plus vieux amis et qui est venue, la friponne, pleurer dans mon gilet quand, après quelques mois d'une liaison tumultueuse, Benjamin l'a plaquée.

Armande, fille d'un baron gaulliste très en vue qui était, lui, par contre, un de mes adversaires politiques les plus acharnés : la police la reconnut un jour, à son bras, déchaînée, dans une attitude qui, malheureusement, laissait peu de place à l'équivoque, sur une photo de manifestation en pleine guerre d'Algérie.

Yvonne enfin, une très très vieille copine de Mathilde, celle-là, qu'il était allé chercher, traquer, circonvenir comme un furieux et dont il n'a réussi qu'à briser le cœur et le ménage.

Bref, tout un défilé de dindes qui touchaient toutes, de près ou de loin, à mon entourage et avec lesquelles nous frôlions chaque fois le scandale.

— *Toujours des femmes riches ?*
— En effet. Encore que ce ne soit pas l'argent en tant que tel qui l'intéressât. Vous pouviez mettre dans son lit une femme P-DG par exemple, écrivain, médecin, une grande avocate, une journaliste cossue, une actrice même, ça ne lui faisait aucun effet. Et cela parce que ce qu'il aimait vraiment dans l'argent (et que ces femmes dites « actives » avaient pour la plupart perdu...) c'était son côté luxueux, gratuit... C'était son côté dentelles, froufrous, dessous affriolants... C'était la possibilité qu'il donnait à une femme de n'avoir rien d'autre à faire entre deux bains, deux fards, deux toilettes, qu'à le choyer, le bichonner... Ce qu'il voulait, au fond, c'est qu'elles aient des maris en vue, puissants, célèbres ou éventuellement riches (et de les « piquer », comme il disait, à ce genre de maris faisait déjà une bonne moitié de son plaisir) — mais qu'elles aient tout le temps, elles, tout le *loisir* de l'aimer ! de patienter ! de souffrir même ! ou d'endurer en silence le martyre qu'il leur réservait !

Car méfiez-vous ! Il pouvait aussi être vachard, le Benjamin... Sadique... Il aimait bien les faire attendre, par exemple... Les humilier... Leur donner des rendez-vous en pleine rue... Il aimait bien l'idée qu'il pouvait transformer la plus fière, la plus hautaine, la plus inaccessible des grandes bourgeoises en une vulgaire chienne en chaleur capable, pour lui plaire, des plus singulières bassesses... Tenez : vous voulez un exemple ? C'est à la même époque, toujours. Une nuit d'hiver très dure. Très froide. Avec givre dans les arbres. Verglas sur l'avenue. Pas âme qui vive aux alentours. Et un Lazare frigorifié qui, rentrant sur le coup de minuit, sent, dès qu'il a poussé la grille, quelque chose d'étrange dans le jardin... une présence... un regard... quelqu'un, tapi dans l'ombre, qui guette...

Sans se démonter, il va vers l'entrée de service... Monte d'un pas aussi calme que possible le petit escalier de l'office... Empoigne le revolver d'ordonnance qui ne quitte jamais le tiroir du buffet... Le revolver à la main, ressort sur le perron en allumant, d'un seul coup, toutes les lampes du jardin. Et là, qu'est-ce qu'il voit ? Une femme, mon cher... Une faible femme accroupie derrière un buisson et claquant des dents malgré son manteau de fourrure... Une femme — Jacqueline D. — qu'il connaît bien, le pauvre vieux, pour l'avoir cent fois vue, et servie, à ma table, à la maison...

Choc... Commotion... Embarras du domestique... Celui de la femme... Le mien quand, alerté par les lumières, je viens aux nouvelles et tombe nez à nez sur la dernière personne au monde que je me serais attendu à trouver là, toute crottée, comme une voleuse, sous mes fenêtres... Les invraisemblables problèmes d'étiquette qui se posent... Les gestes faux... Les mots qui tombent à côté... L'humiliation de la coupable... Sa honte... Sa fuite, en larmes, sans se retourner et sans donner la moindre explication... Bref, le vaudeville le plus pitoyable, le plus tragique aussi, qu'on puisse imaginer... Et quelqu'un, pourtant, qui, dans tout ça, ne perd ni sa bonne humeur, ni son aplomb : Benjamin, évidemment !...

Oui, m'explique-t-il en effet, Jacqueline était là pour lui. Non, ce n'était pas la première fois. Oui, il attendait généralement, pour descendre lui ouvrir et la faire monter dans sa chambre, que tout le monde soit rentré, que toutes les lumières soient éteintes. Non, il n'était pas « salaud » pour autant, car les soirs où « cette idiote » arrivait vraiment trop tôt et que l'attente était un peu longue, il faisait les choses « comme il faut » et prenait soin de lui jeter par la fenêtre une pomme, une orange, un morceau de fromage ou de pain qu'elle avalait « aussi sec », pour tromper l'attente et le froid...

Aujourd'hui, vingt ans après, l'histoire peut sembler pittoresque. Mais sur le coup, je l'avais mauvaise ! Jacqueline D. était quelqu'un de proche. Je la voyais régulièrement. Je tenais à son amitié. Or le fait est qu'à dater de ce jour, je ne sais pas comment elle s'est débrouillée : mais on ne s'est plus jamais revus...

— *Vous avez essayé d'analyser ces succès ? Cette séduction qu'il exerçait ?*

— Je ne sais pas... Sa gueule, je pense...

— *Ça ne suffit jamais, une gueule...*

— En effet... Alors, sa jeunesse sans doute... Sa santé... Cette vitalité formidable qu'on devinait, je crois, dès qu'on le voyait... Son regard aussi... Oui, sa façon de regarder... Insolente ? Non justement, pas insolente ! Surtout pas insolente...! Il disait et je crois que, sur ce point, il n'avait pas tort, qu'il n'y avait que les cons et les puceaux pour croire qu'il faut regarder les femmes de manière insolente... Lui, au contraire, s'efforçait d'avoir l'air gentil, farouche, presque timide...

— *« Timide » ?*

— Oui, timide... Rassurant, si vous aimez

mieux... Car il avait une théorie, assez amusante au demeurant, qu'il énonçait à peu près ainsi :

Article 1 : il n'y a pas ou quasiment pas une femme à Paris qui, en son for intérieur, et même si elle dit, feint ou affiche le contraire, ne se sente fondamentalement mal baisée.

Article 2 : il n'y a pas ou quasiment pas une femme à Paris qui, même parfaitement belle, n'ait la hantise d'une petite misère ridicule, probablement même imaginaire — un grain de beauté mal placé, un brin de cellulite au derrière — et la certitude que le nouvel amant, à l'heure H, ne remarquera qu'elle.

Article 3 : il n'y a pas ou quasiment pas une femme à Paris qui, si rodée, si expérimentée, si « professionnelle » même qu'elle soit — et pour peu qu'on consente, là aussi, à se mettre une seconde dans sa peau — ne ressente au mieux un léger pincement, au pire une vraie panique à l'idée qu'elle pourrait, cette fois-ci, n'être pas à la hauteur.

Article 4 : il n'y a pas ou quasiment pas une femme à Paris qui, lors même qu'elle vous a dragué, roulé la première pelle, voire carrément violé, supporte de passer pour ce qu'elle est, à savoir une garce ou une pute — et n'ait besoin de lire dans votre regard que « non... ça ne fait rien... vous n'y avez pas prêté attention... vous avez déjà tout oublié ».

Article 5 et dernier : toutes ou presque toutes les femmes de Paris appartiennent de droit, par conséquent, au type qui arrivera à leur faire sentir à la fois 1. qu'il saura les baiser; 2. qu'il ne remarquera pas le grain de beauté mal placé, 3. qu'il est beaucoup trop ému lui-même pour s'aviser de leur émotion; 4. qu'il serait la dernière personne au monde à oser conclure de leur égarement de circonstance à un dévergondage de caractère.

Bref, sa théorie était que les femmes appartiennent non pas, comme on l'imagine toujours, au matamore, à l'arrogant, au rouleur de mécaniques ou, pire encore, au don juan cynique et froid que précède une flatteuse réputation — mais à celui qui, le temps de la séduction (et le temps de la séduction *seulement* : après, vous l'avez vu, le tableau changeait du tout au tout !), saura jouer les réservés, les peureux, les scrupuleux. A celui qui, en un mot, saura instituer contre soi-même ce qu'il appelait drôlement un « rapport de forces stratégiquement défavorable ».

— *Qu'est-ce que ça voulait dire pratiquement ?*
— Je sais qu'il avait un coup par exemple qui, d'après lui, marchait à cent pour cent et qui consistait, une fois monté chez la fille, à laisser la tension croître. Les corps s'énerver. L'atmosphère devenir équivoque. A ne rien faire, néanmoins, pendant ce temps. Pas un geste. Pas une caresse. Pas l'ombre d'un début de flirt qu'elle pourrait, pour peu qu'elle soit un peu bégueule, se croire obligée de repousser. Et puis soudain, au moment où elle s'y attendait le moins, pendant qu'elle allait se repoudrer, se laver les mains ou répondre au téléphone, profiter de ce qu'elle avait le dos tourné pour se déshabiller à toute vitesse et attendre son retour dans cet état, nu comme un ver, comme si c'était la chose du monde la plus naturelle, la plus normale !

Ça a l'air tout con, dit comme ça. Mais je crois que c'était assez malin. Car mettez-vous à la place de la fille. Pouvait-elle faire semblant de n'avoir rien remarqué ? Impossible. Le prier de se rhabiller ? Difficile. Dire simplement « oh ! mon Dieu, quelle surprise... » et attendre la suite des événements ? Elle sentait bien qu'il n'y aurait plus d'autre « suite », si elle ne bougeait pas, que ce grand gaillard nu, de plus en plus nu si j'ose dire, dont chaque seconde qui passera rendra la position au milieu de la pièce plus gênante pour elle, plus humiliante pour lui, plus ridicule pour tous les deux. Et c'était là, précisément, le coup de génie : car elle ne pouvait plus alors, ne serait-ce que par courtoisie, par élégance, par savoir-vivre élémentaire, pour rééquilibrer au moins ce « rapport de forces » si tragiquement défavorable, ne pas faire quelque chose, oh! pas grand-chose, presque rien, un petit rien du tout, un baiser peut-être, une caresse, une tendresse — n'importe quoi, en fait, pourvu que ça l'aide à se sentir moins sot, moins seul, à se tirer des sales draps où il était allé se fiche...

L'attrait physique devait probablement aider vu que, si la fille était normale, elle ne pouvait pas ne pas être, en plus, passablement troublée par ce beau type, queue à l'air, pavoisant dans son salon. Mais au départ, et je crois qu'il y tenait, il y avait toujours la « théorie ». Le calcul « stratégique ». Une façon de se mettre, exprès, « en position de faiblesse ». Une façon, comme il disait encore, de feindre, au moment décisif, de donner « tous les pouvoirs à la bonne femme ». Au départ, il y avait cette idée toute simple (mais dont je suis bien obligé de me souvenir qu'elle m'épatait) que plus elle se sentirait forte, plus elle le sentirait faible — et plus elle serait délivrée, *libérée* de ses fameuses inhibitions !...

— *Ce qui m'épate, moi, depuis un moment, c'est que vous soyez si au fait des détails les plus intimes de son...*

— Ah! ça, il ne faut pas vous étonner : c'était Lazare !

— *Comment cela : « c'était Lazare » ?*

— Oui, Lazare... Le chauffeur... C'est de lui, bien sûr, que je tenais ces informations...

— *Vous voulez dire qu'il confiait au chauffeur...*

— C'est ça, oui : ce gredin confiait à un domestique des choses qu'il me cachait, à moi, son beau-père. Cela dit, attention ! J'ajoute deux précisions.

La première c'est qu'à mon avis il y avait là un petit jeu qui se jouait entre lui et Lazare, entre Lazare et moi, entre lui et moi surtout — et qu'il savait pertinemment que tout ce qu'il disait à l'un allait droit dans l'oreille de l'autre; mieux, je suis — et j'étais — intimement convaincu qu'il ne parlait si volontiers, si précisément à l'un que dans l'idée, l'intention, l'espoir même que ça atterrirait illico chez l'autre.

Et puis la seconde : que Lazare n'était tout de même pas non plus n'importe quel domestique. C'était le chauffeur de la famille d'abord, ne l'oubliez pas. Il avait servi la grand-mère. La mère. Le premier mari. Le second. Le fils enfin. Et je le revois avec ses grands airs, sa haute taille, son masque perpétuellement — et au choix — solennel ou courroucé, ses mutismes, ses raideurs, sa façon si drôle parce que si ostentatoire de ne surtout rien savoir de ce qu'il était censé ignorer, ou... Vous l'avez connu, au fait ?

— *Non.*

— Quel dommage ! Oui, vraiment, quel dommage ! Car c'était un personnage, je vous assure ! Et intelligent avec ça... Futé... Retors comme pas deux... Toujours en train de vous fomenter une intrigue qui contrariait celle de la veille mais où il se retrouvait quand même. Et capable, pendant la guerre par exemple, de vrais actes de courage puisqu'à l'heure où son patron dînait avec les

Allemands, lui renseignait la Résistance... Il n'a jamais rien fait contre Edouard lui-même, notez bien — car Résistance ou pas Résistance, il était d'abord fidèle à ses patrons. Mais je l'ai toujours soupçonné, par contre, d'avoir été à l'origine de l'exécution d'un certain Keller, ami intime d'Edouard et qui s'est fait coincer, comme par hasard, le jour même de leur départ commun pour le front de l'Est...

Tout ça pour vous dire que, dans le cas précis, il était dans son élément ! Très à son affaire ! Et absolument ravi de faire ainsi la navette entre le beau-fils et le beau-père — nous trahissant tous les deux, certes, mais avec le consentement tacite de chacun des deux. Ce n'était pas l'armée des ombres, évidemment. Et il avait bien vieilli, depuis le temps. Mais il y prenait, j'en suis sûr, le même plaisir. Et ce n'était pas rien de voir les mines de conspirateur qu'il avait pour venir me raconter, le soir, dans mon bureau, qui Monsieur avait vu aujourd'hui... si Monsieur avait été satisfait... si la dame qu'a rencontrée Monsieur était satisfaite elle aussi... quelle était, en ce moment, la théorie favorite de Monsieur...

Enfin... Pauvre Lazare... Il vous en aurait révélé des choses, lui, tenez...

— *Sûrement. Ce que je retiens, moi, en tout cas, c'est que les femmes devenaient donc le centre de son existence...*

— Attention ! Je n'ai pas dit ça non plus ! Car il y avait toute l'autre partie de sa vie qu'il ne faudrait pas oublier, sa partie « étudiante » si vous voulez... Avec tout ce que le mot pouvait avoir de magique dans la tête d'un fils de famille qui n'était jamais sorti de son XVIe... Avec son côté bohème... Quartier latin... Cafés littéraires bidons... Et la vie de bâton de chaise qu'il menait là, complètement à part de ses bonnes femmes, au milieu de sa nouvelle bande de copains...

— *Comment cela, à part?*
— Sans contact. Sans corrélation. Sans que les deux univers interfèrent jamais ni se rencontrent. Il tenait beaucoup à ça, je crois. Il était très important pour lui que ça reste deux vies étanches, parallèles. Son plus grand bonheur était de sortir du lit d'Armande ou d'Amelia pour aller faire une sieste dans une chambre de bonne de la rue Cujas. De dîner un soir chez Maxim's ou Prunier et, le lendemain, dans un couscous pouilleux de la rue Xavier-Privas. De passer directement, sans transition, de l'hôtel particulier de la rue du Ranelagh qu'il avait squatterisé pendant le week-end en l'absence de son député de propriétaire, à une réunion d'étudiants pauvres où on faisait le procès du régime et de la bourgeoisie. Et il n'était complet, ce bonheur, que lorsqu'il était convaincu, surtout, que tout ça était bien cloisonné, qu'il n'y avait pas de passerelle possible entre ces deux vies et que chacune des deux vivait dans l'ignorance totale de ce qu'il fichait dans l'autre.

C'est une habitude dont, comme vous le savez, il fera bientôt une règle. Mais il n'est pas mauvais que vous sachiez que c'est ici qu'elle naît... Dans ce cadre... Sur ce terrain... Vous avez là déjà, complètement en place, avec toutes ses techniques, tout son savoir-faire, toute son organisation, la perversion qui causera un jour sa perte... Dès cette époque il disait : « je rêve une vie comme une partition de musique : sur plusieurs clés, plusieurs portées »...

— *Est-ce qu'on peut parler une minute de cette « autre vie »? Et d'abord de ses études? Vous ne m'avez presque rien dit de ses études.*

— Hum... Est-ce qu'on peut appeler ça des études ? Il s'était inscrit, je vous l'ai dit, en propédeutique après le bac... Puis, l'année suivante, en première année de licence de lettres... Mais je vous garantis qu'il passait dix fois moins de temps en Sorbonne qu'à la Huchette, au Vieux Co, dans les caves et les boîtes de Saint-Germain, dans des cinémas approximatifs, dans des bars ou dans des greniers douteux où on occupait la nuit à boire, fumer, refaire le monde ou jouer au jeu de la vérité.

Vous savez ce que c'est, j'imagine ? La bande, constituée en « haute cour », mettait un type ou une fille sur la sellette. On le bombardait de questions terriblement précises sur lui, ses amours, ses goûts, ses perversions. Et si d'aventure il — ou elle — mentait, se dérobait, se troublait, bredouillait ou hésitait une seconde de trop, la haute cour redevenait horde et décrétait de subtils châtiments, de nature toujours plus ou moins sexuelle, dont vous devinez la teneur : histoires de cette fille condamnée à draguer trois CRS dans la soirée... de ce garçon astreint à une masturbation publique... de ce dîner où on obligea une autre fille à tailler dans son soutien-gorge autant de morceaux que de jeunes mâles présents et, sa besogne achevée, à faire gravement, pieusement, religieusement le tour de la table pour offrir à chacun le bout de trophée qui lui revenait...

— *Bon, bon, c'étaient des choses classiques, je suppose, chez les jeunes de cette génération... Est-ce que vous pouvez me dire un mot de cette « bande », plutôt, dont vous parlez tout le temps ? Qui était-ce ? D'où venaient-ils ? Combien étaient-ils ?*

— Je dirais, à vue de nez, une douzaine. Une petite douzaine de permanents qui vivaient ensemble sept jours sur sept, très « clan », très « les uns sur les autres », à l'exception des maigres heures qu'il daignaient passer chez eux. Il y avait là Olivier Tanguy, le spécialiste des serrures de Jaguar. François Abadie, le pyromane. Pierre je ne sais plus comment, le sportif, dont le grand jeu était d'organiser des marathons sur les toits de Paris. Bill, plus lettré, dont la réputation tenait à ce qu'il était censé avoir lu « tout Sade ». Biquet, le « plouc », sorte de gros garçon tout noir, tout crêpu, tout paysan d'allure qui passait sa vie au cinéma. Philippe Vignal, le plus politisé, le seul, d'ailleurs, à l'être vraiment — qui, avec son teint blafard, son visage émacié, ses petites lunettes rondes d'intellectuel russe anarchiste du début du siècle avait tout à fait la tête de l'emploi qu'il disait ambitionner : « chef de la police secrète dans une France révolutionnaire ». Matthieu Dussard, qui aimait un peu trop, lui, le jeu de l'ascenseur et qui...

— *Le jeu de quoi ?*
— Ah ! oui, vous ne connaissez pas ça, bien sûr... C'était un jeu idiot qu'ils avaient inventé et qui devait être, dans leur esprit, une adaptation française du célèbre jeu du précipice dans *La Fureur de vivre.* Ça se jouait dans les immeubles où il y avait deux ascenseurs parallèles et de vitesse égale. Deux gamins s'introduisaient, en trafiquant un peu la porte, à l'intérieur de chacune des deux cages. Ils se mettaient chacun accroupi, la tête dans les épaules, le plus tassé possible, sur le toit de son ascenseur. Deux coéquipiers prenaient place dans les cabines, le doigt sur le bouton du dernier étage, prêts à appuyer, dès que le reste de la bande, massé à l'arrivée, leur aurait hurlé le top. Et l'équipe gagnante était celle dont le garçon « d'en haut » avait su attendre le plus longtemps avant de donner à celui

« d'en bas », par un coup de poing sonore, à côté de lui, sur le toit, le signal d'arrêter la machine.

Eh bien, le petit Dussard, donc, était, comme Benjamin, fou de ce jeu. Il passait des heures et des heures rien qu'à y penser, à s'y préparer, à étudier des positions de la tête, des jeux d'épaules, des écartements de cuisses qui lui permettraient, au finish, de gagner un centimètre ou deux. Il connaissait tous les ascenseurs de Paris — leur structure, leur vitesse, leur fiabilité technique, les habitudes de leur immeuble, s'il y avait ou non une concierge, des locataires emmerdants, s'il se vidait l'été, les week-ends, à la Noël ou à la Trinité. Et il se trouve qu'un dimanche où il avait choisi exprès des ascenseurs ultra-modernes, particulièrement rapides; où son adversaire était un champion aussi, tout spécialement formé par une bande rivale pour l'affronter; où les deux bandes, massées au dernier étage, agglutinées contre les grilles, hurlaient à qui mieux mieux « vas-y Matthieu... vas-y Machin... », il a attendu une fraction de seconde de trop pour donner le signal d'arrêter et s'est fracassé le crâne entre le toit de l'ascenseur et la poulie de levage.

Il s'en est tiré, grâce au Ciel, et en a été quitte pour un mois ou deux d'hôpital. Mais enfin ça vous donne une idée du genre d'occupations auxquelles se livraient ces garçons — et des risques, aussi, qu'ils prenaient.

— *C'est drôle. Mais tout ce que vous dites depuis quelques minutes me fait irrésistiblement penser aux* Tricheurs.

— Oui... Vous avez raison... C'est l'époque, en effet... Le grand film à la mode de cette époque...

— *C'est plutôt sympathique, ça — non?*

— Vous avez vraiment vu le film? Récemment? Hum... Vous m'étonnez... Car vous sauriez qu'en fait d'être « sympathique », c'était un univers surtout cynique, négatif, nihiliste... Un monde de petits messieurs tristes, fondamentalement misanthropes et hargneux, qui étaient rongés par l'idée que la planète était fichue; qu'elle était capable de s'arrêter de tourner dans la minute qui suivait; que la bombe atomique par exemple pouvait tout foutre en l'air du jour au lendemain; et qu'il n'y avait rien de mieux à faire en attendant qu'à jouir tranquillement de la pourriture du monde, en évitant soigneusement toute espèce de projet à long terme, de pari sur l'avenir, d'engagement... Un « tricheur » — et Benjamin, sans aucun doute, en était un — c'était quelqu'un qui ne savait dire que non... Toujours non... Encore non... Un non morne, monotone, ânonné jusqu'à la nausée... Un non à tout, sans distinction, sans précaution — le fric, les flics, le travail, la patrie, la famille, les sentiments même, l'amour ou l'amitié... Quitte, quand on en avait marre et qu'on n'en pouvait plus de tenir ce cap, à « chauffer une bagnole »; déplacer les sens interdits d'un quartier; organiser un soir, après boire, une véritable chasse à l'homme en voiture, dans les rues d'une banlieue déserte (le pauvre diable — dont le seul crime était d'avoir une tête de « petit-bourgeois » — cavalant, trébuchant, se relevant pour s'écrouler encore, telle une grosse bête affolée, entre les pleins phares du véhicule qui le talonnait); ou plonger enfin, tête baissée, dans ce qui était la conclusion logique de tout ça, à savoir la délinquance organisée...

— *Comment cela, la « délinquance organisée »? Je ne vois pour ma part, à ce stade de votre récit...*

— J'y arrive... Ne soyez pas si pressé... Car ce que j'ai essayé de vous faire comprendre jusqu'à présent c'est comment ça se met en place... Comment les plis se prennent... Comment tout un décor se dispose — qu'il ne faudra plus, bientôt, qu'un éclat, une étincelle pour embraser... Il est arrivé, cet éclat, le 12 mars 1960. Et je voulais vous proposer, justement, de conclure cette séance là-dessus : c'est une date qui, pour moi, a presque autant d'importance que mon anniversaire de mariage ou celui du Débarquement...

J'étais à la maison cet après-midi-là. Peinard. Dans la salle de billard. Sirotant un petit whisky en attendant Barbezieux qui devait arriver d'une minute à l'autre. C'était une visite de routine cette fois. Sans problème, sans drame à l'horizon. Il venait me soumettre — vous voyez que je vous dis tout — un projet de statuts pour la Société Civile Immobilière où je souhaitais voir regrouper, avant qu'il n'atteigne sa majorité, les intérêts fonciers de Benjamin. Et tout allait pour le mieux dans le meilleur des mondes, je dégustais ces premières minutes de vrai repos d'une journée qui avait été mouvementée, je pensais sans déplaisir à la diligence avec laquelle j'étais en train de m'acquitter de mes devoirs de tuteur lorsque je reçus le maudit coup de téléphone qui allait tout chambouler.

« Monsieur Delestret ? — C'est moi. — Ici les Galeries Lafayette... Nous avons ici un jeune homme... Benjamin C., c'est cela... Vous êtes le tuteur, n'est-ce pas...? Nous vous attendons, cher monsieur... Aussi vite que possible, je vous prie... »

Sur quoi l'homme raccroche, ne me laissant d'autre ressource que de charger Odette de renvoyer Barbezieux; de demander à Lazare de sortir la voiture du garage; et de foncer jusqu'aux Galeries Lafayette où m'attend l'extraordinaire spectacle d'un Benjamin sain et sauf heureusement — mais déchaussé, en caleçon, le pantalon roulé en boule, par terre, à deux mètres de lui, n'osant même pas, quand j'entre, lever les yeux sur moi et encadré, surtout, par deux gorilles à rouflaquettes, gueule de bouledogue, costume crème trop ajusté et cravate voyante, qui m'accueillent d'un air important et dont l'un me lance d'entrée, comme un bulletin de victoire : « Pierre Paillard... Sécurité Lafayette... Une de nos vendeuses a surpris ce garçon — vous le reconnaissez, oui ? C'est bien le vôtre ? bon... une vendeuse l'a surpris en bas, au rayon vêtements pour hommes, avec un pantalon de velours extra fin qu'il avait enfilé sous son blue-jean mais dont il avait laissé dépasser l'étiquette... C'est grave, cher monsieur... Très grave... Nous avons dû, autant que vous le sachiez, faire remplir à votre filleul le petit formulaire habituel... Je soussigné, etc. certifie, etc. reconnais avoir été surpris en train, etc. Lequel formulaire, je suis au regret de vous l'apprendre, sera demain matin à la première heure sur le bureau du commissaire du quartier... »

Dieu soit loué, je garde mon sang-froid. Et j'arrive à improviser, sans me démonter, une petite stratégie qui consiste, en gros, à ne pas brusquer le type; à ne surtout pas jouer les papas gâteaux qui prennent systématiquement le parti du moutard; à abonder dans son sens au contraire, à lui montrer que je suis de son bord : « oui, monsieur Paillard... parfaitement monsieur Paillard... as-tu bien pensé, galopin, à demander pardon à monsieur Paillard... »; et puis, ensuite, après quelques longues secondes d'un silence que je m'efforce de rendre « douloureux », à prendre ma voix la plus grave, la plus pontifiante pour dire : « là... voilà... grande journée, finalement... tournant dans la vie de ce garçon... avait tendance à se relâcher... mais grâce à vous, n'est-ce pas... votre intervention providentielle... savez-vous, monsieur Paillard, que ce garçon viendra un jour vous revoir ? si, si, j'insiste, il reviendra... d'ici deux ans... trois peut-être... quand il aura fini ses études... et qu'il s'agira de dire merci aux quelques hommes qui, comme vous, l'auront remis dans le droit chemin... »

Sans me vanter, je crois que c'était plutôt bien joué. Car les deux bonshommes sont incontestablement bluffés par ce discours... Epatés par mon aplomb... Ne bougeant plus, ne pipant mot et ne sachant que me regarder d'un air ahuri, un peu bovin... En sorte que, profitant de ce moment de flottement, je saisis négligemment le fameux « formulaire » qui est resté sur la table, entre nous; je le tourne, le retourne, je joue machinalement avec comme si c'était un bout de papier quelconque; je le repose, le reprends encore d'un air toujours aussi distrait; et voyant que mon geste ne provoque apparemment ni réaction ni cataclysme, je prends mon courage à deux mains et commence, tout en parlant, à le déchirer en mille morceaux que je fourre, mine de rien, dans la poche de mon veston. Les deux sbires, suspendus à mes lèvres comme ils l'étaient, n'ont pas eu le temps de réaliser ce qui se passait. Quand ils se sont réveillés, c'était trop tard : j'avais, une fois de plus, sauvé la mise à mon gamin.

— *Bravo!*
— Non... Ne raillez pas... Car au moment même où ça se produisait, je sentais que tout ce cinéma était vain; que je ne faisais que reculer pour mieux sauter; quelque chose me disait qu'un événement très grave venait de se produire — dont je n'étais absolument pas en mesure de conjurer les conséquences. Et le fait est que cette affaire des Galeries Lafayette, loin de lui servir, comme on aurait pu le croire, de leçon, lui a au contraire donné des ailes — devenant le point de départ d'une cavalcade échevelée, sans freins ni repentirs, dans les allées du brigandage organisé.

Vols... Escroqueries... Trafics divers... Ecoulement d'habits, de disques, d'électrophones de contrebande... Ses propres carnets de chèques dont il déclare la perte et qu'il refile, en fait, à Bill, Biquet ou Vignal... Le cambriolage d'une boutique de vêtements de la rive gauche dont un ami, serrurier d'occasion, avait moulé les clés... Celui, manqué, d'une autre, dont la porte de la cave résista si fort, une nuit, que la concierge, alertée par le bruit, s'inquiéta, descendit, surprit mon Benjamin en sueur, arc-bouté sur son levier, et reçut, derrière l'oreille, un coup de tournevis de son acolyte... Ou encore les hôtels, ah! ces chers hôtels, beaux ou laids peu importe, luxueux ou minables c'était selon, où il restait une, deux, trois ou trente nuits, mais qu'il avait la franche habitude, par contre, de quitter sans les payer — ou en ne laissant, plus exactement, bien en évidence dans la chambre, que l'équivalent des 15% correspondant au service du petit personnel... Et puis enfin, à l'été 61, la fameuse affaire de la « banque Madler » de Genève, dont vous avez certainement entendu parler — et dont nous remettrons, si vous le permettez, le récit détaillé à demain soir... : Benjamin, à cette date, est bel et bien devenu ce qu'on appelait alors un « blouson doré ».

5

— Donc, l'affaire de la banque Madler... Une sale affaire, pour le coup... Ah! oui, vraiment, une sale affaire... Puant le crime organisé... La magouille parapolitique... D'inextricables histoires de services secrets... Les Russes?... Les Egyptiens?... Les Algériens, directement, peut-être?... Les Américains?... On a même parlé, à l'époque, dans la presse suisse, d'une provocation pure et simple... Et toutes les hypothèses possibles et imaginables ont été évoquées sans qu'on puisse pour autant, et jusqu'aujourd'hui, trancher avec assurance. Mais bon! Ce n'est pas votre problème, pas vrai? et ce que vous voulez c'est, là aussi, le rôle direct, personnel de Benjamin?

— *Absolument. Encore que j'aimerais bien qu'on parle une seconde du contexte. Et d'abord de la date. Vous ne m'avez pas dit la date.*
— En effet... 1962... Le 11 février 1962...

— *L'extrême fin de la guerre d'Algérie, autrement dit...*
— C'est cela, oui, les toutes dernières semaines... La veille des accords d'Evian... Benjamin aura vingt ans dans quelques jours... Fac de lettres encore... Même vie de patachon irresponsable... Sauf que la vieille bande a explosé... Et

qu'ils sont quelques-uns — Bill, Biquet, Vignal et lui — à avoir changé leur fusil d'épaule et à avoir reporté sur ces foutus événements algériens tout ce qu'ils pouvaient investir jadis sur les Jaguar, les Teppaz ou le jeu de l'ascenseur.

— *C'est ce Vignal qui...*
— Qui l'entraîne ? Non, pas vraiment. Ça aurait pu, notez bien, vu qu'il était, je vous l'ai dit, le plus anciennement politisé de tous. Mais il se trouve que non; et que l'honneur, si honneur il y a ! reviendrait plutôt à une fille dont je vous ai à peine parlé mais qui entre en scène à ce moment-là...

— *Malika ?*
— C'est ça, Malika.

— *C'est une femme jeune, je crois...*
— Son âge en effet... Deux, trois ans de plus peut-être mais, en gros, son âge... Et la première de la série à n'avoir pas les quarante berges réglementaires...

— *Belle ?*
— Dépend des goûts... Trop grasse pour moi... Trop typée... Avec un nez en bec... Des yeux très maquillés... Une peau qui brillait toujours un peu... Une bouche dont on avait l'impression que l'ironie, le sarcasme avaient fini par la déformer... Beaucoup de bracelets, de colliers, de faux bijoux... Et ce côté terriblement arrogant qu'avaient à cette époque les femmes de son pays — car elle était algérienne, vous l'avez compris — quand elles se mêlaient de porter des blue-jeans, de fumer dans les cafés, de traîner aux Sciences Po ou de lire *France-Observateur*...

— *Très engagée ?*

244

— Très. Elle prétendait être venue à Paris pour faire des études. En réalité, elle ne s'occupait que de politique... d'idéologie... de la « dignité bafouée de son peuple » par-ci, du « soutien au FLN » par-là... Qu'est-ce que vous voulez que je vous dise ? Je n'ai jamais pu encadrer les pétroleuses — ce n'était certainement pas avec elle que j'allais commencer... Cela dit, attention ! vous me demandez mon avis : je vous le donne; Benjamin, lui, pensait sûrement autrement — et il faut croire qu'il lui trouvait quelque chose.

— *Vous avez idée de quoi ?*
— L'attrait de la nouveauté, je pense. Après toutes les petites pépées qui se prenaient pour des héroïnes des *Tricheurs*, cette grande fille nature, décontractée, pas maniérée pour deux sous et qui portait toujours de gros blousons de cuir, des pantalons « Saint-Tropez », de vieux fichus sur les cheveux, devait quand même lui changer les idées.

Et puis, il paraît qu'elle avait un côté sensuel. Là non plus, ce n'était vraiment pas ma tasse de thé. Mais enfin, ça se disait. Et elle avait une façon de marcher, de retrousser les lèvres quand elle souriait, de remuer du derrière quand elle entrait dans une pièce où elle savait qu'il y avait des hommes, qui avait l'air de plaire... Trop « animal » pour moi, encore une fois... Trop évidemment « offert »... Trop de remuements, de trémoussements à la limite de l'obscène... Mais lui — qui, je vous le rappelle, n'avait jamais connu le sexe qu'à travers les dentelles de ses bourgeoises —, je crois bien que ça l'accrochait.

— *Où l'a-t-il rencontrée ?*
— C'est difficile à dire. Car ça ne s'est curieusement pas fait en une fois. Ils ont dû se croiser dans des manifestations... des réunions politi-

ques... des cafés... des restaurants... à Florence, même, où Dominique, la femme du député, l'avait emmené passer un week-end et où il tombe sur elle, comme par hasard, dans l'ascenseur de l'hôtel...

— *Vous avez l'air de douter que ce fût vraiment un hasard.*

— Mais oui, voyons ! Cette fille, ça crevait les yeux, le cherchait ! le pistait ! Elle avait, pour des raisons qui m'échappaient encore, mais dont je sentais bien qu'elles étaient troubles, jeté son dévolu sur lui. Et elle faisait tout ce qu'elle pouvait pour se trouver sur sa route, l'obliger à la remarquer, le précipiter dans ses filets. La chose a dû se faire là, finalement, à Florence. Car, ravi par ce qu'il appelait, lui, une manifestation de « hasard objectif », il a planté là sa Dominique ; envoyé foutre son week-end de vieille amoureuse sophistiquée ; et n'a, à dater de ce jour, quasiment plus quitté l'Algérienne.

— *Vous voulez dire qu'il vit avec elle ? qu'ils s'installent ensemble ?*

— Non. Tout de même pas. Encore que s'il n'avait tenu qu'à lui ça n'aurait probablement pas traîné. Mais c'est elle qui, maligne, hésite... Se tâte... Fait des manières... Trouve que c'est trop tôt... trop tard... difficile... pas convenable... qu'est-ce qu'en dira ton oncle Jean ? ma concierge ? le FLN ? Bref, c'est elle qui, à présent qu'il a mordu, le fait danser comme un gardon au bout de son hameçon... Pas d'erreur : la fille était rouée ; et le môme, ferré bien comme il faut...

— *Amoureux ?*

— Incontestablement ! Je dirai même : pour la première fois de sa vie, il était ce qui s'appelle amoureux.

— *Il vous le disait ?*

— Non, justement, il ne le disait pas. Mais il suffisait de le voir vivre, pour le coup... Traîner... Rêver... Se mettre aux abonnés absents pour toutes les femmes qui le relançaient... Demander dix fois par jour à Lazare si « Mademoiselle Malika » n'aurait pas, par hasard, pendant le quart d'heure où il s'était absenté, laissé un message... Rester des journées entières à la maison, malgré les copains qui le tannaient, à attendre que la garce se décide à le sonner... Et je ne parle pas du train absurde qu'elle lui faisait mener...

Car on arrivait, là, aux limites du scandaleux ! Lui qui avait toujours vécu à la remorque de ses vieilles et qui mettait presque un point d'honneur à ne jamais payer un billet d'avion, une note d'hôtel ou de restaurant, l'amenait chez Dior maintenant... Dans les boutiques les plus chics... A l'hôtel du Cap, à Antibes... A la Colombe d'Or, à Saint-Paul... Il la conduisait, sans peut-être s'en apercevoir, dans tous les endroits de sa mère... Dans tous ceux où il avait été avec elle... Dans ceux aussi — et je trouvais déjà ça plus saumâtre — où j'avais eu, moi, l'habitude de la conduire... Et le plus fort est que la garce, tout Algérienne, engagée, révolutionnaire et tout le bazar qu'elle fût, acceptait ça avec le sourire, sans la moindre gêne, comme s'il était parfaitement normal de trouver un gentil petit pigeon qui lui faisait mener la vie de château pendant qu'elle conchiait l'armée française. Je ne suis pas raciste mais...

— *... mais vous trouvez choquante l'idée d'une Arabe à l'hôtel du Cap...*

— Je savais ce qu'était ce pays, simplement. Je connaissais la situation. Je vivais dans le climat, l'atmosphère tendue de l'époque. C'était le temps, il ne faudrait tout de même pas l'oublier, où on repêchait des cadavres d'Arabes dans la Seine et où le gouvernement « recommandait » officiellement aux autres le couvre-feu après dix heures. Alors, imaginez cette fille à Eden Roc! Imaginez l'impression que ça pouvait faire de la voir se pavaner en bikini au milieu de paisibles baigneurs! Essayez de comprendre la provocation que c'était d'introduire cette *militante* dans des endroits où la cause du FLN n'était pas, c'est un fait, le plus intangible des articles de foi!

Un jour, d'ailleurs, ça n'a pas loupé. C'était au Polo de Bagatelle, à Paris. Cette idiote se promenait avec, à la main, bien en évidence, un exemplaire de *Vérité-Liberté* qui était l'organe, plutôt sulfureux, des amis français du FLN. Il s'est fatalement trouvé, du coup, trois minables pour s'autoriser, sur son passage, une petite phrase déplacée, maladroite. Et Benjamin, alors, s'est cru obligé de se battre, seul contre trois — et contre trois qui, pour être « minables », n'en étaient pas moins du genre costaud. Or le plus fort est que toute la scène s'est déroulée devant une Malika hilare, pas complexée pour deux sous, tapant fébrilement des mains pour soutenir son champion et qui — tous les écrits que j'ai eus concordent sur ce point — n'avait apparemment jamais été à pareille fête.

— *Ce qui apparaît aussi c'est que vous ne la portiez, vous, pas dans votre cœur?*

— Ça me faisait mal au ventre, c'est vrai, de voir ce garçon qui avait eu à ses pieds les femmes les plus jolies, les plus titrées, les plus universellement convoitées de Paris s'amouracher d'une fille qui n'avait rien pour elle et qui, en plus, se foutait de lui.

— *Vous croyez qu'elle le manipulait?*

— Ça, ce sera l'étape suivante. Ce que je savais,

pour le moment, c'est qu'elle en faisait sa chose...
Qu'elle le ridiculisait avec ses extravagances... Ses
scènes... Ses provocations continuelles... Ses
éclats... Sa façon de tout faire déballer dans les
boutiques et de tout renvoyer à la gueule de la
vendeuse ensuite, en décrétant que « la haute couture française devenait miteuse »... Sa façon,
quand elle était en colère, de lui fiche toutes ses
affaires à lui, vêtements et chaussures compris,
par la fenêtre de l'hôtel de luxe — car Mademoiselle ne supportait de l'aimer que dans les hôtels
de luxe — où ils avaient passé la nuit... Le vin qui,
dans les meilleurs restaurants, avait toujours son
inévitable « goût de bouchon »... Les interminables soirées au Casino... Les week-ends absurdes...
Et puis enfin, plus impardonnable que tout : elle
le trompait.

— *Comment cela, elle le trompait ?*
— Oui, elle le trompait. Elle le cocufiait, si
vous préférez.

— *Avec d'autres hommes ?*
— Mais oui, cette blague, avec d'autres hommes. Pourquoi ? Ça a l'air de vous étonner ?

— *Un peu, c'est vrai...*
— Moi aussi, au début, remarquez. Mais cette
chère enfant, ayant non seulement le cul mais les
idées larges, ne craignait pas de faire profiter le
monde de ses théories. Son idée, c'était, grosso
modo, que la sexualité devait être libre... sans
tabou... sans entraves... délivrée — sic — de « l'hy-
pothèque judéo-chrétienne »... C'était bien notre
veine : il n'y avait probablement pas deux bonnes
femmes dans toute l'Algérie, que dis-je ? dans tout
le monde arabe et musulman, capables de vous
débiter des conneries de ce genre — et il a fallu
qu'on tombe dessus !

— *Et lui, Benjamin, comment est-ce qu'il prend ça ?*

— Il fait avec, le pauvre... Il suit comme il peut... M'expliquant d'un air grave — mais trop laborieux, à mon avis, pour qu'il y croie vraiment — que « oui, Malika a raison... personne n'appartient à personne... c'est bien plus beau comme ça d'ailleurs... plus poétique... plus risqué... je suis libre moi aussi, je n'en profite pas, mais je suis libre... »

Les seuls problèmes qu'il y a peut-être c'est quand elle choisit de s'en prendre à l'un de ses copains (car c'est une autre de ses théories que lorsqu'on aime un homme — et elle prétend l'aimer ! — on a forcément envie de ses copains, de ses proches, de tous les gens qui comptent un peu pour lui). Mais, même là, il se brouille avec le copain. Il lui casse éventuellement la gueule. A elle, par contre, il ne dit rien ; il ne se fâche pas ; il pardonne.

— *Toujours est-il que c'est au contact de cette fille donc, et par rapport à elle, qu'il découvre, m'avez-vous dit...*

— ... la Révolution algérienne... Puis, dans la foulée, tout un tas d'idées sur l' « oppression »... l' « exploitation »... l' « Histoire de l'Europe » qui se termine... le « tiers monde » qui prend la relève... la nécessité pour l'Occident d' « expier » ses crimes séculaires, etc. Avec, en bout de piste, les milieux pro-FLN de Paris — encore que, ça non plus, je ne le sache pas tout de suite et qu'il m'ait fallu un certain temps pour le comprendre.

— *Oui, justement, comment est-ce que ça se passe ? Comment un adulte découvre-t-il, au début des années soixante, que son filleul est devenu un agent clandestin du FLN ?*

— Progressivement... Tout doucement... A travers mille petits signes dont le sens n'apparaît que peu à peu...

Ce sont des allées et venues suspectes, d'abord... Des Algériens qui, avec de plus en plus de culot, prennent pension à la maison... Un « Monsieur Henri » qui téléphone tous les jours, presque à heure fixe — et dont je sens bien, rien qu'à la voix, qu'il ne s'appelle pas plus Henri que moi Mohamed... Lui-même, Benjamin, de plus en plus étrange avec ses voyages éclair à Genève, Zurich, Francfort... Ses séjours inexplicables à la gare d'Annemasse, en Savoie... La manière qu'il a tout à coup, comme nous faisions pendant la guerre, d'écouter la BBC, les radios suisse et belge... Cette nouvelle habitude qu'il prend — plus singulière encore pour quelqu'un qui, depuis des années, ne se déplaçait qu'en taxi — d'utiliser maintenant le métro... et encore, le dernier wagon... et encore, en prenant bien soin, chaque fois, d'après ce que me raconte Lazare, de monter lui-même en dernier, juste avant la fermeture des portes... Et puis enfin, un soir, alors que je commence quand même de me poser quelques questions, une étrange histoire de cartons à chapeaux de chez Dior qui achève de m'éclairer.

— *Oui ?*

— Cela faisait plusieurs semaines déjà que j'avais remarqué ces grands cartons à chapeaux que lui apportait Malika; qui restaient deux ou trois jours ici, dans sa chambre, enfermés sous clé dans un placard; qui n'en ressortaient jamais que la nuit, avec des précautions infinies, laissant après eux je ne sais quel âcre, tenace parfum de pourriture. Et une nuit, donc, alerté par des bruits de voix suspects venus de la salle de billard, au sous-sol, je les surprends tous les deux assis par terre, à la lueur d'une lampe tempête qui donne à la scène une teinte un peu irréelle, en train de compter fiévreusement un grand tas de billets sales, froissés, graisseux, qu'ils viennent apparemment de sortir d'un des mystérieux cartons. A cet instant, je comprends tout : il ne fait plus de doute que cette fille, non contente de l'humilier, de le ridiculiser, etc., a littéralement fait de lui ce qu'on appelle, en ce temps-là, un « porteur de valises »...

— *Et ça vous scandalise ?*
— Tout à fait.

— *Par principe ?*
— Je dirais d'abord par prudence. A cause des risques qu'il court. De la folie que c'est, à l'époque. A cause aussi de ce que je devine de ses véritables motivations. Je le connais trop bien pour ne pas savoir tout ce qu'il peut faire passer de désirs troubles, crapuleux, sous le complaisant pavillon du « vaillant peuple algérien en lutte contre l'impérialisme ».

— *Et sur le principe ?*
— Je crois que j'étais contre aussi.

— *Vous ne pensez pas que le FLN méritait d'être aidé ?*
— Je me sentais français avant tout. Représentant du peuple français. Et quelles que soient par ailleurs mes options — je vous précise à toutes fins utiles qu'à cette date, en 1961, j'étais devenu inconditionnellement favorable au dialogue, à la paix et à l'indépendance de l'Algérie —, je ne pouvais accepter, en mon âme et conscience, qu'on arme des hommes qui avaient jusqu'à nouvel ordre, et tant que la guerre durerait, pour exclusif propos de flinguer les soldats français.

— *Vous dites : « à cette date, en 1961, j'étais devenu favorable etc. ». Dois-je comprendre qu'avant cette date, vous aviez une position différente ?*

— Oui, bien sûr.

— *Pourquoi, bien sûr ?*

— Parce que la France entière avait une position différente.

— *Même les socialistes ?*

— Surtout les socialistes !

— *Comment cela, « surtout » ?*

— Ne vous faites pas plus naïf que vous n'êtes ! Vous savez très bien que c'est nous qui sommes au pouvoir pendant la première moitié de la guerre. Nous qui confions aux militaires l'autorité de police à Alger. Nous qui demandons les fameux « pouvoirs spéciaux ». Nous les socialistes qui, d'une manière générale, et à quelques exceptions près — la « gauche du Parti »... la minorité « anti-Mollet »... la loi-cadre de 56... —, portons longtemps le drapeau non seulement de l'Algérie mais de la *colonisation* française. Notre raisonnement, en fait, est à peu près : est-ce que la colonisation n'est pas le meilleur moyen, après tout, de tirer ces pays de l'ornière ? de leur apporter le progrès, la civilisation ? est-ce que la liberté, l'égalité, la fraternité ce serait trop bon, des fois, pour ces gens-là ? est-ce qu'on y aurait droit, nous, les Français — mais pas eux, les ratons, les melons, les crouillas ? Je ne vous dis pas que ce n'était pas spécieux, absurde, criminel. Mais c'est ça qu'on pensait. C'est comme ça qu'on raisonnait. Et on n'avait pas l'impression d'être, pour autant, les salauds, les racistes.

— *Et est-ce qu'on peut savoir, dans ce cas, ce qui, « à cette date, en 1961 », vous fait changer d'avis ?*

— Les faits, mon vieux... Rien que les faits... Je suis un homme de bon sens, moi... Quelqu'un qui a les pieds sur terre... Qui n'aime pas se payer de mots... Et qui aime bien la fantaisie, bien sûr, mais pas quand elle vire à la foutaise... Or, ce qui s'est passé, à ce moment-là, disons à la fin des années cinquante, c'est que j'ai quand même fini par réaliser qu'on y était, dans la foutaise, et que ce refrain colonial qu'on avait entonné pendant tant d'années avec Mollet et les autres, c'était bien joli... bien gentil... tout plein de charme... de rêve... d'exotisme... de sable chaud... de « mission civilisatrice de la France » par-ci, de « rayonnement de l'Empire au-delà des mers » par-là... mais que ça n'avait qu'un défaut : ça ne tenait pas la route une seule seconde en face d'un bon bilan bien ficelé... On était un certain nombre, si vous préférez, à se rendre compte — sous l'influence, notamment, des deux Raymond : Cartier et Aron... — que cette guerre coûtait cher; que l'Algérie, même sans la guerre, coûtait plus cher encore; et que la France, au point où elle en était, n'avait tout bonnement plus les moyens... Mais ça va comme ça, non ? Je suis en train de vous raconter ma vie — et je vous fais perdre le fil du sujet.

— *Non, pas du tout. Ça m'aide, au contraire, à vous situer par rapport à Benjamin.*

— Ah !

— *Car le moins qu'on puisse dire c'est que vous êtes pas sur la même longueur d'ondes.*

— On est d'accord sur l'objectif, notez bien. Seulement, c'est vrai, il y a le blabla... la langue de bois... toutes les idées à la noix que cette fille lui fourre dans le crâne... et l'une d'entre elles, surtout, la pire, celle qu'aujourd'hui encore j'ai le plus de mal à avaler : la critique, le procès, le mépris de la France en tant que telle.

— *C'était ça, pour vous, le désaccord majeur?*
— Je vous donne un exemple — vous allez comprendre. Il se trouve que sa Malika avait participé à la grande manifestation algérienne du 17 octobre 1961 à Paris. Comme vingt ou vingt-cinq mille de ses congénères qui en avaient fait un peu beaucoup dans le genre « CRS SS », elle avait été embarquée à la Santé où elle passe un jour ou deux. Et la voilà qui, une fois sortie, lui raconte qu'on l'a battue. Violée. Torturée tant qu'on a pu. Qu'on lui a cassé des règles sur les doigts. Éteint des cigarettes sur les seins. Branché des électrodes dans la bouche, dans l'anus, sur le cœur, le sexe ou les tétons. Qu'on lui a lié les mains ensuite, et les pieds, et les mains avec les pieds, et qu'on a fait passer au travers de l'ensemble une broche de métal, et au travers de la broche de métal du jus; ou encore qu'on lui a fait, en présence de Papy, le préfet de Police en personne, le grand classique de la baignoire — même qu'elle a voulu « se laisser mourir » en se noyant dans la cuve mais n'a réussi, la pauvrette, qu'à avaler quelques litres d'eau sale... Bon. Vrai ou faux, tout ça? Allez savoir! Mais...

— *Vous savez qu'il n'y a plus personne, aujourd'hui, pour douter qu'il y ait eu en ces jours-là, en ces lieux-là et en présence, effectivement, des plus hauts responsables de la police, des tortures de ce genre...*
— Je sais, merci. Mais je doute simplement, étant donné ce que je sais de la fille, que les choses soient, dans ce cas précis, allées si loin; et je dis d'autre part que, vrai ou faux donc, vous avez

là le type de situation qui suffisait en général à faire monter Benjamin au cocotier. L'affaire, en l'occurrence, prend tout de suite des proportions d'apocalypse : ce n'est pas Malika qui a été torturée, mais le peuple algérien tout entier; ce n'est pas un flic de base qui l'a fait, mais la police nationale dans son ensemble; ce n'est pas une bavure, intolérable certes, mais une bavure — c'est la République, de bas en haut, qui est contaminée par la « gangrène »; et, de fil en aiguille, ce n'est même plus de guerre d'Algérie du tout qu'il s'agit — l'ensemble n'étant plus que le prétexte d'un véritable appel à la guerre civile.

Pour lui, en fait, la cause est entendue : l'essentiel se joue ici; nous sommes menacés, en France même, d'un retour imminent de « la Bête »; et l'heure est à une Résistance antifasciste bidon dirigée contre un fascisme ultra-bidon : « tu comprends, dit-il avec cette inénarrable tête à claques qu'il prend pour parler de ce qu'il ne connaît pas, un homme comme moi ne peut pas ne pas crever de honte quand il voit son propre pays, quinze ans après la mort d'Hitler, réintroduire la torture en Europe. »

— *Revenons à la nuit des cartons à chapeaux. Comment réagissez-vous? Ils doivent tout de même vous poser un problème, étant donné tout ce que vous me dites, ces deux jeunes gens qui utilisent l'avenue Ingres comme une couverture pour des opérations que, « en votre âme et conscience », vous réprouvez?*

— Que voulez-vous qu'il se passe? Je proteste. Je dis que je ne veux plus de ça chez moi. J'explique comment l'affaire, si elle se divulgue, pourrait être récupérée, orchestrée, transformée en machine de guerre contre moi ou mon parti. Et le tout, devant une Malika « absente », pas concernée, son éternelle cigarette aux lèvres, esquissant de temps en temps, quand le ton monte un peu haut et que fusent, des deux côtés, des mots définitifs, un imperceptible sourire de satisfaction et de triomphe.

Est-ce que j'ai bien joué ? Ça c'est une autre affaire. Car je ne verrai plus de ces trafics chez moi en effet. Mais ils iront les faire ailleurs, malheureusement. Pareils, mais ailleurs. Et tout ce que j'aurai gagné sera d'avoir perdu toute espèce de contrôle sur la suite des événements. Nous ne sommes plus qu'à quelques semaines de l' « affaire de la banque Madler » et je ne peux pas ne pas me dire que j'aurais sans doute su arrêter les choses si j'avais continué, comme je l'avais toujours plus ou moins fait depuis la mort de Mathilde, à garder, ne fût-ce que de loin, le contact radar avec le gosse.

Bon. Est-ce que vous voulez, oui ou non, qu'on en dise un mot, de cette foutue affaire ? Car le temps passe. Il se fait tard.

— *J'ai tout mon temps.*
— Moi pas, hélas ! Mais je peux essayer de résumer.

Malika, toujours elle ! a un copain qui, en « visitant », de nuit, les bureaux d'un conseiller fiscal parisien est tombé sur le dossier d'une personnalité gaulliste en vue dont la situation lui a paru pour le moins irrégulière. Ils passent des jours et des jours, tous les trois — avec, en plus, le renfort de l'ami Vignal dont ils se disent que le tempérament flicard pourra ne pas être inutile — à éplucher le dossier, recouper les informations qu'il contient, aller consulter des avocats liés au FLN ou mener leur petite enquête sur la vie, les relations, la psychologie du monsieur. Et parvenus à la conclusion qu'il est à la fois assez fautif pour passer quelques années en prison et pas assez courageux pour résister à un chantage, ils mandatent l'un d'entre eux pour lui signifier qu'on sait « tout »; que la presse et la police pourraient elles aussi le savoir très vite; qu'il lui en coûtera, s'il tient vraiment à l'éviter, la modique somme d'un demi-milliard de centimes; et que quelqu'un sera là, le tant, à telle heure, aux guichets de la banque Madler de Genève pour réceptionner la rançon.

Le « quelqu'un », comme de bien entendu, n'est autre que Benjamin. C'est lui qui, au jour dit, prend le train pour Genève. Il descend au Beau Rivage, comme n'importe quel touriste cossu. Je l'imagine dînant tôt, au restaurant de l'hôtel même, au milieu d'un parterre de vieilles rombières à qui il fait, au passage, un peu de charme. Peut-être même va-t-il, avant de se coucher, revoir le geyser géant, jailli au milieu du lac, face à l'hôtel, dont sa mère lui avait fait remarquer un jour que le jet montait, bizarrement, plus vite qu'il ne descendait. Et le lendemain matin enfin, après une bonne nuit et un petit déjeuner copieux, c'est sans la moindre inquiétude qu'il marche jusqu'à la banque; gravit le grand escalier silencieux en haut duquel l'attend déjà une employée; pénètre à sa suite dans un salon feutré qui doit être réservé, songe-t-il, aux clients importants de son espèce; lit, relit, remplit, signe les papiers qu'elle a préparés et qu'elle lui tend sans commentaire; se demande ce qu'elle sait au juste, si elle connaît la nature réelle de l'opération à laquelle elle se prête; c'est sans inquiétude toujours, comme s'il venait accomplir une formalité administrative banale, qu'il refait le chemin inverse, appuie sur le bouton de la porte d'entrée et se retrouve, tout guilleret, dans le froid — quand, tout à coup, catastrophe! il n'a pas plus tôt posé le pied sur le macadam qu'une sirène se met à hurler! qu'une voix dans un haut-parleur crie aux rares passants de s'abriter! que deux policiers lui ont déjà braqué un revolver derrière chaque oreille! qu'une escouade, face à la porte, s'est mise en position! et qu'à l'officier qui braille — je tiens toutes ces précisions des récits, très détaillés, qu'a donnés la presse de l'époque — « attention, vous êtes cerné... rendez-vous... nous tirons... » il répond tout de go, comme s'il n'avait jamais fait que ça toute sa vie, en levant vivement les bras en l'air!

Ce qui s'est passé? Je n'en sais rien. Nul, d'ailleurs, ne l'a jamais tout à fait su. Sans doute le notable gaulliste était-il moins véreux, plus « couvert » ou même plus courageux qu'il n'y paraissait. Peut-être nos maîtres chanteurs amateurs sont-ils, comme cela a été parfois dit, tombés dans un piège tendu par des adversaires, des partisans, des adversaires-partisans, allez savoir! de ce panier de crabes qu'était à ce moment-là le FLN. Ou peut-être le piège, la provocation, sont-ils venus de l'intérieur même de la bande (suivez mon regard!). Ce qui est sûr en tout cas c'est que, piège ou pas, ce n'est finalement pas le notable mais mon filleul qui, « au nom de ses amis algériens » comme il dira aux enquêteurs, se retrouve derrière les barreaux. Et ce qui est sûr également c'est que les « amis algériens », de leur côté, se gardent bien de se manifester; qu'elle semble s'être volatilisée d'un seul coup la smalah de pique-assiette qui, la veille encore, campait à la maison; que sa Malika elle-même n'est venue me voir qu'à contrecœur, en traînant les pieds, entre deux meetings, deux manifs, deux rendez-vous galants peut-être. Et que, lorsqu'elle a enfin daigné se déplacer, ça a été pour me bredouiller qu' « elle était désolée bien sûr... mais qu'elle n'y pouvait rien... tout était fini d'ailleurs... elle filait à Evian le soir même... à Alger la semaine suivante... son peuple n'est-ce pas... sa joie... la liberté, la dignité reconquises... et le socialisme, vous comprenez, le socialisme qu'il s'agit de construire maintenant... » Ça semble incroyable. Mais c'est la vérité. Et le fait est qu'il ne lui est plus resté (outre l'avocat qu'ils ont quand même daigné lui envoyer — et qu'il a préféré à tous ceux que je lui présentais) que son bon vieil Oncle Jean reprenant son bâton de pèlerin pour courir les trains... les polices... les prisons... et négocier finalement, au bout de quelques mois, une libération amiable.

Le mal, cela dit, est fait. Ces quelques mois de prison ont laissé, je le sens tout de suite, des traces indélébiles. Et la première chose qu'il fait à sa sortie est, comme pour mieux me remercier, provoquer exprès, froidement, une nouvelle scène. Rassurez-vous, ce sera la dernière. Car il fait ses bagages cette fois et s'en va sans un mot, sans une explication, sans même prendre d'argent. On est le 11 juin 1962. Et c'est la dernière fois que je le vois — avant la terrible nuit, quelque dix-sept ans plus tard.

Voilà. C'est tout. Vous savez tout. Je vous ai dit tout ce que je savais moi-même et pouvais vous livrer de première main. Bonne chance maintenant, mon vieux. Bon vent pour la suite de votre enquête. Et sachez simplement, puisque nous touchons au terme, que cette longue conversation m'aura fait, moi aussi, beaucoup de bien.

6

Et pourtant non, ce n'était pas tout à fait le terme encore.

Car cette cinquième séance, je ne saurais dire pourquoi, m'a laissé une impression pénible. Une gêne. Presque un remords. Je m'en suis voulu, une fois dehors, d'avoir interrompu si vite, de n'avoir pas poussé plus loin, de ne l'avoir pas interrogé davantage notamment sur cette dernière dispute, au lendemain de l' « affaire de la banque Madler ». Et plus je vais, plus j'y pense, plus je lis et relis le script de ces entretiens et moins j'arrive à me défaire de l'idée qu'il y a quelque chose qui ne va pas dans cette histoire; quelque chose qui manque; qui sonne faux; comme si « Oncle Jean » n'avait cessé, pendant cinq jours, de tourner autour d'une information, minuscule sans doute, mais centrale, cruciale, et qui serait comme l'invisible clef de voûte, sinon de l'ensemble du récit, du moins de ses rapports — si difficiles! si curieusement conflictuels après tout! — avec son beau-fils. Je n'arrive pas à me défaire de l'idée, en d'autres termes, qu'il m'a, pendant cinq jours, habilement « mené en bateau ».

Je lui ai retéléphoné donc. Il a eu l'air surpris de m'entendre d'abord. Puis agacé.

Contrarié. Réticent à l'idée de me revoir.
Répétant qu'il m'a tout dit, vraiment tout,
que bon vent, bonne chance, etc. Impercepti-
blement inquiet même, j'en jurerais, quand
je lui ai expliqué que j'avais quelques ques-
tions encore... des points de détail à préci-
ser... de légères obscurités qu'il m'aiderait,
j'en étais sûr, à dissiper... un document à lui
montrer aussi − que je venais de recevoir...
Et c'est à contrecœur, avec une mauvaise
grâce contrastant avec l'esprit de coopération
qu'il avait montré jusque-là, qu'il a consenti à
m'accorder ce dernier rendez-vous.

Je suis en face de lui maintenant. Pour la
première fois depuis le début de ces conver-
sations, il a tenu à me recevoir − signe qui
ne trompe pas − non plus dans le grand
salon de Mathilde mais dans un bureau lugu-
bre, sentant la poussière et le renfermé, du
premier étage. Je le devine nerveux, tendu. Je
sens que le ton même de notre conversation
risque d'être très différent de celui des séan-
ces antérieures et que j'ai moi-même intérêt,
si je ne veux pas que le débat s'enlise dans
les banalités polies, à être plus « direct »,
plus « abrupt ».

— *Toute cette histoire,* commencé-je, *ne tient*
pas...
— Comment cela, « ne tient pas » ?

— *Non, on n'y croit pas... On n'arrive pas à y*
croire... Comme s'il manquait quelque chose...
Une nuance... Un détail... Une pièce dans votre
puzzle qui...
— Au fait, je vous prie !

— *Je ne sais pas très bien, justement... Vos rapports déjà... Cette haine dont il vous poursuit et qui le conduira...*

— Je vous ai tout dit là-dessus. Vous avez eu votre content de petites histoires.

— *Des petites histoires, c'est vrai. Beaucoup de petites histoires. Mais pas vraiment de raisons finalement, d'explications de fond...*

— Je pensais que c'était votre partie, ça, « le fond ». Moi je vous ai livré le brut, les faits.

— *C'est cela. Mais à propos de « faits » précisément : ce départ, cette brouille si soudaine...*

— Eh bien? Je vous ai tout donné là-dessus aussi : Genève... la prison... le retour... la dispute... les mots irréparables...

— *Bien sûr. Mais ce n'est pas votre première dispute que je sache. Et quel qu'en ait pu être le motif, cette fois... A propos, je n'ai pas eu la présence d'esprit, l'autre fois, de vous le demander : quel était au juste le motif de cette ultime dispute?*

— Comment voulez-vous que je m'en souvienne? Une dispute banale, je suppose, ordinaire...

— *Vous voulez dire qu'il a suffi d'une dispute « banale, ordinaire », pour qu'il vous quitte, quitte sa maison, abandonne un univers auquel le retiennent tant de liens — et s'en aille ainsi, sans argent, comme un vagabond? C'est bien étrange tout de même...*

— Etrange ou pas c'est comme ça.

— *Car il a quoi, à ce moment-là ? Vingt ans, m'avez-vous dit... Presque la majorité donc... L'héritage qui arrive... Vous ne vous êtes jamais demandé pourquoi il n'avait pas attendu cinq minutes... rongé son frein... quitte, le moment venu, si vos rapports étaient à ce point détériorés, à vous...*

— Ah ! ça, rassurez-vous, il ne s'est pas fait prier ! Et j'ai eu droit, le jour même de ses vingt et un ans, à la visite des hommes de loi me sommant de vider les lieux dans les huit jours.

— *Je vois. Mais raison de plus ! Qu'est-ce qui pouvait bien le pousser là, subitement, quelques mois avant l'échéance...*

— La volonté de m'inquiéter... De jouer les victimes... Est-ce que je n'ai pas été assez clair depuis le temps qu'on se parle ? Ce gosse aurait été capable de se laisser crever rien que pour le plaisir de m'en coller le remords tout le restant de mes jours...

— *Si, bien sûr, vous avez été clair. Mais il y a quelque chose, toujours, qui me tracasse... Je vous ai dit : comme s'il manquait une nuance au tableau, une toute petite touche de rien du tout, un indice tout bête que vous auriez négligé de me donner et qui, pourtant...*

— Vous savez que vous commencez à me chauffer les oreilles avec vos insinuations ! Il n'y a ni « nuance » ni « indice » qui tiennent ! Il n'y a qu'un pauvre môme qui a fait de la taule ; qui découvre, à la sortie, la vanité des amitiés, la saloperie d'une femme aimée ; et qui a honte alors, oui, mettez-vous bien ça dans le crâne : qui a *honte* en face de moi et qui préfère foutre le camp plutôt que d'avoir à soutenir mon regard.

— Ne vous fâchez pas! Je comprends tout cela... Mais je n'arrive pas à me faire à l'idée, c'est vrai, qu'il n'y ait rien que de « banal », d'« ordinaire » dans les raisons qui font qu'il choisit ce moment-ci, précisément, pour consommer une rupture qu'il avait eu tant d'occasions déjà, par le passé, de précipiter... Ah! quel dommage que vous ne vous souveniez plus de cette fameuse dernière dispute! Vraiment, vous ne voulez pas faire un effort et me...?

— Bon. Je crois que nous allons être obligés d'interrompre là notre passionnante conversation...

— Soit... Comme vous voudrez... Me permettrez-vous pourtant, avant de prendre congé, de vous montrer le petit document dont je vous avais, je crois, dit un mot au téléphone...

J'ai sorti, tout en parlant, le « document » de ma poche. C'est une photo ancienne, qui représente un homme d'une trentaine d'années, à la mine sévère, aux cheveux plats, à la fine moustache calamistrée de jeune bourgeois des années trente — et dont je dois dire qu'elle produit sur « Oncle Jean » un effet assez extraordinaire : à peine l'a-t-il vue qu'il se trouble, blêmit, se rassied et reprend de lui-même, mais un ton en dessous, le fil de la conversation.

— Qu'est-ce que c'est? Comment est-ce que vous avez trouvé ça?

— Oh! par hasard... Vous savez ce que c'est : les gens entendent dire que vous faites une enquête, alors ils se mettent en quatre, ils vous

*envoient tout ce qui leur tombe sous la main et
qui pourra, pensent-ils, vous aider... Là, c'est un
type de Jérusalem : il paraît qu'on aurait retrouvé
ce cliché là-bas, dans la chambre où Benjamin,
comme vous savez, a passé les... Mais, dites-moi :
vous d'abord? est-ce que je me trompe ou est-
ce que cette photo vous trouble? Vous boule-
verse?*

— Oui... Enfin non... C'est que j'ai un peu
connu cet homme, autrefois...

*— J'avais vu, bien sûr, la dédicace, ici, au dos
du cliché :* « à mon très cher Jean Delestret, en
souvenir de nos combats communs, fraternellement, Pierre-Michel ». *Même que, pour être franc,
je trouve que c'est presque beaucoup ce
« fraternellement » de la part de quelqu'un qu'on
a « un peu connu autrefois ».*

— Disons, un ami... Un vieil ami d'autrefois.

*— C'est ça... Je comprends mieux... Et on peut
en parler trente secondes de ce « vieil ami »?*

— C'est difficile... Très difficile... C'est si
ancien, une fois de plus...

*— Non, mais rassurez-vous : je ne vous
demande pas grand-chose... Juste quelques repères... Et d'abord son nom... J'ignore même son
nom...*

— Prat... Pierre-Michel Prat...

— Son âge?
— Mon âge...

— Profession?
— Avocat... Enfin, il était avocat à l'époque,
quand on s'est connus. Depuis, je l'ai perdu de
vue...

— *Et quand vous dites « à l'époque », c'est la guerre, j'imagine...*

— Oui... Pierre-Michel était un camarade de Résistance.

— *Je vois. Et ça ne vous paraît pas un peu curieux, qu'on retrouve la photo d'un de vos camarades de Résistance, quarante ans après, dans une chambre de Jérusalem où Benjamin a habité ?*

— Si, justement, très...

— *Et vous n'avez pas une explication de ce... prodige ?*

— Non... pas vraiment...

— *Comment « pas vraiment ? » Cette photo était à vous, tout de même ?*

— Oui.

— *Apparemment même, si on l'examine d'un peu près... là... vous voyez... sur les bords... cette bande un peu moins jaune... est-ce que ce n'est pas une photo qui a été encadrée ?... et pendant assez longtemps ?*

— Oui, oui, c'est ça... Elle est longtemps restée ici, à côté, dans la bibliothèque...

— *Et vous n'avez vraiment pas idée de la façon dont elle a pu quitter la bibliothèque pour atterrir dans la poche de votre filleul ?*

— Heu...

— *Il n'y a pas trente-six solutions, il me semble ! la première c'est que vous la lui ayez donnée vous-même...*

— Ah ! non, jamais...

— *La seconde c'est qu'il l'ait volée...*

— C'est ça, oui, il l'a volée.

— *Et vous n'avez pas protesté? Vous n'avez pas essayé de la récupérer?*

— Non.

— *Pourquoi?*

— Je ne sais pas... J'ai dû trouver que ça n'avait pas d'importance...

— *Vous venez de me dire que c'était une photo qui...*

— C'est vrai... Mettons qu'il devait être trop tard alors...

— *Trop tard?*

— Oui, il devait déjà être parti, quand je m'en suis aperçu...

— *Ah! très bien! ce qui veut dire qu'il s'est produit, ce vol, juste avant son départ... au retour de Genève... dans ce mince intervalle qui nous semblait si mystérieux il y a trois minutes...*

— C'est sans doute ça, oui.

— *Et vous avez une hypothèse? Une explication?*

— Vous connaissez ses mœurs aussi bien que moi... cette façon qu'il avait de fouiner... de fureter dans les affaires des autres.

— *J'entends bien... Mais pourquoi cette photo précisément? Qu'est-ce qu'elle pouvait bien représenter pour lui?*

— Mystère.

— *Elle représentait forcément quelque chose.*

— Forcément, oui. Mais je vous répète : mystère.

— *Vous lui en aviez parlé, de ce Prat ?*
— Non... Enfin, pas directement... Peut-être qu'il m'avait entendu en parler avec sa mère.

— *En quels termes ? Sur quel thème ?*
— Aucuns termes en particulier. J'en parlais à Mathilde comme on parle à sa femme d'un vieux compagnon avec qui on a eu de bons moments.

— *Je vois. Mais est-ce que ça suffisait à lui donner envie de « fouiner » ? De s'intéresser si subitement à une photo qui avait toujours été là, à sa place, dans son cadre, sans qu'il y prête jamais attention ? Et puis est-ce que ça suffisait à ce qu'il la conserve surtout, pendant vingt ans, jusqu'à Jérusalem ?*
— Non. Je ne pense pas.

— *Ce qui veut dire qu'il y a fatalement quelqu'un d'autre qui est arrivé par là-dessus, et qui lui en a parlé dans des termes nouveaux, plus éloquents — disons même : plus excitants...*
— Fatalement, oui.

— *Ou plus exactement — je réfléchis à voix haute — quelqu'un qui lui parle de Prat à sa manière. Dans un contexte qui n'a rien à voir avec celui de vos conversations avec Mathilde. Sans se douter ni que c'est un ex-ami du beau-père ni que le nom est déjà familier à Benjamin. Mais de telle façon, pourtant, que ça va lui faire tilt dans l'oreille et qu'il va se dire aussitôt quelque chose comme : « Prat... Prat... mais ça me dit quelque chose, ça, Prat... Est-ce que ce ne serait pas, par* hasard, le bonhomme dont Oncle Jean et maman parlaient si souvent, etc. »

— Voilà, oui... C'est comme ça, en effet, que les choses ont dû se passer...

— *Oui, mais quoi ? Qu'est-ce qu'on peut bien lui dire pour que le tilt se fasse et que la première chose qu'il entreprenne en arrivant avenue Ingres soit de descendre de la bibliothèque et de...*

— Je n'en ai pas la moindre idée.

— *Bien. Divisons la difficulté, voulez-vous ? Dans les semaines qui précèdent le vol, il est en prison. Alors : qui, en prison, a bien pu venir lui parler de votre Pierre-Michel Prat ?*

— Comment voulez-vous le savoir ? Il avait des visites... Tous les détenus ont des visites.

— *Oui mais, là encore, qui ? Quel genre de visite ?*

— Je ne sais pas, moi... Ses fréquentations de l'époque... Les Algériens... Le FLN... Tout ce ramassis de...

— *J'avais cru comprendre que les Algériens l'avaient « lâché », justement...*

— C'est vrai, oui... Mais pas complètement non plus... Il y avait cet avocat, je vous l'ai dit aussi, qu'ils lui avaient envoyé.

— *C'est ça... Ce serait donc l'avocat qui, au hasard d'une de ses visites, aurait eu l'idée de l'entretenir de... Comment s'appelait-il, à propos, cet avocat ?*

— Paradis... Il s'appelait Alain Paradis...

— *Et il connaissait Prat, ce Paradis ?*

— Possible, oui... Car c'était un peu le même monde... Le même milieu... Paradis était un type qui, avant de se mettre au service des Arabes, avait fait une belle guerre... Une assez jolie Résistance... Côté Londres, lui, contrairement à Prat et moi, mais une jolie Résistance quand même.

— *Et puis ?*
— Et puis c'était le genre d'avocat tordu... cabot... mondain... comédien... style « coqueluche des salons parisiens »...

— *Non, je veux dire : qu'est-ce qui peut bien donner l'idée à un avocat lié au FLN de venir, en pleine guerre d'Algérie, parler à un client qu'il ne connaît ni d'Eve ni d'Adam d'un type totalement obscur qu'il a croisé vingt ans plus tôt et qui se trouve être un camarade de guerre du beau-père ?*
— Je l'ignore, bien sûr.

— *Car enfin, ça n'a pas pu venir tout seul... En l'air... Au hasard d'une conversation... Il sait forcément, en lui en parlant, que Prat a un lien avec lui, avec sa famille...*
— Probablement, oui.

— *Essayons d'avancer, voulez-vous ? Il n'y a, de nouveau, pas mille solutions possibles : la première, c'est que ce Paradis vous a connu vous aussi et que...*
— Ah non !

— *Mathilde... ?*
— Je vous en prie !

— *Edouard alors... C'est la seule hypothèse qui nous reste...*
— Bon... Où voulez-vous en venir ?

— Je ne sais pas... C'est vous qui allez me le dire... Car je ne vois pas très bien le lien qu'il peut y avoir entre un résistant de Londres et un collabo fusillé en 45...

— Attendez... Il y a un détail qui me revient, maintenant que vous m'interrogez : c'est que Paradis avait dû réussir à se faire désigner à la commission qui statuait, en ce temps-là, sur les demandes de recours en grâce... C'est là, au fond, qu'il a dû croiser Edouard.

— Comment? Vous appelez ça un détail? Ça voudrait dire que c'est le même homme qui, à presque vingt ans de distance, est saisi...

— Je crois bien...

— Et que lorsqu'il rencontre le fils, au fond de sa prison genevoise, il fait tout de suite le rapprochement avec le vieux dossier du père...

— Oui, je crois bien...

— Et vous pensez qu'il le lui dit? qu'il lui en parle? qu'il lui déclare comme ça, de chic : « votre nom me dit quelque chose, est-ce que vous ne seriez pas le fils de... »

— Oui, ne serait-ce que pour le plaisir de nuire... de déstabiliser un jeune type... de parachever la besogne des Malika et compagnie... Avec, en plus, le plaisir de se faire mousser en lui racontant une belle histoire dans le genre : « moi, Paradis, seul contre tous, j'ai héroïquement tenté de sauver la tête de votre père, mais... »

— Je comprends. Mais attention! ne perdons pas de vue notre problème : cela ne nous dit toujours pas ce qu'il lui raconte au sujet de Prat...

— Non, en effet.

— Mais au fait, j'y songe : je ne vous ai pas demandé ce que faisait Prat à la Libération...

— ...

— Oui ? Vous pouvez me dire ce que faisait Pierre-Michel Prat à la Libération ?

— ...

— Allons ! Vous savez bien que c'est le genre d'information qu'il me sera facile, dans la minute...

— Oh ! et puis, après tout... Pierre-Michel siégeait à la commission, lui aussi... Voilà !

— A la commission ?

— Oui, la commission des grâces...

— Quoi ? Vous voulez dire que Prat et Paradis...

— Oui...

— Et que Prat a eu à connaître, lui aussi, le dossier de recours en grâce qu'Edouard...

— Oui... Oui...

— Et que c'est à ce Prat, donc, que vous vous adressez quand, soucieux de sauver la tête du mari de Mathilde...

— Oui, oui, oui...

— Mais attendez ! c'est énorme, ça, pour le coup ! C'est de plus en plus incroyable ! Car, oublions une seconde Benjamin et Paradis, et revenons à cette année 45 : ça doit vous sembler tout de même formidable, à l'époque, d'avoir un camarade dans la place à qui vous pouvez demander ce service...

— Formidable, oui.

— *Et puis ça doit vous paraître terrible, ensuite, quand, malgré ce camarade, vous échouez...*

— Terrible.

— *J'essaie d'imaginer la situation... La joie fantastique que ça doit être quand vous découvrez que ce bon vieux Prat siège où vous dites... Et puis, l'amertume, le dépit, le désespoir quand il vient vous annoncer que ça y est... il a tout fait... tout essayé... remué ciel et terre... mais que...*

— Oui, quelle déception ! quelle déconvenue !

— *Mais dites-moi... Un dernier point... J'ai lu, comme vous savez, le journal que tenait Mathilde tout au long de ces jours et je ne me souviens pas d'y avoir trouvé la moindre allusion à Prat, à sa position, au rôle que vous étiez en train de lui faire jouer.*

— Il est possible, en effet, que je ne lui en aie pas parlé.

— *Pourquoi ?*

— Pour ne pas risquer de lui donner de fausses joies, j'imagine... de faux espoirs...

— *Vous n'hésitiez pourtant pas, il me semble, — et si j'en juge, encore une fois, par ces carnets — à lui parler d'autres démarches, d'autres conversations, de ce que vous disait Chavanac par exemple, l'avocat...*

— Je ne sais pas... Je ne sais plus rien...

— *Ce n'est pas grave. Car je crois que je commence, moi, à comprendre... Supposons en effet que Prat n'ait pas remué ciel et terre justement...*

— Oh !

— *Ou pire qu'il ait fait exactement l'inverse —
et qu'au lieu de défendre Edouard, il l'ait chargé,
accablé...*
— Je ne peux pas vous laisser...

— *Je ne dis pas que les choses se sont réellement passées ainsi. Et je crois qu'au demeurant,
vu ce qu'il avait fait, le bonhomme avait de toute
façon peu de chances d'échapper au peloton. Mais
je fais une supposition, simplement. Et je me
demande si ce ne pourrait pas être une bonne
explication du fait que vous ne parliez jamais à
Mathilde de Prat...*
— Ecoutez...

— *Pardon d'insister, mais je me demande surtout — car n'oublions pas que nous avons laissé
la question en suspens — si ce ne serait pas typiquement le genre de choses que Paradis pouvait
raconter à Benjamin, vingt ans après, dans le parloir de la prison de Genève.*
— ...

— *Là aussi, j'essaie d'imaginer la scène... Paradis qui lui raconte comment il a connu son père...
Comment il a été apitoyé par ce criminel... Comment il a essayé de lui éviter le peloton d'exécution... Ça, c'est vous qui me l'avez dit, n'est-ce
pas ?*
— Oui.

— *Bien. Je l'imagine enchaînant alors qu'il y
avait là un certain Prat en revanche... Courageux... Héroïque... Mais rien à en tirer... Un vrai
Saint-Just... L'un des plus acharnés à réclamer la
tête de...*
— Oui.

— *J'imagine ce pauvre Benjamin alors, avalant toute l'histoire... Buvant les paroles de ce cabotin...*

— Oui...

— *Je l'imagine sortant de sa prison persuadé que Prat, ce vieil ami, ce compagnon de son beau-père, était en fait le véritable responsable de l'exécution de celui qui, malgré tout, restait son père...*

— Je vous en supplie... Finissons-en...

— *Nous en avons fini... Car il me semble difficile — indépendamment, encore une fois, de toute considération politique ou morale — qu'il ne se soit pas fait la même réflexion que moi, alors, à propos des cahiers de sa mère... Difficile qu'il n'ait pas repensé à d'autres passages de ces cahiers où elle évoquait son catholicisme... les liens sacrés du mariage... qu'elle ne pourrait jamais, Edouard vivant, envisager de vous épouser... Et difficile de concevoir, pour tout dire, que vous n'ayez pas eu, autour de ces vieilles histoires, une toute dernière explication — qui, compte tenu de ce que je sais maintenant de Benjamin, ne pouvait avoir en effet que des conséquences extrêmes.*

Oncle Jean n'a rien répondu. Il s'est levé, tel un vieil acteur qui viendrait de donner sa dernière réplique. Il a quitté le bureau d'un pas lourd, accablé. Et je l'ai entendu grogner, à l'instant où il en franchissait le seuil, que « tout lui était égal, maintenant... indifférent... que je pouvais croire ce que je voulais... écrire ce que bon me semblait... que l'histoire, pour lui, était de toute façon finie ».

Lettres de Marie

1

Paris, le 18 septembre 1964.

Tu as raison, ma chère Constance. On ne reste pas dix-huit jours ainsi, sans écrire ni donner de nouvelles. Et je mérite cent fois, c'est certain, ce reproche de « vilaine sœur » que tu m'adresses dans ta lettre. Mais tout est allé si vite, pour moi ! La vie, ici, est si folle ! Le cours des choses si endiablé ! Et le temps lui-même y a un rythme, une réalité si différents de ce qu'on peut connaître chez nous — devrai-je dire, désormais, chez vous ? — dans notre jolie campagne alsacienne. Dix-huit jours, dis-tu ? La vérité, c'est que je ne les ai pas vus passer, ces dix-huit jours. Et que, happée dans le tourbillon des rues, des métros, des agences immobilières à l'aube, des bureaux d'inscription de la Sorbonne à midi ou de ces longues nuits d'insomnie que je passe dans ma chambre d'hôtel à attendre que veuille bien se taire l'insupportable bourdon sous mes fenêtres — je n'ai pas trouvé une minute, voilà tout, pour m'arrêter et t'écrire.

Le 27 septembre.

Mais non, grosse bête, je ne suis pas « triste »...
Je suis un peu déroutée, simplement. Interloquée
par ce que je découvre. J'arrivais avec tant d'idées
toutes faites, finalement! Tant d'images conve-
nues! Je me représentais cette ville, au fond, avec
les yeux de notre cher Aragon dans son *Paysan de
Paris*! Je m'attendais à y retrouver tout de suite,
à chaque pas, « le sentiment de la nature des
Buttes-Chaumont », le charme du « Café Certa »,
l'exquise poésie du passage de l'Opéra, le salon de
massage de Mme Jehan ou la boutique de coiffeur
au buste de cire. Au lieu de quoi j'ai l'impression
d'être plongée au milieu d'une fourmilière en
folie où vaquerait une humanité nombreuse,
populeuse, monstrueuse — sans pitié pour les
petites provinciales rêveuses qui s'éloignent, pour
la première fois, du doux cocon familial. Mais ne
t'inquiète pas. Ce n'est pas grave. Et cela me
passera, j'en suis certaine, aussitôt que j'aurai
trouvé un gîte où me poser... Je ne suis là que
depuis un mois et je n'ai visité encore qu'une
douzaine d'appartements : j'ai croisé hier une
malheureuse qui m'a confié qu'elle en était, elle,
à son soixante-quatrième — et qu'elle était
sans doute en train de manquer le soixante-
cinquième dont la propriétaire était, d'après elle,
une épouvantable antisémite.

Le 5 octobre.

Ça y est! J'ai trouvé! Et je suis tombée, moi, sur
des propriétaires formidables qui se fichent pas
mal de savoir si on a un nom ceci ou cela! Je n'ai
pas le temps de trop te raconter aujourd'hui car
je dois filer à l'agence signer mon bail. Mais

sache que c'est un endroit merveilleux dont le
nom — rue de Tournon — ne te dira bien
entendu rien, mais qui se trouve à équidistance,
pour te donner une idée, des jardins du Luxembourg, de la Sorbonne et de Saint-Germain-des-
Prés. Et puis sache aussi qu'il s'agit de ce qu'on
appelle ici un « studio » : c'est-à-dire une sorte de
pièce unique où l'on est censé manger, dormir,
travailler, se laver, rêver, faire la cuisine ! Ça va
me changer, tu me diras, de la maison. Et c'est
vrai qu'il ne mesure même pas, ce « studio » tout
entier, la moitié d'une de nos chambres. Mais
c'est très bien comme ça, je t'assure. C'est ainsi
que vivent, ici, les étudiants. Et je suis sûre d'y
être vite très heureuse.

Le 14 octobre.

Que te disais-je, ma chère Constance ? Je n'ai
emménagé que depuis trois jours — et tu ne peux
pas savoir combien je me sens bien déjà, à mon
aise, à ma place. Pense donc ! Toutes ces vieilles
pierres ! Tous ces lieux-dits ! Toutes ces rues, ces
ruelles, ces carrefours enchantés dont les noms à
eux seuls sont, pour moi, si merveilleusement évo-
cateurs ! Tous ces écrivains, ces poètes sur la
légende desquels nous avons si souvent rêvé, toutes les deux, à Guebwiller — et qui ont vécu là,
dont on sent encore la présence ! Et la rue
Racine ! Et le café Procope ! Et la Fontaine Médicis ! Et la boutique de la rue Saint-Sulpice où
André Breton, j'en suis sûre, venait acheter ses
cannes ! Et l'hôtel des Grands-Hommes ! Et l'hôtel
des Etrangers, un peu plus bas, boulevard Saint-
Michel, où je n'ai pas pu m'empêcher d'entrer
demander l'autre soir, à un réceptionniste éberlué, si messieurs Richepin et Germain Nouveau
étaient arrivés ! Et la place de la Sorbonne où,

tout à l'heure, en allant acheter mon *Combat* — depuis que je n'ai plus besoin des petites annonces, je lis *Combat* tous les jours — j'ai bien cru voir passer, filant comme une comète dans la lumière du matin, une silhouette en espadrilles et costume cycliste rouge rayé qui marmonnait « Cornegidouille » et brandissait un pistolet ! Ah ! Constance, si tu savais... Il y a des soirs où, chez moi, à l'abri de mon pigeonnier encore tout en désordre, je manque défaillir rien qu'à l'idée que je vis ici désormais... à portée de toutes ces merveilles... à cent mètres de l'endroit où Mme de La Fayette écrivait sa *Princesse de Clèves*... à deux cents de celui où George Sand venait, au soir de sa vie, rêver à ses amours passées... à trois cents, à peine, de l'Abbaye où flottent encore, j'en suis certaine, les parfums mêlés de Juliette Récamier et du sublime vicomte... Et ces soirs-là, ma grande tristesse, mon gros chagrin, la seule chose qui, si je m'écoutais, pourrait rabattre un peu de ma joie, c'est que tu ne sois pas là, toi aussi, pour partager tout ce bonheur... Je travaille d'arrache-pied, bien sûr, au petit plan que tu m'as demandé et que tu auras, j'espère, au début de la semaine prochaine; mais ceci, je le sais bien, ne remplacera jamais cela — et rien ne suppléera vraiment à l'irrémédiable cruauté de notre séparation.

Le 19 octobre.

Voici le plan promis. Je t'y ai indiqué, comme tu peux voir, des choses aussi diverses que mon kiosque à journaux... La bibliothèque... L'endroit où je fais mon marché... Un cinéma qu'on appelle « d'art et d'essai »... La crêperie de la rue Servandoni où je compte aller le midi... La Sorbonne... Un « italien » — entendre un *restaurant* italien — qui pourrait avoir servi de modèle à *La Vie de bohème* d'Henri Murger... L'Odéon... Le Panthéon dont je n'aime guère, je te le dis tout de suite, le côté mastoc, néo-grec, faux baroque et vrai bric-à-brac, mais qui fait indéniablement partie du paysage... bref, une bonne cinquantaine d'endroits qui sont ou seront bientôt le cadre de ma nouvelle existence et que j'ai chaque fois marqués d'un petit chiffre rouge entre parenthèses renvoyant, au dos, à mon commentaire... A toi de jouer, à partir de là! A toi de rêver! Laisse aller ton doigt! Ton œil! Ton imagination! Et puisses-tu donner un corps, un visage, une odeur, des couleurs à tous ces noms muets — mais dont je te reparlerai, forcément, au fil des semaines qui viennent!

Le 27 octobre.

Je suis contente, ma chère Constance, que mon plan t'ait fait plaisir. Et je te remercie bien fort, moi aussi, pour toutes les nouvelles que tu me donnes de Père, de Mère, d'Oncle Samuel, du petit David, ainsi que de tous les amis restés là-bas — et auxquels, dis-le-leur bien, je ne cesse pas une minute de penser.

Ici, tout va bien. Les choses suivent leur cours. L'hiver arrive, bien sûr. La rentrée de la faculté aussi. Et mon studio se meuble peu à peu... Tant bien que mal... Plutôt bien que mal d'ailleurs... Mais je ne veux pas t'en dire plus pour l'instant : je préfère te faire la surprise, quand le moment sera venu..

Côté relations, beau fixe également. J'ai fait la connaissance, la semaine passée, à la crêperie de la rue Servandoni (n° 11 sur le plan) de deux filles de mon âge, aussi fraîchement parisiennes que moi, qui se sont inscrites, comme moi aussi, en première année de lettres et qui ont, imagine-toi,

exactement les mêmes goûts que nous. *Ondine,*
Amphitryon, Le Soulier de satin, le cinéma de
Cocteau, le théâtre de Musset, *Nadja* bien sûr,
L'Amour fou, René Crevel... tout, te dis-je, elles
aiment tout exactement comme nous; elles se pas-
sionnent, comme nous aussi, pour les mille inter-
prétations possibles de la brouille entre Aragon
et les surréalistes, ou du suicide de Jacques
Rigaut; et on peut passer des heures ensemble, à
la crêperie, dans la rue ou, comme hier soir, dans
le studio de Beth, la plus jolie des deux — imagine, pour te faire une idée, une Ingrid Bergman
jeune, avec un petit chignon sage, un col claudine,
de beaux yeux bleus, une peau toute nette, sans
maquillage —, à discuter de ce que pouvait bien
vouloir dire Breton avec sa « femme aux épaules
de champagne ». N'est-ce pas merveilleux, entre
filles qui, la veille encore, étaient des étrangères ?
Et pouvais-je rêver meilleure façon de ne point
trop me déshabituer de nos conversations ? Je
leur ai parlé de toi, bien sûr. Et elles regrettent
déjà, je te le promets, de ne pas te connaître. Je
ne leur ai rien dit pourtant, cela va de soi, des
vraies raisons pour lesquelles tu n'es pas ici, près
de moi.

Le 2 novembre.

Mais non, je n'ai pas encore rencontré d'étudiant. Je te l'aurais dit, tu penses bien ! Et il
aurait déjà fallu pour cela que je sorte de chez
moi... que j'aille là où ils vivent... dans les cafés
où ils se réunissent... à l'italien, par exemple, rue
des Canettes (n° 27)... Or il se trouve que, pour le
moment au moins, je ne m'y suis pas résolue.
Pourquoi ? Mais parce que j'ai peur, tiens donc...
Qu'ils m'impressionnent... Qu'ils m'émeuvent
beaucoup trop, comprends-tu, avec leurs blue-

jeans, leurs grands chandails, leurs manteaux sombres, trop vastes, négligemment posés sur les épaules... Et que je crois mourir chaque fois que l'un d'entre eux croise mon chemin et que je capte sans le vouloir (car, vraiment, je ne le fais pas exprès !) son regard si nonchalant, si insouciant, si blasé... Alors, du coup, j'attends... J'observe... Je n'ai d'autre ressource que de les regarder de loin, sans me montrer − à l'affût des moindres faits, des moindres gestes, des plus imperceptibles signes qui me permettront, rentrée chez moi, de reconstituer un peu de leur existence... Une grimace fait mon bonheur... Un mot jeté au vent... Une bribe de conversation glanée sur un bord de trottoir... Un sourire à une autre adressé... L'éclat d'un rire... D'un regard... Un bout de papier oublié sur un banc... Une terrasse de café devant laquelle je peux repasser dix fois de suite... Ce petit groupe, plus loin − les étudiants, à Paris, vont souvent par groupes −, dont ne me revient qu'une gesticulation silencieuse mais que je pourrais rester des heures, malgré le froid, à épier... Ou celui-ci, solitaire, que j'ai été, l'autre nuit, jusqu'à filer dans tout le quartier et qui ne saura jamais, le cher ange, quel fantastique butin de signes je lui ai ainsi dérobé !

Une seule fois, si tu tiens à tout savoir, j'ai songé à aller au-delà. C'était un matin tôt, dans la rue, à l'arrêt d'autobus en bas de chez moi. Il y en avait un qui était là, juste devant moi, appuyé contre le poteau et me tournant le dos. Sûre de voir sans être vue, j'ai commencé à détailler ses longs cheveux; sa veste de toile kakie, un peu froide pour la saison; son petit foulard rouge, noué à la corsaire; son air de noctambule épuisé par une folle soirée occupée à brasser des projets, des grandes idées générales; son port un rien trop crâne, trop raide, qui ne faisait que confirmer, me disais-je, sa pauvreté fière, ombrageuse. Et, le cœur serré, les larmes aux yeux, toute pleine d'une émotion qui augmentait un peu à chaque réflexion que je me faisais, je me suis entendue murmurer : « ah! comme j'aimerais pouvoir aider cet étudiant! » Eh bien, je ne sais pas s'il m'a entendue lui aussi, s'il a senti ma présence, mon trouble, la terrible bêtise, peut-être, de ma réflexion — mais toujours est-il qu'à cet instant précis il a tourné la tête vers moi; qu'il m'a lancé un regard successivement étonné, curieux, narquois; et que, son inspection achevée, il s'est détourné avec un air d'ennui si total, si souverain, osons le mot : si méprisant que je crois ne m'être jamais, de ma vie, sentie si ridicule.

Le bus est arrivé, sur ces entrefaites. J'ai fait la fille qui s'aperçoit au dernier moment qu'elle a laissé ses tickets chez elle. J'ai bredouillé à voix haute : « zut, je vais devoir aller à pied. » Et j'ai ostensiblement fait demi-tour, non sans m'être aperçue, grâce à un ultime coup d'œil en arrière, que l'étudiant semblait, comble de honte, se fiche éperdument de ma comédie! Le moins que l'on puisse dire, chère Constance, c'est que ce n'était pas encore lui, l' « homme de ma vie »; et que je ferais beaucoup mieux d'attendre encore, de m'habituer davantage, d'étudier d'un peu plus près leurs mœurs, leurs comportements — avant de me lancer dans une aventure inconsidérée.

Le 16 novembre.

Voilà! C'est fini! Tout est allé très vite, finalement! Et mon studio est, si j'ose dire, visible!... Imagine une vaste pièce presque nue avec des tomettes au sol. De la toile de jute aux murs. Les portes et les coffrages du plafond laqués blanc. Du filet, oui du véritable filet, coupé à la hauteur des fenêtres, en guise de rideaux. Des tas de coussins de toutes les couleurs, jetés un peu partout, en guise de fauteuils. Un matelas posé par terre, je veux dire à même le sol, sans sommier — ce qui est, ici, du dernier chic. Une planche de bois blanc, sur des tréteaux, face au balcon, qui fera office de bureau. Et le clou de mon installation : la paroi de la cuisine-salle-de-bain (ça dépend des heures !) percée sur un mètre à partir du sol pour laisser passer une baignoire d'étain dont la moitié pénètre ainsi dans le studio lui-même... Ne te récrie pas, ma chérie ! Ce sont des idées tout ce qu'il y a de plus banales dans le monde où je vis. Et si elles me sont venues c'est parce que j'ai eu la chance d'avoir accès à tout un fantastique réseau de chineurs, brocanteurs, bricoleurs, artisans récupérateurs de tous poils dont les vrais Parisiens se communiquent les adresses, de bouche à oreille, comme des mots de passe. Pas la peine de donner ces détails aux parents, bien sûr : ils seraient capables de s'affoler. Mais c'est vrai, tu sais, que je suis la première stupéfaite, quand j'y pense, de l'incroyable vitesse avec laquelle j'ai réussi, sur ce chapitre comme sur un ou deux autres d'ailleurs, à me mettre, si tu me passes l'expression, « au parfum ». Je te quitte, ma jolie; car voici encore un livreur qui sonne et qui m'apporte, je pense, mon Frigidaire.

Le 20 novembre.

Oh ! la fine mouche ! Tu l'as remarqué, donc, mon « sur ce chapitre comme sur un ou deux autres » ? Et tu t'es creusé la cervelle, dis-tu, pour savoir ce qu'ils peuvent bien être, ces mystérieux « un ou deux autres ». Eh bien, excellente question, ma grande ! Mais il était un peu tôt, la semaine passée, pour que je t'en parle. Alors qu'aujourd'hui... hum !... je ne suis pas vraiment

sûre que ce soit beaucoup mieux aujourd'hui...
mais enfin, puisque tu insistes... que tu me presses... que tu as peut-être même déjà deviné...
Non ? Oui ? Bon, oui, c'est un garçon... Non, il ne
ressemble pas à Damien... Oui, il est aussi blond
que nous sommes brunes... Non, je ne sais pas
encore s'il m'aime... Oui, je suis, moi, très amoureuse... Et si tu savais, ah là là! si tu savais où,
comment, dans quelles circonstances on s'est ren-
contrés! Pas au bal, non... Pas au cinéma... Pas au
restaurant... Pas à la faculté... Même pas à l'arrêt
d'autobus... Tu donnes ta langue au chat, je
parie ? Oui, je crois que tu peux... Car tu ne devi-
neras jamais... Bon : ça s'est passé un soir, dans
un sous-sol... Tu as bien lu : dans un sous-sol... Et
c'était le sous-sol, pour être précise, du bar-tabac,
en bas de chez moi, dont j'étais venue utiliser le
téléphone... Mais laisse-moi plutôt te raconter les
choses dans l'ordre — avec détails, péripéties, circonstances, et tout ce qu'on aime...

Je suis dans mon sous-sol, donc. En train de
téléphoner à Beth, à moins que ce ne soit à
Corinne. Car il faut que je leur confirme à toutes
les deux une crêpe-party, le lendemain, à la maison... Et voilà que survient là-dessus, en bas de
l'escalier, en face de moi, un grand étudiant très
beau mais dont je remarque d'abord le brillant
des souliers, le pli du pantalon, la coupe parfaite
de l'imper, bref, un je ne sais quoi de soigné,
d'inhabituellement recherché dans la qualité de
l'uniforme. Il est là pour téléphoner aussi, semble-t-il. Il a l'air courtoisement « absent » du monsieur qui attend sans impatience qu'on veuille
bien lui céder la place. Il me dévisage bien un
peu, mais avec tact, sans insistance. Et puis, brusquement, je le vois qui, sans raison, se met à
s'agiter, gesticuler, me faire pendant que je parle
tout un tas de grimaces, de clowneries, de pieds-
de-nez, de bouffonneries. Est-ce qu'il se moque de

moi? me dis-je. Est-ce qu'il fait ça pour que je raccroche plus vite? ou bien, est-ce que... est-ce que... j'ose à peine formuler ce « est-ce que »... J'ai des idées insensées qui me traversent la tête... Je m'affole, je perds les pédales, je ne sais plus ce que je dis... Et voyant que, renonçant à toute sa courtoisie antérieure, il essaie, à présent, d'interférer dans la conversation, je juge plus sage de souffler à Beth (à moins que ce ne soit à Corinne) : « bon, je te laisse, il y a quelqu'un qui attend le téléphone ». Mais, même pour dire ça, je bafouille... Je raccroche le combiné de travers... Je trébuche... Je manque m'étaler de tout mon long... C'est lui qui, retrouvant pour l'occasion — comme si c'était le moment! — un peu de son côté gentleman, me rattrape in extremis... Et à l'instant où, toute chancelante, les oreilles bourdonnantes, je pose enfin le pied sur la première marche, qu'est-ce que j'entends? Sa voix de nouveau qui, dans mon dos cette fois, lance : « je raffole des crêpes, vous savez; où est-ce donc? à quelle heure? » Là, Constance, c'est l'angoisse... La panique... Je ne sais plus ni ce que je dis, ni ce que je fais... Il faut que j'invente quelque chose, tu comprends, pour me tirer de ce piège... Et la seule chose que je trouve, idiote que je suis — mais je te certifie, encore une fois, que je suis dans un état second — c'est de lui donner, tout bonnement, mon adresse!

Ce qui doit arriver arrive, alors. A savoir que, le lendemain soir, à l'heure dite, tout de suite, après l'arrivée de Beth et Corinne à qui j'ai raconté l'histoire et qui sont encore plus fébriles que moi, ils sont là. Je dis « ils » parce qu'il est escorté cette fois par deux acolytes, incroyablement sans-gêne, qui se conduisent comme en terrain conquis, me bousculant pour entrer, ne disant bonjour à personne, lançant de vilains petits regards soupçonneux aux quatre coins de la pièce comme s'ils avaient besoin de s'assurer de Dieu sait quoi avant de s'installer. Et tout ça va donner une soirée dont j'aime autant te dire qu'elle sera plutôt du genre lamentable ! D'un côté tu as trois poules — pardon, mais je ne trouve pas d'autre mot pour qualifier notre attitude — qui ne vont pas cesser de roucouler, ronronner, caqueter, pigeonner, caracouler, bref, faire les intéressantes, multiplier les mines, les battements de cils, les œillades assassines, les jeux de jambes osés. Et, en face, bien installés dans leurs coussins, observant notre manège d'un air las, trois jeunes mâles arrogants qui liquident à eux seuls les neuf dixièmes des crêpes et qui ne daigneront engager la conversation qu'ensuite, en toute fin de soirée, pour nous expliquer en substance que ce que nous disons est idiot, que ce que nous lisons est inepte, que Breton est un « crétin », Aragon un « stalinien », le pauvre Crevel un « pédéraste », sans parler de Giraudoux, Claudel, Musset, Mme de La Fayette, tout notre répertoire au grand complet que nous leur avons récité si fièrement, si naïvement, si sûres, chaque fois, que ce nom-ci serait le bon, qu'il allait les épater, nous faire briller, servir de point de départ, peut-être, à une conversation intéressante — alors que nous ne parvenons, à chaque coup, qu'à les faire ricaner un peu plus...

Qui ils sont ? ce qu'ils font ? et d'où leur vient, surtout, ce toupet ? Ça, ils ne le disent pas. Ils prennent un malin plaisir à esquiver toutes nos questions. Et le seul indice que nous ayons c'est qu'avisant, sur mon étagère, au moment de partir, mon gros dictionnaire de grec, Benjamin — car j'ai quand même réussi à lui faire dire qu'il s'appelait Benjamin — et ses gardes du corps Bill et Biquet) l'a pris d'autorité et a déclaré : « tiens ! un Bailly... ça tombe bien... j'en avais justement besoin d'un, cette nuit... je vous le rapporte demain matin, sans faute. » Sur quoi il « met les voiles », comme il dit. Et nous nous retrouvons seules à nouveau, bizarrement intimidées, osant à peine bouger, encore moins nous regarder — et ne trouvant plus, tout à coup, rien à nous dire.

Tu devines la suite. Ou plutôt non, comment la devinerais-tu puisque j'en ai moi-même été si surprise ? C'est Benjamin qui, comme promis, revient le lendemain matin me rapporter le dictionnaire. Moi qui, ne l'attendant pas si tôt, suis en plein ménage. Lui qui, seul cette fois-ci, bredouille : « pardon... je ne savais pas... vous préférez peut-être que je revienne un peu plus tard. » Moi qui, ne reconnaissant pas ma propre audace, pose mon balai, ôte mon fichu et trouve le moyen de lui répondre : « oh ! non, je vous en prie... ça se finira bien tout seul, tout à l'heure. » Lui qui entre, va au balcon, se ravise, revient s'asseoir par terre, contre le lit, un coude posé sur le matelas. Moi qui m'allonge derrière lui, tout près de lui, je pourrais presque dire contre lui, avec ma bouche, mon souffle effleurant ses boucles blondes. Lui qui commence à parler : « Bill... Biquet.. ses copains... inséparables... les trois B., on les appelle... non, non, il n'est pas leur chef... drôlement sympa de ma part, en tout cas, d'avoir reçu tout le monde comme ça... » Moi qui ne l'écoute plus... ou si peu... la musique de la voix à peine... sa vibration... son intonation... et qui, lasse d'attendre, lui prends la tête à deux mains, de chaque côté, sous les oreilles, comme pour la lui dévisser... Et lui... moi... lui ou moi, je ne sais plus... tu la devines, cette suite-ci, n'est-ce pas... Il est si beau... si fort... si tendre et brutal à la fois... chut... arrêtons là, veux-tu... je t'embrasse.

Mais non, je ne fais pas « la cachottière ». Et si je ne t'en dis pas plus c'est simplement que je n'en sais pas plus. Je sais qu'il s'appelle Benjamin, certes; qu'il a un peu plus de vingt-trois ans; qu'il est vaguement étudiant; qu'il fait partie, en fait, de cette catégorie d'étudiants qui s'intéressent moins à leurs examens qu'aux réunions, manifestations, mouvements politiques divers qui agitent leur petit monde; qu'il fait figure dans ce monde, quoi qu'il en dise, sinon de « chef » ou de « guide », du moins d'instigateur, d'inspirateur, du personnage à qui l'on adresse, dont on requiert l'avis et qui semble jouer un rôle capital, par exemple, dans la préparation d'un certain « congrès », prévu pour janvier prochain et dont j'entends parler dans toutes les conversations. Mais à part ça, je te répète, rien. Pas un mot. Silence total sur sa famille... Ses parents... Sa vie privée... Le train qu'il mène... Les moyens énormes dont il dispose et dont je vais te donner une preuve dans une seconde... J'ignore même s'il vit chez lui, chez une autre femme, chez des amis, à Paris, à la campagne... Et la seule fois où, fatiguée que « ça » se passe toujours rue de Tournon, je lui ai demandé, très timidement rassure-toi, et en prenant bien garde de ne rien laisser paraître qui puisse ressembler à de la curiosité mal placée, si on ne pourrait pas, pour une fois, aller prendre un verre chez lui, il a pris un air embêté; a fait semblant de réfléchir; et m'a amenée, pour finir... dans un hôtel! Tu me diras que c'était l'hôtel Meurice et que ce n'est pas tous les jours qu'on a la chance de dîner aux chandelles avec le garçon qu'on aime dans un endroit aussi beau — d'accord! Mais le fait, en tout cas, est là : le garçon que j'aime, quand j'exprime le désir d'entrer un peu dans son intimité, m'introduit dans un endroit qui est, tu en conviendras, le comble de l'anonymat! Passons sur l'aspect moral des choses... Oublions la goujaterie du procédé... Laissons à d'autres — car là, pour le coup, ce n'est pas notre affaire — le soin d'analyser les contradictions d'un personnage qui prêche pendant la journée le communisme, la révolte, la révolution et qui peut, la nuit venue, occuper si naturellement les lambris, les dorures, les faux meubles Louis XIII ou la salle de bain de marbre rose d'un endroit qui n'a jamais été, que l'on sache, un haut lieu de la subversion. L'important, en l'occurrence, c'est que le « mystère Benjamin » n'est pas, tu le constates, quelque chose que j'invente pour le plaisir de te faire enrager; et qu'il y a incontestablement autour de lui un halo d'étrangeté qui ne semble guère, pour le moment, près de se dissiper.

Le 27 novembre.

Toujours rien. On se voit beaucoup, pourtant... Les nuits... Les matins... La Sorbonne l'après-midi... Les cinémas entre midi et deux heures... Il lui arrive même, certains soirs, de m'emmener dans un café qu'on appelle Le Champo et où je reste de longues heures à l'écouter discuter avec ses amis de sujets aussi passionnants que la mort de Thorez, la chute de Khrouchtchev, les idées de Waldeck Rochet ou les efforts déployés depuis le début de l'été par le Parti — quand on dit « le Parti », il n'y a pas besoin de spécifier : ça veut forcément dire le parti communiste — pour reprendre le contrôle de leur syndicat d'étudiants. Mais ça ne change rien au problème. Ça ne m'apporte pas l'ombre d'une information nouvelle sur lui, en personne. Et l'incroyable est que plus je le vois, plus il me paraît secret, énigmatique.

Tiens : l'argent par exemple. Je t'ai signalé dans ma précédente lettre qu'il semblait en avoir beaucoup plus que l'immense majorité des garçons de son âge. Eh bien, ça se confirme, tu sais ! Tant qu'il est avec eux, il se surveille, et il n'y a guère, pour le trahir, que les pourboires qu'il laisse dans les cafés, la façon qu'il a d'acheter ses tickets de métro à l'unité, la désinvolture avec laquelle il oublie, trois fois sur quatre, de présenter sa carte d'étudiant au cinéma ou (signe plus éloquent encore, quoique très discret, lui aussi) le fait qu'il ne possède pas de porte-monnaie et qu'il ait toujours son argent en vrac au fond des poches. Mais, quand il est seul avec moi, en revanche, ça y est ! Il ne s'embarrasse plus de précautions ! C'est comme si sa vraie nature reprenait sans aucun complexe le dessus ! Et comme si un autre Benjamin, sans rapport avec le premier, surgissait soudain et devenait capable de dépenser trois cents francs pour un dîner; d'en « claquer » dix fois plus, le lendemain, au casino; de louer un taxi en pleine nuit pour aller « tenter sa chance » à Deauville ou à Enghien; de m'offrir des cadeaux somptueux; de me faire livrer, un après-midi, deux cents bouteilles de bon champagne qu'il videra, le soir venu, dans ma baignoire, histoire de me montrer « ce que c'est qu'un vrai bain surréaliste »; et j'oubliais les hôtels enfin que nous nous sommes mis à écumer depuis l'épisode du Meurice et dont j'aime autant ne pas savoir ce que ça peut lui coûter.

Tout cela est bien étrange, je te l'accorde. Mais crois-tu qu'il faille se fâcher pour autant ? Je suis, en même temps, si heureuse...

J'ai protesté, bien sûr. Je lui ai expliqué ma gêne... Mon embarras... Je lui ai dit combien m'était odieux le spectacle de ces nuées de sganarelles en gilet rayé qui l'accueillent, chaque fois, avec tant d'empressement, de déférence, de sourires entendus et de regards complices — ou avec, à l'inverse, une indifférence si évidemment étudiée qu'elle n'en est que plus éloquente encore... Je suis même allée jusqu'à prétendre que je ne pouvais pas l'aimer dans ces chambres trop belles, trop vastes, trop chargées de présences et de fantômes, où on ne peut pas faire un geste, un pas, prononcer un mot d'amour ou même un mot badin sans avoir immédiatement l'impression que, des dizaines de fois déjà, au même moment, dans la même position, dans les mêmes circonstances exactement, d'autres que vous, avant vous, ont prononcé le même mot, ont accompli le même geste... Mais sais-tu ce qu'il me répond alors ? Que c'est une « impression »... Une autre « idée » que je me fais... Qu'il n'y a rien de plus « intime », au contraire, que ces endroits... Et que puisque je voulais son « chez-lui » — nous y sommes : il n'est nulle part au monde autant « at home » que dans ces absurdes, insupportables et, au fond, assez vulgaires chambres de palaces.

Le 5 décembre.

Non, chère Constance, je ne t'ai pas dit qu'ils étaient « communistes ». Je ne crois pas avoir jamais prononcé le mot. Et je l'ai d'autant moins fait qu'il n'a, en tant que tel, ce mot, aucune espèce de sens ici; et qu'il existe, si tu vas par là, autant de communismes distincts dans le Quartier latin d'aujourd'hui que de variétés de rosiers dans le jardin d'Oncle Samuel ! Tu as les « maoïstes » par exemple... Les « anarchistes »... Les « syndicalistes »... Les « trotskistes » de la « tendance Pablo »... Ceux de la « tendance Frank »... Ceux encore, de la « tendance Lambert »... Sans parler des « italiens »... des « staliniens »... des « guévaristes »... des « marighellistes »... ou de ceux qu'on appelle les « pro-parti » et qui sont les seuls, il me semble, à être communistes au sens où tu l'entends. Ce qui les distingue les uns des autres ? En apparence, rien. Je veux dire que comme ça, à l'œil nu, on a l'impression qu'ils parlent tous de la même façon, révèrent les mêmes auteurs, citent sur le même ton les mêmes éternels textes sacrés. Et il n'est pas jusqu'à leur façon de vivre, de se vêtir, de marcher, de s'aimer peut-être qui, de l'extérieur toujours, ne paraisse complètement stéréotypée. Mais si tu les interroges, alors là, attention ! C'est la haine ! La guerre ! Une volonté incroyable de se démarquer les uns des autres ! Des lignes de clivage obscures, minuscules, invisibles, mais qui sont comme autant d'infranchissables barbelés ! Et il ne faut pas un quart de seconde à quelqu'un comme Benjamin pour, rien qu'au son d'une voix, au détail d'une attitude, à une imperceptible nuance dans la démarche, le nœud du foulard, la couleur de la chemise, la façon de prononcer « camarade », d'accentuer « exploitation », de dire les « masses » au lieu du « peuple » ou la « guerre » au lieu de la « lutte » des classes — il ne lui faut pas un quart de seconde, donc, pour repérer le « stal », démasquer le « réviso », dénoncer le grotesque « italien » ou lâcher, plein de mépris, (ça semble être, j'ignore pourquoi, le motif d'excommunication majeur...) : « laisse tomber, c'est un troskard ! »

Te souviens-tu de ce fragment de *La Recherche*

où Proust décrit l'univers, je crois, des Guerman-tes comme une constellation de signes douteux, muets aux non-initiés, mais qui deviennent clairs, chargés de sens et de leçons pour ceux qui ont le code! Eh bien, c'est un peu ça, le monde où je vis. C'est ce même genre d'univers, tout chargé de symboles multiples, incroyablement volubiles et verbeux, même si tu ne comprends pas un traître mot à la profusion de leurs messages. Et je me fais de plus en plus l'effet d'une espèce de Guer-mantes égarée en Verdurin ou bien, soyons modeste! d'une petite Verdurin dont les Swann, les Charlus, les Saint-Loup, les Villeparisis auraient le visage de ces jeunes gens à l'éloquence indéchiffrée. En clair, ça veut dire que je patauge; et que si je te dis par exemple — pour avoir saisi, une fois ou deux, le mot au vol — que Bill, Biquet et Benjamin appartiennent à la secte dite des « althussériens » il ne faudra surtout pas me poser trop de questions sur ce que ça implique dans la pratique (le seul point dont je sois sûre étant, je te le répète, qu'un « althussérien » ce n'est en tout cas pas ce que nous appelons, même à Strasbourg, un « communiste »).

P.S. : Pataugement identique, cela va sans dire, sur les autres fronts. Et toujours pas l'ombre d'une « info » sur le passé de mon ténébreux. Mais veux-tu que je te dise? Je commence à m'en fiche car ils ne sont pas si nombreux, après tout, les garçons à la fois jeunes, beaux, séduisants, intelligents, révolutionnaires et, en plus riches pour qu'on puisse, quand on en tient un, perdre son temps en questions vaines. Pardon si je te choque. Mais je suis de plus en plus déterminée sur ce point : mystère ou pas mystère ce sera là, désormais, ma religion.

Hou! hou! Constance! Je ne t'entends plus! Serais-tu choquée par hasard? fâchée? contrariée? et pourquoi ce silence, tout à coup, après ma profession de foi de l'autre semaine? Ici, tout va bien, merci. C'est toujours la joie. L'euphorie. L'allégresse généralisée. Et Radio Marie est même en mesure de t'annoncer que, gagnés par l'ivresse ambiante ainsi que par l'exemple donné en haut lieu, Beth et Bill, eux aussi, se sont revus et... D'ailleurs non! Stop! Radio Marie boude! Radio Marie se tait! Radio Marie décide d'arrêter là, sans préavis, ses émissions régulières d'information. Et Radio Marie va même, pour la peine, je veux dire pour te punir de ton attitude, de ta bouderie ridicule, t'infliger à la place un petit programme bien casse-pied d'éducation politique et idéologique! Attention... Nous sommes prêtes?... Nous ouvrons bien grand toutes nos oreilles?... Eh bien, voilà... Allons-y... Saviez-vous par exemple, chère auditrice, que lorsque papa Rosenfeld paie ses ouvriers, ça s'appelle, en fait, de l' « exploitation »! Que lorsqu'il les sur-paie, ça s'appelle de la « sur-exploitation »? Que s'il les choie, les cajole, se montre gentil avec eux, c'est une « ruse du capital » renforçant encore leur misère? Que tout ce qu'il fait notamment, comme l'été dernier, en faveur de leur confort, de leur mieux-être, est la preuve d'un « réformisme » abject qui, contrairement aux apparences, ne sert qu'à « forclore » leur désir de liberté? Qu'un « réformiste » de cette espèce est plus « répressif », du coup, qu'un fasciste? Que c'est contre lui, donc — contre papa Rosenfeld plus que contre les Vatel — qu'on devrait inviter les simples gens à se mobiliser? Qu'entre eux et lui, autrement dit, il y a une guerre — exactement :

une « lutte des classes » — d'autant plus rude, sauvage, sanglante bientôt, qu'ils ont l'air, quand on les voit comme ça, de bien s'aimer ? Que nous-mêmes, je veux dire Constance et Marie Rosenfeld, « fonctionnions », sans le savoir, comme des « agents du capital » quand nous allions, le samedi soir, retrouver en secret les frères Kapler ? Et que si les frères Kapler étaient d'accord, s'ils se prêtaient si volontiers à nos caprices, s'ils étaient chaque fois là, à l'heure dite, perchés sur la palissade du fond du jardin, avec leurs grandes jambes bottées de cuir ballant dans le vide et la nuit, c'est qu'ils étaient empoisonnés — pardon : « aliénés » — par les sournois méfaits de l' « idéologie bourgeoise » ? Non, chère auditrice, vous ne vous doutiez pas de ça. Vous vous demandez même, j'en suis sûre, où Radio Marie a bien pu aller pêcher ces perles. Mais c'est du marxisme, tout simplement ! Oui, chère auditrice, du vrai marxisme ! Vous venez, à votre insu, de recevoir votre première leçon de marxisme courant tel qu'on le parle ici, dans les meilleurs cercles ! Et vous en aurez d'autres, je vous le promets, chaque fois que j'aurai à me plaindre de votre manque d'assiduité à me répondre...

Le 14 décembre.

Ah ! Ah ! je vois que ma petite histoire inté-resse... Et qu'on brûle de savoir comment ça s'est passé pour Beth et Bill... Eh bien, oui, c'est un peu ça... Tu vois clair, comme d'habitude... C'est moi qui suis allée voir Beth pour lui dire que Bill l'aimait... Puis Bill pour lui glisser que Beth ne me parlait que de son charme... Puis je les ai réunis, un soir, à la crêperie — prétextant une bêtise quelconque pour, au beau milieu du repas, les laisser en tête-à-tête... Depuis, ils ne se quittent plus et me vouent l'un et l'autre, comme de juste, une reconnaissance infinie!

Je te précise, du reste, histoire de t'éclairer quand même un peu le tableau, que Bill est mille fois mieux, finalement, que je ne te l'avais dit le premier soir. Et que, derrière l' « acolyte sans gêne » que j'avais si sommairement étiqueté, se cachait, devine quoi... un écrivain, ma chère! Je veux dire quelqu'un qui veut écrire! qui ne vit que pour ça! qui ne rêve que de ça! dont la vie est comme aimantée par un projet que l'on devine immense, grandiose, dévorant! et dont les conceptions surtout sont, quand il te les expose, absolument renversantes! Imagine-toi en effet que le roman — car c'est un roman — auquel il songe est un roman sans histoire, sans sujet, sans personnages, sans psychologie ni message politique, bref, sans aucun des ingrédients qui, depuis que le genre existe, en ont fait la qualité. C'est fou? Oui, c'est fou. Et je suis moi-même, je ne te le cache pas, abasourdie quand il m'en parle. Mais en même temps, attention! Je n'exclus pas, loin de là, que ce soit sérieux! Voire qu'il y ait l'amorce, là, d'un véritable « esprit nouveau » que notre formation hyperclassique nous empêcherait de bien saisir! Et je crois surtout qu'avant de trancher nous ferions bien de lire un certain nombre de choses — Joyce par exemple, Céline, Ezra Pound, les écrits sur le théâtre d'Antonin Artaud, *Le Degré zéro de l'écriture* d'un jeune critique très à la mode dont j'ai oublié le nom mais que Bill semble tenir pour son véritable maître (après Dieu et Benjamin!) — dont je t'accorde, encore une fois, qu'elles ne nous sont pas immédiatement familières; dont je saisis encore assez mal, moi-même, le lien secret qui les unit; mais qui sont comme l'édifice invisible qui justifie et soutient un si prodigieux dessein... Beth s'y est attelée, je crois; et je te communiquerai son rapport sitôt que je l'aurai. Mais je voulais que tu saches, en attendant, qu'elle n'a pas fait — que je ne lui ai pas fait faire! — du tout un mauvais choix. Le soir de la crêperie par exemple, tandis qu'il nous exposait son affaire, il y avait sur son visage, dans ses yeux pâles bordés de cernes, dans ses longues mains fines et frémissantes de pianiste, dans la manière qu'il avait, tout en parlant, de rejeter sans arrêt ses longs cheveux d'Indien en arrière, quelque chose de fiévreux, presque de fervent, dont je doute fort, quoi qu'il en soit, que ce puisse être l'expression d'un truqueur ou d'un cabot.

Je devrais, tant que j'y suis, te dire également un mot de l'autre grande victime de la soirée historique de la rue de Tournon : j'ai nommé Biquet bien sûr, le second « acolyte », si mal doté, lui, par la nature avec sa grosse tête de paysan, ses grosses joues rouges déjà bouffies, son corps massif et court, sanglé dans une blouse grise qu'il porte comme une pourpre : tout est « gros » en lui, le pauvre, jusqu'à son épais poil noir, taillé en brosse, toujours gluant de brillantine! et c'est ce qui, maintenant que je le connais un peu, rend plus injuste encore l'erreur judiciaire de ce premier soir! Connais-tu en effet quelqu'un qui soit capable de te réciter sans se tromper le générique de n'importe quel film des cinquante dernières années? de te brosser, sans y avoir jamais mis les pieds, le portrait comparé de la New York de Jules Dassin dans *La Cité sans voiles* et de celle de Sidney Meyers dans un truc qui s'appelle *The Quiet One*? de t'expliquer au pied levé les rapports entre Dostoïevski et *Le Faucon maltais* ou ceux d'un film de Hitchcock avec la règle racinienne des trois unités? Eh bien, c'est ça, Biquet, ma chère. C'est le plus fantastique cinéphile que j'aie jamais rencontré. C'est quelqu'un qui, si tu préfères, fait une chose assez courante ici qui est d'élever la cinéphilie au rang de culture à part entière. Et c'est un vrai spectacle, pour le coup, que de voir comment ce garçon, charmant certes, mais guère attrayant, je te l'ai dit, peut devenir presque beau, tout à coup, quand, après s'être échauffé sur une ou deux petites « analyses de classe » du *Garçon aux cheveux verts* de Joseph Losey ou des rapports entre Gabin, Fresnay et Stroheim dans un film passé la veille à la télé et où je n'avais su voir, moi, qu'une bonne comédie française assez vulgaire et parfaitement dénuée de mystère — comment il peut devenir presque beau, donc, quand il se met alors, les yeux mi-clos, un sourire inspiré aux lèvres, la voix rauque tout à coup, ravagée par on ne sait quel incendie souterrain, à te décrire une moue d'Ingrid Bergman à la fin de *Casablanca* ou le décolleté, la coiffure, les longs gants de chevreau glacé de Rita Hayworth dans un film de Charles Vidor (à ne surtout pas confondre — j'ai fait la bourde avant toi — avec l'illustre King Vidor !)...

Voilà. Tu dois me trouver bien bavarde aujourd'hui. Mais j'avais ça sur le cœur, comprends-tu ? Et il fallait coûte que coûte que je rectifie la sotte idée que je t'avais donnée, la première fois, de ces deux garçons merveilleux. Ajoute à cela que je n'étais pas mécontente non plus de te faire comprendre que, contrairement à certaines apparences (ksss ! ksss !) je ne suis pas tombée dans un milieu de débiles profonds.

Le 18 décembre.

Allons bon ! Qu'est-ce que tu vas encore chercher ? C'est lui que j'aime, voyons ! Seulement lui ! Ce n'est que par rapport à lui qu'il peut m'arriver, comme dans ma dernière lettre, de m'intéresser au sort de ses deux « compagnons d'armes » pré-

302

férés ! Et le petit détail qui t'échappe, j'ai l'impression, c'est que Benjamin c'est autre chose, tout simplement... un autre niveau... un autre monde... une espèce de géant... d'ange... de demi-dieu... de favori de la fortune... de chef-d'œuvre de la nature — et tu sais pourtant combien tout en moi, dans mon caractère, dans ma philosophie, répugne à l'idée même qu'il puisse, dans la « nature », y avoir des « chefs-d'œuvre » ! L'information qui te manque (que tu refuses systématiquement d'enregistrer chaque fois que j'essaie de te la donner), c'est qu'il est quelqu'un de spécial, de complètement à part, d'impossible à classer, à enfermer, à comparer à un Damien par exemple — tellement lamentable, lui, avec ses airs de bellâtre, ses blazers de play-boy provincial, ses voitures de sport ridicules ou cette idée fixe qu'il avait, tu te souviens ? de léguer son corps à la médecine (pouah ! tous ces organes mis en bocaux, conservés, congelés, macérés dans le formol — il en était d'avance si fier, l'imbécile !).

L'envers de la médaille avec mon « demi-dieu », c'est, me dis-tu, le « mystère » ? Le jeu de « cache-cache » qu'il m'impose ? Le fait qu'il puisse être roi ou manant, héros ou canaille, prince de lumière ou de ténèbres sans que je puisse, moi qui l'aime, en rien savoir ? C'est l'impossibilité où l'on est, avec un zigoto de cette espèce, de nourrir une seule de ces rêveries, un seul de ces doux projets auxquels s'adonnent habituellement les jeunes filles... ? Soit, ma belle. C'est vrai. Mais j'y consens, je te l'ai dit. Je m'y fais. Ça finit presque même par me plaire. C'est comme une séduction supplémentaire, qui lui donne, lui si beau, si pur, si parfaitement régulier de traits, ce « quelque chose de convulsif et de crispé » sans quoi son maître Baudelaire — il ne l'avouera jamais car, dans son milieu, il ne fait bon lire que Marx, Lénine ou Mao Tsé-Toung :

mais c'est Baudelaire, j'en suis certaine, son vrai
maître à penser — professait qu'il n'est pas de
« dandysme authentique ». Et puis il y a ses caresses
ses enfin dont je ne t'ai rien dit encore mais qui
sont si singulières elles aussi, si mystérieuses, si
délicieuses qu'elles te feraient avaler des pilules
autrement plus amères! La vérité, au fond, est
peut-être là : le vrai génie de Benjamin ayant été
de m'aider à devenir enfin une vraie femme!
J'aime tout de lui, Constance... Je veux tout... Je
désire tout.. Je suis prête à tout, je dis bien tout
accepter de lui — à la réserve près, bien sûr,
d'une infidélité, qui me tuerait...

Le 21 décembre.

Ce que je veux dire par « vraie femme » ? Tu en
as de bonnes, toi, dis-moi! Tu ne crois quand
même pas que je vais t'expliquer ça comme ça, ex
cathedra! Car ces choses, je te l'ai dit, sont si
étranges... Si inattendues... Si contraires à tout ce
que j'aimais... A tout ce que je croyais vouloir... A
tout ce qu'on m'avait appris à désirer... Ce sont
des caresses si folles! des gestes si insolites! des
baisers si prodigieux! des zones de moi-même
dont je n'avais soupçonné ni la magie ni l'existence! Et ces mots que j'entends! Et ces bégaie-
ments que je guette! Et ces murmures d'amour!
et de haine! et de honte! et d'ordure! et d'injure!
et de souillure! et de flétrissure! et ces humilia-
tions qu'il m'inflige! et cette profanation que j'appelle! et ces façons que j'ai, moi, Marie, la Marie
que tu connais, toute câline, tout aimante, mais
pudique aussi, tu le sais bien, d'aller moi aussi au
plus obscur! au plus obscène! aux caresses les
plus effrontées! aux chuchotements les plus licen-
cieux! Et cette effrayante science qui me vient, je
ne sais d'où ni comment, des gestes maudits, des

accolades interdites, de tous les serrements, attouchements, enlacements et autres embrassements que la sagesse des humains avait, depuis toujours, interdits! Et cette éblouissante certitude qui m'assaille surtout, dans ces moments, quand je le sens qui se cabre, qui m'étrampe une dernière fois, qui se dresse de toute sa taille comme pour mieux s'élancer encore et puis qui hurle enfin — oh! ce hurlement rauque, cassé, dont je n'ai pas pu démêler encore si c'est un hurlement de joie, de victoire, un rugissement de bête blessée ou un cri de détresse épouvanté — l'éblouissante certitude, te dis-je, que j'aurai beau geindre, gémir, implorer, protester de mon innocence, rien n'empêchera que cette sarabande ne fleure de bout en bout le mal, rien que le mal, et que ce soit là, peut-être, la vraie raison de sa volupté!

Je devine ton sourire, ma petite Constance. Tu te dis : « mon Dieu, ma sœur est folle, où diable va-t-elle chercher ces niaiseries! » Mais j'espère que tu me croiras, au moins, si je t'affirme que la plupart de ces outrages me seraient insupportables si je devais les subir de n'importe quel autre homme au monde. Et je compte que tu m'entendes si je te confie comment, cherchant à formuler ce qui, avec lui, me les rend non seulement supportables mais doux, légers, infiniment aimables et désirables, je ne sais mieux dire que ceci : un parfait mélange de jeunesse, de fraîcheur, de grâce d'un côté — et puis d'adresse de l'autre, de sûreté extrême du geste, j'allais presque dire d'art ou de tact qui n'appartient qu'à lui et où les poètes grecs voyaient, comme tu le sais, la plus juste définition de la vertu. Ce n'est pas une excuse, chère Constance, mais un fait : je ne me sens jamais si profondément vertueuse qu'en ces heures de désordre extrême.

Reçu, ce matin, ta lettre — faut-il que je dise ta semonce ? — du 18. C'est vrai que ces fichues vacances m'étaient complètement sorties de la tête. Mais qu'est-ce que tu veux ? C'est Paris... le travail... les examens blancs qui commencent qui n'arrêtent plus... mon studio que je n'arrive pas à « finir »... tout le retard que je dois rattraper en linguistique, en littérature médiévale... Et puis, zut ! Tu sais bien ! Je crève d'envie de te voir, bien sûr. Tu me manques toujours aussi cruellement. Mais je ne peux pas partir. Tu m'entends : je ne *peux* pas. Et ce que j'attends de toi c'est, au lieu de me tourmenter davantage, de m'aider à présenter la chose aux parents.

Le 25 décembre.

Je constate, ma chère Constance, que tu ne désarmes pas et que tu ne peux pas t'empêcher de me distiller ta petite dose de fiel hebdomadaire. Mais soit ! Je serai grande et généreuse ! Je mettrai ça, puisque tu le dis, au compte de ta bienveillance ! Et j'accepterai, cette fois encore, de venir sur ton terrain ! De quoi pouvons-nous bien parler, me demandes-tu ? et si même nous parlons ? et si nous ne serions pas trop occupés à autre chose — oh ! la grosse maligne ! si tu crois que je ne vois pas l'allusion ! et que je ne vois pas comment tu profites bassement de mes confidences pour insinuer tes perfidies ! Eh bien, que ce soit clair : nous parlons; nous parlons même énormément; et autant il est discret sur lui, son passé, sa famille, autant il peut être merveilleusement prolixe et brillant quand il s'agit de discuter art, littérature, philosophie — ou, mieux, de m'interroger sur moi, ma vie, notre famille, toi éventuellement. Oui, ma chère, toi! Pas ton état, tranquillise-toi! Mais ton caractère... Ton personnage... Nos liens à toutes les deux... Notre complicité... Le goût, si démodé, que nous avons de nous écrire... Cette gémellité qui le trouble et dont il ne se lasse pas de m'entendre lui raconter comment nous la vivons, comment les autres la perçoivent, s'il nous est arrivé d'en jouer, d'en profiter, de monter de vraies mystifications, de nous faire prendre, exprès, l'une pour l'autre (je lui ai tout dit, depuis l'histoire de l'épreuve de chimie au brevet jusqu'à celle de la fameuse nuit dans la grange où Paul Kapler a cru jusqu'au matin que c'était toi qu'il tenait dans ses bras)... J'ajoute, pour faire bonne mesure, que lorsqu'il parle de ce que je pense — car ça lui arrive évidemment aussi — il le fait avec une délicatesse merveilleuse et n'a pas son pareil pour te citer une page de Proust au sujet de la sottise féminine; les *Conseils à un jeune littérateur* de Baudelaire à propos du mal qu'il pense des actrices; un mot de Valmont, dans *Les Liaisons*, s'il veut expliquer le bonheur des conquêtes lentes; un autre de Constant dans *Adolphe* sur le charme des ruptures longues; un autre encore de Casanova sur le miracle des cristallisations et des dégels instantanés; ou toute la théorie du psychanalyste Jacques Lacan à l'appui d'une théorie à laquelle il tient dur comme fer et qui est celle de la fragilité, de la précarité — il dit exactement : de la « malencontre » — essentielles aux étreintes amoureuses... Je ne dis pas que ce soient mes références, certes — ni que je ne me batte pas bec et ongles pour lui opposer, chaque fois, la doctrine de l'Amour unique de Breton et Aragon. Mais j'affirme, en revanche, que ce sont les siennes! et que c'est de ça qu'il parle! et comme ça! et sur ce registre! et qu'un propos comme celui de la

« malencontre » ne manque ni de sel ni d'allure étant donné ce que je t'ai raconté dans mon avant-dernière lettre ! Alors, suffit, s'il te plaît. Et admets donc, je te prie, que nous ne sommes, ni lui ni moi, ceux que tu crois...

Le 7 janvier.

Bonjour, Constance. Rien à signaler cette semaine à part les grands froids qui arrivent... les cours qui recommencent... ou le fameux congrès, tout proche maintenant, aux préparatifs duquel je suis, par la force des choses, associée.

L'autre matin, par exemple, j'ai rencontré Bill à la porte d'une librairie de la place Saint-Michel, spécialisée dans les livres sur la Chine, la révolution, la philosophie à la mode ou la littérature sans ponctuation. Il y avait de la neige partout. Du vent. Des passants qui nous bousculaient. Les voitures qui faisaient un raffut de tous les diables. Une atmosphère qui, autrement dit, n'était pas spécialement celle du dernier salon où l'on cause. Et lui-même n'avait qu'une envie, je pense, qui était d'entrer au plus vite faire sa petite « fauche » hebdomadaire (car le grand chic dans cette librairie est de voler les livres, pas de les payer). Or malgré tout cela, il s'est arrêté. Il m'a prise par le bras. Et il a éprouvé le besoin de m'exposer, à moi, Marie, rien moins que ce qu'il a appelé son « analyse politique de la situation » : « les copains seraient dingues, m'a-t-il expliqué, de rompre complètement avec les pro-parti... bon, d'accord, ils se sont conduits comme des salauds et ce n'est pas moi, tu penses bien, qui vais m'amuser à couvrir la série de manips auxquelles ils se sont livrés depuis l'été... mais et après ? tu crois que les trotskards valent mieux ? tu te sens, toi, d'apporter l'UEC sur un plateau aux frères

Bakthine ? et puis, tu ne le trouves pas un peu suspect, à la fin, ce concept de " stalinisme " qu'ils ont tous à la bouche ces temps-ci et qui est, je te le signale, rigoureusement introuvable dans la théorie marxiste ? Je vais te dire une chose, Marie : " stalinisme " ou pas stalinisme, nous avons encore un bout de chemin à faire avec ces gens; et quand je dis nous je pense à moi bien sûr, à Benjamin, à toi — mais aussi à des gens comme Althusser, Lacan, à tous ces types du tonnerre que le Parti et le Parti seul (sa presse, ses revues, ses responsables culturels, ses bataillons de profs, d'instits, d'étudiants de province) a régulièrement soutenus toutes ces dernières années... » Sur quoi il a grommelé quelques mots encore. M'a lancé un vague « ciao, bonjour à qui tu sais » et m'a plantée là, aussi brusquement qu'il m'avait accostée — comme si j'étais une vieille copine avec qui on n'avait plus besoin de prendre de gants.

J'en avais, tu t'en doutes, le cœur qui battait. On ne m'avait pas, depuis longtemps, fait un pareil honneur. Et je suis restée de longues minutes seule, debout dans la neige et le froid, à essayer de comprendre ce qui venait de m'arriver. « Deux solutions, songeais-je. La première : il m'a prise pour la femme de " qui je sais " — et cela signifie qu'on me fait désormais confiance pour faire passer un message en haut lieu. La seconde : il m'a prise pour ce que je suis — et cela signifie qu'on me tient pour digne, maintenant, de recevoir, moi-même, personnellement, de tels messages. » Dans les deux cas j'étais heureuse. Et flattée. Et pleine de fierté. Et consciente, oh oui ! si consciente de l'incroyable chemin parcouru depuis l'époque où je n'osais même pas pousser la porte de l'italien de la rue des Canettes. Deux mois ont passé à peine. Mais il me semble que cela fait une vie...

Grande première, aujourd'hui. Nous sommes au George V. Dans la « suite 911 » qui est, m'avertit le chasseur, la plus somptueuse de l'hôtel. Benjamin y est déjà — debout contre la porte-fenêtre donnant sur la terrasse, dans un peignoir bleu nuit, marqué aux armes du lieu, qui lui arrive au-dessus des genoux. Comme à son habitude, il ne m'a laissé le temps ni de me défaire. ni de dire bonjour, ni d'admirer la vue, le décor, l'impressionnante enfilade des pièces. Et ce n'est qu'au bout d'une grande heure que j'ai pu commencer de souffler; de regarder autour de moi; de découvrir les peintures Empire du plafond, le détail des frises en haut des murs, le vieil or des canapés, les tulipes en face du lit, le beige de la cheminée dont le chasseur m'avait glissé qu'elle était « classée », bref toutes ces couleurs délicates, passées, comme attendries par la lueur d'un crépuscule étrange, presque figé, qu'une indécision, une délicatesse suprêmes, semblaient dissuader de tomber tout à fait; et ce n'est qu'au bout de cette grande heure que je me suis sentie autorisée à parler enfin, à reprendre mon babil habituel — toutes ces bribes de vie que je lui raconte chaque fois, que je lui livre comme des offrandes, que je lui murmure comme des aveux et qui nous font, à tous les deux, tellement plaisir...

Comment est-ce que ça s'est passé cette fois? Comment est-ce que c'est venu? Exactement, je ne sais plus. Mais j'ai dû lui rappeler en passant, au détour d'une confidence quelconque, que nous étions juives; mais qu'être juives n'avait, à nos yeux à toutes les deux, aucune espèce d'importance. Et là, sans que je comprenne pourquoi, il est devenu comme fou. Il m'a expliqué que c'était impossible. Scandaleux. Monstrueux. Qu'on n'avait pas le droit d'être juives et de n'aller pas à la synagogue, de ne rien savoir des rites, de ne pas parler un mot d'hébreu. Voyant que je restais interdite, il s'est lancé dans un exposé extrêmement brillant sur l'esprit, l'histoire, le « génie » d'un judaïsme qu'il semblait mille fois mieux connaître, en effet, que les ignorantes de notre espèce. Et quand, intriguée par tant de savoir en même temps que par l'agitation, un peu absurde, où je le voyais je lui ai demandé à mon tour où il était allé pêcher tout ça, il m'a répondu... sais-tu ce qu'il m'a répondu ? il m'a répondu : sa mère... tu as bien lu : sa mère... cette mère de rêve et de légende dont j'avais presque fini par douter qu'elle ait même existé et dont il me parle soudain... et dont il me répète le nom... et dont il m'épelle la vie... l'enfance de petite fille gâtée... l'adolescence d'héritière convoitée... la mort, atroce, à trente-sept ans... et je ne peux plus l'arrêter maintenant... et il me raconte son port de reine... son pas de danseuse... ses mousselines, ses gazes, ses chatoyantes nuées d'étoffes... et lui, Benjamin, présent au milieu de tant de féerie, tel un page, un prince, un preux chevalier servant.

Le rapport avec l'autre sujet ? Avec tout ce qu'il sait de notre religion ? J'ai vaguement cru comprendre que c'est elle qui lui en parlait... Elle qui lui racontait la Bible... Elle qui l'initiait à nos vieilles histoires comme à de beaux poèmes... Mais je t'avoue que je me suis gardée de lui demander trop de précisions de peur d'arrêter net cet incroyable flot de révélations... Quand il s'est tu, au bout de presque deux heures, je ne savais toujours pas, donc, en quoi il était si extraordinaire que nous ne fréquentions pas les synagogues. Mais ce que je savais, en revanche, c'est qu'il y avait eu un jour, sur cette terre, une certaine Mathilde C. dont le visage m'était presque aussi familier désormais que celui de notre propre mère. Je savais que, tant que je vivrais, ce visage serait, pour moi, celui d'une femme idéale, sublime, auréolée de tout l'éclat du monde. Et puis je savais aussi que, pour l'heure, quelque chose d'important, d'essentiel — une grande première, te dis-je — s'était produit : un coin du voile s'était soulevé, qui me séparait de mon Amour et me l'avait rendu jusqu'ici si vertigineusement étranger.

Je suis heureuse, ce soir, ma Constance. Je sais qu'il m'aime à présent. Tout redevient possible. Et puis je vais te dire une dernière chose qui va te paraître sotte, sûrement — mais que je ne résiste pas au plaisir de coucher au bas de cette lettre : je ne saurais te dire pourquoi, mais je suis certaine, en plus de tout, que je ressemble à cette Mathilde.

Cette lettre est en réalité la dernière que, pendant cette première période, la petite Marie Rosenfeld ait adressée à sa sœur. Et cela parce qu'un événement subit, foudroyant — assez foudroyant, en tout cas, pour qu'elle n'ait ni le goût ni le réflexe d'y consacrer sur le coup ne fût-ce que quelques lignes — semble être survenu qui, interrompant net sa jeune carrière de Parisienne, l'a contrainte à plier bagage et à rentrer sans attendre en Alsace. Quoi, au juste? Qu'est-ce qui pouvait bien arriver d'assez terrible pour l'obliger à quitter ainsi, en plein milieu d'année, Beth, Corinne, Bill, Biquet, la rue de Tournon enfin meublée, les grands hôtels auxquels elle s'est habituée, le congrès de l'UEC qui n'est plus qu'à quelques jours — sans parler même de celui que, la veille encore, elle présentait comme l' « amour de sa vie »? Le principal intéressé lui-même n'en sut d'abord rien — qu'elle quitta sans un mot ni une explication.

Le lecteur attentif, en revanche, ne manquera pas de se rappeler le jour, tout proche encore, où elle annonçait qu'elle accepterait tout, « oui, tu m'entends, tout de lui — à la réserve près d'une infidélité qui me tuerait ». Et il lui sera permis d'imaginer, sans trop de risque de se tromper, la découverte fortuite d'une infidélité donc, qui, à défaut de la tuer, l'aurait au moins désespérée. La suite du récit et des documents venus en notre possession ne fera, comme on va voir, que corroborer cette hypothèse.

2

   Trois ans se sont écoulés. Marie Rosenfeld les a passés chez elle, en Alsace, entre la faculté de Strasbourg où elle a achevé sa licence et la maison de Guebwiller qu'elle n'a, semble-t-il, plus quittée. Elle a retrouvé là les disciplines austères, mais probablement rassurantes, d'une vie de famille bien réglée. Elle a repris aussitôt, comme si de rien n'était, le fil à peine rompu de ses conversations de jeune fille avec sa sœur. Elle a recommencé, comme jadis encore, de se figurer à travers les livres le délice d'une vie future dont tout ce qu'elle avait connu jusque-là n'était, à ses yeux, que le noviciat. Peut-être même a-t-elle renoué — cela m'a été confirmé de plusieurs sources — avec ce Damien dont elle avait deux ou trois fois fait mention dans ses premières lettres. Bref tout indique qu'elle a tiré un trait sur Paris, la Sorbonne, le charme de ses « étudiants », celui de Benjamin — autant d'« affreuses chimères », m'ont dit ses parents, qui ne lui avaient laissé que « de la cendre dans le regard ». Et la plupart de ceux qui se souviennent d'elle à cette époque s'accordent à décrire une grande jeune femme à souliers plats, à la natte bien serrée derrière la nuque, à la mine un peu plus grave, sans doute, qu'il ne sied en principe à son âge et avec « au fond de l'œil », quelque chose de « blessé », de « vaincu », certains m'ont même dit de « ruiné » qui ne laissait guère de doute quant aux tumultes intérieurs qu'elle avait arbitrés en secret. Ils m'ont décrit une femme sereine en même temps. Pacifiée. Résignée. Merveilleusement à sa place, en un mot, dans le rôle un peu romanesque mais vrai de la belle amante humiliée qui prend, à vingt ans, et à tout jamais, le parti de l'exil intérieur.

Que s'est-il passé alors ? Et d'où vient qu'au bout de ces trois années elle ait subitement changé d'avis ? C'est la faute à ce Mémoire de littérature, m'a dit son père — « soi-disant qu'il n'y avait qu'à Paris qu'elle pouvait trouver les documents ». C'est la faute à Baudelaire — « mauvais sujet, à n'en pas douter, vu l'état où elle était ». C'est « le démon qui était entré en Mademoiselle, m'a soufflé Jacob, le vieux domestique —, y avait qu'à la voir, la pauvresse, comment que, tout à coup, ça s'est mis à se réveiller en elle ». Constance, elle, ne m'a rien dit — m'invitant simplement à lire ce second paquet de lettres.

Paris, le 19 novembre 1967.

Quelques lignes à toute vitesse, chère Constance, pour te dire que l'endroit est calme, net. Avec de bonnes odeurs d'encaustique dans les salles communes. Une bibliothèque immense où je ne rencontre jamais personne. De longs corridors glacés où l'on entend à peine, le matin, le frôlement des pas des pensionnaires trottant vers le réfectoire. Et juste ce qu'il faut d'austère, j'ai failli écrire de revêche, dans les chambres pour que tu n'aies envie de rien d'autre que d'y travailler à corps perdu. L'endroit idéal, en somme, pour la nouvelle petite Marie.

Le 26 novembre.

Commencé à travailler sans perdre de temps... Sainte-Geneviève le matin... La salle d'études du foyer l'après-midi... De longues soirées dans ma chambre où je classe mes fiches de la journée, prépare ma bibliographie du lendemain, ou me replonge pour le plaisir (et quand j'estime avoir conquis le droit à une petite récréation) dans l'un de nos livres sacrés – *Lucien Leuwen, Adolphe, La Princesse de Clèves* aujourd'hui... Le reste, en revanche, me barbe... Tout le reste... Et crois-moi si tu veux, mais Paris lui-même m'ennuie... Ce Paris que j'ai tant aimé... Le Paris d'Aragon, tu te rappelles... de Breton... de Jarry... Incroyable mais vrai : j'ai beau chercher, rêver, me ramener en esprit vers le passé, me répéter ces noms de rues, de quartiers, de pierres même qui suffisaient, il y a trois ans, à me faire lever dans l'âme des armées de fantômes adorés, je n'arrive plus à y entendre aujourd'hui que des syllabes creuses, vidées de toute féerie. Quelle meilleure preuve te faut-il que je suis – osons le mot – guérie ?

Le 27 novembre.

Une petite anecdote rapide en complément de ce que je te disais hier. Ce matin, un peu avant midi, je suis passée rue de Tournon. Je ne l'ai pas fait exprès. Je ne suis même pas sûre d'y avoir pensé. Mais ça s'est trouvé comme ça, au détour d'un itinéraire, parce qu'il faisait bon pour la saison, que je me sentais de riante humeur et que j'avais, pour une fois, envie de traîner un peu. J'arrive donc devant « mon » immeuble. Je lève les yeux vers le balcon. Et qu'est-ce que j'y vois ? Une fille de mon âge, de ma taille... Elle est debout sur le balcon... Accoudée à la rambarde... Elle porte une robe à pois rouges, presque semblable à celle que je portais moi-même le jour de mon arrivée... La lumière de midi joue dans sa chevelure — aussi sombre, aussi brillante, avec les mêmes reflets roux que la mienne... Et elle est en train d'écouter une grosse bonne femme en tablier qui n'est autre que ma concierge et qui lui désigne du doigt — comme avec moi encore, il y a trois ans — les curiosités du quartier... Tout ça me fait un choc, bien entendu. Un inévitable petit pincement. Et il y a bien quelques secondes où je laisse mon imagination vagabonder autour de cette jeune fille — ce qu'elle pense... ce qu'elle ressent... si elle m'a vue, elle aussi... si la concierge a eu l'esprit de lui raconter qu'ici même, à la même heure, à la rentrée 64, etc., et si c'est bien toujours la même « remise à carrosses » qu'elle est en train de lui faire admirer, de l'autre côté de la rue... Mais le plus étrange, je crois, dans cette histoire, c'est que l'ensemble n'a pas dû durer, justement, plus de quelques secondes; tout s'est passé comme si une voix intérieure m'avait soufflé que la ressemblance était troublante, certes, mais qu'elle ne me concernait qu'à demi; et j'ai continué, j'ai poursuivi ma route, sans éprouver le besoin ni de ralentir, ni de me retourner, ni de vérifier si l'image était toujours là, si elle ne s'était pas envolée, si ce n'était pas un mirage par hasard, un jeu de lumières qui m'aurait abusée...

Oui, j'y pense parfois... Mais sans le vouloir...
Comme en rêve... Parce que je lis dans un livre le
nom de Benjamin Constant... Que j'entends par
hasard un mot que je l'ai entendu une fois prononcer... Que je lis « FNL vaincra », « l'impérialisme est un tigre de papier », « à bas la
sélection », — c'est drôle, d'ailleurs, tous ces slogans qu'il me paraissait être seule ou presque à
proférer à l'époque et qui sont partout maintenant, dans toutes les bouches, sur tous les murs...
Mais l'important, te dis-je, c'est que ça reste toujours fugitif. Pas douloureux ni grave. Sans une
once, jamais, d'amertume ou de chagrin. Marie
est morte, vive Marie.

Confirmation absolue de ce que je te disais
hier. Tu te souviens de Biquet ? Eh bien, je l'ai
revu, figure-toi. Il prenait un verre à la terrasse
d'un café du boulevard Saint-Germain. Et c'est lui
qui m'a couru après — inchangé, le pauvre chou,
avec juste le visage un peu plus mince, un tout
petit peu moins de taille, un je ne sais quoi de
très très vaguement efféminé dans l'œil, qui
détonne avec le reste. Et en avant les baisers ! les
accolades ! les compliments ! les questions sur
mon départ... mon retour... ce que j'ai fait dans
l'intervalle... si j'ai réellement décroché du
« mouvement »... si j'étais là à la manif truc... si je
serai là au rassemblement machin... si je suis sensible, moi aussi, à l'aggravation de la répression...
à la multiplication des provocations... à l'intensifi-
cation de la mobilisation... « c'est Benjamin lui-
même qui disait, l'autre jour... oh ! pardon... il y a

des noms qu'il est préférable, n'est-ce pas, de... oui? non? c'est donc si fini que cela...? c'est Benjamin donc qui, l'autre jour, parlait de la riposte qui... de la perspective que... de la ligne principalement juste dont... du mot d'ordre secondairement erroné auquel... sais-tu, au fait, qu'il est tout changé? que ta disparition l'a brisé et que... » Hou là là! Pitié! A ce point de son exposé j'ai senti monter en moi une telle vague d'ennui que j'ai jugé préférable de lui donner un gros baiser, de lui dire une petite gentillesse, de lui glisser le numéro de téléphone du foyer parce qu'il insistait vraiment beaucoup — et de prétexter un rendez-vous urgent pour me débarrasser de lui sans tarder.

Le 7 décembre.

Oui, ma chère Constance, tu as, comme d'habitude, raison : nous passons notre vie à répéter la même erreur; et la mienne aura sans doute été, comme il y a trois ans dans le sous-sol du café de la rue de Tournon, de lâcher à Biquet ce maudit numéro de téléphone. Car il s'en est aussitôt servi bien sûr. Il m'a bombardée d'appels. Il m'a invitée à déjeuner, dîner, prendre des pots, voir le dernier Rohmer, le premier Godard, un film américain obscur ou à participer à la prochaine « grande manif anti-impérialiste ». Et voyant, ce matin, que je résistais toujours et qu'il ne trouvait décidément pas le moyen de me faire « sortir de mon couvent », il est allé jusqu'à menacer de venir me chercher lui-même. Alors, c'est vrai, j'ai pris peur. J'ai imaginé le scandale au foyer. Je me suis sentie lasse — à bout d'alibis, de prétextes. Et le fait est que j'ai craqué — me retrouvant comme une idiote, quelques heures plus tard, dans la gargote de la rue Mouffetard où il m'avait fixé rendez-vous.

Je te passe la gargote, si tu permets. Je t'épargne le décor, la musique, le côté couscous à cinq francs. Et je n'insisterai même pas sur ce qu'il a pu me dire une heure durant — sans entrain du reste, comme si ça le barbait et qu'il ne cherchait lui-même qu'à tuer le temps. Car tout cela n'était qu'un prétexte, évidemment. Un piège. Une manigance misérable dont je n'ai même pas su — comme je m'en veux! — voir les ficelles. Au milieu du repas en effet, tournant par hasard la tête dans la direction de la porte, j'ai tout compris, mais trop tard : il y avait là Benjamin — qui nous observait tous les deux, depuis un long moment peut-être, en souriant.

8 décembre.

La nuit a passé, chère Constance. Fiévreuse. Agitée. Et je rouvre ma lettre une seconde pour essayer de reprendre un peu le film de cette soirée. Biquet, dès qu'il voit lui aussi Benjamin, me fait un ignoble sourire de faux jeton, genre « quelle coïncidence! ». Il sort de table à reculons, précipitamment, sa serviette encore nouée autour du cou. Et c'est Benjamin qui, très naturel, comme si tout le menuet avait été réglé d'avance, vient s'asseoir à sa place, face à moi, devant son assiette à moitié pleine de couscous refroidi. Etrangeté de ces traits oubliés, mais si proches tout à coup, si énormes, si massifs — un peu comme ces visages célèbres qu'on a longtemps imaginés à distance et dont on ne sait remarquer, quand ils sont là, vivants, en gros plan, que les détails, les défauts, une ride imprévue, une nuance du teint, du cheveu. Etrangeté de cette voix jadis familière, mais confuse tout à coup, presque inintelligible — une nébuleuse de mots à quoi l'oreille devrait, petit à petit, se réhabituer, ou une langue autrefois sue, dont j'aurais oublié l'accent, le ton, les tours, les flexions... Bizarrerie de ce qu'il dit enfin quand, par miracle, m'en parviennent quelques mots : « amour... chagrin... désespoir... malentendu... oui, malentendu... quiproquo... une amie, simplement... une très très vieille amie... cinquante ans... cinquante-cinq ans... femme d'un diplomate... liée à son beau-père... comment ai-je pu croire une seule seconde que... comment n'ai-je pas eu l'idée de lui demander aussitôt si... il est là, de toute façon, maintenant... il me tient... ne me lâche plus... ère nouvelle... autre époque... fini le temps des hôtels... du secret... des enfantillages d'autrefois... chez lui, ce soir, si je veux... ou demain... ou dans dix ans... car il m'attendra toute la vie, à présent, s'il le faut... »

A deux heures du matin nous en sommes là. Nous sommes toujours dans la gargote. Les derniers clients sont partis, observant, à l'instant de passer près de nous, un silence gêné, superstitieux. Les serveurs eux-mêmes, tandis qu'ils débarrassent les dernières tables, tracent autour de la nôtre je ne sais quel cercle sacré où ils s'interdisent d'entrer. Et il n'est pas jusqu'à la rue, lorsque nous la retrouvons (vide, froide, très solennelle elle aussi avec les trois arbrisseaux de la Contrescarpe qui tremblent dans le vent, l'énorme masse du Panthéon dont l'ombre, droit devant, écrase l'ensemble du paysage) qui ne semble participer d'une célébration tacite dont je ne saurais plus les rites. Lui non plus ne sait pas bien; et il n'est que de voir pour, s'en convaincre, la façon timide, sage, toute gênée dont il me prend le bras pour me reconduire, à pied, jusqu'au foyer.

Quelques lignes encore, chère Constance, en attendant ta réponse. Car je me sens si mal! Si désolée! Et tellement moins armée, au fond, que je ne le croyais! Se pourrait-il, dis-moi, que le cauchemar reprenne? que la flamme se rallume? que ce soit « la même passion assoupie » qui, pour parler comme Mme de Clèves retrouvant M. de Nemours — te souviens-tu, par parenthèse, que c'est ça, justement, que je lisais, il y a trois semaines, en arrivant? — soit « sur le point de se réveiller »? Pour l'heure, je le revois. Je l'observe. Je l'écoute. Je ne peux pas ne pas l'écouter quand il me jure ses grands dieux que c'était une très ancienne maîtresse, depuis longtemps répudiée mais atteinte d'un mal incurable qu'il avait dû voir ce soir-là. Fais-je mal, chère Constance? Que lui dire? Crois-tu toujours, réellement, que l'amour soit le meurtrier de la vie? Qu'il faille se tenir, coûte que coûte, à l'écart de la passion? Réponds vite...

Le 11 décembre.

Trop tard... Oui, ta lettre arrive trop tard... Car tout est fini, hélas!... Et tes conseils ne me servent plus de rien... Ce n'est pas faute pourtant d'avoir pris mes précautions. J'avais passé la journée à balancer, hésiter, me faire des paris idiots, des promesses imbéciles, jouer à pile ou face, compter les chauves, les roux, les bicyclettes, les DS 19 — tu connais ce genre de calculs, n'est-ce pas? ces serments que l'on se murmure? pair j'y vais, impair je reste... au-delà de douze c'est bon, en deçà catastrophique... et si le compteur du taxi, en arrivant, marque plus de huit francs, je décide sans plus de délai de rentrer à Guebwiller... J'ai fait cela, donc. Je l'ai fait jusqu'au dernier moment. A la grille même de la maison — sublime soit dit en passant, située dans une avenue très belle qui s'appelle l'avenue Ingres — je ne sais quel signe encore a manqué me dissuader de sonner. Et j'ai passé tout le dîner enfin — car j'ai oublié de te dire qu'il m'avait invitée à dîner — froide comme un glaçon, impeccablement maîtresse de moi et bien décidée, je te le jure, à ne lui céder à aucun prix.

Je ne sais pas très bien ce qui s'est passé à partir de là. Il a dû faire un geste, je suppose. Un geste banal, anodin. Un de ces gestes simples qu'on fait machinalement, cent fois par jour. Un mouvement de la main, peut-être, jouant distraitement dans les cheveux ou qui, passant derrière la tête plutôt — c'est ça, oui, je revois une main qui passe derrière la tête et ramène vers le haut tout un désordre de boucles — découvre le dessin d'une nuque que j'avais oubliée. Et cela a suffi à jeter bas toutes mes défenses, toutes mes résolutions. Le tout est allé très vite. J'ai à peine eu le temps de comprendre. Cette main, ces boucles, cette nuque surtout, je serais, la tête sur le billot, incapable de te les décrire. Et la seule chose que je me rappelle c'est, à l'instant précis du choc, l'ultime réflexe par quoi, telle la voyageuse jetant un dernier regard sur le rivage qu'elle abandonne, ou telle une noyée plutôt qui, sur le point de sombrer, dévore une dernière fois des yeux le spectacle d'un monde qu'elle s'apprête à quitter sans retour, j'ai désespérément tenté, moi aussi, de fixer les traits de ce visage pur, candide, innocent encore, mais dont je savais bien qu'il n'avait plus que quelques secondes, quelques dixièmes de secondes à peine, à exister — attendu qu'après, aussitôt après et à jamais, il céderait la place à un autre, totalement transfiguré, qui serait celui de

Benjamin aimé, aimant, amant, du Benjamin-de-l'acte-d'amour-fatalement-recommencé...

Mais trêve de littérature. Peu importe ce dont je me souviens ou pas. L'important c'est que je me suis, au total, conduite comme une traînée. Et c'est moi qui, sans rien ni personne pour m'y pousser, me suis jetée à sa tête — en même temps que, peut-être, au-devant de ma ruine. Ce matin, j'en rougis; et, à l'instant où je t'écris, seule en face de moi-même à nouveau, je ne saurais dire ce qui l'emporte en moi du bonheur, du désespoir ou de la rage. Ah! Constance, ne me gronde pas : c'est inutile, tu le sens bien, et je n'ai besoin, pour l'heure, que d'un peu de compassion.

Le 14 décembre.

Non, ma chérie, pour cela aussi il est trop tard. Car il y a du nouveau, encore, depuis ma dernière lettre : je ne peux pas non plus, je m'en aperçois, me passer complètement de le voir. C'est absurde. C'est odieux. Mais c'est plus fort que moi. Toute l'affaire tenant, je le crains, en cette équation terrible, diabolique : aussi impossible de ne pas l'aimer qu'il me l'est de l'aimer tout à fait — la seule marge de manœuvre dont je dispose étant de ne pas lui laisser toujours voir à quel degré j'ai consenti.

Le 18 décembre.

C'est vrai que je ne t'ai rien dit encore de cette fameuse maison de l'avenue Ingres que je connais pourtant depuis huit jours. Qui n'a plus de mystère pour moi. Et dont il a tenu à tout me montrer, depuis sa chambre, sa bibliothèque, le bureau de son père, la cabane de bois au fond du jardin où il jouait étant enfant, la pièce où sa mère lisait, celle où elle tenait ses carnets, la chambre où elle est morte, le grand salon condamné où elle donna les plus sublimes fêtes de son temps — jusqu'à cet autre salon du premier étage, condamné lui aussi, avec sa porte fermée à clef, son odeur de moisi, ses volets clos, sa tapisserie de velours grenat dont il m'a annoncé d'un ton grinçant, entre deux petits rires secs qui lui ressemblaient peu : « c'est le rouge des fusillés » et puis... et puis... oui, sais-tu ce qu'il y a d'autre dans cet autre salon condamné ? ce qu'il y a sur ses murs ? ce qui tombe de ses plafonds ? ce qui s'entasse par terre, pend à ses vieux cintres ? Des robes, Constance, des jupons, des manteaux, des chapeaux, des écharpes, tout un incroyable capharnaüm de vêtements et de sous-vêtements de femme, qui a bien peu de chances, à vue de nez, d'être contemporain de Mathilde et dont il a tenu, en un geste ultra-théâtral de Barbe-Bleue résipiscent, à me faire sinon l'hommage du moins le solennel aveu ! Mais là aussi le temps a dû passer. Le charme a dû se rompre. C'est cette maison tout entière qui s'est, à mes yeux, désenchantée. Et il y a mille détails de ce genre, mille histoires aussi singulières qui, il y a trois ans, auraient fait mon régal et qui, aujourd'hui...

Si tout de même. Une minuscule anecdote qui t'amusera. C'est à propos de Lazare, le vieux domestique qui vit seul avec lui et qui veille sur les lieux comme un janissaire sur son sérail. Voit-il d'un mauvais œil l'arrivée d'une intruse dans le saint des saints ? Redoute-t-il l'instauration d'un ordre neuf qui entamera ses pouvoirs ? Regretterait-il le temps des belles déshabillées défilant dans le salon grenat ? Ou serait-ce au contraire que, bonne âme, il ait essayé de faire passer un message de mise en garde à la pauvre petite oie blanche, ignorante du piège où elle est tombée? Toujours est-il que ce Lazare qui ne m'avait pas adressé la parole une seule fois en quinze jours, qui fixe ostensiblement le plancher chaque fois que je lui dis quelque chose, qui prend des airs de martyr quand il me sert à table ou des mines de vertu outragée lorsqu'il tombe sur l'une de mes chemises, a attendu que son maître ait le dos tourné pour, ce matin, à l'heure du petit déjeuner, entrer dans ma chambre sans frapper, se planter en face de moi, me regarder droit dans les yeux comme s'il allait me violenter et, le teint blême, les yeux exorbités, les lèvres blanches d'une émotion longtemps contenue qui allait enfin pouvoir exploser, me lancer cette phrase définitive qui disait à la fois la rage, la haine, l'anathème, l'accusation suprême, la révélation apocalyptique : « Mademoiselle doit savoir : Monsieur a mal au foie. »

Je ne sais pas si tu trouves ça drôle. Mais c'est une histoire typique, je crois, de cette maison. Et même si cela n'a pas suffi — loin de là ! — à me libérer de mon angoisse, je dois avouer que ça m'a, sur le moment, donné un vrai bon fou rire.

Le 22 décembre.

Non, je n'oublie rien. Je ne pardonne rien. La blessure est toujours là, saignante comme au premier matin, lorsque tu m'as recueillie, à Guebwiller. Et je n'exclus pas du tout, détrompe-toi, la possibilité de me venger. Mais comment, grands dieux ! Connais-tu une solution ? Je ne vais quand même pas bouder... Faire des scènes... Le tourner en ridicule dans un de ses meetings... Me jeter à la tête de Lazare... de Biquet... de Bill, même (tiens, je l'ai revu celui-là aussi : il a fini par épouser Beth.) Et quant à lui refaire le coup du retour chez papa-maman, merci — je trouve que j'ai déjà donné... Cela dit, je suis sérieuse : s'il te vient une vraie idée, n'hésite pas — je suis toujours preneuse.

Es-tu folle, petite sœur ? est-ce là ta « vraie idée » ? Et sais-tu bien ce que tu me proposes ? L'idée est effroyable, voyons ! Diabolique ! Et d'une noirceur, d'une perversité telles qu'au lieu de m'apaiser, elle ne fait pour le moment qu'aggraver mon vertige !

A propos de Noël, oublie-moi, veux-tu ? Fais-moi un peu oublier, surtout, là-bas. Tu vois bien que ce n'est pas le moment. Et que, comme il y a trois ans, quoique plus tout à fait de la même manière... Enfin vois, ma chérie; et tiens-moi, bien sûr, au courant.

Entendons-nous. Je suis d'accord, t'ai-je dit, sur ce que tu appelles le « corps du délit ». D'accord avec l'idée de ne pas passer « aux profits et pertes » la peine qu'il m'a faite. D'accord encore avec ton principe de « faire payer les gens par là où ils ont péché ». Et je suis assez sensible, enfin, maintenant que tu t'expliques mieux, à l'argument selon lequel ce serait la plus sûre, la plus incontestable machine à détecter son infidélité — celle d'aujourd'hui en même temps que, par déduction, celle, obsédante, d'il y a trois ans. Ce qui me gêne toujours, pourtant, c'est la méthode ! La complexité du stratagème ! Son machiavélisme inouï ! Car jouer à être toi, une nuit, dans la grange, avec ce balourd de Kapler, était une chose — faire ce que tu me demandes là, aujourd'hui, en est une autre. Et j'ai peur, je te le dis tout net, de n'être, cette fois, ni assez rouée, ni assez duplice, ni peut-être même assez subtile...

Le 3 janvier.

Parfait. Admettons que tu aies raison. Ecartons par hypothèse toute espèce de considération morale. Supposons que le mal qu'il m'a fait hier soit, pour reprendre ton expression, comme un « crédit ouvert » sur celui, illimité, que j'aurais aujourd'hui le droit de lui retourner. Et imaginons donc que je me résolve à passer concrètement à l'acte. Quid alors de l'aspect pratique des choses ? De l'immensité des problèmes techniques ? Du support quasi logistique nécessaire à une mystification de cette ampleur ? As-tu pensé à la question des vêtements ? des parfums ? des manières de parler ? de marcher ? d'embrasser ? d'aimer ? à mon grain de beauté ? au risque de me tromper ? de me couper ? de me prendre moi-même les pieds dans les mailles du filet que j'aurai tendu ? Je sais bien qu'il y a cette conversation de jadis où il m'avait, tu te souviens décidément de tout, longuement interrogée sur nos rapports et qui, s'il s'en souvient aussi, facilitera grandement les choses : mais est-ce qu'il s'en souvient justement ? Ne sommes-nous pas, une fois de plus, en train de rêver ? Et imagine le « réveil » si, d'aventure, nous nous trompions ! Réfléchis une dernière fois, je t'en prie : tout ça est si terriblement dangereux.

Le 8 janvier.

Tu as réponse à tout, chère diablesse... Eh bien, soit. Essayons. Et voyons voir ce que ça donne. Je le fais sans enthousiasme, tu le sens bien. Mais enfin je le fais. Et je conserve ta longue lettre sous le coude, comme un mémento ou un plan de bataille. Advienne, à partir de là, que pourra. Et demande à Oncle Samuel — on ne sait jamais ! — de prier pour moi.

Le 13 janvier.

J'ai tiré ma première salve. Et ça s'est, en effet, plutôt bien passé. Je m'étais, comme tu me l'avais prescrit, contentée d'une raie un peu plus basse. De talons un peu plus hauts. D'un soutien-gorge plus pigeonnant. J'avais pensé à la goutte de musc dans mon parfum. Au fond de teint un peu plus sombre. A l'imperceptible coup de blush qui, c'est exact, me remonte les pommettes. Et c'est dans cet appareil qu'après une longue journée passée devant ma glace à essayer mon air « plus garce », je me suis présentée au domicile de ma victime.

Au début, comme de juste, il n'a rien remarqué du tout. Il était dans sa bibliothèque, en grande conversation avec un certain Alain Paradis (un homme tout à fait bizarre, au demeurant, âgé d'une bonne cinquantaine d'années et qui rôde tout le temps autour de lui). Et ce n'est qu'une bonne heure plus tard, à table, en me regardant bien en face, à la lumière, qu'il a lâché : « tiens, c'est drôle, je te trouve différente ce soir ». J'ai dit que c'était drôle en effet. Et nous sommes très vite passés à autre chose.

Mission accomplie, chère Constance, pour la salve numéro 2. J'avais bien pris soin de lui rendre ma première visite au milieu de l'après-midi, dans une tenue « normale ». Je me suis absentée ensuite, autour de six heures, en annonçant que j'allais chez le coiffeur. Et je suis revenue pour le dîner avec une coiffure, une robe, un maquillage proches de ceux d'avant-hier.

Net flottement, du coup, à l'instant où je réapparais. Tressaillement quand il m'entend féliciter bruyamment Lazare de sa jolie mine. Regard incrédule lorsque je me permets de répondre avec un soupçon d'arrogance aux compliments vaseux que me chiffonne son Paradis. Et, aussitôt celui-ci parti, j'argue d'un mal de tête pour faire une chose encore plus étrange puisque au lieu d'attendre, comme chaque soir, que Lazare me raccompagne, je prends moi-même l'initiative d'appeler un taxi.

Le tout, ne t'inquiète pas, avec le tact requis. Toujours dans la demi-teinte. En me gardant, chaque fois, de trop appuyer sur la pédale. Et dans l'affaire du taxi par exemple, j'ai eu l'esprit, je crois, en voyant sa stupeur, de lâcher un : « oui, cher, ne fais pas cette tête : ce soir je suis de taxi ». Mais enfin les faits sont là — et le doute qui, à l'évidence, commence son ouvrage.

Nos affaires vont bien; petite sœur. Et j'ai tiré, cet après-midi, la salve numéro 3.

Il avait tenu à m'amener en effet chez un de ses anciens professeurs : un certain Althusser... Louis Althusser... J'avais dû t'en dire un mot déjà lors de mon premier séjour... Mais il est devenu très connu depuis... Très important... Une sorte de super-gourou... De maître à penser... Le plus incontesté, sans doute, des maîtres à penser d'aujourd'hui... Et cette rencontre revêtait à ses yeux une importance telle qu'il avait passé des heures, avant d'y aller, à m'expliquer par le menu ce qu'il faudrait dire, ne pas dire, les gaffes à ne pas commettre — l'essentiel de ce que je devrais savoir, en d'autres termes, de la conception althussérienne du marxisme...

On est chez cet homme, donc. Rue d'Ulm. Dans le bureau très sombre de l'Ecole normale supérieure qu'il m'avait minutieusement décrit et où je ressens pourtant, dès l'entrée, un malaise. En apparence, bien sûr, tout est normal. C'est le bureau typique du maître à penser professionnel. Tu as juste ce qu'il faut de désordre, de fouillis, de tas de livres, de piles de documents, de bouts de manuscrits inachevés, pour te donner l'impression d'une effervescence intellectuelle de bon aloi. Mais pour peu que tu aies l'œil un peu vif, tu ne peux pas ne pas être sensible à un je ne sais quoi de figé dans ce décor. A ce rien de poussière en trop, peut-être, sur les étagères de la bibliothèque. A la date ancienne de l'exemplaire du *Monde* ouvert sur la table. Au côté jauni, presque fané de la plupart des coupures de presse éparses sur le guéridon. Tu te dis que ce signet de bois, censé marquer la page du livre, la marque, si ça se trouve, depuis des années. Que cet épais dossier, en équilibre instable sur le bras du fauteuil, pouvait aussi bien être là, dans le même instable équilibre, depuis des éternités. Que cette page même, à demi engagée dans la machine à écrire, y était il y a six mois, y sera dans six mois encore. Tu ne peux pas t'ôter de l'idée, en un mot, que cet endroit mythique où tant de jeunes gens et de jeunes filles se plaisent à imaginer un formidable laboratoire, bouillonnant de tous les ferments de la philosophie la plus révolutionnaire, est en fait un lieu mort, apathique, une sorte de Pompéi de l'esprit pétrifié par un cataclysme secret — ou un château de la Belle au bois dormant hanté par un obscur mais fatal sortilège. Et tu ne peux pas noter enfin, si tu t'intéresses au maître de céans, à la manière avachie qu'il a de se tenir dans son fauteuil, à son front pensif, au regard bleu un peu vide qu'il porte sur Benjamin, au silence las, désabusé qu'il lui oppose — tu ne peux pas ne pas noter, dis-je, que, certes, il tient son rôle... assume un peu de cette mission dont la rumeur l'a investi... évite de trop décevoir la fougue de ce jeune homme qui est venu dans l'espoir qu'il se prendrait pour Althusser... Mais au fond de lui-même — et cela, moi, Marie, je l'ai compris — il ne croit pas un traître mot de toute cette comédie.

Pourquoi est-ce que je te raconte ça déjà ? Ah oui ! parce qu'à un moment de l'entretien, ce désarroi est devenu particulièrement net. Benjamin l'avait pressé de questions sur une certaine théorie de la guérilla en Amérique latine qu'un autre jeune althussérien, ami de Fidel Castro, venait, semble-t-il, d'élaborer. Or, ces questions, manifestement, le barbaient. Il se fichait comme de l'an 14 de cette théorie. Sa réponse — car l'effrayante ferveur de Benjamin l'avait contraint, le pauvre, de répondre quelque chose — avait consisté en un épouvantable bredouillis où j'avais vaguement capté les mots de « Marx... marxisme... vérité de la théorie marxiste... » Et il ne rêvait, cela crevait les yeux, que de quelqu'un qui sût casser tout ça, arrêter ce jeu absurde, l'arracher aux griffes de ce jeune fou qui le persécutait. J'ai été ce quelqu'un. Car c'est le moment que j'ai choisi pour, de ma voix la plus « ravissante idiote » possible, lâcher la plus grosse bêtise que j'aie pu trouver : « oh ! monsieur Althusser, ce que vous dites est si fascinant... on rêve de lire un jour vos réflexions sur le marxisme ».

M. Althusser, comme prévu, a été surpris mais ravi. Et ça a même été l'occasion de son premier vrai sourire, depuis le début de l'entretien. Mais pour Benjamin, en revanche, ça a été mieux qu'une salve : une canonnade. Car de deux choses l'une : ou bien je me payais furieusement sa tête, ou bien je n'étais plus celle qu'il avait passé la moitié de la nuit, la veille, à initier aux arcanes de la réflexion althussérienne sur le marxisme.

Dans le doute il s'abstient. Et, dans le taxi qui nous ramène, ne desserre pas les lèvres.

Le 22 janvier.

Non, il ne dit rien. Il ne pose aucune question. Mais il est songeur, en revanche. Soupçonneux. De plus en plus taciturne et soucieux. Et il n'a plus qu'une idée en tête maintenant, qui est de me tendre des pièges du matin au soir — censés vérifier, chaque fois, à « laquelle des deux » il a affaire.

Hier par exemple il m'a demandé à brûle-pourpoint pourquoi je ne mettais plus ma « jupe en daim gris perle » — alors que je n'ai jamais eu, il le sait bien, l'ombre d'une jupe en daim gris perle. La veille, il m'emmenait dans un restaurant de caviar de la place de la Madeleine « que nous avons tant aimé, ma chérie, il y a trois ans » — et où nous n'avions, à nouveau, jamais fichu les pieds. Le matin même, au petit déjeuner, c'était le même coup mais joué, si j'ose dire, en sens inverse puisqu'il m'avouait une fredaine dont il m'avait déjà parlé huit jours plus tôt — son problème étant de voir si je le laisserais continuer comme si j'entendais l'histoire pour la première fois; ou si je l'arrêterais au contraire en

333

m'exclamant : « voyons, mon cher, tu radotes ! » A midi du même jour, il a le culot, en présence de Bill et de Beth, qui savent, comme lui, que j'ai toujours détesté l'ail, de faire servir un gigot qui en est truffé. Le soir, encore, voyant que je m'étais absentée sans motif vers six heures, il me répétera mot pour mot ce que Bill avait dit au déjeuner (à savoir qu'il en était à écrire un roman « sollersien », sans plus de ponctuation du tout)... Et moi, une fois donc je marche, une fois je ne marche pas... une fois je renvoie le gigot à l'ail, une fois je feins de me passionner pour l'histoire de Bill déjà entendue... tantôt, autrement dit, je tombe dans le piège — et tantôt, au meilleur moment, quand je le sens tout près de conclure, je le réembrouille à nouveau en l'orientant sur la piste inverse...

Du flou, chère Constance. Encore du flou. Toujours du flou. Tout faire pour qu'il ait des doutes, des soupçons, des quasi-certitudes même — mais tout aussi pour, au dernier moment, les empêcher de précipiter, de tourner à la preuve définitive... C'était ta « ligne », si je ne m'abuse — et je conviens qu'il n'y a pas de plus sûr moyen d'aider un homme à perdre la tête.

Le 26 janvier.

Je te l'ai dit, où il en est. D'un côté, c'est évident, il flaire une supercherie. Il ne sait pas, sinon, quel sens attribuer à toutes ces histoires de taxi, de rapport avec Lazare, de gaffe chez Althusser ou, hier soir encore, à mon tâtonnement calculé pour retrouver, dans l'obscurité du hall, le bouton de la minuterie. Et cela d'autant plus qu'il se souvient fort bien, tu avais raison, de ce que je lui avais dit naguère de nos jeux d'adolescentes (tout à l'heure encore, en présence de

Paradis, il m'a demandé d'un ton mielleux : « Veux-tu bien raconter à notre ami cette histoire folle sur ta sœur jumelle et toi ? »).

Mais de l'autre côté, il n'est pas sûr. Il ne peut être sûr de rien. Car, pourtant, je fais bien attention à ce qu'il n'y ait pas une seule de ces gaffes qui ne puisse, quand il y repense, être également imputée, celle-ci au hasard, celle-là à la distraction, celle-ci encore à un malentendu, celle-là à je ne sais quel goût imprévu (mais ne faut-il pas, peut-il se dire, un commencement à tout ?) pour la provocation. Et puis surtout, chaque fois qu'une épreuve risquerait d'être probante et de l'éclairer de manière irréfutable (si j'avais mangé sans rien dire, par exemple, le gigot à l'ail de l'autre jour) je m'empresse, je te l'ai dit, de m'esquiver comme une anguille et prends bien soin de le laisser dans une incertitude plus grande, plus angoissante encore.

« Marie ? Constance ? Marie ici ? Constance là ? Comment les reconnaître ? Quel jeu jouent-elles vraiment ? Et jouent-elles même ? Et sont-elles deux ? Et ne suis-je pas, en fait, victime de moi-même ? de mon imagination ? de mes hallucinations ? de ce secret désir qu'il y a, en chaque homme, d'aimer deux femmes proches et lointaines, quasi indiscernables en même temps que etc. » Pauvre Benjamin ! J'imagine si bien les questions qu'il se pose ! Son trouble ! Sa panique ! L'enfer, peut-être, où notre histoire le plonge ! Et tout cela est si simple en même temps ! si facile ! si enfantin à jouer ! Je m'amuse comme une petite folle...

Le 1er février.

C'est vrai, oui, je ne me suis pas aventurée encore sur ce terrain. Mais le faut-il vraiment ?

Le 6 février.

Sans doute, Constance, sans doute. Je conçois que ce soit « louche »; qu'il n'y ait pas « deux femmes » qui, comme tu dis, aient le même comportement « à ce niveau »; et peut-être même as-tu raison de dire que ce pourrait être le grain de sable qui viendra, le jour venu, dérégler notre machine. Mais nous n'y pouvons rien, n'est-ce pas? Et tu n'imagines quand même pas de pousser jusque-là ta plaisanterie?

Le 9 février.

Constance? Es-tu devenue folle? Ce n'est pas possible! C'est physiquement inconcevable! Aucune femme au monde ne serait capable de faire ça! Oh! dis-moi que tu plaisantes... Que tu te moques... Que tu fais exprès de me tourmenter... Et que tu ne me demandes pas vraiment une chose pareille...

Le 12 février.

Eh bien, voilà... Je l'ai fait. C'était inconcevable, mais je l'ai fait... La manière de me déshabiller d'abord... Puis d'entrer dans le lit... Puis de le caresser... De haleter quand c'est lui qui caresse... De l'embrasser... De gémir... De parler... Tout, donc... Tout comme tu as dit... Et même le baiser infâme, celui que je lui avais toujours refusé et que je lui ai donné là, tout d'un coup, par surprise, comme si je n'avais jamais donné que celui-là toute ma vie et que j'en avais eu des dizaines de semblables, déjà, entre les lèvres... Ne m'en demande pas plus, je t'en prie... J'ai si honte, encore. Je me sens si sale. Si coupable. Et j'ai surtout si... peur !

Non, non, ce n'est pas cela. Quand je dis que j'ai peur, cela veut dire que j'ai l'impression d'être entrée dans une zone sombre tout à coup... Trouble... Infiniment plus inquiétante que celle de nos gentilles manœuvres antérieures... Et avec tout un côté sulfureux qui n'y était pas encore et qui me prend, à présent, à la gorge... Je me demande, je te le dis, si nous ne sommes pas en train de jouer avec le pire feu qui soit : celui des ruses, des pièges de l'amour...

Mais oui voyons. Prends un baiser comme « le baiser infâme ». Tu pensais peut-être que j'en serais quitte comme ça ? Que ce serait comme le coup du taxi ou de la gaffe chez Althusser ? Eh bien, non, justement. Car il y a une chose que tu n'avais pas prévue : une fille capable de faire ça une fois n'a aucune raison de ne pas le refaire deux, puis trois, puis un nombre indéfini de fois — et la différence, autrement dit, entre ce geste-ci et les innocents petits faux pas dont nous nous contentions jusqu'à présent est que ce n'est plus un faux pas justement; que ça ne peut plus arriver par accident; qu'aucun homme à qui tu le fais ne peut une seule seconde penser que tu le fasses comme ça, en passant, par hasard; bref, la différence, c'est que, de ce genre d'acte, ils se disent tout de suite, les hommes, qu'il n'adviendrait pas ainsi, avec tant de naturel et de bonheur, s'il n'était enraciné dans le solide terrain d'une habitude.

Résultat, je m'habitue. Je dois m'habituer. Je suis une femme qui, une fois sur deux, sur trois ou sur dix, doit avoir manifestement l'habitude de prendre cette grosse chose entre ses lèvres, de la lécher comme sa sœur le lui a appris, de feindre l'extase à l'instant qu'elle lui a indiqué; et oublierais-je la leçon que c'est lui, Benjamin, qui, affreusement à l'affût maintenant et comme aux aguets du retour de l'habitude, me sommerait soit de me la rappeler soit de me trahir. En clair, et pour mon malheur, ça s'appelle un engrenage.

Le 25 février.

Il y a pis encore. Car ce que tu n'avais pas prévu non plus c'est qu'une fille qui consent à cette caresse-là n'a aucune raison de ne pas consentir à celle-ci. Et à celle-ci. Et à celle-ci encore. Et à tout un système d'autres, plus perverses et choquantes encore, mais dont elle s'aperçoit peu à peu qu'à ses yeux à lui d'abord, puis, très vite, et par la force des choses, aux siens propres, elles font naturellement, spontanément partie de ce que j'appellerai son « autre personnalité sexuelle ». Alors, un jour je suis Marie la douce — et tout va bien. Mais le lendemain je suis Marie la garce — et me voilà qui, de fil en aiguille, je veux dire au fil de mon corps, de sa nouvelle logique supposée, du rôle qu'il s'est donné et qu'il lui faut jouer maintenant jusqu'au bout, sans relâche ni fausse note, me surprends à accepter, parfois même à improviser des gestes à côté desquels mes émois du George V me paraissent aujourd'hui relever de l'aimable divertissement de collégienne. Oui, Constance, c'est ça, au fond, que tu as sous-estimé : c'est cette possibilité des corps; cette puissance qui est en eux; cette grande raison qui les habite; cette logique secrète qui, à notre insu, commande à leurs désordres; et c'est le fait que, partant il y a deux mois pour une petite comédie « locale », je ne pouvais qu'être entraînée, nécessairement et de proche en proche, dans une comédie globale, générale, intégrale, qui m'impliquerait tout entière et qui est en train, j'en ai peur, de tourner au cauchemar.

Le 6 mars.

Non, tu n'as pas le droit. Je t'interdis de parler ainsi. Car comment peux-tu parler de « plaisir » quand je te dis au contraire que je feins? que je calcule? que je me surveille presque tout le temps? que je contrôle mes élans, mes transports, mes émotions? Où est le « plaisir » à ton avis dans cet effroyable tissu de machinations que sont devenues mes journées? Et crois-tu qu'il y ait beaucoup de femmes capables de « trouver leur compte » — la vilaine expression! — dans un amour qui n'est plus que mensonges et manigances? Non, bien sûr, il n'y en a pas. Et tu en conviendrais avec moi si, au lieu de me donner des leçons à distance, tu étais là, à mes côtés, à vivre les choses comme je les vis. Ah! que n'es-tu ici, ne serait-ce qu'un soir, lorsqu'après l'avoir quitté, autour d'une heure ou deux du matin, je me retrouve toute seule, entre les quatre murs de ma chambre du foyer, en train de tirer de dessous mon lit l'un des deux cahiers marqués l'un « Marie » et l'autre « Constance » où je suis obligée maintenant, si je veux me rappeler ce que j'ai dit, ce que j'ai fait, ce que je suis censée faire ou dire la prochaine fois, de consigner scrupuleusement le script de ma soirée. C'est, tu en conviendras, la propre image de l'enfer ou — ce qui, dans ces matières, revient au même — du ridicule.

Le 14 mars.

Oui, il y a cela aussi. Je n'osais pas trop le dire ni peut-être me l'avouer, mais il y a, sans aucun doute, cela aussi; et c'est même, sauf ton respect, la plus grave, la plus lourde, la plus impardonnable de tes erreurs de prévision. Ce que tu avais mal évalué, en l'occurrence, c'est l'importance extrême, en effet, qu'ils accordent tous à ces choses de la chair. Et c'est l'importance plus extrême encore que lui particulièrement, avec son côté étudiant moderne féru de psychanalyse (tu sais bien « le sexe partout... le sexe à toutes les sauces... le sexe, lui, ne ment pas... il est la vérité cachée des êtres... »), allait forcément être tenté de leur accorder. Alors, je ne dis pas, comprends-moi bien, que toute espèce d'équivoque est levée. Et je ne lui ai toujours rien dit, ce qui s'appelle *dit,* qui soit un aveu clair, net, précis du tour que nous lui jouerions. Mais ce que je crois c'est que mon corps, lui, a parlé; qu'il a parlé plus haut que nous ne le voulions; que ce fameux signe que Benjamin cherchait, sans le trouver, depuis des semaines, nous le lui avons donné, d'un seul coup et sans marchander; que c'est un signe solide surtout, fiable, presque probant, dont il a toutes les raisons de penser, encore une fois, qu'il est impossible à trafiquer; et ce que je crois c'est qu'il n'a jamais été aussi près de conclure, en d'autres termes, à la réalité tangible, objective, matérielle de mon dédoublement.

C'est ce que nous avons cherché, dis-tu? Oui et non. Car ce que nous cherchions était, il me semble, plus flou. Plus subtil. Moins évident. Et nous le voulions, lui, surtout, infiniment plus inquiet, incertain, angoissé. Alors que là, voyons les choses en face, le plus angoissé des deux c'est tout de même, et sans conteste, moi — avec, en plus, ce résultat dont je ne suis pas du tout convaincue que tu aies bien mesuré, non plus, la portée : plus il est sûr, lui, que je suis deux et plus je le suis, moi, qu'il est prêt à nous trahir toutes les deux. Ce qui, en termes clairs, signifie que je souffre à nouveau, et par ma faute, les mille morts de la jalousie.

Le 23 mars.

Je sais ce que je dis, chère Constance. Et la meilleure preuve en est son attitude à lui. Te souviens-tu en effet de ses tests ? de ses pièges ? de toutes les épreuves absurdes mais ô combien significatives qu'il m'imposait les premiers temps ? Eh bien, il se trouve que c'est fini; que ça s'est arrêté d'un seul coup; et qu'au lieu de me piéger, il s'est peu à peu mis — et c'est toute la différence — à m'*essayer.* Je veux dire par là que je ne peux plus entrer dans un lit avec lui sans qu'il commence par me tâter maintenant. Me palper. Me tourner, me retourner. Me humer. Me flairer. M'examiner sous toutes les coutures. Me soupeser du geste et du regard. Me goûter comme si j'étais un vin. Me tripoter comme si j'étais une bête. Me faire ronfler, presque vrombir comme un moteur. M'essayer — oui, il n'y a pas de meilleur mot, vraiment — comme on essaie, avant de les lancer, une pouliche, un moteur donc, une mécanique un peu délicate. Et je sens bien, chaque fois, comment c'est en fonction de ces « essais », des conclusions qu'il en tire, de ce qu'il pense avoir reniflé de ma personnalité du jour, qu'il adopte, selon le cas, son comportement-pour-Marie ou son comportement-pour-

Constance. Ce qui signifie, que tu le veuilles ou non : primo qu'il s'est à peu près fait maintenant à l'idée que je suis deux; deuxio qu'il n'a plus qu'un problème technique à partir de là, qui est de bien s'assurer, à chaque coup, à laquelle des deux il a affaire; tertio que j'ai toutes les raisons donc, moi, de me considérer comme une femme trompée — trompée avec elle-même, sans doute, mais enfin trompée tout de même.

Le 2 avril.

C'est ça, oui, c'est le style de ses caresses qui change... Ses mots... Sa façon de m'offrir sa chose, ces jours-là, sans prendre la peine de me pénétrer... Une liberté nouvelle aussi dans sa manière de bouger, de se déplacer dans la pièce quand il est nu — comme s'il ne se croyait pas tenu avec l'une aux mêmes pudeurs qu'avec l'autre... Et puis cet étrange tutoiement, si bref, si brûlant, presque blessant de brutalité, que je ressens chaque fois comme un terrible abus d'intimité et qui est, bien entendu, le plus net de ses changements... Mais ne m'en demande pas plus, chérie, je t'en prie. Tu devines tout ça, j'en suis sûre, à demi-mot...

Le 12 avril.

Il y a, je crois, deux solutions.

Dans l'une il pense, c'est vrai, que nous sommes complices; que nous menons l'entière opération, de conserve; que nous sommes des jumelles parfaites qui se racontent tout ce qu'elles font; qui se moquent peut-être même de lui dès qu'il tourne les talons : et il est moins coupable dans ce cas que victime — ou, s'il est coupable plutôt, c'est du crime bénin de s'être laissé gentiment faire, de ne s'être point dérobé à nos jeux pervers, de s'être dit au pire : « bah! fermons les yeux puisque ça semble les amuser et que la situation, en attendant, ne manque ni de charme ni de piquant ».

Mais il y a, si tu réfléchis bien, une autre solution possible, très différente de la première, et infiniment moins gaie surtout, où il pense que nous sommes complices certes; mais à demi-mot seulement; jusqu'à un certain point; et que si je suis l'instigatrice, mettons, de ton entrée avenue Ingres, je n'ai décemment pas pu être celle de tout ce qui a suivi : la partie amoureuse des choses, dans ce cas, m'échapperait; elle se jouerait dans mon dos; je serais l'idiote parfaite, doublée par sa propre sœur; et s'il ne dit toujours rien, s'il ne parle à aucune des deux, s'il ferme obstinément les yeux, ce n'est plus cette fois par légèreté mais, quand il se croit en face de « toi », parce que « tu » ne dis rien non plus et qu'il interprète ce mutisme comme la marque d'une discrétion, d'un remords peut-être qu'il serait de mauvais goût de troubler — et quand il se trouve en face de « moi », parce qu'il se sait traître simplement, allié à une traîtresse et dans une œuvre de trahison qui dépasse en infamie, se dit-il, tout ce qu'il a pu m'infliger dans le passé.

Eh bien, si je suis si triste, ma chère Constance, c'est parce que je suis convaincue que c'est cette seconde solution qui est la bonne. Et si j'en suis si convaincue c'est à cause de mille signes, de mille raisons, qu'il serait trop long de t'énumérer mais qui tiennent, grosso modo, à la qualité de son silence justement. A la façon évasive qu'il a maintenant, quand il croit être avec l'une, d'évoquer ce qu'il a fait la veille avec l'autre. A la manière qu'il a eue, ce matin encore, quand Bill lui a demandé en ma présence ce que nous avons fait hier soir, de répondre d'un air gêné : « oh! pas grand-chose », alors que nous avions assisté au contraire à une réunion politique de toute première importance à la faculté de Nanterre. Bref, à cette espèce d'écran qu'il a de plus en plus tendance à placer entre ce qu'il croit vivre avec Marie et ce qu'il croit vivre avec Constance — exactement comme ces hommes qui ont une « double vie » et qui passent ce qui leur reste de temps à empêcher les deux univers d'interférer. Que ces deux univers ne soient, en fait, pas deux mais un ne change évidemment rien à l'affaire puisque je suis seule, avec toi, à le savoir et que je n'en reste pas moins l'amante d'un homme qui, de la manière la plus formelle, parce que la plus consciente, passe la moitié de son existence à me trahir.

Le 22 avril.

Je ne pense pas, non, qu'il en soit « contrarié ». Ni, à plus forte raison, qu'il en « souffre ». Ce que je crois, tout au plus, c'est qu'il commence à se poser les questions que se posent forcément un jour ou l'autre tous les hommes qui aiment deux femmes à la fois, à savoir : « laquelle est la plus belle ? la plus charmante ? la plus émouvante ? auprès de laquelle suis-je le mieux ? le plus heureux ? quelle est celle qui excite le plus vivement mon désir ? »

Le 30 avril.

Rumeurs d'émeutes depuis hier soir. Quelques dizaines d'enragés qui, dit-on, tiendraient l'université de Nanterre. Et Bill et Biquet, surexcités, qui se demandent quelle sera la place des althussériens dans un mouvement qui, apparemment, s'engage sous la bannière des « anars ». La seule chose que je me demande, moi — mais comment le leur avouer ? — c'est quelle est la place de Marie dans le cœur d'un homme qui, je m'en aperçois, préfère de plus en plus ouvertement... Constance.

Le 4 mai.

Rumeurs confirmées, comme tu sais. Paris complètement fou. Des bagarres, hier soir tard, aux abords de la Sorbonne. Mais le plus fou c'est encore, plus que jamais, ce qui m'arrive. Car ce que je ne t'ai pas encore dit, c'est que je me demande si moi aussi, au fond de moi, je ne préférerais pas, certains soirs, être toi plutôt que moi.

Le 7 mai.

Cela m'arrive en effet. Et c'est un peu la même impression de liberté, tu as raison, qu'à l'époque de nos canulars téléphoniques. Le même sentiment qu'on peut tout dire soudain, tout faire, tout se permettre. La même façon de loger, à l'enseigne de cette identité d'emprunt, tout un tas de paroles, d'actes parfois ou même de penchants que je n'aurais jamais osé afficher sans cela. C'est la même trouble jouissance d'être cette créature fugace tout à coup, fantomatique, insaisissable — pas vue, pas prise — et assurée, pour ainsi dire, d'une espèce d'impunité. Mais la différence, pourtant, c'est qu'à l'époque des canulars nous nous amusions comme des folles. Alors que là, malgré tout, et une fois passés ces rares et brefs moments de plaisir, je souffre comme une damnée. Sais-tu que je n'ai même pas eu la force, depuis trois jours, de mettre le nez dehors ? et que c'est volets fermés, à travers un transistor et sur une carte de Paris que je suis l'évolution de l'émeute ?

Le 10 mai.

Reçu, je ne sais comment, avec dix jours de retard, et même pas oblitérée, ta lettre du 1er où tu me conseilles, donc, de lui « lâcher le morceau ». Mais, ma chère, tu rêves ! tu délires ! et tu n'as toujours pas l'air d'avoir compris la situation où je me trouve ! Car j'y ai pensé, figure-toi. J'ai même essayé de le faire. J'ai plusieurs fois commencé mon discours, maladroite, rougissante et dans l'idée d'arriver à lui dire : « bon, stop, c'était une blague, une farce, c'est moi et moi seule qui, etc. ». Mais je n'ai pas pu. Je n'ai pas su. Je n'ai jamais réussi à aller jusqu'au bout. Et si je n'y ai pas réussi c'est que je voyais bien, chaque fois, rien qu'à son regard, à sa réticence, à l'air de méfiance obtuse qui revenait, comme aux tout premiers jours, exactement, de notre mystification, se peindre sur son visage qu'il ne me croyait pas... qu'il ne me *croirait* plus... et qu'il ne pourrait que conclure à la seconde même, que je suis — que nous sommes — en train de donner un nouveau tour de manivelle, plus diabolique et pervers encore, à la mécanique de notre mensonge.

Le 11 mai.

J'ai devant moi ton « messager ». Et je lui griffonne à la hâte ces quelques lignes qu'il te rapportera.

346

Non, te disais-je dans une lettre postée hier et qui ne t'arrivera, elle, peut-être jamais, je ne peux plus arrêter le processus; c'est comme une spirale folle, maintenant, que ni toi ni moi ne pourrions plus contrôler, et tout ce que je fais, tout ce que je dis ne sert qu'à alimenter cette dialectique.

Non, te dis-je aujourd'hui, je ne peux pas faire non plus comme si « Constance » disparaissait... s'en allait sur la pointe des pieds... s'effaçait comme une soubrette de comédie − pourquoi pas une vapeur, une fumée, un fantôme tant que tu y es ?

Car les choses, encore une fois, ne dépendent plus de moi. C'est lui qui, à des signes que je ne distingue même plus moi-même, décrète maintenant que je suis Constance ou Marie. Et nous en sommes au point où, même si je ne faisais rien, si je restais inerte, comme morte, il trouverait encore quelque chose qui lui prouverait que c'est « moi » ou « toi » qu'il tient aujourd'hui entre ses bras.

Crois-moi : il n'y a pas d'issue.

Le 14 mai.

Pathétique illustration du cercle vicieux dont je te parlais dans mon dernier message. On est chez lui. A la cuisine. Le jour se lève. On a passé la nuit à la Sorbonne au milieu d'étudiants fiévreux, ardents, sublimes. Je me sens triste, tout à coup, comme si j'avais un poids sur la poitrine qui, de façon si injuste, m'empêchait de prendre part à la fête. Et, blottie sur son épaule, lui murmurant au creux de l'oreille que je voudrais lui révéler un lourd et immense secret, le sentant qui se cabre, qui se méfie à nouveau, j'éclate en sanglots. Las! Marie, comme tu sais − et comme il sait puisque c'est une des choses qu'il dit admirer le plus en moi —, ne pleure jamais. Et il traduit donc aussitôt que c'est Constance qui, forcément, a passé la nuit avec lui dans la fièvre du Quartier latin et se trouve ici, ce matin, sur son épaule! « Découverte » dont il tire d'ailleurs, sans attendre, les conséquences — debout, comme une brute, après m'avoir couchée, moi, sans ménagement, sur la toile cirée de la table.

Je t'adresse ce mot par un ami de Biquet qui part ce soir à Strasbourg et qui ira *peut-être* jusqu'à Guebwiller. Ça risque d'être le dernier, pour un moment, que je t'écris. Car il est de plus en plus difficile, paraît-il, de trouver de l'essence — et quelqu'un, donc, qui sorte de Paris.

Le 30 juin.

J'ignore si tu as reçu toutes mes lettres de juin. Suis, en ce qui me concerne en tout cas, complètement sans nouvelles de toi depuis un mois. Un seul mot à te dire aujourd'hui : SOS... il *faut* que tu viennes... coûte que coûte... quoi qu'il *t'en* coûte... car je n'en peux plus... question de vie ou de mort... et il n'y a que toi, pardonne-moi, que le *spectacle* de toi, devant lui, en chair et en os, qui saura dissiper toute cette épouvantable illusion.

Constance est venue. Dans les tout premiers jours de juillet. Par une de ces fins
d'après-midi très chaudes qui suivirent à
Paris l'insurrection de Mai. Et je l'imagine
arrivant aux grilles de l'avenue Ingres —
toute raide, un peu contrainte, dans le fauteuil d'infirme dont Marie n'avait, à sa
demande, jamais parlé à quiconque, mais qui
va devenir, à la minute même où elle apparaî-
tra, le plus éloquent, encore que le plus troublant des aveux.

Que fait-elle ? Que dit-elle ? Fait-elle, dit-elle
même quoi que ce soit ? Ne suffit-il pas, pour
que se déchire le voile, qu'elles se tiennent
ainsi, toutes les deux, l'une dans le fauteuil,
l'autre derrière ? Et comment Benjamin réa-
git-il, surtout ? Que comprend-il ? Que
conclut-il ? Que se passe-t-il dans sa tête à
cette minute ? Il n'y a plus là, et pour cause,
de lettre pour le raconter. Et nous en sommes réduits, le lecteur comme moi, aux
conjectures. Ce que je sais, simplement, c'est
qu'elle vient; qu'elle tranche d'un coup, et par
sa seule présence, le fil du piège qu'elle a
tendu; et ce que je sais aussi c'est que, non
contente de venir, elle va petit à petit, et pour
des raisons que je connais mal, entreprendre

de rester : un mois passe en effet, puis deux, puis l'hiver, puis un autre été encore et ainsi de suite pendant trois ans où elle s'est installée, à demeure, entre sa sœur et Benjamin...

De ces trois années, du coup — et faute, à nouveau de documents — je ne sais pas grand-chose non plus. A première vue, d'après les recoupements que j'ai pu faire, ce sont des années heureuses. Banales. Avec une Constance qui veille sur le foyer. Une Marie qui, ses études faites, enseigne le français dans un grand lycée parisien. Toute une bande d'amis (Beth, Bill, Biquet, Philippe Vignal toujours) qui se souviennent aujourd'hui encore d'une maison gaie, rieuse, où l'on tenait table ouverte midi et soir. Un Benjamin pacifié surtout, apprivoisé, qui a fini par s'ouvrir à Marie, semble-t-il, de ses noirs secrets d'enfance. Et puis, en toile de fond, l'aventure dite « maoïste » où il se jette à corps perdu mais qui, pour radicale, « extrémiste » même qu'elle fût — et il est au nombre, apparemment, de ceux qui fondent la « Gauche prolétarienne », la continuent dans la clandestinité, s'en vont du côté de Pékin comme Marco Polo sur la route des Indes et en rapportent le projet de changer l'homme, à Paris « en ce qu'il a de plus profond » —, n'en est pas moins classique elle aussi, commune à toute une génération et, avec le recul, beaucoup plus anodine qu'on n'aurait pu le penser.

C'est à la période suivante, alors, que l'on retrouve un fil à peu près sûr. Constance, en effet, s'est querellée avec son hôte. Elle est précipitamment rentrée à Guebwiller. Et elle reprend donc, le plus naturellement du monde, et pour notre chance, sa correspondance avec Marie. Nous sommes en mai 1971.

La France a, peu à peu, exorcisé « l'émoi de Mai ». La vague « mao », un temps menaçante, a fini par refluer. C'est l'époque où la vieille gauche, renaissant de ses cendres, bat le rappel de ses enfants perdus. Et c'est le moment surtout où commence véritablement le déclin de Benjamin.

Paris, le 20 octobre 1971.

Je sais, ma chère Constance, qu'il a eu tort et qu'il s'est très, très mal conduit. Mais il va si mal lui-même ! Il est si nerveux ! si fébrile ! et il est tellement clair que la rage qu'il tourne contre toi, contre moi, contre la terre entière, c'est celle dont, au fond de lui-même, il aimerait se porter tous les coups ! Tranquillise-toi, ma chérie, n'aie surtout pas de complexes. Tu n'étais pour rien, je te le jure, dans cette dispute absurde. Et c'est vraiment une crise à lui, grave, dramatique, dont tu as, par hasard — quoique pour notre malheur à toutes deux —, commencé de faire les frais.

Le 23 octobre.

Le jeu de massacre continue — et c'était, aujourd'hui, le tour de Bill. Tu sais combien le pauvre aime parler de littérature. Et comment il n'y a plus guère que cela, depuis le départ de Beth, pour le maintenir un peu en vie. Eh bien, il est là donc, confiant, assis avec nous dans le jardin, sur son rocking-chair favori. Et il commence d'un air d'abord rêveur, puis de plus en plus fébrile, à nous expliquer pour la énième fois la énième métamorphose de son roman : « pourquoi il renonce à cette idée d'écrire sans ponctuation... sans héros... sans psychologie... que ça a été utile, certes... important... pas son genre de cracher sur le passé mais que c'est fini maintenant... dépassé... idéalisme, tout ça...! déviation idéaliste...! formaliste...! théoriciste...! bourgeoise donc, en dernière instance...! doit laisser la place à un certain retour du concret... du réel... du monde, quoi... de la politique... faute de quoi les masses révolutionnaires ne pourront, il en a peur, que se résigner à... »

Nous ne saurons jamais, hélas, à quoi les masses révolutionnaires ne pourraient que se résigner en cas d'échec du projet billien car, à ce moment de son exposé, Benjamin a perdu patience. Il s'est mis à vociférer qu'il commençait à « en avoir plein le dos de ces enfoirés de petits-bourgeois qui ne savent pas ce que c'est que les masses révolutionnaires et qui les mettent à toutes les sauces ». Et suffoquant d'une colère absurde qui lui déformait presque le visage et qui était sans commune mesure, je te le promets, avec celle de l'autre jour, il s'est levé — m'abandonnant un Bill épouvanté, humilié et que, pour la première fois depuis que je le connais, j'ai vu au bord des larmes.

Le 26 octobre.

Je ne rêve pas, dis-moi ? C'est bien lui qui, pendant toutes ces années, nous a soûlées avec son Lacan ? Lui qui, pour rien au monde, ne se serait risqué à manquer une seule de ses grand-messes du mercredi midi ? Lui encore qui foudroyait sur place quiconque osait émettre la moindre petite critique à propos du caractère abscons ou fumeux du personnage ? Et tu te souviens comme moi, n'est-ce pas, de « Lacan penseur de la division » ? de la « contradiction » ? de la « révolution » ? de Lacan théoricien du « un se divise en deux » ? de

« Lacan/Mao même combat » ? du Copernic, du Galilée, du « Giordano Bruno » de la politique ? Eh bien, c'est fini tout ça ! Terminé ! Liquidé ! Et c'est fini depuis qu'aujourd'hui, mercredi 26 octobre, à midi, en pleine grand-messe par conséquent, Benjamin a fait une chose incroyable, jamais vue de mémoire de séminariste : il s'est levé ; a bousculé ses voisins ; enjambé quelques rangées de chaises ; fendu la foule des gens debout, penchés sur leurs cahiers de notes ; franchi l'obstacle naturel de la forêt de magnétophones disposés au pied de l'estrade ; bousculé Gloria, la fidèle secrétaire abandonnant une seconde sa petite machine à sténo pour tenter de barrer la route au forcené ; mais la voie est libre après elle ; il arrive au maître ; il y est ; il le touche ; il le prend au revers du veston ; le secoue ; l'attire à lui comme pour un baiser de la mort ; puis le repousse ; manque le faire tomber ; et s'emparant alors du micro il lance devant une salle médusée qui mettra quelques secondes à le faire taire : « que faisais-tu, canaille, en Mai ? de quel lieu, aujourd'hui, parles-tu ? et sais-tu qu'à l'heure où tu parles, il y a des pauvres types qui à Flins, Sochaux, Billancourt... etc. » Pourquoi cet esclandre ridicule ? Comme ça. Pour rien. Pour te dire simplement que tu n'es pas la seule victime de sa crise actuelle de paranoïa.

Le 31 octobre.

Visite de Philippe ce matin. Ah ! comme je le hais, celui-là, avec ses grands airs. Ses mines de procureur. Ses sourires brefs, sans charme, qui ne parviennent jamais jusqu'au regard. Et puis sa voix surtout, cette horrible voix de nez qu'il prend quand, tel un huissier à l'inventaire, il lui parle de sa maison par-ci, de son domestique par-là, de tout ce luxe, de tout cet argent... faudrait voir à rectifier tout ça... à adopter le point de vue prolétarien qui convient... à mettre sa pratique en accord avec sa théorie...

Tu connais, n'est-ce pas? Tu sais comme c'est rageant. Et tu sais la drôle de tête d'enfant puni que prend toujours Benjamin en face de ce pignouf qui n'est animé, c'est évident, que par la plus vulgaire des jalousies. Je le lui ai dit, remarque, cette fois-ci. Carrément. Sans mâcher mes mots. Car j'en avais assez à la fin, de le voir à genoux devant ce petit-bourgeois minable et envieux. Et tu sais ce qu'il m'a répondu? Que nous n'aurions aucun droit, ni lui ni moi, d'émettre la moindre critique à l'encontre du sieur Vignal tant que nous n'aurions pas fait — texto — le même « choix prolétarien » que lui.

Tout le problème, c'est clair, est là. Et les choses iront mal, c'est clair aussi, tant que, d'une façon ou d'une autre, il ne l'aura pas réglé.

Le 4 novembre.

Je crains que l'idée ne progresse. Qu'elle ne fasse douloureusement, mais sûrement, son chemin en lui. Et je le vois bien le soir, quand il ne parvient pas à s'endormir, et que je le devine si raide à mes côtés, si tendu, si crispé qui, manifestement, ne pense qu'à ça. Lui expliquer que c'est idiot? que ça avait un sens en 68? dans les mois qui ont suivi? mais que là, dans la période actuelle de reflux, ce serait aussi malin que d'entrer dans la Grande Armée au soir ou à la veille de Waterloo? Paradis le fait. Il passe des heures, miraculeusement d'accord avec moi — tout arrive comme tu vois! — à essayer de l'en convaincre. Et il a, comme il dit, de bien trop hautes ambitions pour lui, pour tolérer de le voir se perdre, ne fût-ce que six mois ou un an, sur une chaîne de chez Renault. Mais, hélas, ça ne suffit pas. Vautrin en personne, ce coup-ci, se casse les dents. Et je me demande même si cet argument du « train de retard », de l' « occasion de notre façon manquée », n'aurait pas tendance, au contraire, à renforcer sa rage, et donc sa détermination...

Le 8 novembre.

Ce qui l'attire dans cette galère ? Il y a la politique, bien sûr. La Révolution. La classe ouvrière. L'idée qu'il faut la rejoindre. Lui parler. Lui insuffler un peu de cette « science » dont les intellectuels seuls sont réputés porteurs. Bref, tout ce charabia militant qui tourne autour de cette fameuse « conscience de classe » venant au prolétariat « du dehors » — et qu'on peut convenir d'appeler, en effet, le charabia « vignalien ».

Mais il y a le reste, je crois. Le côté personnel des choses. Son côté, si tu veux : « la classe ouvrière, je m'en bas l'œil; ce qui compte c'est moi; moi tout seul; moi qui, à son contact, vais pouvoir me corriger, me réformer, me rééduquer; et si je vais là-bas, sur son terrain, c'est moins pour l'endoctriner que pour, à son école au contraire, gagner une vertu et des mérites que tout, dans mon ascendance, conspire à m'interdire ».

Je caricature, certes. Mais à peine. Car il le dit presque comme ça quand il en parle à cœur ouvert. Sa langue, si tu fais bien attention, est moins d'un militant que d'un pénitent venant expier on ne sait quelle faute — encore que nous sachions à peu près, nous, laquelle... — sur l'autel prolétarien. Et il y a sans doute en lui — il faudrait être sourde pour ne pas l'entendre — une volonté de pureté, une postulation morale, l'aspiration à une sainteté obscure, diffuse, qui ne dirait jamais son nom mais qui n'a rien à voir, néanmoins avec les formes classiques de l'« engagement ».

Le sait-il ? Vignal en a-t-il conscience ? Et mesure-t-il bien, Vignal, le fossé qui les sépare quand lui parle de « lutte des classes » et que Benjamin répond « salut de son âme » — ou quand il lui cite Marx et Engels et que l'autre, en écho, ne peut s'empêcher d'évoquer *La Vie de Rancé* ? Je crois que oui, et c'est même pourquoi je lui en veux tant du piège où, en conscience, et sans la moindre excuse, il est en train de l'enfermer.

Le 15 novembre.

Oui, je maintiens « sainteté » et j'attache une certaine importance, c'est vrai, à cette histoire de *Vie de Rancé*. Car tu ne trouves pas ça troublant, toi, qu'il se balade nuit et jour avec ce petit livre dans la poche alors que, depuis des années maintenant, il ne lit plus, n'étudie plus, ne s'intéresse plus à rien qui, de près ou de loin, ressemble à de la littérature pure ? et alors qu'il ne rêve, tu le sais comme moi, que de fiche une fois pour toutes le feu à Sainte-Geneviève, à l'Arsenal, à la Nationale, à l'Ecole Normale, bref à tous les lieux « maudits » où, sous couvert des livres, se conserve, comme il dit, l'« infâme mémoire des maîtres » ? La vérité c'est que, bien sûr, il se moque de Chateaubriand en soi. Mais qu'il est faciné par l'étrange destin de ce jeune prince béni des dieux, amateur de fêtes et de femmes, qui aime et qui est aimé de la belle duchesse de Montbazon et qui, un matin pourtant, à la stupéfaction de la cour, décide de se retrancher du monde et de revêtir à jamais la robe de bure blanche.

De la Trappe à Renault, autrement dit, il n'y a, dans son esprit, qu'un pas; et un pas qu'il avait franchi déjà, je te le ferai remarquer, le jour où, commentant en ta présence le fameux slogan : « la grande époque de Mao Tsé-Toung engendre une multitude de héros », il nous avait en substance expliqué que « l'idéal révolutionnaire est le seul qui, depuis le déclin des Eglises, sache nous donner encore quelques saints ».

Le 20 novembre.

Je ne t'ai pas dit ça non plus. Je ne t'ai pas parlé de « mystique ». Et loin de moi, fais-m'en le crédit, les jeux d'esprit du genre « révélation-révolution » et autres vulgarités du même tonneau. Non, ce que je t'ai dit c'est, simplement, que ce qui lui arrive n'a plus grand-chose à voir avec je ne sais quel anarchisme, tolstoïsme, ouvriérisme, populisme, avec aucun de ces « ismes » classiques, consacrés par la tradition, dûment classés et cotés à la Bourse du mouvement ouvrier et qui, pour cette raison même, m'auraient, à tout prendre, plutôt sécurisée. Et ce que je te dis aussi c'est que, quand je le vois se nier, se haïr, j'allais dire se mortifier comme jamais, à ma connaissance, aucun révolutionnaire ne l'a fait; quand je l'entends clamer qu'il faut « tuer le vieil homme en soi », le « changer en ce qu'il a de plus profond », « casser en deux — pour la régénérer — la désastreuse histoire du monde »; quand je comprends que la révolution à laquelle il songe ne se contentera pas de prendre le pouvoir, d'en changer les titulaires, d'en remanier même l'appareil, mais qu'elle refera jusqu'à la culture, jusqu'à la mémoire, jusqu'à la langue et au propre désir des hommes — je ne puis m'empêcher de penser qu'il y a un précédent et un seul à tant d'exigence et que ce précédent c'est celui des moines chrétiens qui, des origines à Rancé et peut-être même au-delà, ont projeté eux aussi, quoique pour des raisons tout autres, de *recommencer l'humanité.*

Ça n'empêche pas, encore une fois, qu'il demeure l'athée que tu sais. Mais ça signifie qu'il y a en lui un appel, une démesure dans l'ambition et dans l'objectif métaphysique que tu ne retrouverais en aucun cas chez un gauchiste banal. Oui, Constance : un mao, je te l'avais souvent dit, ce n'est jamais un gauchiste banal; c'est quelqu'un qui ne vit plus tout à fait dans ce que l'on entend communément par « politique »; et c'est cette évidence que je suis en train, depuis un mois, non pas de découvrir, puisque je la savais — mais d'éprouver, de ressentir, d'endurer dans sa version la plus douloureuse.

Le 25 novembre.

C'est fait. Cet idiot a franchi le pas. Et il l'a fait comme un sournois qu'il est — ce matin, aux aurores, dans le secret le plus total et sans un mot non plus à son retour. Sais-tu que ce soir encore, à minuit et quelque, il ne m'avait toujours rien dit ? Et qu'il ne m'aurait peut-être rien dit du tout si je n'avais senti une odeur suspecte de caoutchouc flotter sur ses habits ?

Je préfère me taire. Car toute cette histoire m'énerve trop. Et que rien que de le voir ici, en face de moi, bien calé dans son fauteuil avec son air épuisé, harassé par sa journée, me donne envie de me mettre en colère.

J'ai eu des détails. Il s'est apparemment présenté à l'embauche sous une identité d'emprunt. Et il a prétendu arriver de Guebwiller, ce sagouin, où le restaurant qui l'employait aurait fermé pour cause de faillite. Comme il ne sait rien faire, on lui a donné d'abord un poste de manœuvre à l'atelier de tôlerie. Il y a passé le premier jour, dans un vacarme de meules, de fraises, de presses, de ponts roulants, de tôle froissée, pliée, martelée, roulée, soudée. Et, au bout de cette journée, il a été muté au cinquième étage de l'île, sur la chaîne dite « des pistoletteurs », c'est-à-dire là où, apparemment, on peint les carrosseries. Travail plus calme, donc. Moins infernal. Avec une petite équipe, cette fois-ci, d'une vingtaine d'ouvriers qui s'entendent bien et se sont mis en quatre pour lui enseigner le coup de main. Mais avec en même temps un revers de médaille inévitable du côté des odeurs et effluves qui brûlent la gorge, piquent les yeux, attaquent les poumons, imbibent la moindre parcelle de chair exposée et lui laissent jusqu'à la nuit une terrible envie de vomir (il paraît que la direction — et c'est tout dire ! — est obligée d'accorder à l'équipe, toutes les deux heures, une pose de dix minutes et un verre de lait réparateur...) Voilà, chère Constance, les nouvelles. Maigres sans doute. Mais c'est tout ce que j'ai pour l'instant... A part ça, tout va bien. Je suis un peu accaparée par ma « terminale », mais tout va bien. Je vais essayer de leur préparer, pour le second trimestre, un cours sur la poésie moderne.

Je ne sais pas ce qu'il pense. Car il parle peu, toujours. Et, les rares fois où il le fait, il est bien trop orgueilleux pour me dire la vérité. Mon avis à moi, cependant, c'est, en gros, qu'il est déçu : je ne parle pas du travail lui-même dont il se doutait bien, avant d'y aller, que ce ne serait pas tous les jours la fête, mais de l'ambiance, du climat, de l'esprit qui règne à l'usine, de ces nouveaux « camarades » même, dont il s'était fait, à distance, une si haute, si belle idée et qu'il voit soudain tels qu'ils sont, sans écran, sans légende, dans leur vraie peau de vrais ouvriers, arrivant le matin en traînant les pieds; repartant le soir en ployant l'échine; allant entre-temps les yeux baissés, le teint plombé, une petite mine de chiens battus, comme pour conjurer le prochain coup; et qui, à part le boulot, ne s'intéressent, semble-t-il, qu'au « foot », aux femmes, à la « bouffe », au « pinard », aux photos pornographiques placardées à la cantine, aux grosses blagues de vestiaire qui feront ensuite le tour de la chaîne, au nouveau modèle de voiture X, au dernier jeu télévisé Y — ah! comme ce doit être loin de l'image qu'il avait d'un prolétariat héroïque, pur et dur, attendant l'arme au pied que sonne l'heure du grand soir... adieu Lénine... adieu Potemkine... adieu les mythes radieux dont il s'était bercé... et bonjour les têtes molles, les regards sans couleur, les sourires aveugles, tristes — on est si bien entre soi, bien au chaud, sans ces fichus maos qui, à la peine du labeur quotidien, viennent ajouter celle d'avoir, en plus, à faire la révolution!...

Je n'ai pas vu tout cela. Mais je le sais. Je le sens. Je l'entends dans ses silences. Dans les bribes de confidences qu'il me lâche. Et je crois, vraiment, que sa première vraie découverte est là : l'inexistence, en un mot, de ce qu'il appelait le « prolétariat ».

Le 20 décembre.

Imagine une brave femme. Genre quarante-quarante-cinq ans. Veuve sans doute. Ou divorcée. Qui a dû trimer toute sa vie pour élever une ribambelle de gosses. Qui a déjà, si ça se trouve, un fils délinquant, une fille sur le trottoir, une autre qui fait des ménages. Et qui, sur le tard, tombe amoureuse d'un gentil petit Arabe de vingt ou vingt-cinq ans plus jeune qu'elle. Situation banale ? Eh bien, non ! Pas à Billancourt. Car ce ne sont, dès que la nouvelle se sait, que moqueries, quolibets, insultes graveleuses. Elle qui était une ouvrière modèle, appréciée tant de ses chefs que de ses camarades, se voit mise d'un jour à l'autre en quarantaine. Plus personne pour la saluer. Personne pour occuper son poste s'il lui prend envie de faire pipi. Personne, les jours de grande fatigue, pour l'aider à rattraper les trente ou quarante secondes de retard — c'est énorme, paraît-il, trente ou quarante secondes — qu'elle a pu accumuler. Les chefs qui la harcèlent. Les délégués qui la surveillent. Le « camarade » de l'« arrêtage » — c'est, je crois, le tout dernier poste de la chaîne, juste avant que les carrosseries ne filent en direction des fours — qui s'ingénie à trouver que sa couche de peinture est trop ceci, trop cela. Pire : une rumeur qui se répand — en provenance directe, d'après Benjamin, des « social-fascistes » de la CGT — et qui fait d'elle une moucharde, à la solde de la Direction. Bref, une campagne insidieuse d'abord, puis de plus en plus ouverte, violente, et dont le seul motif est, je te le répète, que ce corps fané dont je devine d'ici les longs seins tristes, le ventre blême, les cuisses musculeuses et flétries, ait pu s'offrir un « bougnoul ».

Raymonde — c'est comme ça qu'elle s'appelle — a tenu quelques semaines. Elle a résisté. Elle a fait face. Et il n'était pas rare, paraît-il, de la voir, après le travail, s'attabler avec son jeune amant au milieu du grand café, face à l'usine, fréquenté, elle le savait, par les plus fortes têtes de l'atelier : jamais un mot entre eux, ni un geste ni un baiser; ils sont là simplement, face à face, les yeux dans les yeux, immobiles devant le bock de bière qu'ils oublient généralement de vider — lui avec une méchante casquette à pompon vissée sur la tête, elle avec une pèlerine de laine bordeaux qu'elle ne retire jamais non plus et si royalement indifférents, tous les deux, au bourdon de haine à leurs oreilles.

A force, pourtant, ils ont craqué. Et un matin, au pointage, on ne les a plus vus. Ni le lendemain. Ni le surlendemain. Et ainsi de suite, jusqu'à hier où on a fini par les retrouver, morts depuis dix jours déjà, enlacés en une ultime étreinte comme dans les romans à quatre sous qui tapissaient leur petite chambre. Benjamin, Vignal, et leur « comité de lutte », dans le tract vengeur qu'ils ont aussitôt rédigé, accusent bien entendu la Direction, la « police syndicale », les « chefs fascistes » et toutes leurs têtes de Turc habituelles. Mais ils savent bien qu'il y a une autre responsable à ce suicide et que cette responsable c'est, hélas, leur sainte « classe ouvrière ».

Le 5 janvier 1972.

C'est vrai, c'est le premier tract dont je te parle. Et je ne t'ai pas dit un mot encore de ce que tu appelles ses « activités politiques ». Mais c'est qu'il y a, ici aussi, maldonne; et que, de ce point de vue également, il tombe à mon avis de haut. Il imaginait l'usine, j'en suis sûre, comme une ruche immense, bruissante de clameurs et de fureurs, où il ne serait du matin au soir question que de contestations, revendications, agitations, rébellions, révolution. Et quand il pensait à son « établissement » (puisque c'est ainsi, aux dernières nouvelles, qu'il faut dire) c'était dans l'idée qu'il allait participer de ces merveilles, qu'il lutterait, qu'il s'engagerait, qu'il passerait sinon le plus clair du moins un bon bout de son temps à aller, venir, agir, haranguer le peuple rassemblé; c'était dans l'idée qu'une usine est un endroit où on milite comme on respire et où les intellectuels dans son genre peuvent enfin mettre en pratique — et à plein temps s'il te plaît ! — toutes les théories abstraites, fragiles comme des plantes de serre, qu'ils n'avaient ruminées jusque-là que dans leurs cabinets...

Alors, bien sûr, ce n'est pas ça ! Une usine, il a dû s'y résoudre, est un lieu beaucoup plus triste. Plus sombre. Plus cloisonné. Avec des étages bien séparés. Des ateliers compartimentés. Des équipes qui se haïssent, se jalousent ou, en tout cas, ne communiquent guère. Un travail divisé. Des cadences acharnées. Pas une seconde pour voir, savoir ce que fabrique le voisin. Des chefs qui contrôlent tout. D'autres chefs qui surveillent les chefs. Toute une atmosphère de terreur, de suspicion. Et je ne parle pas de la fatigue, écrasante, qui fait qu'à deux heures et demie, quand retentit la sirène de la délivrance, on n'a plus qu'une envie qui est de fuir très vite, très loin, le plus vite et le plus loin possible — et certainement pas de s'attarder pour écouter, en plus, ces jeunes bourgeois de « maos » nous expliquer à nous, les ouvriers, qui nous sommes et ce que nous voulons...

Pauvre chéri! Je te fiche mon billet qu'il n'a jamais aussi peu songé à toutes ses chimères gauchistes que depuis qu'il est censé leur avoir voué sa vie; et je ne crois pas me tromper beaucoup en disant que le premier effet de ces quelques semaines de bagne aura été de lui ôter mieux que le temps, le loisir, et mieux que le loisir, le désir de cette chose à laquelle il tenait tant et qu'il appelait le « militantisme » — ce luxe d'un autre âge, témoin d'une époque abolie...

Heureuse année, cela dit, ma jolie. Et grosses bises à tout le monde, à la maison.

Le 12 janvier.

Probable que j'exagère. Et qu'il y a de-ci, de-là, — je m'en aperçois peu à peu à travers les quelques récits qu'il m'en fait — un certain nombre d'actions concrètes qui démentent ce que je te dis et qui sont indubitablement de nature politique et militante. C'est un affichage par exemple. Un débrayage. Un sabotage minuscule mais chargé, comme il dit, d'une valeur « pédagogique ». C'est une peinture qu'on raie. Une serrure qu'on trafique. Une barre de fer jetée en travers de la chaîne et qui, pendant dix minutes, va la bloquer. C'est l'attitude vis-à-vis des contremaîtres, « ces fainéants payés, dit-il, pour persécuter les ouvriers » et que les ouvriers, en retour, sont invités à rosser, insulter, mettre de force à la chaîne, histoire de voir s'ils tiendront la cadence. C'est toute une guérilla, une guerre d'usure, une guerre des nerfs, dont il ne saurait être question de nier la virulence. Mais sur le fond, je persiste; car aussi éclatants, spectaculaires parfois qu'ils soient, ce genre de coups d'épingle ne me paraissent toujours pas à la mesure de ce que, je le sais, il espérait en s'engageant.

Je te donne un cas précis. Il y a, paraît-il, dans un atelier à côté du sien, un vieil ouvrier du nom d'Amédée qui, depuis le temps qu'il travaille au même poste, et qu'avec une régularité de métronome il visse le même boulon dans le même écrou du même châssis, a pris l'habitude, à chaque passage, de « gagner » un nombre déterminé de secondes; et, tous les dix-huit ou dix-neuf passages je ne sais plus, d'en totaliser assez, de secondes, pour prendre carrément le temps de « griller » une cigarette. Ça fait des années que ça dure. Tous ses camarades le savent. « La cigarette d'Amédée », pour eux, est plus qu'un rite ou une manie — elle fait partie du décor, au même titre que l'horloge de l'étage ou l'escalier de fer branlant qui monte chez les retoucheurs. Or voici qu'un beau matin, prodige! Le vieil ouvrier a fait ses châssis. Il a gratté dix-huit ou dix-neuf fois quelques secondes. Mécaniquement donc, sans réfléchir, il s'est arrêté. Il a ôté sa casquette. Il s'est assis sur sa caisse pleine de cambouis. Avec les gestes lents, mesurés, de quelqu'un qui ne doute pas d'avoir tout son temps, il a allumé sa cigarette. Et le prodige, le miracle c'est qu'il n'en a pas fumé la moitié que, déjà, le châssis suivant est là, devant lui, qui l'attend, le nargue.

Que se passe-t-il? gronde la chaîne. Amédée serait-il malade, par hasard? Ivre? Aurait-il perdu, d'un coup, le tour de main qui, depuis si longtemps, fait l'admiration de tous? Non, bien sûr. Impossible. Et l'évidence, forcément, s'impose — tout juste murmurée d'abord, puis très vite hurlée à pleins poumons : si Amédée n'a pas eu le temps, ce matin, de sa cigarette, c'est qu'ils ont, les salauds! sournoisement modifié la cadence. Branle-bas de combat alors... valse des chronomètres qui passent de main en main... invectives contre la maîtrise... contre les syndicats qui essaient de calmer les gens... et Benjamin qui, à l'heure de la pause, rédige un tract incendiaire sur le thème : « les fachos de la CGT peuvent trembler, ce bout de papier annonce le temps des boulons pour leurs sales gueules de flics... »

Mais soit. Tout ça est bien joli. Bien gentil. Et je veux bien croire que cette affaire a été le déclencheur, comme il dit, de « huit jours ininterrompus d'agitation ». Ce qu'il ne me fera pas croire en revanche — et je ne voulais rien te dire d'autre — c'est qu'il se sente authentiquement exprimé par des « coups » de cette dimension; et que ce ne soit pas frustrant, à la fin, pour quelqu'un qui ne rêvait que d'ébranlements immenses, à l'échelle des siècles et des continents, d'en être réduit à se battre sur des histoires de minutes volées ou de mégots à demi fumés.

Le 26 janvier.

La scène se passe en extérieur, cette fois. Devant la grille de l'usine, porte Nationale. C'est l'heure où les équipes de nuit s'apprêtent à prendre la relève de celles du matin. Il y a là un petit groupe de maos, licenciés quelques semaines plus tôt et qui profitent de l'affluence pour distribuer un tract où l'on peut lire notamment : « l'empereur de Chine est bien devenu jardinier — pourquoi est-ce que le P-DG de Renault ne serait pas mis aux presses ? » Les ouvriers, du coup, s'attroupent. Ils commentent la proposition du tract. Benjamin lui-même arrive, flanqué de Philippe Vignal. Et c'est lui qui, le premier, remarque le camion sono de la CGT, garé sur le trottoir, une centaine de mètres plus loin. « Tiens, lance-t-il à la cantonade, les faffs sont déjà là »; et, prenant un paquet de tracts des mains d'un des maos, il s'achemine de son meilleur pas dans la direction des lignes ennemies.

L'ennemi, c'était fatal, réagit. Ce sont des dizaines de gros bras, sortis on ne sait d'où, qui, en un éclair, accourent, se regroupent, se mettent instinctivement en ordre de bataille et, transformant leur camion en une sorte de bunker, de forteresse précieuse et assiégée, lui font comme une haie, un rempart de leurs corps. « Provocateur », crie l'un. « Si tu touches au camion, hurle l'autre, c'est nous qu'on touche à ta gueule. » Et un troisième, sortant du rang pour une dernière mise en demeure, « z'avez dix secondes pour déguerpir : Nationale c'est pas votre secteur, c'est la sortie des professionnels ».

Sur quoi quelque chose dérape. Nul ne sait très bien quoi... Ni comment... Mais toujours est-il que le ton monte. Les pierres volent. Les pavés. Les boulons. Il y a un garçon qui s'effondre. Un autre, debout, qui perd son sang. Un troisième qui vocifère un slogan vengeur quand un coup de matraque l'arrête — qui lui a fracassé le nez. Benjamin lui-même traîné par les cheveux derrière le camion et consciencieusement bastonné.

Le carnage, autrement dit. Le massacre. Et un massacre qui, de surcroît, se déroule, à ce que j'ai compris, sous les yeux de centaines d'ouvriers présents, des deux côtés des grilles — sorte de parterre hilare, plutôt ravi d'être au spectacle et qui ne lèvera pas le petit doigt pour venir au secours des malheureux. Tel que je connais mon Benjamin c'est ça qui, pour lui, a dû être le plus dur; c'était la preuve éclatante, sans réplique cette fois, de ce que pense vraiment « le peuple » de son « avant-garde militante ».

Tristesse, oui. Amertume. Son aventure d'il y a dix jours a été la goutte d'eau qui a fait déborder le vase. Et il passe son temps, depuis, dans un état prostré, à ruminer ce qu'il ne peut plus considérer que comme l'échec absolu de son projet.

Je le vois un peu moins, remarque. Car il ne rentre plus tout à fait tous les soirs. Et il lui arrive de plus en plus de rester passer la nuit sur place, dans un bidonville où logent des « immigrés » de son atelier. Mais les soirs où il est là, c'est comme je te dis : il est devenu incapable d'un mot aimable; d'un sourire; d'un geste tendre; plus la moindre envie, à plus forte raison, de faire l'amour; il s'enferme à double tour, sitôt rentré, dans l'ancien bureau de son père et il peut rester là des heures, seul, sans livres, sans même un bout de papier, à retourner dans sa tête je ne sais quels sombres desseins.

J'ajoute qu'à l'usine même ça n'a pas l'air non plus d'aller très fort. Car il est repéré maintenant. On sait qui il est. D'où il vient. Ce qu'il pense. Et la direction, en plus des brimades qu'elle leur fait subir à tous, a eu la diabolique idée de le nommer, lui, spécialement, « contrôleur » sur une chaîne de « vérification »; ce qui, en clair, signifie qu'il va devenir à son tour l'un de ces « flics » abhorrés à qui il annonçait, l'autre semaine, le « temps des boulons ».

Alors pourquoi, diras-tu, continuer? Pourquoi, s'il est si amer, ne pas revenir à la maison? Par principe, j'imagine. Par scrupule. Par fidélité à lui-même. A ce qu'il croit être la voie de l'honneur. A moins que, plus platement, ce ne soit par habitude. Par routine déjà, inertie, vitesse acquise. Comme s'il y avait quelque chose dans cette vie, dans ce monde, qui était en train de lui coller à la peau, de lui devenir quasi naturel. Oui c'est cela, Constance, *naturel*. Il est *naturellement* là, à présent. Il n'y est pas pour ceci, pour cela, dans cet espoir-ci ou dans ce dessein-là —, mais il y est... sans plus de raison d'en partir que d'y rester... sans y croire en tout cas... et ayant, pour de bon, perdu ce qui pouvait lui rester de foi et d'illusions...

Le 16 février.

Un drôle de « flash » hier soir. Et tout à fait dans le sens de ce que je te disais dans ma dernière lettre. Il fait nuit en effet. Nous dormons. Enfin, nous faisons semblant de dormir, comme presque chaque soir maintenant — aucun de nous deux n'osant se faire ni faire à l'autre l'aveu de sa nouvelle solitude. Et à un moment donné, se sentant mal, il se lève. Titube un peu. Va à grand-peine jusqu'à la salle de bain. Et arrivé là, sans prendre le temps de s'enfermer tout à fait et me laissant tout voir donc, à travers la porte restée entrebâillée, il plonge tête la première dans le lavabo — son pauvre corps toussant, éructant, hoquetant, puis secoué d'un spasme, à la fin, qui le laisse tout pantelant.

Est-ce une illusion ? Un effet de l'éloignement ? de la lumière trop vive peut-être, du plafonnier au-dessus de sa tête ? Mais j'ai l'impression qu'il a quelque chose de changé, ce corps. Qu'il n'a plus tout à fait la même forme. La même couleur. La même teneur. Je pourrais presque dire, si je n'étais à pareille distance, la même odeur. Je lui trouve un je ne sais quoi d'abrupt dans la silhouette. D'ingrat dans la courbe du dos. De noueux, de musculeux dans le dessin de la cuisse. Avec en même temps, mais ce n'est contradictoire qu'en apparence... quelque chose de flétri dans la chair, de fléchi, d'avachi. Un peu de cette virilité blanchâtre qu'on trouve en général chez les hommes au rire gras, à l'haleine forte, à la sueur facile. Et au niveau du ventre enfin — ce ventre dont j'ai tant aimé la divine et adolescente souplesse — un côté gonflé, ballonné, que je ne lui ai jamais connu et qui manque, pour le coup, me faire monter les larmes aux yeux.

Quand il revient au lit, il comprend que j'ai tout vu. Mais crois-tu que ça le gêne ? Non, justement ! Au contraire ! Car le voilà qui se met, lui si discret d'habitude, si pudique sur ce genre d'histoire, à me parler de ce corps malade. A ne rien m'épargner de son désordre. A me décrire par le menu la machinerie de ses fonctions affolées. Et, plus étrange encore, à me la décrire, cette machinerie, comme une chose « autre » soudain, extérieure, qui ne lui appartiendrait pas tout à fait et qu'il considérerait du dehors, à distance, comme une grosse bête bizarre, abstraite, aux réactions passionnantes mais un peu incompréhensibles... Misère du corps... Mystère du corps... Corps étranger... Corps parasite... Corps malin... Corps fatal... Corps flottant à côté de soi-même comme un fantôme ou une menace... Tout y était, comme tu vois, chère Constance, et pour moi, en tout cas, ce fut comme une illumination : il était en train de parler de son corps comme un Pauvre tout simplement — je veux dire un vrai pauvre, un pur pauvre, un de ces pauvres absolus qui n'ont que ce corps justement, dont c'est toute la richesse et qui en parlent toujours avec ce même inimitable mélange de crudité, de compassion et de révérence effarouchée.

C'est ça, oui. Tu m'as comprise. Il nous arrive encore, parfois, de le faire. Mais rarement. Très rarement. Et puis vite, surtout. Mal. Sans goût. Sans ces mille petits riens qui composaient notre cérémonial et qui faisaient de lui le plus bouleversant des jeunes amants. M'aime-t-il moins, demandes-tu? Se serait-il fatigué de moi? Je vais te paraître présomptueuse. Mais j'incline à penser que c'est lui, plutôt, qu'il aime moins; de sa chair à lui qu'il se fatigue, de sa grâce qu'il se lasse. J'incline à penser, si tu préfères, que ce qu'il est en train de perdre c'est cette confiance ancienne en son corps qui lui faisait le geste si léger, si délicat, en même temps que si insistant. Et j'en ai eu, pour tout te dire, la preuve, en essayant, un soir ou deux, de renouer avec « la caresse de Constance » et en ne trouvant plus sous mes doigts, entre mes lèvres, qu'une chair morne, sans joie ni gloire, honteuse d'elle-même, oublieuse de toute volupté — une chair hâtive aussi, quasi incontinente! Benjamin reste Benjamin, certes. Il n'est pas moins beau qu'il n'a été. Mais il aime moins sa beauté, voilà tout. Et il ne sait plus donc — je dis bien donc — aimer ce qu'il aimait de la mienne.

Tu sais la nouvelle, je suppose. Et à l'heure où cette lettre t'arrivera tu auras eu tous les détails par les journaux. Tout ce que je peux te dire c'est que nous connaissions un peu cet Overney. Ce n'était pas un ami, certes. Mais nous le connaissions. Il faisait partie du paysage. Je me demande même si je n'aurais pas vu sa grosse tête brune

une fois ou deux à la maison. Et il est clair, en d'autres termes, que c'est tombé sur lui par hasard mais que ça aurait aussi bien pu tomber du côté — tu vois ce que je veux dire — de n'importe qui d'autre dans la bande.

Ce n'est pas l'heure, je le sais bien, de faire la maligne. Et il n'y a rien de plus odieux, dans ce genre de circonstances, que le côté « je l'avais bien dit... je voyais ça venir ». Mais à toi au moins je puis bien confier, n'est-ce pas, que cette histoire ne m'étonne qu'à demi; et que cette épouvantable tragédie est dans la logique parfaite de ce climat lourd, malsain, dont je te parle depuis des semaines. Je ne peux pas m'attarder, aujourd'hui, ma petite Constance. Car je t'écris d'un café, aux portes de l'usine, où j'ai tout de suite accouru. Et nous devons aller à Charonne maintenant — où a lieu, en principe, une grande manifestation de deuil et de protestation.

Le 28 février.

Comme peut-on être si seuls, mon Dieu ? Si isolés ? Que la Régie plaide non coupable, je comprends ça. C'est le jeu. Mais ce n'est plus le jeu, en revanche, quand un syndicat déclare, plusieurs heures après le meurtre, qu'il « n'est pas en mesure de se prononcer faute d'éléments suffisants d'appréciation ». Quand un autre renchérit qu'il veut bien, lui, dire un mot mais que ce sera contre « les commandos gauchistes qui s'en sont pris au gardiennage ». Quand c'est la classe politique tout entière qui se tait, se terre, baisse pudiquement les yeux — à moins qu'en termes à peine voilés elle n'accuse elle aussi Pierre Overney de s'être allé jeter exprès dans la gueule du revolver. Ou quand il ne se trouve quasiment personne enfin, dans l'enceinte même de la Régie, pour protester, se révolter, décréter ne serait-ce qu'une petite heure de grève.

Je n'avais jamais vu Benjamin pleurer. Eh bien, c'est fait, à présent. Et c'est fait depuis vendredi, en fin d'après-midi, quelques heures à peine après le drame quand, debout côte à côte, avec Philippe Vignal et quelques autres, à la porte du café d'où je venais de t'écrire, nous avons vu arriver un gros car de touristes — un de ces monstres trapus, pansus, mafflus, genre « Pullman » tout confort, hyperclimatisé, carrosserie pimpante et couverte d'écussons de tous les pays, qu'on s'attendrait plutôt à voir sur la route de la Costa Brava aux alentours du 15 août, et dans lequel a commencé d'embarquer, dans un joyeux tumulte de colonie de vacances, toute une troupe de travailleurs endimanchés. On était vendredi soir, je te le rappelle. Le cadavre de Pierrot n'était pas encore refroidi. Et tout ce joli monde partait, comme si de rien n'était, pour un week-end de ski organisé par le comité d'entreprise au col de la Faucille.

Le 5 mars.

Non, Constance. J'y étais, moi, à cet enterrement (j'ai même « séché » un conseil de classe pour ça !). Et je puis te certifier que, malgré les cent, deux cent, certains disent même trois cent mille personnes qui étaient là, c'était tout le contraire, hélas, de la « grande manifestation de puissance et d'espérance » que tu sembles imaginer. Tu avais le cercueil en tête, avec son grand drap rouge bordé de franges dorées. Les mines douloureuses d'Alain G. et de ses amis portant le fardeau sur leurs épaules. Les larmes de la veuve ensuite, et le frère, et la centaine de maos, chargés de hautes gerbes. Tu avais les « personnalités » qu'on reconnaissait ici ou là — étrangement dignes pour une fois, moins m'as-tu-vu que d'habitude, ne recherchant même pas vraiment l'objectif des photographes. Tu avais des immigrés au port farouche qui dissimulaient leurs traits sous une écharpe ou une cagoule. Et puis derrière encore, étalée sur des kilomètres entre la place Clichy et le boulevard de Ménilmontant, c'était la longue foule rouge (affiches rouges, banderoles rouges, œillets rouges aux boutonnières, drapeaux rouges claquant au vent sur leurs hampes crêpées de noir...) qui fredonnait *L'Internationale,* sifflait *Le Chant des partisans* ou marchait en silence — un silence grave, très beau, mais si désolé !

C'était un enterrement, diras-tu. Et un enterrement, par définition, ce n'est jamais bien gai. Soit. Mais là c'était lourd. C'était épais. C'était accablé. Il y avait quelque chose de plombé dans les visages. De résigné dans les silhouettes. Un vent de défaite semblait gonfler les banderoles. Ça sonnait faux surtout. Quand un slogan fusait, on avait l'impression qu'il tombait à plat; qu'il sonnait creux; que personne ne croyait vraiment ni que le fascisme était « en marche » ni qu'on était en train de l'« arrêter ». Le Père-Lachaise lui-même, tel qu'il m'apparut au bout du parcours, dans les derniers rayons de soleil jouant sur la crête du mur tout hérissé de drapeaux, ressemblait à un décor de théâtre, à un cimetière en carton-pâte. Et je ne sais pas pourquoi mais quand Alain G., juché en haut du mur comme sur une tribune improvisée, s'est mis à saluer les délégations venant déposer leur hommage auprès de la sépulture, lorsqu'il a commencé de haranguer, d'une voix pourtant vibrante, la multitude restée dehors, lorsqu'il a fait le serment de « ne reculer devant aucun sacrifice jusqu'à la victoire finale », je n'ai pas pu m'empêcher de penser qu'il jouait un rôle lui aussi et que ce n'était peut-être pas son meilleur...

Benjamin, sur le chemin du retour, a eu le mot de la fin. Nous marchions sans rien dire, perdus l'un comme l'autre dans nos pensées, en direction du métro. Et il a lâché soudain, de ce ton ironiquement cérémonieux que tu connais et qu'il prend en général pour dire les choses auxquelles il tient vraiment : « vois-tu, chère Marie, c'est le gauchisme tout entier, et donc notre jeunesse que, sans le savoir, nous venons probablement d'enterrer ».

Le 6 mars.

Tout ça tourne mal. Beaucoup plus mal que ne l'aurait laissé penser sa lucidité du jour de l'enterrement. Et j'ose à peine te répéter le genre d'imbécillités que, dans son désarroi, il me débite maintenant. La France, à l'entendre, serait devenue un pays fasciste. Nazi même. Occupé par sa bourgeoisie comme autrefois par les Allemands. Elle aurait déjà ses collabos en la personne des communistes. Ses premiers martyrs tombés au feu, comme Pierre Overney. Ses « partisans » aussi, « maos » comme de bien entendu, engagés dans ce qu'il ne craint pas d'appeler une « nouvelle résistance populaire ». Et s'ils sont si seuls, ces « partisans », si minoritaires au sein des masses, si impopulaires même jusqu'au sein de la Régie, c'est qu'il en va de cette nouvelle armée des ombres comme de l'ancienne, celle de 40, qui dut résister d'abord, exactement de la même façon, aux molles somnolences de la France pétainiste éternelle.

J'essaie bien de lui objecter que c'est absurde. Qu'il déraille. Que ce type d'analogie est même dangereux, qu'il ne faut pas banaliser, etc.

375

Inutile... Impossible... Il a réponse à tout... Et il m'explique, sérieux comme un pape, que « bien sûr, ce n'est pas si clair... ce genre de truc s'avance masqué... à tâtons... on n'a jamais vu un fascisme arriver et dire " coucou c'est moi, je suis le fascisme... " mais ce n'en est pas moins lui pourtant... lui en train d'avancer justement... de se composer peu à peu son visage... de se frayer discrètement, l'air de rien, les chemins de son triomphe... et c'est là, à ce stade, quand il n'est pas tout à fait lui-même et qu'on n'est pas toujours vraiment certain de l'identifier qu'il est possible, qu'il est nécessaire, qu'il est temps encore — plus pour longtemps mais il est temps — d'essayer de le contrer... ».

Soit, par exemple, continue-t-il, le cas de la Régie Renault elle-même : « ça crève les yeux que c'est le bagne... la chiourme... un Cayenne rusé... un Auschwitz ouvrier en formation... mais c'est évident aussi que, face à ça, il est encore possible de résister... d'ouvrir des brèches... des maquis... des zones libres déjà... l'atelier 38 notamment... la chaîne dite d'Amédée... On les appelle, ces zones libres, des « bases d'appui »... oui, c'est ça, d'appui... car c'est sur elles qu'on s'appuiera le jour du soulèvement final... et parce qu'elles fonctionnent déjà, à l'heure qu'il est, comme l'arrière politico-militaire où s'appuie la guérilla dans les autres secteurs... »

Et de m'exposer alors, dans un jargon militaire de plus en plus caricatural, l'organisation de cette guérilla... sa logistique... sa stratégie... la différence entre un « commando », un « détachement », une « milice »... entre une milice dite « de zone » et une milice dite « inter-zones »... entre une « action défensive à l'extérieur des lignes ennemies » et une « incursion de partisans intérieure aux mêmes lignes »... le rôle des « instructeurs politiques » dans tout ça... celui des « vétérans ouvriers »... comment les zones qui s'étendent autour des « bases d'appui » s'appellent des « régions de partisans »... et pourquoi, au stade actuel, le problème est moins de gagner celles-ci que de tenir celles-là... de les « renforcer »... de les « fortifier »... de « harceler » sans rémission les forces ennemies qui s'y aventurent... d'en faire autrement dit des « zones d'insécurité militaire » que l'adversaire serait contraint, à terme, d'« évacuer »...

Oui, Constance, c'est comme ça qu'il parle à présent. Ce sont ses mots. Ce sont ses thèmes. Et le pire c'est qu'il ne se contente pas de me le dire mais qu'il l'écrit. Qu'il en fait des textes, des tracts. Un manifeste même, dont j'ai retrouvé le brouillon, ce matin, dans la corbeille à papiers du bureau de son père. Je ne voudrais pas, à ce propos, faire ce que Bill appellerait de l'« interprétation sauvage ». Mais je ne peux pas ne pas songer qu'il y traîne un peu trop, dans ce bureau. Et que ce pourrait être une explication plausible de cette espèce de délire grotesque, débilissime et, finalement, assez lugubre.

Le 6 mars.

Un mot de post-scriptum à ma lettre déjà postée. Il allait sans dire, dans mon esprit, que ce délire militaire devait s'entendre symboliquement; et que ce n'est pas demain la veille qu'on verra Benjamin et les siens brandir de vrais revolvers pour vraiment éliminer les « cadres fascistes » de la Régie. Encore que... Oui, encore qu'il y ait des jours où je finis par me demander si c'est aussi évident que je le dis. Ainsi, tout à l'heure. On dînait avec Vignal dans un bistrot de Billancourt. Vignal, en bon marxiste qu'il reste, discutait la ligne « anti-petits chefs ». Benjamin la défendait au contraire — remontant pour la trente-six millième fois ce que l'esprit révolutionnaire gagnait à donner à l'adversaire un corps, un visage, un nom concrets. Et à un moment, je ne sais pas comment c'est venu, mais il en a cité un, de nom concret... Quelque chose comme Aigrette, Levrette, je ne sais plus bien... Un super-chef, en tout cas... Une sorte de directeur du personnel... Ultra-mouillé, d'après ce que j'ai compris, dans la vague de licenciements qui a suivi la mort d'Overney... Et emporté par son élan Benjamin a lancé — je le cite exactement — : « les chefs comme ça, c'est pas une image, il va falloir les exterminer.

— Exterminer ? ai-je repris, suffoquée.

— Oui, bien sûr. Car tu ne crois tout de même pas qu'on va travailler encore longtemps sans riposter — et sans riposter sur le même ton ! — avec un revolver dans le dos ? »

Philippe, un peu gêné, a essayé de plaisanter. Mais Benjamin, je l'ai bien vu, ne plaisantait, lui, pas tout à fait.

Le 8 mars.

J'ai peur, chère Constance. Je ne sais pas au juste de quoi, mais j'ai peur. Et il y a mille petits riens qui s'accumulent depuis deux jours et qui ne font, chaque fois, qu'ajouter à mon malaise.

Ce peut être un bruit, un regard, un sourire inhabituels. Ce sont des allées et venues suspectes. Une fébrilité inaccoutumée. Des conversations téléphoniques bizarres dont je ne saisis que des bribes — « timing »... « police »... « trajet »... « séquestrer »... oui, j'ai entendu « séquestrer »... et il a su que j'avais entendu... et il a coupé aussitôt la conversation, furieux... C'est cette drôle de casquette beige qu'il s'est achetée ce matin. C'est ce vieil imper crème qu'un camarade de l'usine lui a apporté. C'est cette estafette, garée devant la maison, et qu'il a louée — je l'ai découvert par hasard — au nom d'Henri Martin. C'est ce caisson de planches, surtout, semblable à un cercueil, dont il n'a pas été fichu de me dire ce qu'il faisait là, dans l'entrée — et qu'il a évacué ce matin, aux aurores (dans l'estafette ?).

Tu me diras que c'est mon imagination qui travaille. Mes divagations romanesques habituelles. Peut-être. Mais peut-être pas. Je n'exclus pas, ce matin, que quelque chose d'important, de grave, se prépare.

Le 8 mars.

Voilà. Tu as tout compris. Je ne rêvais pas tout à fait, comme tu vois. Et la chose se passait — ironie du sort ! — à l'heure où je t'écrivais pour te dire mon appréhension. Déchire ma lettre by the way. Ainsi que la précédente. Et ces quelques lignes aussi, tant que tu y es. Tout peut arriver en effet. Et il ne faut rien laisser traîner qui puisse, de près ou de loin, le compromettre.

Le 9 mars.

Perquisition à la maison, ce matin. Ils font ça systématiquement, paraît-il, chez tous les militants maos répertoriés. Benjamin, très à son aise, les reçoit lui-même. Répond à leurs questions. Ne cille pas quand il leur dit qu'il était chez lui, malade, le fameux matin du 8. Il prend juste l'air excédé qu'il faut quand les flics commencent à monter, descendre, cavaler dans les greniers, farfouiller au fond des caves, ouvrir à la volée tiroirs, commodes, placards, penderies comme si on allait retrouver là, coincé entre deux manteaux, le corps ficelé de ce Nogrette. Et rien, je dis *rien* ne passe sur son visage quand l'un des inspecteurs lui met sous le nez la casquette beige qu'un des ravisseurs a perdue sur les lieux du rapt. Quelle audace, n'est-ce pas ! Quel sang-froid ! Ça va te paraître drôle : mais je l'ai désiré, à cet instant-là, avec une violence dont j'avais, depuis longtemps, perdu le goût.

Le 11 mars.

Soulagement, certes, que la voix de la sagesse l'ait emporté et qu'on l'ait libéré sain et sauf. Impossible, cependant, de ne pas songer à tout ce que cet idiot a vu, entendu, appris peut-être pendant les deux jours de sa séquestration — et qu'il doit déjà être en train, à l'heure qu'il est, de raconter aux enquêteurs.

Le 14 mars.

Le filet se resserre, selon Alain Paradis, apparemment bien informé et qui recommande carrément, si tu vois ce que je veux dire, quelques mois de « vacances » hors de France.

Le 19 mars.

B. enfin inquiet lui aussi. Cesse en tout cas de faire le matamore. Et n'a plus reparu ni à la Régie ni à la maison depuis trois jours.

380

Le 22 mars.

Décision prise, chère Constance : il part — et moi j'arrive.

4

Ces « quelques mois de vacances » durèrent en fait près de deux ans pendant lesquels se perd à nouveau la trace de Benjamin. Il écrit certes à Marie qui est retournée en Alsace. Et il est possible, à travers le paquet de lettres qu'elle a conservées comme des reliques, de reconstituer, étape par étape, l'essentiel d'un itinéraire qui passe par New York, le Mexique, un certain nombre d'autres pays d'Amérique centrale ou latine, et aboutit en Inde où s'écoule, sauf erreur, la quasi-totalité de sa seconde année d'absence.

Ces « lettres », cela dit, sont à peine des lettres. Ce sont des cartes plutôt. Des billets. Des messages courts qui ne portent souvent qu'un mot, une date, un nom de ville, une adresse de poste restante (et encore ! à partir de l'Inde seulement...), un bref « bonjour, bises, tout va bien » qu'on devine griffonné dans un satellite d'aéroport. En sorte qu'hormis ces informations pour le moins « minimales », elles ne m'ont pas appris grand-chose ; et qu'elles ne m'ont rien dit, en fait, ni des activités ni, à plus forte raison, de l'état d'esprit de leur auteur.

Marie et Constance, elles, en revanche, s'en sont, semble-t-il, mieux satisfaites. Et je n'étonnerai pas le lecteur en lui disant tout le profit que des imaginations romanesques aussi débridées que les leurs pouvaient tirer de ces chiffons de papier énigmatiques qui leur arrivaient du bout du monde. Pour elles, en effet, c'était clair : Benjamin était un héros. Un aventurier sublime. Il était Nizan à Aden, Malraux en Asie, Byron à Missolonghi. C'était un Barnabooth moderne qui aurait eu l'âme d'Artaud, les semelles de vent de Rimbaud, la passion du colonel Lawrence. Il avait sur eux tous, en prime, le privilège d'être un proscrit, un fugitif, poursuivi, se disaient-elles, par toutes les polices de la planète — à moins que ce ne fût, de façon plus romanesque encore, par tous ses songes, ses fantômes, ses propres ombres déchaînées, lâchées à ses trousses. Et c'est sous ce visage qu'à tort ou à raison par conséquent, elles ont fini par se le figurer le jour de mars 1974 où, son odyssée enfin bouclée, il se décide à réapparaître.

Paris, le 26 mai 1974.

Alléluia, Constance, il est là ! Il *était* là, plutôt, debout sur le seuil de sa maison comme un ange de chair aux portes d'une église. Et les seuls mots qui me viennent lorsque je pense à ces instants bénis où j'ai, le cœur battant, poussé la vieille grille, pénétré dans le jardin, écarté les herbes folles qui ont envahi le petit chemin et où je l'ai vu si grand, si follement impressionnant avec son teint hâlé, ses longs cheveux en désordre blondoyant dans la lumière et cette chemise aux parfums, aux couleurs, aux broderies d'Orient qui lui donnait un air de mystère un peu sauvage, sont ceux de « grâce », d'« extase », de

« miracle ». Clara, retrouvant Malraux, n'a pas dû éprouver un tel sentiment de plénitude. Ni Pénélope Ulysse. Ni même Isabelle Rimbaud quand son frère, vieilli, malade, lui revient de son lointain Harrar. C'est drôle d'ailleurs, tu ne trouves pas, qu'on parle toujours du départ de Rimbaud, jamais de son retour qui est tellement plus poétique ? Mais passons, veux-tu. Ne nous égarons pas. Il est là, je te dis. Près de moi. Contre moi. Et la poésie, si j'ose dire, suivra.

Le 30 mai.

Mais non, que tu es sotte ! Il n'est ni malade ni vieilli, lui. Mais en forme au contraire. Rayonnant. Incroyablement embelli par ces deux ans d'éloignement. Il a les cheveux très longs, je te l'ai dit. Une fine moustache de prince hindou du temps passé. Quelque chose de plus carré, de mieux construit dans le menton. Son front est plus haut. Ses pommettes plus saillantes. Le visage a perdu cette pâleur un peu rosée qui lui restait de l'enfance. Le corps surtout a changé — endurci, aguerri par on ne sait quelles épreuves qui ne le rendent que plus... plus... ah ! il sait bien plus quoi, le roué, et tu devrais voir avec quel aplomb il me dit qu'il a perdu l'habitude « là-bas » de se trop vêtir et qu'il ne peut plus aller que nu, maintenant, dans une maison !

Le soir, lorsque j'insiste, il consent à se couvrir. Mais c'est pour endosser une de ces longues chasubles qu'il a rapportées de Bombay et qui sont tout ce que je sais, pour l'heure, de son voyage. Est-ce à cause de cela, alors ? de ce qu'elles signifient, ces chasubles ? ou est-ce à cause de ce qu'elles suggèrent de sa taille, de sa cambrure, de ses longues cuisses en dessous ? Toujours est-il que c'est pire, ces soirs-là; plus troublant; plus bouleversant; et que je n'ai d'autre ressource, si je veux apaiser la vague qui me transporte, que de m'agenouiller, de soulever doucement la robe et, telle une dévote auprès d'un autel retrouvé, de lui offrir ce que j'appelais jadis — et que je n'ai pas eu l'occasion depuis, comme tu sais, de baptiser autrement — la « petite caresse de Constance ».

Le 3 juin.

En effet, chérie, j'ai bien dit que ces longues robes étaient tout ce que je sais, pour l'heure, de son voyage. Ça t'étonne ? Moi, pas vraiment. Car il est beaucoup trop élégant pour agir différemment. Trop pudique. Il ne va quand même pas avoir l'air du touriste repu qui commence, à peine arrivé, à te déballer sa camelote. Bien sûr, il la déballera. Il me fera le récit complet. Mais tranquillement. Sans se presser. Quand il se sera réhabitué à moi, à la maison, à Paris. Et je trouve ça très bien, car j'adore ces états flottants, intermédiaires, où on sait sans savoir, où on frôle sans toucher, où on caresse l'homme qu'on aime sans le posséder encore, où on continue de le rêver lors même qu'il est revenu — et où on sait en même temps que tout ça n'est qu'un jeu. Une éphémère ruse du cœur. Car il est là maintenant; il ne s'évadera plus; et c'est en toute quiétude, sans peur du lendemain, que l'on peut goûter cette attente exquise, ce doux secret différé.

C'est ainsi que raisonnent les petites filles, n'est-ce pas, quand elles réservent, comme elles disent, « le plus agréable pour la fin » ? Et c'est vrai que je ne me suis jamais sentie, depuis longtemps, autant « petite fille » qu'en ces nuits d'aujourd'hui où je reste à l'observer, à écouter son sommeil, à scruter son visage si plein de promesses encore muettes — et à attendre l'aube, puis le

matin, où nous devons aller ensemble (oh!
« ensemble » : sais-tu l'effet que ça me fait quand
il me dit « ensemble » ?) chez les coiffeur, tailleur,
chemisier divers et variés qui doivent en quelques
jours le remettre dans le ton de Paris.

Le 6 juin.

Ah! que oui, petite sœur! Et encore es-tu, à mon
avis, très en dessous de la vérité! Savais-tu par
exemple que le dernier livre dont on parle est
une sorte d'apologie pseudo-philosophique du
« Désir » où il est écrit noir sur blanc que, désir
pour désir, celui de Tramoni, l'assassin, vaut celui
d'Overney, l'assassiné. Que toute la mode est à
l'avenant depuis le kitsch, le rétro, les croix gam-
mées sur les blousons ou les casques de moto
jusqu'aux minettes en robes à fleurs style « les
belles années de la collaboration et des cartes
d'alimentation » ? Et savais-tu surtout cet air
étrange, scandé comme un refrain par les musca-
dins nouveaux qui semblent, en à peine deux ans,
avoir pris le contrôle du pavé : « plus de tabous,
plus d'interdits, plus de morale, plus de militants — et guerre aux curés laïcs qui prétendent
distinguer le bien du mal, les exploiteurs des
exploités et nous proposer, par-dessus le marché,
le communisme et la révolution » ?

Benjamin, lui, je peux te le jurer, tombe des
nues. Et il faudrait que tu puisses voir sa tête
quand, tel un soldat de l'An II qui reviendrait
sans transition dans le Paris de la Restauration, il
arpente à larges enjambées ce Quartier latin
transfiguré où il ne reconnaît plus rien de son
« gauchisme »; et où il pourrait rôder des nuits
entières sans rien croiser d'autre (au choix) que
des étudiants sages, boutonneux, qui ne rêvent
qu'à leurs examens — ou des néo-décadents à

paillettes et à la chevelure décolorée pour qui le but de la vie est de « prendre son pied », fumer de la « bonne herbe » et ne rien refuser à Sa Majesté, la reine « Libido » !

Il ne dit rien dans ces cas-là. Il ne bronche pas. Mais je vois ce qu'il voit. Et je vois comme le voient, surtout, ces passants qu'il croise et dont l'œil, impitoyable, a toujours l'air de demander : « quel est ce type étrange, avec ses grandes bottes, son blue-jean, ses longs cheveux flottant au vent et cette dégaine si rare, maintenant, de soixante-huitard impénitent ? »

Le 8 juin.

Les copains ont changé aussi, bien sûr ! Et c'est même l'aspect des choses qui lui est — nous est — le plus difficile à supporter !

Beth par exemple que nous aimions tout de même beaucoup est devenue une espèce de féministe dure, presque méchante, prêchant la haine des mâles, la guerre des sexes et l'universel triomphe des valeurs matriarcales.

Bill, son ex-mari, est de plus en plus avec son gros roman absurde qu'il n'a toujours pas terminé.

Vignal a résisté, lui, à la « vague décadente » mais en tombant dans l'excès inverse puisqu'il a fini, comme il dit, par « demander l'asile politique au parti socialiste ».

Tu as cet ex-« camarade » du comité de lutte qui est entré, paraît-il, dans les ordres.

Cet autre, qui est parti « au désert » — entends : à Katmandou — pour un de ces voyages sans bagage dont on ne revient qu'une fois sur deux.

Un troisième, que nous avions quitté passionné de politique, de marxisme, etc. et qui a tout laissé tomber pour se mettre à étudier l'arabe et le syriaque.

Vendel, ce chef mao que tu as dû rencontrer une fois ou deux à la maison et qui végète depuis un an dans un semi-coma, au fond d'un lit d'hôpital, depuis qu'un soir, sur le trottoir, un camarade lui a raconté l'histoire de je ne sais quel bolchevik historique, impuissant sexuel notoire, qui avait préféré se tuer plutôt qu'endurer plus longtemps son calvaire.

Bref, des fêlés, des suicidés, des naufragés, toute une génération brisée, flambée par les deux bouts; et j'oubliais Biquet enfin, oui le cher Biquet, le fidèle Biquet, celui avec qui je l'ai connu, grâce à qui je l'ai revu, le seul sans doute de tous ses amis dont j'aurais parié ma culotte qu'il traverserait ces années sans perdre une ride et celui dont la métamorphose, pourtant, aura été la plus effrayante...

Mais je ne l'oublie pas, d'ailleurs. Je le réserve. Car une métamorphose comme celle-là, mieux vaut ne pas la « louper ». Il y a une soirée chez lui, après-demain, où nous devons en principe aller et qui sera l'occasion de te le camper en situation.

Le 12 juin.

Non, tu n'as pas la berlue! Il y a effectivement un « chez Biquet »! Et quel « chez Biquet », si tu savais!

Dehors, tout est normal. Banal, même. C'est un de ces pavillons de banlieue tout simples, bordés d'un muret de ciment sale et d'un maigre rang de fleurettes où on s'attendrait plutôt à trouver un couple de retraités ou d'employés des chemins de fer. Mais dès que tu t'approches un peu — dès la rue, en fait — tu as la musique déjà, tonitruante.

388

Une odeur âcre, un peu rance, que tu ne risques pas de prendre pour le parfum des géraniums. De drôles de types au regard vide qui vont, viennent, se croisent, sans faire attention les uns aux autres. Tu pousses une porte, et tu tombes sur une pièce sombre où un groupe de jeunes gens, assis par terre et en silence, se passent de main en main une cigarette de « H ». Tu en pousses une autre, un peu plus loin, et c'est une chambre plus sombre encore, tendue de tissu noir, où un second groupe de jeunes gens, allongés à même le sol avec, en guise de coussin sous la tête, des boîtes de conserve enveloppées dans des torchons, tirent sur de longues pipes que recharge l'un des leurs, assis, lui, en tailleur, près d'un petit réchaud, où il cuit et recuit une boule de pâte brune. Plus loin encore, il y a une troisième porte, que tu refermes sitôt ouverte : tu y as vu, jetée en travers d'un lit comme un grand ballot de linge, une fille soûle et nue autour de qui s'affairent un quarteron de types surexcités, tandis qu'un autre (son compagnon ?) habillé, lui, de pied en cap, semble attendre au fond de la pièce que s'achève la cérémonie. Et si enfin, toujours au petit bonheur, tu t'enfonces un peu encore, si tu traverses sans vomir la petite cuisine sale, jonchée de détritus, si ta marche n'est entravée ni par la résistance des corps qui titubent ni par l'insistance, au contraire, de ceux qui te parlent, te touchent, te palpent, tu as une chance d'arriver dans une pièce claire enfin, vaste, et presque propre, où tu serais presque tentée de t'écrier : « hourrah, c'est là que ça se passe » — si ne t'y attendait un spectacle plus extraordinaire encore que tout ce que tu as vu jusqu'à présent : un essaim d'hommes fardés, frisottés comme des caniches, qui n'ont d'yeux, c'est évident, que pour celui d'entre eux qui les rassemble et dont le moindre mot suffit à les faire se tortiller d'aise et de complaisance.

Qui est cet homme, te demandes-tu, en t'approchant? Qui est ce gourou — il n'y a pas de meilleur mot — chamarré d'ors et de freluches qui trône au milieu d'eux comme un bouddha parmi ses adorateurs? Ses yeux te rappellent quelque chose... Et ses grosses mains mal épilées... Et ses joues d'ex-bon garçon que le fard ne réussit pas à creuser... Et ses cheveux d'un blond douteux, rabattus sur le haut du front comme une visière... Sa voix aussi... Son timbre... L'histoire même qu'il raconte et qui les tient tous en haleine (Proust au bordel, désignant à travers une vitre le garçon de ses désirs et se contentant une fois monté, son drap soigneusement tiré jusqu'au menton, de le regarder, nu devant lui, se caresser...). Inutile, ma belle! Ne cherche pas! Car lui, en revanche, t'a reconnue tout de suite et, interrompant son histoire au point le plus « croustillant », il s'est levé; a renversé sa chaise; et, sous l'œil ébahi d'abord puis, très vite, et à tout hasard, servilement complice de ses fidèles, t'est tombé dans les bras. C'était lui, bien sûr. Maître Biquet soi-même — tel qu'en ce Paris nouveau...

Le 16 juin.

Je crois qu'on a eu, en réalité, deux réactions très différentes.

Moi, ça m'a fait un choc, bien sûr. Mais, certainement pas au point d'être scandalisée, voire de porter un jugement moral! Et je m'amusais simplement, pendant qu'il me parlait, à aller sans cesse en pensée de l'étrange visage qu'il m'offrait à celui dont je me souvenais, comme pour retrouver dans l'un les vestiges qui demeuraient de l'autre — ou dans l'autre, plutôt, les signes que j'aurais pu, que j'aurais dû, que je ne me pardonnais pas, en fait, de n'avoir su ni voulu lire à l'époque et qui, telle une encre sympathique, très discrète, annonçaient forcément le Biquet nouveau d'aujourd'hui.

Benjamin, lui, en revanche, a été beaucoup moins décontracté. Au début, certes, il a souri. Et il a fait celui qui croit à une blague de potache. Mais quand il a vu que ça ne collait pas et que son ancien ami n'avait pas l'air décidé à saisir la perche qu'il lui tendait, il est devenu sérieux, sévère, retrouvant même, d'instinct, sa voix de chef de bande pour lui intimer l'ordre d'aller « se débarbouiller en vitesse ». Et quand il a vu que ça non plus ne fonctionnait pas, que le charme était rompu, que le bon vieux camarade, fidèle entre les fidèles, qui répondait jadis au premier coup de sifflet, était *vraiment* cette folle, reine parmi les siens, leur porte-drapeau peut-être, quand il a compris qu'il lui était devenu impossible donc, l'eût-il même souhaité, de reprendre sa position d'autrefois, il a perdu la tête; il l'a traité de tous les noms; il s'est mis à crier qu'il le savait, que « les pédés étaient tous des traîtres... des lâches... des fascistes ». Tant et si bien que l'autre, piqué (on le serait à moins !), a fini, lui aussi, par s'énerver et par lui déballer des horreurs...

« Je te hais, lui a-t-il crié. Je t'ai toujours haï. Je ne pouvais que haïr, il faut que tu le saches, ton machisme imbécile. Ton culte des valeurs pseudo-viriles. Tes blagues anti-homo qui me faisaient si mal et qui faisaient, toi, ton régal ! Ta façon dégueulasse, minable de traiter les flics de pédés, les CRS d'enc... Je t'ai haï de m'avoir obligé, pour te plaire, pour faire mon devoir de " révolutionnaire sincère ", à répéter après toi, comme un perroquet, l'éloge du prolo pur, dur, sentant la sueur et l'effort... Mais c'est fini, tout ça... Bien fini... Car la roue tourne, Benjamin... Et que c'est le tour des curés-flics de ton espèce d'avoir honte et de raser les murs... »

Croyait-il à ce qu'il disait ? Ou le disait-il, comme j'ai, à la réflexion, tendance à le penser, pour le principe ? pour la galerie ? parce qu'il avait un rôle à tenir face à ce parterre d'hommes suspendus à ses paroles ? A la limite, peu importe. Car les choses ont été dites. L'« épreuve » a eu lieu. Et Benjamin, à ce stade, n'avait plus qu'une chose à faire : se taire et partir.

Le 17 juin.

Par quel bout commencer, mon Dieu ! C'est si terrible ! Si horrible ! Si difficile à dire, là, sur une feuille de papier ! Il est, si j'ai bien compris, trois heures de l'après-midi. Beth est chez elle, toute nue, en train de mettre la dernière main à un article pour son journal. Et voilà que tout à coup, alors qu'elle n'attend personne, on frappe à la porte. Elle hésite à répondre : on frappe encore. Elle décide de faire la sourde oreille jusqu'au bout : l'autre s'impatiente, hurle qu'il sait qu'elle est là, qu'il va forcer la porte. Elle reconnaît la voix, alors; ouvre; et découvre un Bill hirsute, hallucé, ivre peut-être, qui entre comme une bombe en criant qu'il est venu pour une dernière explication. On s'explique donc. On se dispute. On se lance à la tête des phrases fatales. Lui les lance, plutôt. Car elle, semble-t-il, se tait. Attend que ça se passe. Elle est assise sur son lit, j'imagine, les genoux ramassés sous le menton, et le tee-shirt qu'elle a enfilé à la hâte tiré jusqu'aux chevilles. Elle a, sur le visage, cet air d'indifférence massive qui, lorsqu'ils étaient ensemble, le faisait déjà sortir de ses gonds. Et, de fait, il en sort. Il crie de plus en plus fort. Il l'accuse pêle-mêle de l'avoir quitté, trahi, de lui avoir volé sa jeunesse, son talent. Et quand il voit qu'il a beau hausser le ton elle reste désespérément impassible, il sort de sa poche un revolver qu'il lui braque sous le nez en hurlant : « je vais tirer... attention à toi, je vais tirer... c'est ça que tu cherches, n'est-ce pas ?... hein, dis-le que c'est ça... dis-le... mais dis-le donc... non ? t'as une autre idée ? Mais explique-toi, alors... Parle... Reste pas comme ça, à me regarder avec ces yeux de veau... quoi ? qu'est-ce que tu dis... ? Ah ! mais, tais-toi, à la fin... Tais-toi, ou je te tue... Ou je te tue... Ou je te... » Sur quoi la balle part, en effet ! Oui, Constance, la balle part — qui l'interrompt et... le tue ! Quand Benjamin arrivera, une demi-heure après, ce qui le frappera le plus ce ne sera ni le cadavre, ni le sang, ni la tête cassée en deux, ni même les traits du visage atrocement défigurés — mais, sur ce qui en restait, du visage... un imperceptible étonnement où il ne pourra s'empêcher de lire l'aveu d'un ultime et épouvantable malentendu.

Le 19 juin.

Malentendu, or not malentendu ? Nous ne parlons que de ça depuis lundi. Et Beth surtout, terriblement choquée par toute l'histoire, ne cesse de se repasser le film de l'événement... Le mystère, cela dit, est éclipsé — ou renforcé, à ta guise — depuis un jour ou deux, par un autre, plus troublant peut-être encore. A savoir qu'on a eu beau chercher, fouiller, interroger les filles, les amis, l'éditeur qui, de temps en temps, lui confiait une traduction, solliciter jusqu'à sa mère, une petite vieille toute noire, toute ridée, qu'on a vue débarquer à l'improviste (Bill s'était toujours bien gardé de nous parler d'elle) le matin de l'enterrement — nos recherches sont, à l'heure où je t'écris, restées sans résultat; et que de ce fameux livre donc, de ce roman immense, de ce grand œuvre dont nous avions tous, pas à pas, depuis tant d'années, suivi l'évolution, nous n'avons retrouvé ni le manuscrit, ni les brouillons, ni même le plan, l'esquisse, les états intermédiaires et abandonnés, bref, rien, pas une trace, pas un indice révélateur de la réalité de l'objet, de sa matérialité physique, de ce qu'il ait été autre chose qu'un rêve, un songe, un produit de son imagination — ou de la nôtre.

Comment est-ce possible? Je ne sais pas. Personne ne sait. Et je te livre le fait tel quel. En ajoutant peut-être — car c'est important — que le seul texte de lui qu'on ait réussi à récupérer est une très longue lettre adressée à Benjamin (et qu'il semblait avoir écrite, sans oser l'expédier, depuis de nombreux mois déjà) où il l'entretenait de la vie; de la mort; de l'époque; de la chance, au fond, de ceux qui s'en sont allés tôt, avant que ne se glace l'espérance et que ne se dissipent tout à fait sur leur visage les derniers embruns de Mai; et dont l'essentiel, ensuite, concernait le livre justement, les difficultés qu'il avait à l'écrire, les affres par lesquelles il passait, ses vertiges, ses cauchemars, ses fièvres parfois, ses moments de désespoir, les « abîmes de pureté », les « gouffres de perfection » qu'il sentait s'ouvrir sous sa plume et où il avait l'impression de sombrer — et l'idée, disait-il, qu'on pouvait, qu'*il pourrait* mourir de ces visions et de l'« infernale tyrannie où elles le tenaient depuis tant d'années ».

La découverte de cette lettre n'a, faut-il le préciser? rien arrangé à l'état de Benjamin. Et je ne sais pas si c'est à cause de ce qu'elle dit, du fait qu'elle lui soit adressée, du fait aussi qu'elle n'ait jamais été expédiée ou à cause, peut-être, de cette histoire de manuscrit introuvable qui semble éveiller en lui de troubles et pénibles échos —

mais j'ai même tendance à penser qu'il va de mal en pis et que ce suicide l'affecte plus douloureusement encore qu'il n'y paraissait le premier jour.

Le 20 juin.

Enterrement de Bill, hier. Pas le cœur de te le décrire. C'était très triste.

Le 21 juin.

C'est drôle, mais il y a des moments où je me demande s'il n'en veut pas, à la limite, à ce pauvre Bill de s'être tué — comme il en a voulu à Biquet d'être devenu homosexuel. A Vignal de s'être rallié à l'Union de la gauche. A tous les ex-copains d'avoir pour ainsi dire profité de ce qu'il avait le dos tourné pour se renier. Il lui en veut, si tu préfères, comme si, en se tuant, il avait lâché prise lui aussi; déserté; abandonné; et comme si tout ça — le suicide autant que les parjures et abjurations diverses — n'était qu'un mauvais coup à répétition qu'on lui faisait à lui, Benjamin, et qui participait du même obscur complot destiné à le laisser seul, comme un chien ou un soldat perdu, au front des espoirs et des combats communs d'autrefois.

J'extrapole, certes. J'exagère. Mais à peine. Car, en son for intérieur, c'est réellement comme ça qu'il pense. Et c'est comme ça même qu'il parle quand, relisant pour la énième fois la fameuse lettre, il marmonne qu'il « aurait mieux fait d'apprendre à se tenir, ce con, plutôt que de perdre son temps avec ces balivernes de sous-Mallarmé »; ou bien que « c'est trop simple... ah! oui trop simple, vraiment, de se tirer comme ça... tranquillos... à l'anglaise... après moi le déluge, n'est-ce pas ?... et bien le bonjour à ceux qui restent... ». Dans ces moments-là, Constance, c'est peu de dire qu'il lui « en veut » : il le hait; il le maudit; il le vouerait, s'il pouvait, aux plus sombres gémonies; et il a beau éprouver toute la tristesse que tu voudras, ça n'empêche pas ce flot de fiel amer, rancunier, qui l'envahit à l'idée, encore une fois, que son plus cher ami ait pu le planter là, sans crier gare, et en lui laissant sur les bras tout le poids du monde.

Pour être tout à fait franche, ces bouffées de paranoïa — car autant appeler, n'est-ce pas, les choses par leur nom ? — sont ce qui, par-delà bien sûr mon propre chagrin, m'inquiète à l'heure actuelle le plus et me plonge à nouveau dans un de ces états d'angoisse diffuse, sans objet ni visage, que je n'ai que trop connus déjà et dont je croyais, depuis son retour, être débarrassée.

Le 24 juin.

C'est pire, en fait, qu'à l'époque Renault. Car à cette époque, souviens-toi, il y avait de la vie. De l'espoir. Des perspectives. De l'utopie. Un brin de sainteté, dans le paysage. Il y avait quelque chose de frais encore, jusque dans sa morosité. Tandis que là — est-ce l'effet de son deuil ? de son chagrin ? de la rancœur dont je te parle dans ma dernière lettre ? — mais il n'y a même plus ça. Ces simples mots : « frais »... « utopie »... « sainteté » suffisent, dès que je les prononce, à me faire traiter de pimbêche. Et quand on est ensemble et qu'il daigne me laisser entrer dans le secret de sa rumination, ce n'est plus que pour cracher sur les rêves, les valeurs, les idéaux de notre première jeunesse — et pour poser au ricaneur cynique, revenu de tout, à qui l'« épreuve surmontée » aurait au moins appris à vivre « sans espérance »...

Parle-lui de Renault justement : il hausse les épaules, plein de mépris. De son époque mao : il te lance un regard noir, qui veut dire « comment ai-je pu, comment as-tu pu accorder une once de crédit à cet enfantillage navrant? ». De Mai 68 qu'il vécut, contrairement à moi, avec tant de ferveur : peut-être répondra-t-il là — mais ce sera pour estimer que ce n'était qu'une rigolade, une péripétie, à peine une convulsion. Du « peuple », du « prolétariat », de la « classe ouvrière » : il en est « à se demander si ça existe vraiment tout ça... si ce ne sont pas des fantasmes... de pures inventions de nos têtes d'intellos ». Et tu n'auras quelque chance de le voir s'animer un peu que s'il te fait le coup de « la seule vraie valeur » qu'il ait découverte depuis deux ans et qui n'est autre que... la haine! la vraie, la pure, la grande Haine majuscule; la haine sans mot, sans raison ni concession; la haine considérée comme un des beaux-arts; la haine érigée en impératif, en commandement métaphysique; cette somptueuse haine pour la haine qui est une hygiène, dit-il, une éthique, une discipline — et la seule alternative sérieuse au désespoir qui nous gagne tous : « ah! si seulement ce crétin de Bill avait pu haïr comme il convient...! »

Le 27 juin.

Ça dure. Ça prend des proportions de jour en jour plus préoccupantes. Ce soir encore, par exemple, Philippe était à la maison. Il était gentil pour une fois. Aimable. Sentant manifestement dans quel état critique se trouvait son ami. Et il venait faire devant lui « un point stratégique d'ensemble » d'où il ressortait à peu près — je te cite de mémoire à partir des bribes de conversation que j'ai pu glaner en allant et venant — que « le gauchisme était mort... enfoncé... en déroute sur tous les fronts... et qu'il était urgent donc, s'ils voulaient éviter de crever avec, d'opérer un repli tactique immédiat... sans condition... sans une seconde d'hésitation... où? il y a le PC pour ça, expliquait-il... le PS... au point où on en est, n'est-ce pas, c'est la même chose... le même taux de couverture idéologique... la même sécurité militaire globale... des aéroports peut-être moins organisés là... une surveillance douanière sans doute plus relâchée ici... mais il serait là, lui, Philippe, n'importe comment... il lui offrait sa puissance de feu... il lui arrangerait, si nécessaire, les contacts, les sauf-conduits, les alliances, éventuellement même un comité d'accueil ». Bref — et si l'on fait abstraction du langage stratégico-schtroumpf dont ils n'arrivent pas à se départir dès qu'ils discutent ensemble — il lui proposait généreusement de l'aider à se reconvertir, à retrouver une vie normale et à le faire en restant fidèle, néanmoins, à l'essentiel de leurs options.

Eh bien, sais-tu comment Benjamin l'a reçu? Il lui a répondu qu'il serait le dernier à faire ça; que ce serait, à ses yeux, la plus infâme des trahisons; et qu'il préférerait crever que de devoir ressembler un jour à un de ces apparatchik repus qui peuplent les grands partis et qui tirent des traites jusqu'à leur mort sur les rêves reniés de leurs vingt ans. « Je me fiche de la politique, s'est-il emporté. Je me fiche de tes stratégies. Je ne suis, ne serai jamais, ni de cette société-ci ni pour autant de la prochaine. Et la seule chose qui, honnêtement, m'excite encore un peu c'est l'idée que tout ça finisse par sauter un jour et que leur pète à la gueule leur grosse gidouille française merdeuse... Ah! oui, Philippe, que ça pète! Que ça saigne! A nous les nouveaux barbares! Vivement les parfums d'apocalypse ! On n'a jamais vu, tu le sais bien, un monde supporter indéfiniment sans en mourir cet état de paix honteux, où nous nous complaisons. N'est-ce pas ton cher Hegel qui affirme qu'on ne philosophe jamais mieux qu'au son des flingues et du canon ? »

A ce degré d'outrance, la discussion devenait superflue. Et Philippe l'a compris, qui a sagement battu en retraite et feint de s'intéresser à la couleur du temps et de mon corsage. Jai bien vu, cela dit, que la sortie de Benjamin l'avait surpris et qu'elle lui avait laissé, comme à moi, une impression de malaise. « Fais tout de même gaffe, me soufflera-t-il en partant : y'a un truc, là, c'est sûr... quelque chose qui ne tourne pas rond... et, de toi à moi, ma petite Marie, je finis par me demander si elle n'a pas un peu trop bon dos, à ce stade, la mort de Bill... »

J'ai terminé la soirée, mélancolique. En pensant beaucoup à Bill, justement... A notre première rencontre... Au soir, rue Servandoni, où il nous avait, Beth et moi, pour la première fois, raconté son livre... J'ai pensé, aussi, qu'il n'était pas si facile de retrouver un homme après deux ans...

Le 29 juin.

Je commence à croire, moi aussi, qu'il y a un truc. Une autre raison à son état. Quelque chose qu'il ne dit pas et qui n'aurait rien à voir, en effet, avec les difficultés normales d'un garçon parti pour un très long voyage et qui aurait quelques problèmes, au retour, pour se réinsérer. Et plus je vais, plus j'y pense — et plus je me demande si ce « quelque chose » il n'en faudrait pas chercher la source plus loin, plus haut, au cœur même de ce fameux voyage dont je ne lui ai plus parlé depuis deux semaines — et dont je commence à me demander si je ne l'aurais pas un peu trop vite tenu pour quitte.

Te souviens-tu en effet de la tranquille assurance avec laquelle j'attendais, pour qu'il se dévoile, qu'un peu de temps passât et que la vie reprît son cours ? Eh bien, le temps a passé. La vie a repris son cours. Il est plus arrivé de choses, pour moi, pendant ces quelques semaines que pendant les trois années précédentes. Or, il ne m'a toujours rien dit pour autant. Et j'ai eu beau attendre, trouver mille bonnes raisons à son silence, j'ai eu beau m'étonner ensuite, commencer à me poser des questions, j'ai eu beau m'énerver même et dire : « Assez ! la plaisanterie a assez duré ! je veux des faits à présent, des détails, un récit ! je veux ce que voudrait à ma place n'importe quelle jeune femme dont le compagnon aurait disparu pendant deux pleines années et qui serait fondée, donc, à se poser certaines questions » — je n'ai eu droit, à ce jour, qu'à quelques anecdotes sans saveur... des images d'Epinal interchangeables... et parfois, quand je l'accule vraiment, des théories fumeuses sur les « voyages qui, de toute façon, n'ont plus de charme... plus d'intérêt... tout est pareil partout désormais... conforme... uniforme... triomphe mondial du rien... du néant standardisé... Paris-New York-Bombay même combat... même topo... même mégalopolis pompeuse, ennuyeuse, fastidieuse, est-ce que j'aurais demandé à Raymond Roussel des nouvelles de Shanghai ou de Sydney ? »

Tout ça ne veut peut-être rien dire. N'empêche que c'est à peine croyable ; et qu'il est difficile de ne pas penser qu'un garçon qui se conduit ainsi a forcément quelque chose d'important à cacher. En fait, j'en mettrais ma main au feu. Je parie que quelque chose, dans ces années écoulées loin de moi, doit, pour des raisons que j'ignore, rester mystérieux. Et c'est de ce côté, j'en jurerais, qu'il faudrait aller chercher pour trouver le « truc » dont parlait Philippe.

Est-ce de l'autosuggestion? Et suis-je en train, moi aussi, de devenir parano? Mais je ne peux plus le regarder sans le trouver bizarre. Et d'une bizarrerie vraie. Profonde. Remontant loin, elle aussi, même si je ne l'ai pas tout de suite décelée... Ça tient à son allure sans doute. A son maintien. A un je ne sais quoi de plus physique, de plus instinctif dans la silhouette. A ce côté méfiant, aux aguets qu'il prend pour pousser une porte par exemple, entrer dans un lieu public, en éviter d'autres au contraire ou fuir, sans raison, comme hier soir, les queues devant les cinémas. A son regard encore. Voilà, oui, son regard. Cette ombre qu'il a dans la prunelle et dont je mettrais ma tête à couper qu'il l'a rapportée de « là-bas » également. Je sais que c'est « la » tarte à la crème. Et qu'on fait facilement le coup de l'ombre au fond de la prunelle quand on est à court d'idées. Mais là, pourtant, c'est ça. Je la sens vraiment, cette ombre. Je la vois. J'ai l'impression de la toucher. De m'y cogner. C'est comme un voile, tout à coup. Une brume. Une buée subtile mais dense. C'est quelque chose de solide, d'épais entre lui et moi et qui fait que, pour la première fois depuis plus de dix ans maintenant que nous nous connaissons, méconnaissons, malentendons à qui mieux mieux, j'ai le singulier sentiment de ne pas entrer dans son regard.

Comprends-tu ce que je veux dire, mon amie? Ce que je ressens? Imagines-tu ce que ce peut être de quitter un homme au visage clair, que tu entendais à demi-mot, dont tu devinais les désirs avant même qu'il ne les formulât, un homme dont tu achevais sur tes propres lèvres les souri-res que tu avais vus poindre au coin de ses yeux — et de le retrouver, ce même homme, si changé, si fermé, indéchiffrable ? Quand je veux me don-ner du courage, je me dis qu'Isabelle Rimbaud, pour en revenir, une fois de plus, à elle, a dû éprouver quelque chose de ce genre quand son frère, retour de Harrar, restait des jours et des nuits lui aussi, allongé dans sa chambre de Char-leville, portes et volets clos, toutes lumières, lam-pes et cierges allumés, au son mélancolique d'un petit orgue de Barbarie, à ruminer en silence ses indicibles secrets. Et c'est toute proportion gar-dée ce qui est en train de m'arriver à nouveau — comme si Benjamin, dans son Harrar à lui, avait vu trop de choses également, trop de gens ; comme s'il avait tout vu, peut-être ; comme s'il avait entrevu, qui sait ? les plus insondables mys-tères qu'il soit donné à un homme de découvrir ; et comme si toutes ces visions, précipitant donc en une ombre, une buée, avaient formé, elles aussi, la trame d'un indicible secret...

Le 6 juillet.

Justement non ? Nous n'avons même plus « ça » comme tu dis. Et, passés les premiers jours où il s'émeuvait encore un peu de mes caresses, il est devenu de marbre. De plomb. Je peux le tou-cher, l'embrasser sans que ça lui fasse le moindre effet. Et quant à mon corps à moi, pour la pre-mière fois de ma vie, je le sens non pas éteint, bien sûr, mais terne, atone, transparent à ses regards. Je le sens « mat », en fait — je crois que c'est le mot qui convient —, comme s'il ne parve-nait plus à fixer la lumière, la chaleur même du désir. Et nous vivons nous aussi, comme eux, en chastes et purs frère et sœur. J'ai mal bien sûr. Je suis triste. Mais je ne suis pas étonnée. Car on ne change pas comme il a changé sans qu'au silence des cœurs et des âmes ne fasse écho, très vite, celui des chairs.

Le 10 juillet.

C'est très différent, une fois de plus. En ce temps-là, en effet, il y avait des raisons précises. On pouvait incriminer sa fatigue. Le stress lié à l'usine. Ou le fait qu'hostile moi-même au principe de son établissement, je ne faisais pas grand-chose non plus pour que s'améliore la situation. Alors qu'aujourd'hui, au contraire, tout va bien. Il est au mieux de sa forme. Et je ne recule de mon côté devant aucun stratagème — le coup de la photo qui traîne, celui du livre que tu sais négligemment oublié sur sa table de chevet, celui aussi du malaise nocturne soudain qui l'oblige, en principe, à m'« examiner » et à me déshabiller — pour essayer de forcer, passe-moi l'expression, les portes de son désir. Donc, à partir de là, il n'y a pas dix solutions, il y en a deux. Ou bien, ce que je ne crois pas, c'est moi qui, à l'approche de la trentaine, suis devenue vieille et moche. Ou bien, et c'est l'hypothèse la plus vraisemblable, ce n'est ni ma faute, ni d'ailleurs la sienne, mais celle de ce voyage toujours — tout se passant comme si, dans la région de l'Ame où il est désormais, ces affaires de volupté n'avaient, simplement, plus le même poids.

403

Le 13 juillet.

Rien de neuf, non. Sauf qu'il est de plus en plus lointain. De plus en plus absent. Il me fait l'effet, de plus en plus, de ces héros de tragédie dont on se dit que le ciel leur pèse sur la tête par tous ses plus funestes astres et qu'ils n'ont plus pour témoin de leurs tourments que les dieux, les morts ou les démons. Je ne sais pas si c'est un signe. Mais voilà trois nuits de suite que je rêve de ses parents.

Tu me manques, ma petite Constance. Tu ne m'as jamais autant manqué depuis nos manigances de jumelles perverses, il y a six ans... Ce que tu me dis des rapports de Père avec les P et T m'a fait bien rire... Se pourrait-il qu'un jour, vraiment, nous ayons la possibilité de nous *téléphoner*?

Le 18 juillet.

Très violente dispute, tout à l'heure, après dîner. Peu importe la raison : elle est absurde, évidemment. Mais la grande première c'est que m'étant, conformément à l'étiquette non écrite de nos querelles, retirée au salon pour bouder et attendre qu'il vienne se faire pardonner, j'ai attendu; attendu encore; regardé trois fois, pour tuer le temps, les mêmes informations sur les trois chaînes; lu et relu cent fois au moins la même page du même Claudel que je tenais bien soigneusement « en position » pour le moment où il entrerait; et quand, commençant à trouver le temps long, je me suis décidée à aller, sur la pointe des pieds, jusqu'à la chambre, tu sais ce qu'il faisait? il dormait, ma vieille... tout habillé... se fichant manifestement de mon chagrin comme de ma mise en scène...

Le 22 juillet.

C'est vrai que c'est dur, ma petite Constance. Et qu'on a beau se dire : « non, je ne suis pas ainsi... tout ça n'a pas d'importance... cet état n'est pas désagréable, au reste... il a presque un peu de charme... et sans doute est-ce là, au fond, que le désir est le plus vif parce que le plus insatisfait », il arrive tout de même un moment où les sens, à force, se rebellent. Sont-ce vraiment les sens, d'ailleurs ? Ne serait-ce pas une soif d'un autre ordre — plus mental, plus spirituel ? J'aimerais autant. Car je me demande parfois si les soifs de l'esprit ne seraient pas plus faciles à étancher, à la limite, que celles du corps.

Le 24 juillet.

Hélas, c'étaient les sens. Mes pauvres sens de femelle en chaleur. Ce sont eux, et eux seuls qui me guident quand, de plus en plus souvent, la nuit tombée, j'erre dans des rues absurdes, sans but, à guetter le regard des hommes, à le provoquer, à tenter de le retenir et à jubiler comme une idiote quand j'en surprends un qui s'attarde une seconde. Ce soir, sans tout à fait le vouloir, je me suis soudain retrouvée rue Saint-Denis. J'ai eu si honte que, au retour, j'ai raconté au chauffeur de taxi que j'étais la journaliste X, préparant pour le journal Y un article sur ce quartier terrible, monstrueux — « vous n'avez quand même pas cru, j'espère, que j'étais là pour le plaisir ».

Le 25 juillet.

J'ai dit, « sans tout à fait le vouloir », parce que je crois bien, dans ces cas-là, être menée plus que je ne me mène. Guidée plus que je ne me guide. Je vais à l'aventure. Au hasard. Avec une partie de moi qui se dit qu'à force d'aller, venir, vaguer, déambuler au petit bonheur, les yeux fermés; à force de jouer cette rue-ci, puis celle-là, puis celle-là encore, comme autant de numéros gagnants au loto ou à la roulette; à force de les croiser, ces rues, de les couper, j'allais presque dire de les battre comme on bat un jeu de cartes ou de tarots — je finirai bien par le piéger, le hasard, par lui faire rendre un peu de sa vérité... Tu parles! La « vérité » pour le moment, c'est que je rentre régulièrement bredouille de ces ridicules parties de chasse. Et fourbue. Et furieuse. Et nauséeuse. Et pour retrouver un Benjamin qui ne se donne même plus la peine de m'attendre — endormi déjà, de son sommeil le plus indifférent.

Le 29 juillet.

J'essaie, Constance, j'essaie. Je passe des nuits d'insomnie, à me dire que ça ne peut plus durer — qu'il faut que je le quitte, que je l'oublie, que je desserre au moins ce lien qui m'étrangle et m'asservit. Las! je peux toujours « me le dire » et bruyamment proclamer le deuil de mon amour, ce n'est pas tout à fait ainsi, je m'en aperçois, que fonctionne le cœur humain.

406

Le 30 juillet.

Est-ce comme ça que je m'en sors? Il ne peut plus avoir une heure, une demi-heure de retard, sans qu'une joie mauvaise, sinistre, m'envahisse; et que je commence à me dire : « voilà, ça y est... l'accident... n'arrivera plus... appel urgent de l'hôpital... vite, les derniers instants... le dernier murmure... le dernier baiser peut-être... » Je m'en veux, bien entendu. Je résiste tant que je peux à ces visions. Mais c'est plus fort que moi, là encore; c'est si fort, si insistant, si terriblement précis dans mon esprit que lorsqu'il revient enfin, intact, normal, j'ai toujours besoin de quelques secondes pour me persuader qu'il n'est ni mirage, ni revenant... Tout ça est absurde, diras-tu — quand il serait si facile de... Eh bien, non. Il faut croire que ce n'est pas si facile, justement.

Le 2 août.

Te souviens-tu de ce que disait Bill après que Beth l'eut quitté? « On devrait pouvoir tarir un amour... l'assécher... l'étancher... On devrait pouvoir l'éponger comme une flaque, l'essorer comme un vieux torchon... On devrait pouvoir congédier, une à une, tranquillement, les images de lui qu'on a gardées... on devrait pouvoir les prendre entre quatre z'yeux, ces souvenirs, et leur dire, bien posément : " voilà... c'est fini... du balai je vous prie... on s'est assez vus, vous ne trouvez pas... séparons-nous bons amis... " On devrait pouvoir couper les vivres à la mémoire, fermer le robinet de la nostalgie... »

On devrait... On devrait... Pauvre Bill...! Pauvre Marie...!

Quelle dérision! Car je l'ai fait, figure-toi. J'ai fini par le faire. J'ai pris le problème, si j'ose dire, à bras-le-corps — renonçant au hasard de la rue, décidément trop long à « donner », pour me rabattre sur un petit collègue du lycée qui me tournait autour, il y a trois ou quatre ans. Et j'ai même eu la surprise de constater que cet acte que je croyais si terrible donc, si décisif, si définitif et si irréparable, était beaucoup plus facile en fait, plus anodin et banal — rien de ces fameux « remords », de ces prétendus « tourments », rien de ce « goût de cendres » que, dans les romans, il laisse aux lèvres des vertueuses. Mais sais-tu ce qui s'est passé alors? Sais-tu ce qui est arrivé de vraiment surprenant, le soir, quand je suis rentrée avenue Ingres? Au lieu que mon infidélité m'ait, comme je l'avais prévu, éloignée, guérie, modérée au moins, ou calmée, elle a produit l'effet inverse : une flambée de désir à nouveau... un embrasement... une fébrilité, presque une transe... toutes ces images de lui que je m'efforçais, il y a quelques jours encore, d'assécher qui choisissent ce moment-ci, justement, pour revenir et ressusciter... Comme un fabuleux pied de nez, autrement dit, à toutes mes belles résolutions, à tous mes vilains petits calculs !

Le 4 août.

Passé toute la fin de la semaine à geindre. Me plaindre. Lui faire des scènes pour un oui ou pour un non, des caprices idiots. Jouer l'enfant gâtée, la malade, le bébé, comme à l'époque de notre rencontre. J'ai même eu le culot de lui reprocher en pleurnichant la perte de mon bracelet de jade dont je savais que c'est l'autre jour, à l'hôtel, avec le petit collègue, que je l'avais égaré. Et voyant que rien de tout ça ne le faisait bouger, que ça ne réduisait pas d'un pouce la distance où il se tenait, j'ai pris mon courage à deux mains, tout à l'heure, après le dîner : d'un trait, en trois phrases bien senties et dénuées de la moindre ambiguïté, je lui ai tout avoué.

Il a levé le nez de son livre, alors. M'a regardée fixement quelques secondes, comme s'il cherchait à comprendre. Et puis, il s'est replongé dans sa lecture, en marmonnant simplement : « arrête tes conneries, veux-tu ».

Le 5 août.

Ne sais pas comment tout ça va finir. Me sens comme une assiégée qui aurait tiré toutes ses cartouches — et n'attendrait plus que l'assaut final.

Le 6 août.

L'affreux Paradis, qui avait un peu disparu ces dernières semaines, recommence à venir régulièrement — ce qui, je ne saurais dire pourquoi, ne me semble pas de bon augure. Que sait-il au juste, celui-là ? Sait-il ce que j'ignore ?

Le 8 août.

Je crois que ça y est, Constance : je sais tout, moi aussi ; j'ai découvert le fameux secret ; il est trop énorme, trop monstrueux peut-être pour que je puisse t'en parler autrement que de vive voix... Je rentre, de toute façon. Et je rentre, cette fois, pour toujours.

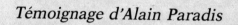

Témoignage d'Alain Paradis

1

JE m'appelle Alain Paradis. Je suis né le 5 octobre 1919 à Lyon. Et même si je ne suis pas toujours « le mieux placé », comme vous dites, pour témoigner de la « période tragique » de la vie de Benjamin C., j'y ai été mêlé d'assez près et pendant assez longtemps, pour pouvoir en éclairer quelques aspects; à commencer en effet par ce que vous appelez, après Marie Rosenfeld je crois, « son secret »...

Ma personne en tant que telle, a, du reste, peu d'importance. Et il suffit de savoir, pour situer mon témoignage, que j'appartiens à une génération d'avocats d'origine plutôt modeste qui, montés tenter leur chance à Paris à la veille de la Seconde Guerre mondiale, ont eu des débuts pénibles; plaidaient les rares dossiers dont personne ne voulait; louaient leur robe à la journée ou achetaient à la dame du vestiaire du Palais celle des confrères décédés; et auraient pu passer le restant de leur vie à végéter ainsi, misérablement, dans l'ombre d'un des grands patrons de droite, pleins de morgue et de principes, qui prenaient un malin plaisir à ne les utiliser que pour leurs courses ou leurs menus travaux, s'ils n'avaient eu la chance — car je l'ai vécu, moi, comme une chance — d'être du jour au lendemain mêlés à la grande aventure de la Résistance et d'achever d'apprendre leur métier, donc, au banc des accusés de la Section spéciale ou sous le feu de la Gestapo.

Cela ne signifie pas, bien entendu, que je sois à proprement parler un « héros de la Résistance » et d'autres que moi, tout près de moi, ont beaucoup trop cher payé ce titre pour que je puisse, sans arrogance, songer à m'en prévaloir. Mais ce dont je me flatte, en revanche, c'est d'avoir été de ceux qui n'ont pas attendu l'été 44 pour juger que le nazisme ne pouvait être combattu que les armes à la main; qui n'ont même pas attendu l'hiver 42 pour juger que le pétainisme, sous ses dehors patriotiques et familiers, n'était rien que sa pâle — mais infâme — version française; et qui l'ont compris, surtout, sans se croire obligés pour cela de céder au chantage de l'autre dictature qui, au même moment, prétendait s'arroger elle aussi le contrôle de la planète. De cela oui, je suis très fier. Car j'ai trop vu de mes camarades tomber dans les bras de Staline — qui voulaient, disaient-ils, échapper à la botte hitlérienne...

En 1944 en tout cas, je me retrouve, pourquoi le nier ? du bon côté de la barricade. Et je n'ai pas honte il me semble, compte tenu des épreuves que j'ai traversées — et compte tenu aussi de ce qui serait advenu, je le sais, si, d'aventure, nous avions perdu —, de mordre à belles dents dans cette existence nouvelle qui s'offre à moi. Je suis fêté. Décoré. Couvert de gloire et de louanges. On parle de moi dans les gazettes. Les femmes sont faciles et belles. J'ai même l'insigne plaisir de voir, moi, le traîne-savates du Palais d'avant la guerre, les vieux crabes de l'époque venir ramper dans mon bureau, au ministère. Et tout à cet enfantin bonheur de me sentir, tels les généraux de Napoléon, célèbre avant trente ans et en position, par-dessus le marché, de peser sur le cours des choses, j'accepte de bon cœur toute une série

414

de fonctions dans la Cité — à commencer par cette fameuse « commission des grâces » où je vois passer en effet ce que vous appelez « le dossier Edouard ».

Le personnage, je ne l'ignore pas, est un collabo de la pire espèce. Et il va sans dire qu'au temps des maquis c'est le genre de bonhomme à qui j'aurais logé sans hésiter une balle de 9 mm entre les deux yeux. Mais là, les temps ont déjà changé. Je suis fatigué de tuer. Ecœuré de tout ce sang versé. La clameur est trop forte aussi. Trop aigu le glapissement de la foule cherchant — ce sera la thèse du fils, et il aura sur ce point plutôt raison — à faire porter le chapeau de ses crimes à une minorité de canailles aux fautes incontestées. Je vois le type surtout. Plusieurs fois. De visage à visage. Et il n'y a rien de plus désarmant qu'un vrai visage de lâche râlant qu'il ne veut pas mourir et vous adjurant de l'épargner. Bref, quelles que soient les raisons, toujours est-il que je plaide. Que j'intercède. Que je pèse tant que je peux pour éviter le peloton à ce type. Mais que je trouve en face de moi une commission très « remontée » par un certain Pierre-Michel Prat et, à travers lui, je l'ai su plus tard, par l'amant de la propre femme du condamné. « Classique, me dis-je... dégueulasse, mais classique... la France bourgeoise dans toute sa bassesse, sa petitesse... » Et je continue mon chemin sans plus trop y songer — dix ans passant là-dessus, où j'ai cent fois le temps d'oublier le pauvre faciès de bête couinant dans son cachot.

Arrivent les années cinquante. Je suis devenu avec le temps un avocat prospère. Connu. J'ai des collaborateurs. Deux cents mètres carrés de bureaux rue de Presbourg, près de l'Etoile. Je serais presque même « à la mode » si le mot avait un sens dans le métier que je fais. Et j'assume très volontiers en tout cas l'image que me renvoient les médias (hier déjà comme aujourd'hui), d'un avocat heureux, à l'aise dans son siècle, qui ne craint pas d'être vu en compagnie d'actrices et de jolies femmes et chez qui défile désormais tout ce que l'univers de la mode, de la presse ou du spectacle compte, paraît-il, de plus « lancé ». On me permettra d'ajouter néanmoins — car quitte à jouer au jeu de la vérité, autant le jouer jusqu'au bout — que cette situation, disons, « mondaine » ne m'empêche pas de tenir les promesses de mon passé; et que lorsque l'heure sonnera de reprendre le chemin des maquis je ne serai pas le dernier, de nouveau, à répondre à l'appel.

Je fais allusion là, bien sûr, à ces années terribles où l'armée française tue, torture, déporte en Algérie. Où nous la voyons, nous, les antifascistes de la première heure, retrouver les méthodes abjectes dont nous avions fait l'expérience. C'est la même vieille Bête, me dis-je, en train de ressusciter, alors que nous avions si sincèrement cru l'avoir exterminée. Et le fait est qu'à ce moment-là, situation mondaine ou pas, et à mes risques et périls, je prends le parti de tous ceux — intellectuels, déserteurs, insoumis de toutes sortes et de toutes origines — qui refusent de plier la nuque. Je dis « à mes risques et périls » car il m'en coûtera tout de même — pardon de le rappeler : mais autant, là aussi, jouer cartes sur table — des injures; des menaces; un plastiquage au cabinet; une suspension du barreau en 58; une autre, plus brève, en 59; sans parler — j'y arrive — du risque et péril majeur qu'allait se révéler, même si je ne le sais pas encore, la rencontre de Benjamin.

C'est à cette époque en effet (début 62 pour être précis : mais le contexte reste le même) que mon contact habituel dans ce genre d'affaires vient me trouver un soir, à l'improviste, dans le restaurant de la rue Princesse où j'ai mes habitudes; et qu'il me parle du cas de ce « jeune camarade » un peu casse-cou qui s'est « bêtement fait coincer » en Suisse dans une histoire de transfert de fonds et qui a besoin, me dit-il, d'une « assistance judiciaire express ». Le nom du « jeune camarade », sur le coup, ne me dit rien. Le dossier, en tant que tel, ne me passionne qu'à demi. Et je me rappelle avoir fait le voyage sans enthousiasme particulier. Une fois sur place, en revanche, quand pénètre dans le parloir de la prison ce grand jeune homme blond en baskets, blue-jean et tee-shirt américains qu'on me présente comme mon client, je n'ai pas besoin de plus d'un quart de seconde pour être saisi par la ressemblance — et pour comprendre le tour inouï qu'est en train de me jouer le destin.

Ai-je tort de lui en parler? Et aurais-je dû garder cette coïncidence pour moi? C'est une question sans doute. Une vraie question. Mais s'il est facile de se la poser, aujourd'hui, avec le recul, et compte tenu de la suite des événements, elle n'a, sur le moment, pas grand sens. Car enfin, soyons sérieux. Je suis venu défendre un inconnu. Un étranger. Un de ces êtres de fortune que le métier d'avocat met volontiers sur votre route, mais pour les en écarter presque aussitôt. Et je me retrouve en face d'un type dont les traits, le regard, la façon de se tenir, de parler, d'évoluer dans un parloir, d'évoquer même sa détention, son affaire, ses relations avec la justice, me rappellent irrésistiblement quelque chose; quelqu'un; un autre être de fortune connu jadis dans la même situation ou presque, et qui lui ressemblait donc... comme un frère! Alors je le lui dis, bien sûr. Je ne peux pas ne pas le lui dire. Et je le fais de bonne foi, sans me douter une seule seconde de la chaîne de cataclysmes que je déclenche...

Sur le moment, d'ailleurs, rien ne se déclenche du tout. Le garçon ne bouge pas. Ne cille pas. Il a la très grande habileté de trouver naturel de rencontrer là, par hasard, quelqu'un qui le touche d'aussi près. Et il se comporte un peu comme ces femmes jalouses qui, cherchant à vous soutirer un aveu et voulant être certaines qu'elles auront la vérité entière, sans fard ni réserve, vous cuisinent doucement, à petit feu, de l'air le plus avenant, le plus encourageant qu'elles peuvent, en évitant soigneusement les mots, le ton, le moindre signe dans la voix qui pourraient vous brusquer, vous braquer, vous mettre même en éveil ou trop vous révéler de l'intérêt passionné qu'elles portent à ce que vous êtes en train de dire (« oh, tu peux y aller, chéri... je t'interroge comme ça... pour passer le temps... mais je connais la réponse... déjà... d'avance... et elle ne me fait, autant le dire, ni chaud ni froid »). Quand je découvrirai son stratagème, il sera trop tard; le mal sera fait.

Car vous savez comment ça se passe. On commence par les banalités — « ah! vous avez connu mon père? comme c'est intéressant! » Et puis, de fil en aiguille, on va de l'avant. On s'enhardit. On devient plus précis, plus insidieux. Vos propres confidences se suivent, s'enchaînent, se commandent les unes les autres. Vous ne pouvez pas raconter la prison sans nommer clairement les crimes. Les crimes, sans évoquer l'atmosphère du procès. Le procès, sans revenir sur cette affaire de recours en grâce. Tout ça encore, sans dire la veulerie du condamné, ses derniers jours, son attitude en face du peloton. Bref, vous ne pouvez pas tirer un fil sans que, peu à peu, au gré des semaines — car nous nous voyons chaque semaine, le mercredi — la bobine entière ne vienne; et sans que vous vous retrouviez bientôt dans la situation tout de même singulière de quelqu'un qui a, en quelques rendez-vous, révélé à un client qu'il ne connaissait pas auparavant tout ce que, pendant vingt ans, on lui avait caché de sa propre histoire!

Au bout d'un certain temps, pour être franc — et pour n'avoir pas l'air, surtout, de rejeter sur le client toute la responsabilité de la situation — je me pique moi aussi au jeu. Je trouve un certain charme, d'abord inavoué, puis plus conscient, à ces conversations. Je m'étonne moi-même de la fidélité de ma mémoire, de plus en plus précise, chaque fois. Souvent, dans l'avion qui me transporte à Genève, je me surprends à réfléchir non pas au dossier criminel qui, en principe, nous réunit mais à telle ou telle nuance de souvenir que je lui ai mal rendue la dernière fois et que je me promets, cette fois-ci, de rectifier. Et nous n'avons bientôt plus trop de notre entier temps de parloir pour, à voix basse, comme des conspirateurs, dans un état d'excitation vraiment tout à fait étrange, discuter à perte de vue de Prat, de l'atmosphère de l'époque, de ce qu'étaient les prisons de la Libération ou de la différence exacte entre le bleu de ses yeux et celui des yeux de son père.

L'affaire elle-même, pendant ce temps, progresse. Et elle progresse grâce à, d'une part, la fortune personnelle de Benjamin qui permet d'aplanir bien des problèmes; et grâce à, d'autre part, un arrangement amiable avec le banquier suisse qui n'a guère intérêt, lui non plus, à ce que s'ébruite le scandale. Mais l'essentiel, à l'évidence, n'est pas là. A la limite, nous nous en moquons. Et nous sommes à ce point pris, je crois, dans l'envoûtement de notre huis-clos que si, d'aventure, un juge avait décidé de lui en donner pour quelques mois de plus, je ne suis pas sûr que nous ne nous serions pas exclamés : « parfait, quelques mois de mieux! » Quand il sort, en tout cas, le 15 mai 1962, quelque chose de très fort, de très intense s'est instauré entre lui et moi — dont c'est peu dire qu'il survivra aux circonstances qui l'ont fait naître puisqu'il nous rend, à partir de là, inséparables.

Alors, me dira-t-on : quoi? qu'est-ce qui s'est instauré? qu'est-ce qui s'est passé, au juste, dans ce huis-clos? De quelle nature est-il, ce lien qui, du jour au lendemain, m'institue son ami, son confident, la seule personne au monde à qui il s'ouvrira désormais de ses entreprises — son avocat aussi, et son homme d'affaires, pour une fortune qui pèse, valeur 1960, plusieurs centaines de millions de francs lourds? Et comment puis-je, moi, personnalité connue, responsable, qui ne suis pas né de la dernière pluie et qui ai non seulement un cabinet mais une image, un passé, une éthique même et une ligne politique à gérer — comment puis-je, donc, me laisser embarquer comme un débutant dans cette succession d'aventures folles puis très vite cauchemardesques que je m'en vais vous raconter?

On a beaucoup écrit là-dessus, je le sais. On a parlé de « pacte faustien ». De « Vautrin et Rubempré ». On m'a accusé de l'avoir « possédé », à moins que ce ne soit lui de m'avoir « ensorcelé ». J'ai même lu quelque part de sombres histoires de gros sous que j'aurais détournés. Et c'est tout juste si, dans une certaine presse, on n'a pas insinué que des liens si intimes n'avaient pas pu aller sans des pratiques, disons, inavouables. Bref, les gens se sont déchaînés. Ils ont tout dit et n'importe quoi. Ils ont projeté sur notre histoire leurs fantasmes les plus douteux. Et vous comprendrez, j'imagine, qu'au point où j'en suis, je n'ai ni l'envie ni peut-être le temps de m'arrêter à des ragots de cette espèce. Permettez-moi donc, plutôt, de vous raconter les choses à ma façon —

en essayant de vous expliquer calmement, sereinement, aussi précisément et loyalement que possible ce qui se passait dans la tête des deux protagonistes de cette folle et, au fond, assez belle histoire.

En ce qui le concerne, lui, d'abord, c'est simple — et ça tient, je crois, en trois phrases. Voilà un garçon à qui on a toujours parlé de son père de façon confuse, à demi-mot, en accumulant autour de son fantôme les mensonges les plus bêtes, les récits les plus contradictoires. Voilà un garçon à l'hérédité secrète, énigmatique — une de ces hérédités fabuleuses et sombres, que l'on porte au-dessus de sa tête comme des fardeaux, des menaces, de grands oiseaux de proie tout noirs attendant patiemment leur heure. Et le voilà, ce garçon qui, pour la première fois de sa vie, rencontre quelqu'un qui sait; qui parle; et qui brosse un tableau de tout ça, ni flatteur certes, ni systématiquement odieux — mais fidèle, honnête, vrai. Il n'est pas nécessaire, je crois, d'être féru de psychanalyse pour comprendre ce qu'il ressent; et je ne pense pas vous étonner non plus en vous disant l'extraordinaire autorité que me confère fatalement, à ses yeux, le fait d'être dépositaire, en toute simplicité, du secret de ses origines ! Pour moi, en revanche, c'est plus complexe et des raisons plus nombreuses, plus obscures peut-être aussi, se sont croisées — qu'il me faudra un peu plus de temps pour démêler.

Il y a, certes, à la base, la séduction purement physique qu'il exerce sur tous ceux qui le connaissent et à laquelle je n'ai pas de raisons de n'être pas aussi sensible. Il n'est pas exactement beau, d'ailleurs. Et je n'en finirais pas de vous énumérer les imperfections de son visage. Mais ce qu'il a d'exceptionnel, je crois, c'est sa fraîcheur. Son éclat. Une sorte de juvénilité triomphante qui tient à ses gestes, à ses moues, à un je ne sais quoi d'irrésolu, presque d'inachevé dans le menton ou dans la commissure des lèvres. Et une juvénilité qui, même si vous vous dites que c'est « de son âge, après tout, puisqu'il n'a pas vingt ans », n'en dégage pas moins une impression de grâce, de faste extraordinaire — l'impression d'une jeunesse miraculeuse dont on se dit, dès cette époque, qu'elle ne le quittera jamais tout à fait. Mais je n'insiste pas. Mlle Rosenfeld aura, je suppose, largement brodé là-dessus.

La seconde chose qui me frappe c'est — et, là aussi, je suis très franc — son côté fils de famille. Un fils de famille dissipé, dévoyé, déjà en rupture de ban avec son milieu. Mais un fils de famille quand même. Avec les tics, les mœurs, les méthodes des fils de famille. Avec ce goût par exemple, en prison, de dire « mon affaire », « mon avocat », ou de s'adresser aux gardiens sur cet inimitable ton, mi-courtois mi-distant, des gens qui ont l'habitude des banquiers et des domestiques. Ou avec, une fois libre, cette étrange façon qu'ils ont tous également et qui, pour les vrais fils de pauvres dans mon genre, sera toujours le plus indubitable sceau des enfances vraiment gâtées, de garer leur voiture n'importe où; d'avoir toujours leur argent froissé en vrac au fond des poches; ou de porter sans gêne, sans complexes, une chemise trouée ou un pantalon mal repassé.

J'ajoute qu'il reste étrangement fidèle, à cette époque, à ce que j'appellerai les « ambitions de sa classe ». Qu'il garde des amis par exemple avec qui il peut parler, des soirées durant, des mérites comparés du Droit, de Sciences Po, de Normale Sup. Et je me souviens de cette nuit, juste après sa sortie de prison, où, tombant en arrêt, rue des Saints-Pères, devant la façade d'une de ces prestigieuses écoles, il me lança, très théâtral : « voilà où maman rêvait de me voir. Eh bien, qui sait si bientôt, une fois cette sale guerre finie... »

J'avoue que, sur le coup, j'ai été assez sidéré. Et que je me suis longtemps demandé quel plaisir il pouvait bien trouver lui, le rebelle, l'insoumis, à se mettre ainsi dans la peau d'un de ces adolescents dorés, parfaitement vierges et flottants, qui n'ont que l'effort à faire de choisir entre les mille carrières que leur offre la bourgeoisie. Aujourd'hui, je crois que je comprends mieux. Il y avait du défi dans cette attitude. Un peu de jeu. Un reste d'habitude, sans doute. Mais déjà aussi — et c'est ça qui, avec le recul, me semble le plus émouvant — une manière de regret, de nostalgie : comme si, à la façon des moribonds qui, au tout dernier moment, forment des projets d'avenir, il s'arc-boutait une dernière fois à cet univers de douceur et de paix qu'il allait quitter à tout jamais et dont il savait être, pourtant, l'un des spécimens les mieux réussis.

Car — et c'est la troisième explication de l'intérêt que je lui porte — on peut dire ce qu'on veut de Benjamin. On peut le traiter de malfrat. De voyou. De tueur. On peut voir en lui un fils à papa qui a mal tourné. Un immoraliste qui a réussi. Un déséquilibré mental — encore que ce soit plus douteux — qui a compensé comme il a pu sa déficience originaire. On peut — et il m'a, croyez-moi, assez fait de mal pour que je sois le premier, aujourd'hui, à m'y résoudre — pester, tempêter, porter sur lui l'anathème, il y a une chose et une seule qu'on ne lui retirera, je crois, jamais et qui est (je pèse le mot et tant pis s'il vous choque) son extraordinaire talent.

Il faut que vous sachiez en effet qu'à vingt ans, quand je le rencontre, ce diable de jeune homme a tout ce qu'il faut pour devenir, au choix, le plus brillant des lettrés. Le plus efficace des financiers. Un juriste hors pair. Un professeur de premier ordre. Il pourrait créer des journaux. Fonder des mouvements politiques. Entrer dans la diplomatie. Faire des films. Tourner dedans. Ecrire des livres. Ses camarades de l'époque se souviennent tous, vingt ans après, de son fameux rapport à l'UEC intitulé : « La situation algérienne et nos tâches ». Son non moins fameux essai — quinze pages à peine, mais polycopiées, année après année, à des milliers d'exemplaires — sur « Le sionisme stade suprême de l'impérialisme » a marqué des générations d'étudiants. Et quant aux rares textes littéraires qu'il consent à me montrer, dites-vous bien qu'ils sont — puisque, aussi bien, la référence à Rubempré est, semble-t-il, sur toutes les lèvres — à dix coudées au-dessus des *Marguerites* ou de *L'Archer de Charles IX*. Bref, il a tout. Il peut tout. Et jamais de ma vie je n'aurai vu tant d'atouts, au même moment, réunis dans la même manche.

Enfin, et c'est peut-être le plus important, cette intelligence hors pair est une intelligence moderne, originale. Et sans être systématiquement épaté par « les jeunes » je suis tout de même frappé de cette vision du monde si neuve, si déroutante, dont je ne suis pas certain de toujours bien savoir lire les maîtres à penser, mais dont quelque chose me dit — est-ce son effrayante rigueur ? le côté péremptoire, sûr de soi, de ses discours ? l'extrême radicalité de la révolte qui, par de mystérieux mais apparemment certains détours, en est le débouché ? — dont quelque chose me dit, en tout cas, qu'elle a un style, une vigueur, infiniment plus impressionnants que tout ce qu'ont connu les gens de ma génération. De cela non plus il n'a rien su tirer, dira-t-on. Reste le fait. Incontournable comme il disait. Et l'énigme de cet homme qui aura tout reçu — et tout perdu; comme s'il y avait eu en lui je ne sais quel malin génie acharné à déjouer ce que, dix-huit ans durant penchées sur son berceau, avaient tramé ses fées.

Nous en arrivons là, je crois, au plus délicat de ce portrait — en même temps que, j'en conviens, à l'aspect le plus trouble de ma fascination. Si j'essaie de réfléchir à ce que pouvait bien être cette fêlure, cette fissure, ce minuscule défaut dans la cuirasse par où « fuyaient » en quelque sorte tous ces augures heureux, il y a un certain nombre de traits qui me reviennent et qui, même s'ils ont l'air un peu disparates, n'en conspiraient pas moins, je le sentis assez vite, au même fondamental gâchis. Par exemple, cet homme doué, je viens de vous le dire, de tous les talents, n'avait bizarrement pas de goûts. Et quand je dis pas de goûts, cela veut vraiment dire pas de goûts — ni celui de la peinture, qu'il connaissait à peine : ni celui de la musique, où il n'entendait rien; ni celui des livres, qu'on lui avait désappris, disait-il, de lire pour le plaisir; ni celui des films, du sport, des fêtes ou des voitures; ni même celui du temps qu'il faisait et qu'il ne percevait réellement qu'après coup, le soir venu, en lisant dans les journaux du matin les prévisions météo de la journée passée. Le monde — celui des couleurs, des saveurs, des odeurs, des humeurs même — n'était pour cet amateur présumé de la douceur de vivre qu'une épaisse nuit grise où il allait psalmodiant, homme sans appétits comme on dit « homme sans qualités », un absurde, abstrait et finalement vide : « j'aime la vie ».

C'était également, et dans l'ordre intellectuel cette fois, ces moments incroyables où, soudain, au beau milieu d'une discussion et à propos, de préférence, d'un sujet qu'il connaissait à fond, la machine semblait se gripper, s'enrayer, s'arrêter. Et la façon qu'il avait alors, tel un acteur égaré se tournant vers son souffleur, d'attendre de moi la phrase, le mot, qui le remettraient en selle et lui permettraient de repartir, au galop de nouveau, sur le même rythme fiévreux qu'il avait avant l'incident et qui faisait dire de lui, à ceux qui le connaissaient mal : « quelle fougue! quelle conviction! » Ce qui lui manquait, dans ces moments, ce n'était pas, comprenez-moi bien, un « fait ». Il ne perdait pas, comme on dit, « son fil ». Ça n'avait rien à voir avec une « absence », un « trou de mémoire ». Non, c'était bien plus fou : ce qu'il oubliait, ce qu'il sentait s'égailler et qu'il avait besoin d'aide pour rameuter, c'était son idée même; sa thèse; sa position sur la question; celle qu'il avait cent fois dite, théorisée; celle qu'il avait sûrement exprimée ailleurs, écrite peut-être même, ou qu'il m'appartenait de déduire, sinon, de ce que je savais de ses autres positions. « Qu'est-ce que je pense déjà là-dessus? » semblait-il demander, affolé. Et il fallait comprendre : « qui suis-je déjà, cher Alain, oui racontez-moi, rappelez-moi vite qui je suis... »

Allant dans le même sens, je repense à l'invraisemblable attitude qu'il prenait quand on avait le malheur de parler avec un tant soit peu d'intérêt de quelqu'un d'autre que lui. Son regard se voilait alors. Son visage se crispait. Il posait une série de questions aigres-douces destinées à mieux cerner les mœurs, le caractère, les signes particuliers et intéressants, donc, du personnage. Et pour peu qu'on lui répondît avec un minimum de flamme, je voyais bien qu'il souffrait. Il souffrait de n'avoir pas de barbe si le personnage était barbu; d'enfants si celui-ci en avait; d'être chevelu si c'était la calvitie de l'autre que l'on commentait; catholique s'il était juif; bourgeois s'il était prolétaire; trop chaste s'il aimait l'amour; ou pas assez au contraire si c'était son abstinence qui semblait digne d'attention; bref, je voyais bien qu'il enrageait de n'être pas aussi n'importe lequel de ces êtres souvent très ordinaires, sans charme, mais entre lesquels se dilapidait, estimait-il, le si précieux capital de fascination de l'humanité. Il n'était pas « jaloux », bien sûr. Et je vois mal de quoi, de qui, étant donné ce qu'il était. C'était comme une dilatation du moi, plutôt. Un dérèglement de l'amour de soi. Une avidité, une gloutonnerie, une boulimie d'identité qui lui faisaient désirer toutes les vies, tous les destins à la fois, fussent-ils parfaitement miteux; ou qui — c'est comme ça, je crois, qu'il faut le dire — lui rendaient insupportable la seule idée qu'un désir, non : un discours pût se tenir dont il ne fût pas aussi, et aussitôt, l'objet possible.

Tout cela avait, c'était forcé, d'étranges conséquences sur son comportement, à commencer par des sautes d'humeur fréquentes. Des dépressions inexplicables. Un non moins inexplicable intérêt porté au premier venu — qui n'en revenait pas de voir sa petite vie si généreusement transformée en destin. Une certaine tendance au mensonge. A l'affabulation. A la pure mythomanie même comme la fois où, ayant pris ombrage comme jamais de l'aventure d'un de ses camarades, compagnon du Che Guevara et emprisonné en Bolivie, il alla, de rage, de dépit, jusqu'à monter de toutes pièces, et à la seule intention de ses amis Bill et Biquet, une invraisemblable histoire de départ en Amérique du Sud avec contacts clandestins à Paris, embarquement à Marseille, voyage à fond de cale et refoulement manu militari à Tampico, au Mexique — tout cela sans avoir une seule seconde, bien entendu, quitté son hôtel du Vieux-Port. Pour moi, cependant, qui voyais l'envers des choses et qui étais en mesure, de surcroît, de mettre bout à bout toute cette série de « traits », il y avait surtout là les marques répétées d'une fragilité, d'une disponibilité, d'une liquidité caractérielles qui étaient, à n'en pas douter, les clés de son ratage et qui, en même temps, je vous l'ai dit, me fascinaient. Quoi de plus troublant pour un homme de mon âge qu'un garçon de vingt ans, comblé de dons, et si meuble pourtant, si malléable — qui vous demande rien moins que d'achever de le façonner?

J'ajoute, pour qu'il n'y ait pas d'ambiguïté — et parce que le sujet me paraît assez important pour que je lui réserve un développement spécial — que Benjamin était amateur de femmes. Enfin, je ne sais pas si « amateur » est le mot qui convient tant il mettait de réserve et presque de hauteur entre ce goût et lui. Mais disons qu'il les pratiquait. Qu'il leur consacrait une bonne partie de son temps. Que c'était même l'un des rares, sinon le seul point un peu fixe d'une vie dont je viens de vous dire l'effarante liquidité. Et que ce n'est certainement pas à travers la correspondance — à laquelle vous avez eu, je crois, accès — de la jeune Marie Rosenfeld, à travers ses rêves, ses illusions, ses obsessions littéraires ou les pauvres pièges qu'elle lui tendait que vous aurez pu vous faire une idée de cet aspect de son existence.

Il avait de la tendresse pour cette fille, certes. Il la trouvait belle, décorative. Il appréciait qu'elle ne fût pas trop coquette surtout, trop allumeuse. Et c'est la vraie raison, je pense, qui fit qu'en 1967, ce pessimiste-né, définitivement sceptique quant à ses chances de rencontrer jamais la créature dite idéale, finit par consentir de guerre lasse — « par politesse », plaisantait-il, non sans quelque goujaterie — à l'accueillir avenue Ingres. Mais ce que la malheureuse ne savait pas — et qu'il ne racontait en fait qu'à moi — c'est qu'il était loin pour autant de l'aimer. Encore moins de la désirer. Et que si, les premiers temps, il arrivait encore à feindre, à se forcer et à la satisfaire vaille que vaille (elle qui, au demeurant, et d'après ce qu'il me racontait, n'était pas particu-

lièrement « exigeante ») ce n'est jamais, je dis
bien jamais sur elle que se sera porté l'essentiel
de ses ardeurs.

Sur qui alors? Sur une série d'autres femmes,
très diverses, très nombreuses, qu'il draguait en
général n'importe où, au hasard de ses rencontres, dans un cocktail mondain aussi bien que
dans un bar, un amphithéâtre de faculté, un meeting politique ou l'une de ses vadrouilles nocturnes dont il avait le goût au cœur du Paris crapuleux — celui des partouzes, des bars louches, des
couples en mal d'émotions fortes — ou des allées
du bois de Boulogne. Quelques-unes d'entre elles,
triées avec soin, entraient ensuite dans un réseau
plus stable, plus permanent, qu'il traitait, celui-là,
avec un soin tout particulier et qui était comme
un grand harem invisible dispersé à travers la
ville. Elles n'étaient pas toutes belles, il s'en faut.
Elles étaient même, souvent, laides. Banales. A la
limite de l'insignifiant. Mais elles avaient toujours un truc, un petit quelque chose qui lui plai-
sait et qui, en réalité, lui suffisait — le principe
constitutif du harem étant que chacune y avait un
rôle, une fonction, j'allais dire une affectation
sexuelle précise et exclusive de toute autre.

Il y avait la pharmacienne du boulevard Exel-
mans qu'il ne prenait que le soir, après sept heures, à même le sol de sa pharmacie. L'avocate
masochiste qu'il voyait dans un hôtel borgne de
la rue du Dragon. La dame de cinquante ans qu'il
rencontrait, elle, au Meurice et qu'il écoutait, pendant des heures, lui raconter des histoires du
temps de l'Occupation. La serveuse au parfum de
vaisselle qu'il ne déshabillait jamais mais qui
était toujours prête, il le savait, pour une longue
et docile fellation. Il y avait cette petite bourgeoise à la jouissance pauvre, brève comme un
miaulement. Cette femme de grand bourgeois
dont il savait — mais c'était ce qui l'excitait —

que ses cris, ses contorsions, ses orgasmes à répétition étaient totalement simulés. Cette adolescente à la chair facile au contraire, et au plaisir flagrant. Ou cette autre encore, farouche comme une vierge, qu'il n'aimait qu'à cause de sa raideur, de sa résistance, des regards indomptés qu'elle lui lançait ou de la façon qu'elle avait de recevoir ses caresses trop osées comme autant d'outrages — il la quitta du jour au lendemain, sans regret, un soir où, sortant pour la première fois de son rôle, elle en avait « redemandé » !

Il en avait toujours une qu'il aimait à cause de ses seins. Une autre à cause de ses lèvres. Une troisième parce que son anatomie était une invitation, me disait-il, à la sodomie. Une quatrième, une cinquième, une dixième, douzième parce qu'elles correspondaient, chaque fois, à une facette nouvelle d'un désir décidément bien fétichiste. Bref un réseau. Un dispositif complet. Toute une batterie de corps codés, étiquetés comme des flacons et qu'il réduisait sans aucune vergogne à la petite case où il les avait, une fois pour toutes, rangés. Avec, couronnant le tout et en prévision des jours où une pièce du dispositif viendrait à manquer, une théorie de prostituées dont il parlait en riant comme de son « armée de réserve » mais à laquelle je l'ai toujours soupçonné de vouer une affection particulière. Peut-être trouvez-vous ça navrant, pervers. Moi, à l'époque, je ne voyais que le côté drôle des choses. La performance. L'originalité du procédé. Ainsi peut-être que le secret où il parvint, dix ans durant, à tenir cette partie de sa vie — et cette formidable propension au mensonge qui ne faisait, comme vous savez, que commencer de produire ses effets mais qui, pour l'avocat que j'étais, fonctionnait comme un motif supplémentaire, et ultime, de fascination.

2

AINSI allèrent les choses, en tout cas, pendant les neuf ou dix ans qui suivirent notre rencontre. Je ne dis pas que ce fût le meilleur des mondes. Ni qu'il n'y eût pas quelque chose d'assez choquant dans cette façon de concevoir sa vie sexuelle par exemple. Mais enfin ça allait. Ça ne faisait de tort à personne puisque Marie n'y voyait que du feu. Et aujourd'hui, sachant tout ce qui a suivi, j'ai du mal à ne pas penser avec une certaine nostalgie à ces temps finalement bénis où nous allions, bras dessus bras dessous, hanter les mauvais lieux de Pigalle et où les pires aventures où il m'entraînait ne consistaient encore qu'à négocier avec des maquereaux qu'il avait blessés dans leurs intérêts ou à intervenir en haut lieu pour qu'on rétablît les privilèges d'une maison douteuse, et soit dit en passant assez extraordinaire, où d'authentiques bourgeoises, mères de famille et femmes du monde, venaient, l'espace d'un soir et pour le plaisir, jouer à être des putes. C'étaient les années soixante. Le tout début des années soixante-dix. Et ni lui ni moi ne nous doutions encore du chambardement que s'apprêtait à provoquer dans nos vies le retour de Malika.

Vous savez qui est Malika, je suppose. Cette jeune et belle Arabe, bien connue, à la fin de la guerre d'Algérie, des amis parisiens du FLN, avait été proche de Benjamin. Ils avaient milité dans le même réseau. Porté les mêmes valises. Elle avait même été, sauf erreur, sa première liaison amoureuse un peu sérieuse. Et puis, presque tout de suite, sa première et non moins sérieuse vraie déception sentimentale. Or, dix ans plus tard, la revoici. Jolie toujours. A peine vieillie. Le teint un peu moins frais peut-être. Quelque chose d'arrondi dans la chair. D'épaissi à la taille. Un chignon pourtant, des couleurs strictes, de grandes lunettes fumées posées sur le bout du nez comme pour récupérer ce rien de sévérité qu'avait perdu la silhouette. Mais à ces détails près, c'est bien la même; et il la reconnaît — ils se reconnaissent — au premier coup d'œil quand l'ambassadeur d'Algérie, notre hôte, vient lui présenter en grande pompe sa nouvelle attachée de je ne sais quoi.

Je suis présent moi aussi à cette soirée. Je ne sais plus pourquoi, mais je suis présent. Je suis aux premières loges, en d'autres termes, de cette scène de retrouvailles. Je vois leur premier regard. J'entends leurs premiers mots. Je l'écoute, elle, qui raconte : « un mari, en effet... des enfants... heureuse, oui, merci... comblée... mais la vie à Oran, n'est-ce pas... la fin de la période héroïque... » Je le vois, lui, si faraud il y a une minute quand il s'agissait de faire des grâces à une rombière, qui perd toute sa contenance quand elle répond à l'ambassadeur, d'une voix pleine de malice, que « oui, en effet, elle a un peu connu Monsieur... mais il y a si longtemps... si longtemps... se souvient-il même de moi ? ». Et je me rappelle être rentré chez moi ce soir-là avec l'idée, confuse mais têtue, que cette soirée pourrait bien se révéler vite plus importante dans nos vies qu'elle ne le semblait à première vue.

Les événements n'allaient pas tarder à me donner raison. C'est d'abord le harem, en effet, son cher harem, tout son fin réseau de désirs si patiemment constitué, qui, du jour au lendemain, l'assomme. Le dégoûte. N'a plus le moindre attrait pour lui. Et je l'entends encore me demander, avec cette joie à la fois jubilatoire et amère des gens qui sentent obscurément qu'ils sont en train de l'emporter sur la part la plus mauvaise quoique peut-être la plus essentielle d'eux-mêmes, de prévenir celle-ci; d'annuler un rendez-vous avec celle-là; de « traiter » cette troisième moi-même si ça me chante; de dédommager cette quatrième; de leur dire à toutes, vraiment toutes, sans exception, que c'est fini, on ferme, on ne joue plus, le maître est fatigué, impuissant, en voyage amoureux même s'il le faut; de les renvoyer toutes, autrement dit, en improvisant avec les moyens du bord — et de mon choix — ce que nous n'aurions pas craint d'appeler, en d'autres circonstances, un licenciement collectif sans préavis ou une liquidation de biens sauvage.

C'est Marie ensuite, la chère petite Marie, qui n'avait jamais été bien gâtée, mais qui là, sans savoir d'où ça lui tombe, reçoit le coup de grâce. A dater de cette rencontre, en effet, il ne la touchera plus. Du tout. Jamais. Elle a beau ruser, intriguer, monter des stratagèmes absurdes, il ne peut pas. Il ne peut plus. La seule idée de ce corps en demande, ici, tout près de lui, toutes les nuits, lui donne, rien que d'y songer, envie de vomir. Il lui reproche sa peau. Ses baisers. Son haleine un peu chargée, le matin, au réveil. La façon qu'elle a de se lever. De chanter dans sa salle de bain. De revenir enfiler son collant sous ses yeux, sans grâce, en en faisant gaillardement claquer l'élastique. Il lui reproche la petite langue pâteuse et prétendument coquine qu'elle lui fourre entre les lèvres, avant de partir, histoire, comme elle dit, d' « achever de le réveiller en douceur ». Il lui en veut d'être elle, Marie — et pas Malika.

Il reste avenue Ingres, direz-vous? C'est vrai,

oui, il reste. Car, d'abord je le lui conseille; je l'adjure d'être prudent; je trouve bizarre cette fille qui réapparaît ainsi, après dix ans d'absence. Et puis la fille a ses plans, semble-t-il; sa stratégie; son calendrier peut-être; et, pour des raisons qui ne devaient me devenir claires que beaucoup plus tard, elle n'a aucune envie, à ce moment-là, de s'embarrasser de sa présence. Pour lui, cependant, c'est fait. Il est ailleurs déjà. Là-bas. Près d'elle. Chez elle. Il ne pense qu'à elle. Ne rêve que d'elle. Il lui consacre ses songes. Il lui voue ses projets les plus secrets. Il n'a plus d'espérance qui ne lui soit, d'une manière ou d'une autre, liée. Et je me demande même si, en comptant bien, on ne découvrirait pas qu'il réalise le tour de force de lui accorder clandestinement, et sans quitter donc l'avenue Ingres, une bonne moitié de son temps et de sa vie concrète.

Il est chez elle le soir quand il peut prétexter un dîner; et il est chez elle la journée pendant que Marie est au lycée. Il la retrouve à deux ou trois heures du matin quand il est sûr que l'autre dort à poings fermés et qu'il pourra prétendre le lendemain qu'il s'est levé, en fait, à l'aube; et il la quitte au contraire à deux ou trois heures, comme après un meeting qui se serait un peu prolongé, quand c'est elle, Malika, qui s'est assoupie et que, ayant l'impression donc d'avoir commencé une vraie nuit à ses côtés, il peut sans trop de dégâts s'en retourner très vite la finir — ou la recommencer — avenue Ingres. Il utilise les week-ends. Il joue sur les séjours de la petite à Guebwiller. Toutes les occasions, tous les prétextes lui sont bons pour gratter ici quelques heures, là quelques jours. Et il va même, ce fou! jusqu'à se faire ouvrier — non pas, comme d'aucuns l'ont cru, par passion politique ou idéologique mais par souci, surtout, d'offrir un peu plus d'air et d'espace à ce qui ressemble de plus en plus à une classique vie parallèle.

Je me rappelle par exemple ce fameux foyer d'immigrés de Billancourt où il était censé passer ses nuits et qu'il était capable de décrire, à la demande, avec une émotion, une précision, un luxe de détails et d'informations à faire pâlir d'envie le plus talentueux des romanciers. Marie marchait, bien sûr. Elle le voyait comme si elle y était. Elle se faisait un sang d'encre à l'idée de son tendre chéri perdu dans cette crasse, cette misère. Et elle admirait à en pleurer ce dévouement de saint, troquant le confort d'une vie tranquille dans un hôtel particulier du XVIe contre les exigences de son sacerdoce prolétarien. Seulement voilà, il n'avait qu'un défaut ce foyer : il n'existait pas; Benjamin inventait tout; il passait ces soirées-là, au bras de son autre amante, dans d'élégants restaurants qu'il lui réservait et où il savait qu'il n'y avait guère de recoupements possibles avec le reste de sa vie.

Je me rappelle également l'affolante duplicité avec laquelle il s'inventait de faux voyages à l'étranger. Une secrétaire, en général la mienne, appelait à un moment où elle savait qu'elle ne le trouverait pas et qu'elle tomberait forcément sur Marie. Elle se faisait passer pour Mlle Tartempion de l'Organisation Machin, invitant Monsieur C. à un colloque quelconque, un symposium sur la révolution, une réunion internationale sur l' « état du socialisme en Chine », etc. Marie, scrupuleuse, notait. Disait qu'elle transmettrait. Transmettait effectivement. Quand Benjamin — comble d'habileté — faisait mine de renâcler ou de l'écouter d'une oreille distraite, elle insistait, la pauvre chérie, argumentait tant qu'elle pouvait et lui expliquait « qu'il avait tort...

elle l'avait eue, elle, cette fille, au téléphone... et elle était bien placée pour lui dire que cette affaire semblait tout ce qu'il y a de plus sérieux, passionnant, enrichissant... oh! oui, bien sûr, qu'il y aille... qu'il n'hésite pas une seconde... ça lui fera tellement plus de bien que de rester ici, à tourner en rond avec toutes ses idées noires ». Après quoi il ne restait plus au roué qu'à recevoir un faux billet. Boucler de faux bagages. Faire de faux adieux sur le perron de sa vraie maison. Et, la conscience apaisée par cette manière de bénédiction, courir chez Malika.

Je me rappelle encore — ce sont des détails, mais je vous les livre quand même, en vrac, comme ils me viennent, parce qu'ils me paraissent révélateurs de l'imbroglio auquel avait de plus en plus tendance à ressembler son existence — l'insistance qu'il avait mise à convaincre Marie d'adopter la couleur du rouge à lèvres que Malika laissait sur ses chemises. De troquer son parfum, auquel elle tenait pourtant beaucoup, contre celui, plus lourd, plus sucré, et qui ne lui allait pas du tout, de cette dernière. D'acheter un horrible petit teckel alors qu'elle détestait les animaux — et pour la seule raison que l'autre en avait un, dont les poils, sur ses vêtements, pouvaient, quand il rentrait, le trahir. Je me rappelle comment, redoutant le lapsus fatal qui le trahirait aussi, il avait rebaptisé d'autorité Lazare le domestique de l'Algérienne. Ou comment il s'était constitué dans Paris deux réseaux d'amis, de bistrots, de sorties, d'activités distinctes même — à l'étanchéité desquels il veillait avec le même soin jaloux, presque maniaque, que, jadis, à la composition de son harem.

Moi-même — et c'est un autre indice qui ne trompait pas — j'avais complètement changé de fonction auprès de lui, passant en quelque sorte du rôle d' « eunuque » ou de « grand vizir » préposé aux tâches de maintien de l'ordre dans le sérail à celui d' « officier du génie » chargé de l'intendance, de la logistique, de l'infrastructure quasi militaire de ses deux vies parallèles et chargé, surtout, de veiller à ce qu'elles ne se rencontrent ni ne s'interpénètrent jamais. Ce sont mes secrétaires, je viens de le dire, qui lui organisaient ses faux voyages. Mais ce sont elles aussi qui, ensuite, se chargeaient d'acheminer ses faux télégrammes. De simuler pour lui, et avec lui, des conversations téléphoniques longue distance. De lui rassembler de véritables revues de presse météo qui lui permettaient, quand il était censé avoir passé trois jours à Rome, Londres ou Hong Kong, de parler éloquemment, à son retour, du temps qu'il y avait fait. Et c'est chez moi encore, je veux dire à mon cabinet, qu'il savait trouver des choses aussi différentes qu'un divan où finir la nuit, une douche, un double de sa garde-robe et un ami toujours prêt à couvrir ou à renforcer ses mensonges un peu légers.

Dira-t-on que c'était se donner bien du mal pour ménager les apparences ? Et que toutes ces ruses, tous ces mensonges, tout ce luxe de scrupules et de précautions pouvaient tout aussi bien s'interpréter comme un fabuleux hommage rendu en fin de compte à celle des deux femmes qu'il bafouait ? En apparence oui, sans doute. Mais en réalité, ce n'était pas dans cet esprit qu'il le faisait. Et il ne se serait certainement pas embarrassé de ces complications si Malika elle-même n'y avait tenu ; les avait posées comme condition à leurs rapports ; et, prétextant tantôt son mari resté en Algérie, tantôt son image d'attachée d'ambassade modèle, tantôt des raisons pseudo-sentimentales dont je vous épargne le détail, ne l'avait astreint à ce système de secret et de clandestinité permanente. Pauvre Marie ! Elle n'eut même pas vraiment droit à cette ultime attention, à cette dernière délicatesse! Et c'était par amour pour l'autre, encore, qu'il prenait la peine de lui mentir!

Certaines fois, du reste, il n'y arrivait plus. Il ne savait plus quoi inventer. Il en avait assez de cet écheveau de fictions, de fables, qui devenait comme un gigantesque piège où il se sentait empêtré. Et je le voyais, lui, maître en faussetés, sur le point de lâcher pied, de tout envoyer promener — « zut, après tout, semblait-il dire, je n'en peux plus, jouez sans moi et advienne, ensuite, que pourra... » Eh bien, c'est elle, Malika toujours, qui, ces fois-là, reprenait la barre. Elle qui, avec une froideur, un culot impressionnants, bâtissait le scénario qu'on allait pouvoir servir à Marie. Elle encore qui, sans un mot de trop ni un état d'âme superflu, faisait comprendre à son amant que c'était à prendre ou à laisser mais que, si d'aventure il laissait, c'est à leur couple aussi qu'il renonçait. Et elle enfin qui, forte de ce chantage et sur le ton d'un général en chef distribuant ordres et consignes à la veille d'une bataille décisive, me téléphonait pour m'expliquer quoi dire, quoi faire, quel colloque inventer, quelle destination choisir — et ce qu'elle attendait concrètement, dans le détail, de mes secrétaires.

Lui, quand je m'étonnais de ces procédés, avait tendance à nier, à minimiser. Et il prenait l'air important du monsieur qui a une stratégie plus fine, plus complexe, à plus long terme qu'elle n'en a l'air — mais dont il ne pouvait pas, pour le moment, me dévoiler tous les rouages. « Ne t'inquiète pas, me rassurait-il en substance. Tout va bien. Je sais où je vais. Je contrôle à la perfection et mes troupes et mon terrain. Tout cela reste, de bout en bout, manipulé par mes soins... » Et semblable à ces très jeunes gens qui, tenant l'amour pour une maladie vaguement honteuse, se feraient hacher menu plutôt que d'avouer à leurs

camarades qu'ils l'ont à leur tour attrapée, il faisait une chose incroyable, et que je ne l'avais
jamais vu faire encore : il se vantait devant moi
d'aventures dont je sentais tout de suite qu'il
était en train de les inventer et qu'elles n'avaient
d'autre but que de minimiser à mes yeux le poids
de Malika sur sa vie. Car la réalité, hélas, crevait
les yeux : cette fille le dominait. Elle le manipulait. Elle faisait de lui ce qu'elle voulait. Il n'était
ni plus ni moins devenu qu'un homme sous
influence.

A quoi tenait cette influence et quels en étaient
les ressorts, c'est une autre question. Et une question à laquelle j'avais toutes les peines du monde,
sur le moment, à apporter une réponse qui se
tînt. La part de la politique ? de leur credo commun ? de cette forme de pureté, d'intransigeance
morale et révolutionnaire dont il la créditait ?
celle du sexe ? des voluptés nouvelles auxquelles
on peut supposer qu'elle l'initiait ? N'était-elle pas
la première femme, tout simplement, à avoir su,
pour des raisons que j'ignore, lui recomposer ce
désir malade, presque pervers, que je ne lui avais
jamais vu jusque-là qu'épars, émietté ?

Sans doute. Tout cela a dû jouer. Encore qu'il
fît trop de mystères, soudain, autour de cette liaison — lui qui, je vous le rappelle, m'avait toujours *tout* raconté ! — pour que je pusse détermi-
ner la part respective de ces raisons ou celle d'autres, plus secrètes, dont elles ne seraient que le
paravent. Une seule chose sûre : il n'était pas seulement amoureux mais subjugué; envoûté; et si
« possession » il y a eu — cette fameuse possession dont on a tant parlé à notre propos à lui et
moi — c'est de ce côté qu'elle a trouvé à s'exercer.

Le personnage, du reste, changeait. Peu à peu.
Imperceptiblement. Mais il changeait, c'était cer-

tain. Et je le voyais déjà à sa tête. A son physique.
A un je ne sais quoi de mûri d'abord, d'épanoui
dans tout le corps — comme si cette aventure lui
conférait une manière d'aplomb, d'euphorie virile
et calme où il brisait enfin avec son interminable
adolescence. Je le voyais à quelque chose de flou
aussi, de vague, presque de fuyant dans son allure
qui, contrariant curieusement cette première
impression de sérénité, lui donnait tout le temps
l'air d'être ailleurs; de cacher quelque chose; et de
ne plus savoir mettre un pied devant l'autre sans
avoir l'impression d'être épié, filé, environné de
milliers d'ennemis. A quoi rimait ce cirque? Je ne
le savais, à cette époque, pas plus que Marie —
même si j'avais l'avantage, moi, de deviner que ce
n'était pas sans rapport avec l'empire qu'exerçait
sur lui son nouvel amour.

D'autant que, pendant ce temps, son
« discours » changeait aussi. Et qu'il n'était pas
très difficile non plus d'entendre dans ce changement l'écho de la même influence. C'était quelque
chose de plus rude dans le ton. De plus raide. De
plus sincèrement radical, véhément. C'était un
imperceptible déplacement d'accent : lorsqu'il
disait « lutte », « guerre », « violence » ou
« révolution », on avait l'impression qu'il ne
s'agissait plus seulement de mots, ni d'un jeu, ni
d'une incantation gratuite, sans conséquences.
C'était sa haine grandissante contre la France.
Ses invectives contre « le pays du pinard, des
maillots de corps, des pétainistes et des chiens
méchants ». Sa nostalgie également des époques
héroïques où l'Europe n'était pas encore « cette
grande Suisse sans âme, désertée par les courants
de l'Histoire, où il ne restait qu'à rêver les vraies
révolutions des autres ». Ou bien, plus net encore
et à propos « des révolutions des autres » justement, sa manière obsessionnelle, quasi démente,

et qui me mit assez vite la puce à l'oreille, de prôner le « modèle palestinien ».

Il n'avait jamais fait mystère, bien sûr, de ses opinions plutôt « pro-palestiniennes ». Mais il s'agissait de politique, jusque-là. D'opinions. De positions pensées, argumentées, raisonnées. Alors qu'ici, pas du tout ! On changeait soudain de registre ! On passait au domaine de la passion, presque de la religion ! les fedayin eux-mêmes étaient des idoles de chair aux pieds desquelles il se prosternait. Le peuple palestinien tout entier une sorte de peuple-christ dont la misère, le malheur, portaient témoignage pour l'ensemble de l'humanité. Et quant à Israël ce n'était plus un Etat comme un autre, éventuellement justiciable d'un sévère réquisitoire politique : c'était le Mal, le Diable en personne.

Etait-il en train, pour autant, de devenir « antisémite » ? Officiellement non, bien sûr. Et il me revient, à cet égard, le souvenir d'une soirée où, répondant à quelqu'un qui lui en posait précisément la question, il s'était lancé dans un bouillant éloge du « vrai », du « pur » Israël — « celui des exilés, des sans-patrie, des hommes de nulle part; celui qu'on a dans la tête et qu'on emporte à la semelle de ses souliers; celui de Kafka et de Spinoza; des bolcheviks d'Octobre et du ghetto de Varsovie; celui qui nous apprend à nous rire de toutes les frontières, de toutes les prisons communautaires et qui, de ce « cosmopolitisme » même qu'on lui a, au cours des siècles, retourné comme une injure, a su, avec le temps, se faire une bannière; le judaïsme originaire en même temps qu'éternel puisque c'est de lui que, tout compte fait, nous héritons les plus hautes, les plus saintes valeurs de résistance... » C'était beau. C'était grand. C'était plein d'une louable et méritoire emphase. Mais lorsque son interlocuteur lui demanda de préciser qui incarnait le mieux, de

nos jours, ce « judaïsme originaire », il répondit...
Yasser Arafat; et à la question de savoir où se
trouvaient, à l'inverse, ses adversaires les plus
irréductibles, c'est le nom de Tel-Aviv qui lui vint
spontanément aux lèvres.

J'ajoute que, fort de ce blanc-seing que lui
conféraient, pensait-il, ses professions de foi phi-
losémites peu coûteuses, il ne détestait en général
pas de disserter élégamment sur l'énigme de ces
anciennes « victimes » qui, chaussant les bottes
de leurs « bourreaux », étaient si merveilleusement à l'aise dans leur rôle de « nouveaux nazis ».
Ni de s'étonner, de façon plus sournoise encore,
de cette « intox », de ce « chantage au souvenir »
exercé par les juifs de son époque — comme si
tout le bruit que l'on faisait autour du « nazisme
d'hier » ne servait qu'à couvrir la voix des
« gueux » qui crevaient, eux, bel et bien, sous les
coups de celui d'aujourd'hui... « Auschwitz, ça suffit, hurla-t-il un soir, en plein milieu d'une cérémonie de commémoration où il était venu dans
l'intention de chahuter! Oui, assez de vos jérémia-
des! Assez de vos chambres à gaz! Assez de ces
chèques en bois tirés sur vos souffrances passées!
Regardez-vous! Non mais, regardez-vous donc!
Voyez vos mines fleuries! Vos têtes de bourgeois
repus! Vos costumes puant le fric! Croyez-vous
que ce soit à cela que ressemblent les vraies
victimes? » — et ainsi de suite jusqu'à ce que, les
premières secondes de stupeur passées, trois jeunes hommes au visage grave et coiffés d'une
kippa se précipitent vers lui pour tenter d'arrêter
l'esclandre.

L'anecdote est terrible, je trouve. Accablante.
Odieuse même. Et j'ai parfaitement conscience,
pour peu que vous ressentiez le quart de l'émotion qui m'a envahi moi-même, à l'époque, en le
voyant continuer de gigoter et de pointer un
index vengeur en direction de la tribune tandis

que les trois garçons, très dignes, l'embarquaient comme un forcené, j'ai parfaitement conscience, dis-je, de ne pas le grandir en vous la rapportant. Mais je crois que c'est important. Significatif au moins. Car on était vraiment, là, à la toute veille de la catastrophe. C'était comme une décharge à blanc des forces gigantesques qui, accumulées en secret et depuis très longtemps, n'allaient plus tarder à exploser. Et si je vous cite ce cas, c'est comme une illustration parmi cent autres de cet « esprit Malika » qui le gagnait comme une gale — et dont mon erreur aura sans doute été de ne pas assez vite, ni assez bien, ni même assez hardiment, mesurer la progression.

Peut-être aurais-je dû, par exemple, m'inquiéter davantage des gens qu'il fréquentait et qui peuplaient de plus en plus l'univers de cette seconde vie. C'était Farid notamment, ce « cousin » de Malika (en fait un ancien amant) qui ne pouvait pas se mettre à table sans avoir déclamé un rituel « l'an prochain à Jérusalem » — ou Abdullah, son alter ego, qui passait pour rescapé, lui, du « Septembre Noir » jordanien. C'était le pasteur Berthier, cet illuminé froid qui expliquait que le Christ n'était pas juif mais palestinien — ou ce dominicain dont le nom m'échappe mais dans le couvent duquel s'opéraient, en plein XVe arrondissement, de peu catholiques trafics. C'était Adaberto Pintanera le Cubain, qui sentait son agent secret à plein nez; Petra, la jeune Allemande hallucinée qui avait passé, disait-on, les trois premières années de sa vie à Buchenwald et qui croyait dur comme fer, elle aussi, que les Palestiniens étaient « les juifs de la fin du siècle »; Sandro P., un professeur italien, très lié à l'intelligentsia parisienne, théoricien de l' « autonomie ouvrière »; un autre Arabe, parfaitement tocard à mon avis, mais qui tenait sa réputation d'une rumeur flatteuse — jamais vérifiée, mais jamais non plus tout à fait démentie — qui faisait de lui le « frère de lait » de Georges Habache, ou celui, surtout, que Benjamin appelait indifféremment Raymond, Julien ou « le loup blanc » et dont je ne devais découvrir que beaucoup plus tard ce que dissimulaient sa courtoisie un peu glacée, son élégance d'aristocrate de la révolution, ses silences, ses fines lunettes sans monture ou son réseau de « solidarité » aux victimes de l'impérialisme dans le tiers monde...

Peut-être aurais-je dû attacher plus d'importance également aux choses étranges qu'il faisait avec Malika. Et je songe là notamment à ce bien curieux nid d'amour, capitonné comme un cercueil, insonorisé, équipé de toute une batterie de microphones, yeux électroniques, récepteurs radio superpuissants ou déguisements en tous genres, qu'ils s'étaient fait aménager en grand secret dans les caves d'un immeuble délabré de Montparnasse. Aux voyages mystérieux, mais vrais cette fois, qui les menèrent en moins d'un an à La Havane, en Bolivie, en Syrie, en Irak, à Aden, en Libye où ils furent reçus avec un luxe d'égards, d'amitié, de voitures officielles, de jets privés que n'exigeaient ni les talents de l'un ni les qualités diplomatiques de l'autre. Je songe aux sauts de puce qu'ils faisaient (un jour, deux tout au plus) à Genève, à Zurich, au Liechtenstein et au cours desquels ils voyageaient, au contraire, comme à la grande époque des porteurs de valises, sous des identités d'emprunt, avec perruques, barbes postiches ou maquillages savants. J'étais moi-même, du reste, trop étroitement impliqué dans la vie et les affaires de Benjamin pour n'être pas associé de manière parfois plus qu'indirecte à certaines de ces menées; et il est parfaitement exact, pour aller à l'essentiel, que j'ai été responsable du fameux compte à numéro ouvert au nom de Buffalo Bill dans un respectable établissement genevois et d'où partirent nombre de virements destinés à des éditeurs; à des patrons de presse; à des négociants internationaux dont une enquête même rapide m'aurait probablement convaincu que la raison sociale n'était pas vraiment transparente; ou encore — et cela pouvait atteindre des sommes astronomiques — à l'un de ces groupuscules gauchistes sans scrupules qui faisaient à l'époque le siège des milliardaires rouges européens et auxquels Benjamin ne savait pas résister.

Que voulez-vous? Tout cela avait beau être douteux, ce n'était pas extraordinaire. C'était dans le ton de l'époque. Il n'était pas le premier fils de famille à cracher avec entrain au bassinet de ce que l'on considérait alors, je vous le rappelle, comme le grand, le noble, le légitime « camp progressiste ». En sorte qu'on peut me reprocher d'avoir été naïf, stupide, aveuglé par l'amitié ou par des options politiques qui n'étaient peut-être pas, à l'époque, si éloignées des siennes : mais il faut me croire quand je dis que je ne savais rien; que je n'étais informé de rien; que j'exécutais avec une bonne conscience parfaite les ordres qui m'étaient donnés; et que je ne me suis jamais posé de questions vraiment sérieuses avant le jour où, au plus fort de ce qu'on a appelé l' « affaire Nogrette », il est venu m'annoncer qu'il partait pour un très très long voyage dont personne, pas même moi, ne devait savoir l'itinéraire; et où il me confia un énorme paquet de lettres pré-écrites et pré-datées que je devais faire parvenir à Marie, par tous moyens à ma convenance, à partir de Londres, New York, Mexico, Lima, Santiago, puis, pendant un an, à partir des grandes villes de l'Inde — où il n'avait jamais eu l'intention, bien sûr, de mettre les pieds.

Là, en effet, c'était trop; ça prenait des proportions affolantes; et même si, une fois de plus, avec une diligence qui me stupéfie encore quand j'y repense, j'ai monté le dispositif abracadabrant qu'il me demandait, j'ai commencé pour la première fois à nourrir de vrais soupçons... Deux mois plus tard il me téléphonait de Cuba, très bizarre, pour me dire que tout allait bien, qu'il voyait souvent Castro et qu'il était installé dans le plus bel appartement du « Habana Libre ». Au début de l'hiver, je reçus de Berlin un télex plus mystérieux encore qui me priait, sans autre explication, de virer à un certain Hans Fiedler la bagatelle de trois cent mille dollars. En janvier, février peut-être, il faudra vérifier, on me signale un très long passage à Tripoli, en Libye, où il se serait lié d'amitié avec une sorte de mercenaire irlandais, proche du colonel Kadhafi, du nom d'Eddy O'Donnel. Et c'est au printemps enfin — 1973 toujours — que n'ayant plus du tout de nouvelles directes mais apprenant qu'il était à Beyrouth, je décidai d'y aller et d'en avoir enfin le cœur net.

3

JE suis arrivé à Beyrouth, pour être précis, le 3 juin 1973. Il faisait lourd. Presque trop chaud. Une insistante odeur d'humidité mêlée à des relents de vieux kérosène flottait dans l'air de l'aéroport international de Khaldé. Et je me rappelle avoir été tout de suite saisi par cette impression d'indolence heureuse et un peu moite que connaissent bien les habitués du Proche-Orient. C'étaient les mêmes voix chaudes, roulant les « r », qui s'interpellaient d'un file à l'autre de la salle de débarquement. Les mêmes douaniers nonchalants, abrutis de chaleur et d'ennui, qui vous tamponnent à l'infini bagages et passeports. Les mêmes files de taxis, plus neufs certes, plus rutilants avec leurs chromes bien astiqués et leur carrosserie rose ou jaune citron mais dont on a le sentiment, comme à Damas ou au Caire, qu'ils pourraient être là, à la même place, figés dans la même léthargie, depuis des jours et des semaines. Et la route vers le centre présentait la même succession, si caractéristique elle aussi, de bidonvilles sordides que l'on eût dit perchés sur pilotis au-dessus d'un océan de crasse et de boue — et de jolis bois de cèdres et de pins aux parfums exquis.

La ville, m'expliqua mon chauffeur dans un français presque parfait, sortait de six semaines de combats acharnés entre armée libanaise et réfugiés palestiniens. Je pouvais voir ici les impacts des balles. Là une maison à demi dévastée. Là encore cette plage au nom enchanteur — Miami Beach, Acapulco Beach, je ne sais plus — qu'avaient squatterisée en même pas huit jours tout un peuple de miséreux chassés de leur camp par les bombes. Et je me souviens avoir buté moi-même, le soir venu, tandis que je flânais sur le front de mer, quelque part entre l'avenue de Paris et l'élégante rue Ahmed Chaouqi, sur une chose inerte et molle qui exhalait une odeur fétide et se révéla, à l'examen, un cadavre d'enfant éventré. A ces réserves — de taille ! — près, la ville était gaie. Rieuse. Elle respirait le bonheur, les vacances. C'était Nice au mois d'août. Oran avant la guerre d'Algérie. Et il y avait, dans ce « quartier des hôtels » que la guerre a, paraît-il, presque complètement dévasté depuis, une odeur d'épices et de jasmin dont j'ai un peu honte de dire qu'elle arrivait à me faire oublier la puanteur du cadavre de l'enfant.

J'étais descendu au Saint-Georges, ce palace cosmopolite un peu absurde — le plus somptueux probablement du Beyrouth de l'époque — qui ressemblait à une presqu'île avec ses trois façades donnant sur la mer. Malgré les événements, il était plein. Grouillant de gens. Bruissant de toutes les langues, de tous les accents du monde. Les escrocs internationaux y côtoyaient des prostituées de haut vol. Les hommes d'affaires beyrouthins y venaient volontiers, à la nuit tombée, prendre le pouls du marché planétaire. Il régnait au bar, dans le hall, sur la terrasse où l'on dînait, une atmosphère de filles faciles, de whisky à gogo et de luxe un peu clinquant qui rappelait ce qu'avaient pu être, au temps de leur splendeur, Tanger, Suez ou Port-Saïd. Et il y avait par-dessus le marché un côté ragots, complots, rendez-vous de toutes les rumeurs et de tous les informateurs qui m'avait paru particulièrement indiqué pour l'installation de mon Q.G.

Comment procéder en effet et par quel bout prendre le problème ? J'étais dans le noir. Je n'avais ni piste sérieuse ni indice vraiment solide. Tout ce que je savais c'est qu'il était ici, quelque part, au fond de cette ville non seulement inconnue mais folle, sauvage, infiniment complexe — la plus complexe sans doute, la plus difficile à pénétrer, à saisir dans sa logique, dans sa topographie profonde qu'il m'ait été donné de connaître dans ma vie de voyageur pourtant remplie. Et d'ailleurs, je ne le « savais » pas vraiment. Car ce n'est pas lui directement qui m'avait informé cette fois-ci ; mais une voix anonyme, un soir, au téléphone, me demandant « en son nom », après avoir décliné les mots de passe convenus, de donner très vite un nouvel ordre de virement vers une petite banque de la rue Allenby à Beyrouth. C'était maigre, on en conviendra. Je n'avais rien de plus pour lancer ma petite enquête.

Je commençai, bien entendu, par la banque en question que je retrouvai facilement, au dernier étage d'une petite maison de pierre bistre, coincée entre deux buildings, dans une des artères commerçantes du quartier du port, à la lisière des parties chrétienne et musulmane de la ville. C'était un endroit du genre « discret », anonyme et confidentiel. Il n'y avait pas le moindre signe, par exemple, qui révélât, de la rue, son existence. La pièce où je pénétrai, avec ses hauts plafonds, ses boiseries, ses tableaux de Magritte ou de Vasarely aux murs et ses tapis de haute laine blanche qui protégeaient de la chaleur, tenait davantage du salon cossu que du bureau d'établissement financier international. Et l'homme qui me reçut, tout à fait aimable, courtois, ne m'épargnant aucune des banalités d'usage sur la vitalité du Liban, sa santé, son indomptable prospérité, me fit le coup du « secret des banques libanaises », en revanche, quand j'arrivai à mon affaire : j'eus beau insister, adjurer, menacer même et lui donner toutes les preuves possibles que c'était bien moi qui, depuis Genève, avais donné l'ordre, etc. — rien n'y fit, il resta de marbre et je sortis de chez lui avec la très pénible impression d'avoir, en à peine une heure, abattu et brûlé mon unique atout.

J'allai, dans les jours qui suivirent, à l'ambassade. Au consulat. Aux guichets des principales agences de voyage. A la rédaction de *L'Orient le jour*, le journal francophone de la ville. J'allai chez Antoine, le libraire qui recevait les périodiques français. Au café de Paris, rue Hamrah, les Champs-Elysées de Beyrouth. Au Club, ce bar pseudo-chic à l'ambiance feutrée et au décor 1900 où se retrouvent et s'observent, m'avait-on dit, tous les grands espions internationaux. J'écumai les boîtes de strip-tease de la rue de Phénicie. Les bordels du Ras Beyrouth. Les bistrots du quartier des hôtels où l'on dînait dehors, au milieu des arbustes en fleur. Je poussai même le scrupule jusqu'à draguer — et payer ! — des entraîneuses que je ne touchais guère mais dont je me disais qu'elles avaient pu être à son goût — ou jusqu'à interroger, plusieurs soirs de suite, les croupiers, les physionomistes, les habitués même du casino de Maadelstein, à l'extérieur de la ville. Bref, je « fis » tous les endroits où il était impensable qu'il ne fût pas au moins passé si, comme je le croyais, il habitait — ou avait même habité — ici. Tout cela, en vain. Sans l'ombre d'un résultat. Personne ne le connaissait. On ne l'avait vu nulle part.

Au bout de quelque temps, désespérant de le retrouver jamais par ces circuits « normaux », je pris mon courage à deux mains et décidai d'aller

voir un peu du côté de ceux pour qui il était vraisemblable, au fond, qu'il fût venu ici, à savoir les
Palestiniens. Mar Elias... Borj Barajneh...
Dbayeh... Tal El Zaatar... Jisr El Bacha... Sabra et
Chatila surtout, qui étaient moins des camps proprement dits qu'une véritable ville dans la ville
avec ses rues, ses taxis, ses marchands de pista-
ches à chaque carrefour, sa police, ses immeubles
lépreux rachetés pour une bouchée de pain aux
anciens habitants du quartier ou ses modestes
estaminets où l'on servait un café turc dont le
marc était si fort qu'il vous poissait la langue,
ensuite, pendant des heures... : toute la misère du
monde était là; toute son horreur; toute sa tristesse; et je rentrais de plus en plus déprimé, le
soir, après des journées entières passées à déambuler dans cet enfer et à interroger en vain —
toujours en vain ! — les hommes, les enfants, les
femmes parfois ou bien les ga'im, ces
« fiers-à-bras » de quartier sur lesquels les Palestiniens de l'époque prenaient appui pour relayer
localement leur influence et qui, de fait, tenaient
la rue, contrôlaient les allées et venues, savaient
tout ce qui s'y passait.

En général, on ne me répondait pas du tout —
et j'avais beau insister, le décrire, montrer même
sa photo, je ne trouvais en face de moi que des
visages butés, fermés. Parfois on me disait, et cela
me désespérait encore plus, qu'il n'y avait plus
d'étrangers dans les camps depuis les combats
des semaines passées, et qu'aux termes des
accords d'armistice qu'elle avait dû consentir à
signer, l'OLP s'était engagée à chasser tous ceux
d'entre eux dont le rôle n'était pas strictement
humanitaire. Ou parfois au contraire — mais
moyennant, il faut bien le dire, quelques dizaines
de livres libanaises — on me lâchait du bout des
lèvres que « oui, en effet, puisque j'insistais, on
avait bien dû voir cette tête-là quelque part.

Est-ce que ce ne serait pas un Allemand, par hasard ? Un Russe ? Le Bulgare de Bir Hassan ? Un Tchécoslovaque de Ravatneh ? Un Français ? Tu dis un Français ? Peut-être le professeur français alors qui est parti à Aden, l'année passée... Ou bien celui, Dieu ait son âme, qui est mort au combat, le mois dernier, à Chatila... » Et moi, dans ces cas-là, je démarrais au quart de tour. Je filais à Chatila, à Bir Hassan, à Ravatneh. Et je passais des journées encore, fébrile, fou d'inquiétude, à le guetter à chaque carrefour.

Un jour, enfin, je le vis. Il était tard. La nuit avait commencé de tomber sur le camp de Chatila. Et, exténué par une énième journée passée à errer entre ses taudis, je m'apprêtais à rentrer quand déboucha soudain, à quelques mètres à peine, une vieille motocyclette qui roulait à vive allure en soulevant sur son passage un fin nuage de poussière rouge. Il ne faisait pas très clair, c'est entendu. Et l'engin était allé trop vite pour que j'aie pu distinguer nettement les traits du conducteur. C'était lui, pourtant. C'était son profil, sa silhouette, sa chevelure blonde flottant au vent malgré le keffieh qui tentait de la retenir. Et comme je n'avais pas eu le réflexe, sur le moment, de l'appeler, je hélai un gros taxi Mercedes en maraude, que je lançai après lui dans une véritable course poursuite à travers les ruelles sombres, étroites, qui commençaient de s'animer. Quand nous arrivâmes à sa hauteur, la voiture, lancée à vive allure, fit une telle embardée qu'elle manqua le renverser. Il mit pied à terre alors et se tourna vers nous, furieux : il tenait un revolver à la main, nous injuriant en allemand et ne ressemblant plus du tout, de face, à Benjamin !

Bref, les choses n'allaient pas bien. Elles allaient même de mal en pis. Et mon enquête, loin de progresser, semblait s'ingénier au contraire à multiplier les situations les plus scabreuses, ou même les plus périlleuses. Etait-ce cela qui m'inquiétait ? avais-je été échaudé, le jour du motocycliste allemand, par cette foule compacte, si vite rassemblée, et qu'on devinait prête au lynchage ? ou était-ce la fatigue simplement ? la chaleur ? l'été, torride, qui s'installait ? les Beyrouthins élégants qui se repliaient les uns après les autres vers les montagnes, laissant la ville à sa fournaise et à sa pègre triomphante ? l'ennui ? la solitude ? le bruit des klaxons, toute la nuit, qui m'empêchait de fermer l'œil ? les arak-vodka que j'ingurgitais sans compter et qui n'arrivaient plus à me désaltérer ? La vérité c'est que j'en avais assez. Que j'étais résolu, moi aussi, à partir. Je n'étais pas loin de penser que j'avais fait fausse route, que je n'y arriverais plus, qu'il n'avait probablement jamais fichu les pieds dans cette ville d'enfer — quand un inconnu se présenta un soir à la réception du Saint-Georges qui me demanda par mon nom et me déclara, au bar, qu'il était un ami de mon ami Benyamin; que celui-ci était de retour à Beyrouth depuis la veille au soir; et qu'il était chargé de me conduire jusqu'à lui.

L'homme, à première vue, n'inspirait guère confiance. C'était un gaillard d'une cinquantaine d'années, maigre comme un coucou, avec un nez en pied de marmite; un regard chafouin et faux; une petite barbe qui lui tenait lieu de menton; de gros sourcils broussailleux où s'emmêlaient des mèches de cheveux gris; une vareuse kaki trop ample et maculée de taches; et avec une manière de parler, ou plutôt de ne pas parler, de ne pas répondre à mes questions et de s'en tenir à quelques phrases simples, manifestement apprises par cœur — « ami de votre ami... rentré à Sabra depuis hier... demain huit heures place des Martyrs en face du monument aux morts... » — qui en aurait inquiété de plus téméraires que moi. Au point où j'en étais, cependant, je n'avais plus grand-chose à perdre. Et c'est d'un pas plutôt léger que je me rendis donc, le matin venu, au rendez-vous qu'il m'avait fixé et d'où nous partîmes aussitôt pour ce fameux camp de Sabra que je croyais connaître par cœur mais que j'allais découvrir grâce à lui sous un jour pour le moins inattendu.

A l'entrée du camp, en effet, au milieu d'une ruelle où j'étais cent fois déjà passé à pied sans jamais rien remarquer d'autre que la classique enfilade de cabanes de torchis, recouvertes de tôle ondulée où s'agglutinent des réfugiés en haillons, nous faisons halte dans une maison. J'entends, une vraie maison. Avec un vrai toit. De vrais murs. De vraies pièces confortables. Un jardinet même, assez coquet, où vaquent deux chèvres naines et dont rien n'aurait pu, du dehors, laisser deviner l'existence. Et avec, à l'intérieur, deux hommes plus incongrus encore qui, à en juger par leurs grandes djellabas blanches, leurs babouches richement brodées, leur morgue surtout et la façon dévote avec laquelle les considère mon guide doivent forcément être quelque chose comme les pachas de l'endroit. L'entrevue, de fait, est brève. Sèche. Réduite à quelques injonctions simples et sans réplique qu'ils lui lancent dans un arabe qui me paraît plus rauque, plus guttural que de coutume. Le guide acquiesce. Il se confond en courbettes, salamalecs, génuflexions. Et, sans que j'aie eu le temps de piper mot, m'entraîne à reculons vers la porte où nous a attendus notre taxi.

Puis, quelques minutes plus tard, après avoir tourné encore, sans but ni direction apparents, à travers les rues sales, brûlantes, et dont on se dit que, ce matin, ce sera plus fort qu'elles, elles n'arriveront pas à s'éveiller ni à revenir tout à fait à elles, nous tombons sur une seconde maison, totalement insoupçonnable elle aussi derrière sa palissade galeuse et où se tiennent, assis en cercle, par terre, dans une grande pièce sobrement mais agréablement meublée et que domine un poster géant de Georges Habache, une vingtaine de jeunes hommes en treillis, la kalachnikov posée à côté d'eux, qui me dévisagent tous avec une attention soupçonneuse. Palabres à nouveau. Pourparlers interminables. Embrouillaminis de mots obscurs dont je suis apparemment l'objet et qui me sont, hélas, tout à fait inaudibles. A la différence près que, ce coup-ci, ils ont l'air, en plus, très en colère. Et qu'à un moment donné, comme s'ils trouvaient que le conciliabule avait assez duré, quatre d'entre eux se lèvent, nous empoignent, mon guide et moi, et nous conduisent sans ménagement jusqu'à un escalier de pierre qui, à première vue, mène à la cave.

Que se passe-t-il ? Où allons-nous ? Impossible, cette fois encore, d'arracher un mot d'explication à ce foutu guide qui semble plus abruti que jamais et qui ne sait que multiplier, tant à mon intention qu'à celle de nos gardiens, des mouvements de tête tout à la fois fébriles, serviles, bêtement complices ou faussement apaisants — il ne sait à la lettre plus où donner de la tête, le malheureux, tant on le devine soucieux de gagner à tout hasard, et pêle-mêle, les faveurs de tous les protagonistes de l'affaire ! Mais moi, du coup, je m'inquiète. Je m'affole. Je me dis : « voilà, nous y sommes, c'est finalement le guet-apens ». Je me surprends, au lieu de protester, de m'indigner ou d'essayer par exemple de fuir, à récapituler mentalement tous les signes — un mauvais rêve, l'avant-veille... ce soudain désir, le matin même, de ne pas me rendre au rendez-vous... l'étrange moue, dont je comprends mieux le sens, qu'avait eue le portier de l'hôtel quand il m'avait vu avec mon bonhomme — qui auraient dû m'avertir, en bonne logique, de la funeste issue qu'allait avoir toute cette histoire. Et je suis convaincu, en fin de compte, que ma dernière heure est en train de sonner quand, arrivé au bas des marches, je découvre en face de moi, ouvert dans le mur de la cave, un gigantesque boyau qui s'enfonce dans la terre.

La voûte est haute. Le sol plat. Pas trace, sur les parois, du moindre suintement d'humidité. C'est une sorte de tunnel. De galerie rectiligne. Un grand boulevard souterrain, large de cinq ou six mètres et complètement aménagé avec asphalte impeccable; grosses ampoules électriques disposées comme des réverbères, qui diffusent une lumière sèche, violente; anfractuosités mystérieuses dispersées à flanc de paroi, et où je ne cesse de voir des hommes entrer, puis ressortir avec, dans les bras, des chapelets de grenades, des fusils, des mitraillettes... Je marche cinq minutes comme ça. Dix peut-être. De plus en plus sidéré par tout cet incroyable trafic d'hommes, d'armes, d'hommes chargés d'armes qui se hâtent en silence ainsi que, pendant une guerre, sur une route proche du front. Et cela jusqu'à ce que cet étrange chemin remonte enfin — et, remontant, rencontre un nouvel escalier, semblable au premier et qui nous conduit dans les caves d'une nouvelle maison.

Là, changement de décor, derechef. Autant les deux premières étaient stylées, cossues, presque bourgeoises, et tout à fait inattendues en tout cas, dans un camp de réfugiés, autant celle-ci est vieille et lépreuse à souhait. Elle a quatre étages, en principe. Mais l'un a été pulvérisé par les bombes. D'un autre, il ne reste que quelques minces pans de façades retenus à des bouts de ferraille démantibulés. Au second, on a dû mettre des feuilles de carton à la place des carreaux de fenêtre. Et, dans la pièce même où l'on me fait entrer, règne ce climat d'effervescence typique de la

« base palestinienne » telle qu'on se la représente : paquets de vieux tracts par terre, la ronéo rouillée abandonnée dans un coin, les affiches, les photos de martyrs aux murs, celles de Nasser ou de Staline, sans parler de ce gamin — je dis « gamin » car il a onze ou douze ans à peine — qui me fait mettre les mains en l'air et me fouille avant de m'ordonner de m'asseoir.

Je me laisse faire ? Evidemment, je me laisse faire. J'accepte d'être traité comme le premier mouchard venu. Je tolère sans réagir les doigts fureteurs de ce « lionceau » (c'est ainsi qu'on appelait à l'époque les plus jeunes recrues d'Al Assifa, la branche militaire de l'OLP.) Et si je les tolère, c'est que je n'ai plus le choix. Que regimber ne servirait plus, je le sens, à rien. Parler, protester, poser des questions, leur dire qu'il y a erreur, malentendu, que je suis « des leurs », pas davantage. Et qu'il arrive toujours un moment dans ce genre de situation où l'on n'a plus envie de rien ; où on ne croit plus en rien ; et où on se trouve dans un tel état de faiblesse tout à coup, de vulnérabilité, de moindre résistance qu'on a l'impression que tout est joué désormais et que ce qui doit advenir adviendra. Je n'ai plus peur, autrement dit. Je suis accablé, simplement. Quasi prostré. Et stupéfait moi-même de la facilité avec laquelle un innocent peut se placer, au fond, dans la position d'un condamné.

L'après-midi passe ainsi. La soirée. La moitié de la nuit. Je suis là, docile et somnolent, sur la petite chaise de raphia qui m'a été assignée et où je n'ai rien d'autre à faire qu'à les regarder aller, venir, s'engueuler, s'embrasser, ouvrir avec une joie d'enfant une caisse pleine de pistolets mitrailleurs étrangement identiques, me semble-t-il, aux FAL qui équipent les armées de l'OTAN ou à écouter religieusement le cours d'un genre assez spécial — j'ai beau ne pas comprendre la langue, je sais reconnaître au tableau noir une bombe, un explosif, ou une charge de dynamite — qu'est venu délivrer un jeune professeur européen au physique de tchekiste des années trente. Et c'est dans cet état que je suis donc quand, un peu avant minuit, un bruit de pas nombreux retentit dans l'escalier et que, les fedayin en faction s'étant instinctivement redressés comme à l'approche d'une visite, d'un événement ou d'un danger exceptionnels, la porte s'ouvre à la volée sur un individu de haute taille, de belle prestance, qu'accompagne toute une cohorte d'hommes en armes. Cet homme, c'est Benjamin.

Je vous épargne le détail des retrouvailles. Le folklore. Les fedayin stupéfaits qui nous voient tomber dans les bras l'un de l'autre. Mon émotion. La sienne. Son agacement aussi peut-être. Sa gêne, semblable à celle des enfants qui voient débouler dans la cour d'école, au milieu de leurs camarades, un vieil oncle intempestif. Ce qui est important — et qui me saute tout de suite aux yeux — c'est la tête qu'il a. Sa voix. Sa façon sèche, presque cinglante d'interpeller, de tancer peut-être mes geôliers. L'humilité navrée avec laquelle eux-mêmes lui répondent. Le fait que tout se passe en arabe enfin, alors qu'il n'en savait, avant de partir, pas un traître mot. Bref, l'important c'est la profonde métamorphose que je sens à mille indices et qui me deviendra claire, dans un moment, au Saint-Georges, à travers le récit qu'il va, de mauvaise grâce d'abord, puis très vite plus librement, accepter de me faire.

Il est arrivé à Beyrouth, m'explique-t-il, il y a effectivement six mois. Mais en clandestin, via Damas. Sous un nom, avec un passeport d'emprunt. En s'attachant bien, surtout, à ne jamais mettre les pieds ni à Hamrah ni à Maadelstein, ni dans aucun de ces lieux pourris, maudits, symboles à ses yeux de la pestilence capitaliste où j'avais perdu mon temps, sottement, à le chercher. Et en filant droit sur Chatila au contraire, ce « camp des étrangers » dont il avait entendu parler jusqu'à Berlin et où commençaient d'affluer, outre les Palestiniens durs de la seconde génération, rescapés de « Septembre Noir » et bien décidés, maintenant, à ne reculer devant aucun moyen pour obliger le monde à les écouter, toute une faune d'Italiens, d'Allemands, d'Irlandais, de Japonais, de Moluquois, de Russes aussi, de Bulgares, de Yéménites et d'Irakiens — tout un peuple de têtes brûlées venant, comme lui, se mettre à l'école et au service de ce qui leur apparaît comme « la révolution par excellence ».

Concrètement, cela veut dire qu'il vit dans le camp. Au rythme du camp. Avec les moyens du camp. Qu'il renonce du jour au lendemain, donc, à ses habitudes de luxe et de confort. Et que lui qui n'aimait, vous le savez, que le bar du Ritz, les salles de bain du Meurice, les domestiques stylés et les restaurants élégants s'installe avec Malika dans un misérable deux-pièces, sans électricité ni eau, au rez-de-chaussée d'un immeuble dont il m'avoue lui-même en riant qu'il était si délabré qu'il ne savait jamais en le quittant s'il le retrouverait encore debout en rentrant. Il s'habille à l'orientale. Apprend à parler l'arabe. Ne se nourrit plus que d'olives et de yabné, ce fromage blanc typiquement libanais qu'on mange en sandwich avec de la menthe. On le voit le matin à cinq heures, un jerrican à chaque bras, faire la queue au point d'eau, qui sert à tout le quartier. Et il est rare qu'à la nuit tombée il n'aille pas voir un peu ce qui se passe au QG où nous nous sommes retrouvés (il a dit « voir un peu ce qui se passe » d'une voix snob tout à coup — un peu comme il disait autrefois : « allons voir un peu ce qui se passe » chez Lipp, au Flore ou au bar du Plazza...).

Malika, ajoute-t-il un ton plus bas et une pointe d'amertume dans la voix, ne reste malheureusement pas. Car le charme est rompu entre eux. Depuis Berlin au moins, peut-être La Havane, ils s'entendent de plus en plus mal. La clandestinité leur manque sans doute, avec son cortège d'émois faciles — à moins que ce ne soit Paris, l'argent, voire une certaine frivolité à quoi s'était, à son insu, identifiée leur relation. Un soir donc, au bout d'un mois ou deux, elle le quitte pour un bel officier russe qui lui avait fait miroiter le charme des villas, des piscines, de la bonne chère et des salles de projection réservées, à l'extérieur du camp, à la nomenklatura des instructeurs. Mais lui, en revanche, s'accroche. S'implante. Il ne songe pas un seul instant à jouir de ce genre de privilèges. Et il ne se dit même pas : « ah, la garce ! c'est elle qui m'a entraîné et, maintenant que j'y suis, elle me plante là ». Il a trouvé chez ces « va-nu-pieds » sa vraie « patrie spirituelle ». Et les va-nu-pieds le lui rendent bien qui, suprême honneur pour un étranger, le cooptent dans le « comité populaire » chargé de la gestion du camp et où ne siègent en principe que les représentants des organisations de résistance.

Ce qu'il y fait ? Quel genre de service il rend ? Il est plus discret là-dessus, bien sûr, et répond beaucoup plus prudemment à mes questions. Mais je crois comprendre qu'il met ses compétences « idéologiques » au service de ces jeunes hommes en colère, dépossédés de tout, qui n'ont même plus de leur pays le souvenir qu'en avaient encore leurs pères et à qui il est urgent, dit-il, « de refaire une mémoire ». Il les réunit chez lui, donc, par groupes de dix ou douze. Il leur enseigne leur histoire. Celle du sionisme et du peuple juif. Des rudiments de marxisme. D'économie. De science des révolutions. Il crée, ou contribue à créer, un quotidien en arabe de quatre pages intitulé

Filastu al Saoura. Un hebdomadaire du même titre. Une revue d'études théoriques destinée à l'exportation. Il est à l'origine de la fondation d'une agence de presse. Et il se souvient même des leçons de son vieux copain Biquet en mettant sur pied, depuis son gourbi toujours, une véritable agence d'images chargée de produire et de diffuser tous films, photos, documents esthétiques ou de propagande susceptibles de contribuer à la gloire de la nation palestinienne.

Ce que je comprends également — et qu'il lui est difficile, maintenant que nous sommes face à face, de nier tout à fait — c'est qu'il donne de l'argent. Beaucoup d'argent. Et que les sommes énormes que je lui ai envoyées n'ont pu ni s'envoler ni s'engloutir dans son loyer! Je n'ai pas de preuves formelles de ce que j'avance, bien sûr : mais je le devine mêlé par exemple à des affaires de trafic d'armes; il m'avoue sans me l'avouer tout en me l'avouant une sombre histoire de tanks hongrois payés par les Irakiens mais dont il a financé le transport; de vieux mystères se dissipent comme celui de cette fameuse SAMED pour le compte de laquelle il m'avait fait ordonner une ou deux opérations bizarres (le rachat à Damas d'une usine de fabrication d'uniformes — ou celui, à Bagdad, d'une entreprise de sous-titrage en arabe de films américains) et dont il reconnaît maintenant que c'est le holding de l'OLP; et quant au tout dernier virement, celui qui avait eu pour effet de provoquer mon arrivée, il refuse obstinément de m'en révéler le motif — mais il m'en dit assez pour que j'aie le net sentiment qu'il était destiné à financer une opération militaire de dimension internationale qui, pour des raisons que j'ignore, aurait échoué au dernier moment.

D'autant que lui-même, parallèlement à tout ça, et dans le domaine militaire justement, semble faire des progrès dont il n'est pas peu fier et qui constituent l'aspect le plus renversant de son récit. Là, en effet, il parle. Il dit tout. Autant il reste discret à propos des liens financiers qu'il a pu nouer avec des organisations de résistance, autant il devient intarissable au contraire quand il s'agit de me révéler la façon dont un groupe de Latino-Américains rescapés des montoneros argentins et des tupamaros uruguayens lui ont appris à se battre. Et j'ai droit, de fait, à une énumération véritablement impressionnante des mille et une techniques où il est, dit-il, passé maître et qui vont de la marche en montagne, la lutte, le corps à corps traditionnel, jusqu'à la guerre de rue, le combat dans le désert, l'art de la guérilla urbaine, la fabrication d'explosifs, le sabotage d'installations pétrolières.

Tout cela pour dire que le fils à papa de l'avenue Ingres est devenu au fil des mois un vrai guérillero palestinien. Et que, le jour venu, quand il faudra défendre le camp contre une armée libanaise « à la solde de l'ennemi sioniste », il sera là, à son poste, au coude à coude avec ses « frères d'armes ». Il ne prétend pas être un héros, certes. Et encore moins un chef de guerre. Mais il a vu tomber sans ciller certains de ses « plus proches camarades ». Il s'est battu à l'arme blanche, « avec une détermination sauvage », contre un jeune maronite qui venait, sous ses yeux, d'égorger une femme. C'est lui qui, lorsqu'un gamin a laissé malencontreusement rouler une grenade dégoupillée à l'intérieur du QG, a eu le réflexe de la bloquer, comme un ballon de rugby. C'est lui encore qui, lorsque « son camarade Abdou » a porté soudain, sans un mot, les mains à son visage et s'est effondré, mort, par-dessus sa mitrailleuse, a couru prendre le relais. Et il n'oubliera jamais, me confie-t-il enfin, d'une voix plus rauque, l'ivresse qu'il a ressentie lorsque, calant l'engin bien fort sur le rebord de la fenêtre pour qu'il ne rebondisse pas, il a froidement, méthodiquement — et pour la première fois de sa vie — ajusté des cibles de chair et d'os.

La guerre terminée, il quittera momentanément la ville, comme tous les étrangers, conformément aux accords de cessez-le-feu signés par Arafat. Et pendant que je le cherchais à Beyrouth, il se reposait à Damas, dans un superbe palais où l'avait déjà précédé sa glorieuse réputation de « combattant de la cause palestinienne ». Ce qu'il compte faire maintenant ? Rester un peu ici, sans doute, en se faisant passer pour un assistant social quelconque lié au Croissant-Rouge. Mais cela ne durera pas, il le sait bien. Car la situation est trop tendue. L'OLP trop surveillée. Les camps d'entraînement quasiment tous fermés. Et il sera bien obligé, tôt ou tard, de rentrer en Europe. Il ne sait pas où encore. Ni comment. Ni, donc, quand. Mais ce qu'il peut me jurer, en tout cas, c'est que, quoi qu'il fasse et où qu'il aille, il n'oubliera jamais la leçon de courage, de rigueur, de grandeur que donne « ce peuple d'exilés » aux révolutionnaires du monde entier.

Voilà. Il est six heures. Nous avons, sans nous en rendre compte, passé la nuit à parler. Le jour est haut déjà, qui baigne la petite chambre du Saint-Georges, si incongrue tout à coup avec ses roses, ses porcelaines, ses jolies gravures anglaises de l'époque du Mandat. Nous sommes dehors, sur la petite terrasse qui s'avance en proue vers la mer et où, abasourdi par ce que j'entendais, j'ai machinalement dû l'entraîner. Il parle encore, sans doute. Il radote sur son « peuple admirable qui n'est rien et qui sera tout ». J'ai le très vague souvenir de considérations oiseuses sur les attentats, les détournements d'avion, l'assassinat des athlètes israéliens de Munich qui ont eu « le mérite, à ses yeux, de faire physiquement entrer la nation palestinienne dans tous les foyers d'Europe ». Mais, en vérité, je n'écoute plus. Ça ne m'intéresse plus. Je sens confusément que toutes les objections que je pourrais lui faire ne servent plus à rien. Et, l'œil fixé sur la mer grise et beige qui gronde au-dessous de nous, j'essaie surtout de faire, très vite, le point de la situation — et la part, dans l'incroyable récit que je viens d'entendre, de l'exagération, du romantisme à quatre sous et de cette vérité terrible, bouleversante, avec laquelle il faudra bien que j'apprenne désormais à vivre : Benjamin C., mon client, mon ami, presque mon fils ou mon jeune frère, n'est pas loin d'être devenu ce que l'on appelle, dans les journaux, un « terroriste international ».

Nos liens, vous l'imaginez bien, vont considérablement se distendre à partir de ce jour. Je lui garde ma sympathie, bien sûr. Ma tendresse. Et je puis même vous avouer que cet engagement que je réprouve, que je rejette de toute mon âme, n'entame étrangement en rien la mystérieuse séduction que cet homme a toujours exercée sur moi... Mais enfin, ce n'est plus tout à fait pareil, malgré tout. Il y a quelque chose de cassé dans notre si belle complicité. Et lui-même, sentant mon hostilité au train nouveau de son existence, se ferme maintenant, cesse de se confier à moi. Au printemps 1974, il rentrera à Paris. Brièvement. Pour quelques semaines à peine, juste le temps de répudier Marie Rosenfeld, d'enterrer son vieil ami Bill, d'assurer les vieux jours de Lazare, le chauffeur de sa mère et de voir s'écrouler ce qui demeure encore de l'univers de sa jeunesse. Mais je le verrai à peine pendant ce séjour. Nous ne parlerons guère. Nous ne trouverons même — et c'est cela le plus douloureux ! — quasiment rien à nous dire lors de nos rares rencontres. Et c'est à l'improviste, sans explication, avec la même désinvolture que pour ses autres amis, qu'il vient m'annoncer un beau matin qu'il repart — et qu'il a décidé, cette fois, de s'installer à Rome.

Rome donc. Il ne faut plus compter sur moi, cette fois, pour vous raconter les secrets, les dessous, la vérité même des cinq longues années qu'il va y passer. Je ne l'y ai vu qu'à cinq reprises, en effet. Dans le contexte que je viens de vous décrire. Dans le climat nouveau qui s'est instauré entre nous. Pour des raisons toujours professionnelles d'ailleurs — et liées à ces « affaires » dont il n'a plus que foutre mais dont je ne peux pas cesser, moi, du jour au lendemain, de m'occuper. Et si c'est assez pour comprendre qu'il a lié son sort à l'une des innombrables organisations terroristes qui sévissent alors en Italie, ça ne suffit pas, en revanche, pour répondre aux mille questions concrètes qui se posent à partir de là : quelle organisation ? pour quoi faire ? quel rôle exact y joue-t-il ? est-il arrivé là seul ? pour son compte ? ou est-ce qu'on l'y a envoyé au contraire ? mandaté ? et qui ? pourquoi ? dans le cadre de quelle stratégie éventuelle ? comment peut-il, à la limite même, après ce qu'il vient de vivre au Proche-Orient, accepter de végéter dans ce qui semble être un univers médiocre, étriqué, peu exaltant ?

Ces questions, encore une fois, ne sont pas de mon ressort. Je ne dispose d'aucune information précise, voire spectaculaire. Et tout ce que je peux vous donner, ce sont des impressions. Des images. Des croquis, pris sur le vif, au cours de chacun de mes cinq voyages. Des portraits de lui, si vous voulez, tel qu'il pouvait m'apparaître, de loin en loin donc, presque d'année en année, et toujours un peu de l'extérieur. Avec peut-être, tout de même, d'un portrait à l'autre, d'un tableau à l'autre, une évolution dans son humeur, presque dans son caractère qui, même du dehors, ne pouvait guère m'échapper — et qui ne sera pas étrangère, vous verrez, à la précipitation de la tragédie.

Premier tableau, donc. C'est la Noël 1974. Il est parti depuis plusieurs mois déjà. Et je suis venu le voir sous le prétexte d'une importante cession d'actifs pour laquelle j'avais absolument besoin de sa signature. J'en profite pour passer une semaine près de lui, entre l'hôtel Raphael, près de la piazza Navona — et l'étrange petite mansarde de la via Monterone où il est installé et qu'il me fait visiter, de bonne grâce, dès le second jour. J'étais assez anxieux, il faut bien le dire, de savoir qui j'aurais en face de moi... Dans quel état, surtout... Dans quelle forme physique et morale... Je dois convenir que cette première impression aura été plus que rassurante, miraculeuse; et qu'au lieu de l'abominable terroriste, tourmenté et barbare, que je redoutais un peu de trouver, je tombe sur un Benjamin heureux, bien dans sa peau, qui ne me dit pas un mot, bien sûr, de ses nouvelles activités — mais que je sens si gai, si allègre, si plein de pétulance et d'insouciance que j'ai le sentiment, parfois, de revenir dix ans en arrière, à l'époque de notre rencontre.

Il y a Rome déjà qui a toujours été à ses yeux — comme à ceux, me rappelle-t-il en toute simplicité, le soir de mon arrivée, d'Alexandre, de Napoléon, des papes ou de Sigmund Freud — la Ville des villes. La Ville par excellence. La ville dont il a le plus rêvé. Celle qu'il a le plus intensément convoitée. La seule ville au monde dont je l'aie vu, chez lui, à Paris — et je suis persuadé qu'il continuait de faire de même à Beyrouth, au milieu de ses fedayin... — collectionner religieusement les plans, les cartes, les guides de toutes sortes, dans toutes les langues. Et cela alors que par une fatalité singulière où se mêlait probablement une bonne part de crainte voire de superstition, il n'y avait jamais encore, à trente-cinq ans, mis les pieds; et que chaque fois qu'il avait été au bord de le faire, chaque fois qu'il avait été sur le point de s'y arrêter, ne fût-ce que pour une escale de quelques heures, une force mystérieuse, plus forte que son désir ou qui, peut-être, le constituait, l'en avait à la dernière minute dissuadé.

Il y a donc cette Rome magique, enchantée, qu'il a fini par mieux connaître, à distance, que les vieux « Romains » de mon espèce et dont il « reconnaît » à chaque pas, avec un plaisir dont vous ne pouvez pas vous figurer l'intensité, ici un monument ou une pierre — mais là un hôtel, un restaurant à la mode, une petite fontaine oubliée, une église où les touristes ne vont jamais. Il sait le nombre exact de marches du grand escalier de la place d'Espagne. La nuance de vert de tel palmier de telle avenue du centre de la ville. La couleur du Tibre, l'été, quand il ressemble à un cloaque. Il « retrouve » les rues surtout, toutes les rues, et il les identifie non seulement à leur nom — ce qui serait banal — mais à leur couleur! à leur odeur! à la façon qu'a le soleil de jouer à telle heure de l'après-midi sur la façade d'une maison! « Les rues de Rome sont comme des hommes, m'explique-t-il d'un ton docte alors qu'il n'est là, encore une fois, que depuis quelques mois. Elles ont chacune leur physionomie, leur caractère, presque leur personnalité : voyez comme celle-ci est timide par exemple! celle-là tortueuse et rusée! celle-là encore crapuleuse sous ses airs de ne pas y toucher! et regardez donc cette dernière, flairez-la, écoutez-la : ne la sentez-vous pas, comme moi, totalement déshonorée? »

Il y a la clandestinité aussi. C'est-à-dire le fait d'être là incognito, sous un faux nom, presque sous un faux visage, sans personne à qui parler ni une connaissance à qui se raccrocher — et d'habiter, seul, libre de toute attache, sa mansarde anonyme. Au Gladiatore, le café populaire qui occupe le rez-de-chaussée de l'immeuble, on le prend pour un vieil étudiant pauvre et passionné de flipper qui est venu se perfectionner en italien. Juste en sortant, à main droite, il y a une petite boutique d'articles de danse dont la vendeuse, une rousse sèche et toute bouclée, le gratifie, chaque fois qu'il passe, d'une œillade avenante. De l'autre côté, à main gauche, c'est une « tintoreria » ultra-modeste qui sent bon la garance et l'indigo et où il est prévu qu'il ira ponctuellement, tous les mardis, comme le parfait petit bourgeois qu'il est censé être devenu, poser son linge de la semaine. Et loin de se sentir contrarié, voire humilié par ces rôles qui lui conviennent si peu, il les aime au contraire. Il s'y complaît. Il accuse jusque dans sa mise, dans sa coiffure, dans sa façon de sortir chaque matin en traînant la savate avec son cabas à provisions à la main, son côté pauvre hère inoffensif, triste et sans histoire.

Pourquoi? Quel trouble plaisir y prend-il? Et comment, pour ne choisir que cet exemple, peut-il laisser croire une seule seconde — car c'est le cas — à une petite vendeuse d'articles de danse que ses œillades l'émeuvent, l'intimident. Je ne voudrais pas avoir l'air de faire de la psychologie à deux sous. Mais je crois que beaucoup de choses s'expliquent pour peu que l'on se rappelle qui il est. D'où il vient. Ce que son propre nom signifie.

Ce qu'implique pour lui, depuis toujours, cette identité qu'il résout, d'un seul coup, de mettre en sommeil. Bref, de quel fardeau, de quelle croix, de quelles hontes il se décharge quand il accepte d'assumer l'apparente ingratitude de ce personnage de Monsieur Tout-le-monde. La clandestinité, pour lui, n'est pas seulement un besoin « objectivement » requis par les exigences techniques de la lutte qu'il vient mener. C'est une chance, une aubaine, une providence, c'est l'occasion longtemps attendue, en fait, de tuer en lui le vieil homme qui le poissait — et de retrouver, à la place, une pureté, une virginité, une liberté inespérées.

Qu'il y ait à l'arrière-plan de tout cela des motivations moins innocentes, c'est le moins que l'on puisse dire. Mais je vous parle, moi, de ce que je vois. Et ce que je vois c'est ce bonheur. Cette euphorie. Un bonheur, une euphorie, dont je ne suis pas sûr du tout qu'ils aient grand-chose à voir avec la politique. A cette époque, du reste, il est, j'en suis presque persuadé, encore inactif et sans affectation particulière dans l'Organisation — ce qui est classique, comme vous savez, pour les nouvelles recrues. Mais ce qui est moins classique, en revanche, et qui va dans le sens de ce que je suis en train de vous dire, c'est qu'au lieu, comme n'importe quel autre type dans cette situation, de s'en plaindre, de se morfondre, de piaffer, il s'en réjouit au contraire et pourrait, je le vois bien, passer des années ainsi, dans cet état de disponibilité bénie où il n'a rien d'autre à faire, le jour, qu'à rêvasser dans sa mansarde — et rien, la nuit venue, à l'heure où le vice règne dans la ville endormie, qu'à aller, libre encore une fois, et superbement anonyme, se mêler au peuple des voleurs, des débauchés, des proxénètes.

Second tableau, un an plus tard — soit au début de l'année 76. Il a certainement dû passer à l'action directe. Comment ? Sur quelles cibles ? A-t-il été mêlé par exemple à l'enlèvement, à Naples, de l'industriel Moccia ? A celui, à Rome, de Giuseppe di Gennaro ? A la libération, en février, les armes à la main, de Renato Curcio, le leader historique des Brigades rouges, enfermé au pénitencier de Casale Monferrato ? Là encore, je n'en sais rien. Mon impression est qu'on lui a fait beaucoup d'honneur en l'associant à ce genre d'affaires. Et qu'il est plus probablement, à ce moment-là, une sorte de « spécialiste en communication », travaillant sur l'image, les slogans, la rédaction des communiqués de son Organisation. Mais, encore une fois, je ne sais pas. Je n'ai rien de vraiment solide ni dans un sens ni dans un autre. Et tout ce que je puis dire — car je le sens, là aussi, au premier regard, et il me le confirmera lui-même, ensuite, au fil de mon séjour — c'est qu'il y a quelque chose d'imperceptiblement dégradé, depuis la dernière fois, dans son humeur.

Oh ! il est bien trop fier pour en convenir aussi nettement. Mais il admet par exemple que le manque d'argent finit, à force, par le gêner. L'Organisation en tant que telle est riche, m'explique-t-il. Et je comprends à un certain nombre de questions de « technique financière » qu'il me pose par ailleurs qu'elle est probablement même capable de brasser des sommes considérables. Mais pour le militant de base en revanche — et il tient, semble-t-il, à rester un militant de base — la règle est stricte, égale pour tous et sans accommodement possible : il a droit à quatre ou cinq mille lires de salaire par jour qu'on lui remet chaque dimanche ; à ses loyers, gaz, électricité, téléphone réglés directement ; au remboursement de ses « frais professionnels », comme il dit drôlement, justifiés au centime près; il a droit, autrement dit, à la vie d'un ouvrier moyen que l'on contraindrait à adopter les mœurs d'un petit comptable méticuleux.

Il admet également dans la foulée que cette fameuse solitude à laquelle il trouvait, six mois plus tôt, tant de charme, commence à lui peser. Il sort de moins en moins, l'Organisation lui ayant appris que c'était une des règles élémentaires de la clandestinité. Le week-end il reste quarante-huit heures d'affilée, enfermé dans les vingt mètres carrés de sa chambre, à lire, réfléchir. Le silence surtout lui pèse, cet épais, cet assourdissant silence du dimanche dans les grandes villes qui aggrave encore les choses − « savez-vous, cher Paradis, ce que c'est que de rester des journées entières sans rien, ce qui s'appelle rien entendre? C'est le contraire de la détente. Le contraire du repos. C'est même, si vous voulez mon avis, la chose du monde la plus épuisante. Ah! comme je ris aujourd'hui de ces pédants qui, dans ma jeunesse, vaticinaient sur la poésie, la blancheur, le mystère profond du silence − où je ne vois, moi, que sauvagerie absolue, déni parfait d'humanité! »

Et puis il y a la chasteté enfin à quoi le contraint, d'après ce que je comprends, la loi de l'Organisation. Celle-ci, comme toutes les organisations terroristes, n'autorise en effet de rapports sexuels qu'en son sein et entre partenaires de grade égal. Ce qui, en l'occurrence, limite très exactement le choix à Nicoletta d'une part, autrement appelée la « Poissonnière » qui est une grosse fille aux hanches larges, aux cheveux gras et à la poitrine hypertrophiée qui ne peut pas achever une discussion politique avec un homme autrement que par un sonore « va te faire enculer » − et la Serena d'autre part qui est, elle, une petite chose frêle et ingrate au physique de garçonnet grandi trop vite, à côté de laquelle la vendeuse d'articles de danse, est, me dit-il, une Junon! Il a supporté ça pendant les trois ou quatre premiers mois. Il a supporté, autrement dit, une abstinence totale. Mais là, tout à coup, il craque. Il n'en peut plus. Et il voit venir le jour où toute la force dont il peut être capable ne sera plus utilisée qu'à contenir la pression de sa libido insatisfaite.

Tout cela est dit, je le répète, à demi-mot. En demi-teinte. Sur le ton badin encore de la bonne blague qu'on se raconte entre copains, en prenant bien soin d'en exprimer toute la substance comique. Je ris de bon cœur, d'ailleurs, quand, un soir, sur le chemin de mon hôtel, il me raconte comment il a abordé un prêtre, une fois, dans un café, près de l'église Santa Maria di Vittoria, pour lui demander comment il faisait, lui, pour tenir le coup — et comment le prêtre lui a, en guise de réponse, fait de franches propositions. Et puis j'omets de préciser, surtout, que ces micro-aveux que je suis en train de vous monter en épingle nagent tout de même encore dans un torrent de phrases à la gloire de la « propagande armée », de l'« intelligence révolutionnaire des masses » ou de la « guerre de libération de longue durée » que vient d'entamer l'Italie. Reste, néanmoins, que les choses sont dites. Incontestablement dites. Et qu'elles le sont sur un ton qui est loin, quoi qu'il prétende, et en dépit de ses rodomontades, de l'enthousiasme des débuts.

Un an plus tard encore, troisième tableau. Nous avons rendez-vous chez lui, car je lui apporte des documents confidentiels que je préfère étudier au calme, sans souci des oreilles indiscrètes. La mansarde est sombre cette fois-ci.

Mal tenue. Livrée à un désordre discret mais qui, d'emblée, me paraît suspect. Je remarque des caleçons par exemple roulés en boule sous le lit. Un ballot de linge sale un peu plus loin, oublié sur un fauteuil. Quelques tasses ici et là, où croupit du café refroidi. De vieux journaux jamais ouverts. Des tracts chiffonnés. Des tas d'illustrés, de bandes dessinées sur la table de travail. Et lui-même, Benjamin, avec ses cheveux trop longs, sa barbe chétive, ses petits yeux fiévreux, bordés de cernes rouges, m'apparaît dans un état plus piteux, plus surprenant encore. Je n'aurai pas le loisir, cependant, de m'étonner longtemps. Car à peine ai-je achevé l'exposé du dossier qui m'amène — et dont il affecte (mais n'est-ce vraiment qu'une affectation?) de se moquer éperdument — qu'il se met, sans que je lui aie rien demandé, et à ma grande stupeur, à me raconter ce qu'il appelle lui-même « ses déboires ».

Il me raconte le désespérant amateurisme des gens avec lesquels il travaille. Leur sottise. Leur impéritie. Leur ignorance totale, ahurissante des règles les plus élémentaires de l'art militaire. Il me raconte les coups qui ratent à cause d'une fausse moustache qui tombe dans un capuccino. L'opération qu'on a passé deux mois à préparer dans ses détails les plus infimes et qui échoue en fin de compte parce que le responsable a, le matin du jour J, oublié de se réveiller. Les crétins qui se font coffrer et vont en prison pour le restant de leurs jours parce qu'ils se pavanent en plein Rome avec, à la ceinture, comme des cowboys, un Beretta dont ils ne savent même pas se servir. Ou ces réunions de colonne qui tiennent la police, l'Italie, le monde même en haleine et dont tout ce qu'il peut me dire c'est qu'elles sont parfois du niveau d'une discussion d'enfants jouant aux gendarmes et aux voleurs.

Il me raconte la médiocrité de ce milieu. Sa

misère. Sa grisaille. Le type d'hommes qui y gravitent, si différents des « possédés » dostoïevskiens qu'il avait, en sa naïveté, imaginés! C'est Giorgio, le chef de la bande, avec son physique et sa mentalité de petit employé modèle. Valerio, son adjoint, qui ne rêve que de prendre sa place et de le voir tomber donc, un matin, sous les balles d'un carabinier bien inspiré. Ce fils soumis qui, sous prétexte de « brouiller les pistes », ne travaille jamais, par principe, au-delà du vendredi six heures et passe tous ses week-ends chez ses parents. Ce fils de paysan de Calabre qui est entré dans le terrorisme comme ses oncles ou grands-oncles, ses cousins peut-être encore, dans les postes, les chemins de fer ou l'éducation nationale — pour faire carrière. Ou ce pionnier de l'« autonomie », ce vétéran des luttes des années soixante, ce théoricien sévère de l'assassinat politique généralisé — qui exige, quand on vient chez lui, qu'on se déchausse et qu'on mette des patins.

Lui-même, petit à petit, change. Il réagit comme eux. Il prend leurs habitudes. Il épouse leurs querelles de boutique les plus bêtes, les plus sordides. Pas plus tard que la veille, il s'est surpris à se réjouir « comme les copains » en apprenant que la police avait découvert les principales caches romaines des « formations autonomes et combattantes » — l'organisation qui, sur la place, fait le plus directement concurrence à la sienne. Et dans celle-ci justement, la sienne, où il a fait la bêtise, il y a trois mois, d'accepter le poste de trésorier, il ne s'occupe plus qu'à négocier les salaires; discuter les notes de frais; écouter les doléances de la « Poissonnière » qui a besoin d'un petit supplément pour ses crèmes de beauté; ou marchander pied à pied avec un Valerio qui soutient que son dernier incendie de voiture lui a coûté cent mille lires de plus que prévu en essence, bidons, déplacements et faux frais. « Oui, cher Alain, me dit-il, vous trouverez peut-être que tout ça sent un peu fort sa réaction de classe impénitente : mais c'est vrai que je trouve saumâtre d'avoir passé ma vie à fuir la vision petite-bourgeoise du monde et de la retrouver ici, à mon âge, et dans un univers dont je pensais qu'il en serait la subversion la plus totale. »

Exagère-t-il? Sur le coup, je me le demande. Et je trouve la description qu'il me fait si absurde, si saugrenue, si contraire à toutes les idées reçues sur le sujet que je suis à deux doigts de la mettre au compte de quelque dépression, nerveuse ou autre, en train de produire ses premiers effets. Cela étant dit, ça me va! Ça me va même à merveille! Et je ne me fais pas prier, vous pensez bien, pour y aller à mon tour de mon couplet sur l'air de : « si ce n'est pas malheureux d'être parti en quête d'un monde meilleur, d'une spiritualité nouvelle, d'une race de militants sublimes, héroïques, damnés, proscrits, réprouvés etc., etc. — et de se retrouver, à l'arrivée, dans la peau d'un comptable minable, d'un rond-de-cuir de la simili-révolution! »

A l'heure des adieux, j'abandonnerai la petite mansarde le cœur certes un peu serré — mais avec, pour la première fois depuis des années, une lueur d'espoir : n'est-il pas en train de bouger enfin? de se réveiller? n'est-il pas en train, tout simplement peut-être, de songer à quitter cette absurde « Organisation »?

Il a quitté l'« Organisation ». Enfin « quitté », façon de parler. La vérité c'est qu'il s'est querellé, semble-t-il, avec ses compagnons. Qu'il s'est rebellé contre leurs méthodes. Qu'il en a eu assez de cet amateurisme grotesque, dérisoire. Qu'il a été en désaccord, à l'inverse, sur l'assassinat d'Aldo Moro qu'eux ont approuvé. Bref, que pour des raisons multiples et que je suis loin de toutes connaître, il a tiré sa révérence au groupe d'hommes et de femmes dont il avait cru pouvoir partager le destin depuis deux ans. Mais qu'il ne l'a fait, ô surprise! que pour s'en aller tout seul, un peu plus loin, à Rome toujours, bâtir une autre organisation, rivale de la première et qui corresponde, elle, à sa vision des choses. Nous sommes à la mi-mai 1978. Il est, miraculeusement, redevenu beau. Propre. Rasé de près. Il a quitté sa mansarde pour prendre un vrai appartement, via del Babuino. Et n'ayant plus sur le dos ses gardes-chiourme habituels, il accepte non seulement de venir dîner — quatrième tableau — dans un restaurant agréable de la piazza del Popolo, tout près, mais aussi (grande première!) de m'exposer ses plans, ses intentions, presque ses rêves, sur un ton tour à tour puéril, facétieux, ou excessivement sérieux au contraire comme s'il était un jeune capitaliste français parlant de la « boîte » qu'il entreprend de créer.

« Le problème dans une affaire de cette nature, commence-t-il, ce ne sont pas les hommes : Rome est pleine de types qui n'attendent que l'occasion de passer à l'action directe et que je me fais fort, en deux ou trois mois de formation intensive, de mettre très largement au niveau de la bande de cornichons que j'ai quittés. Ce n'est pas non plus les armes : la ville en est bourrée, qu'il suffit presque de se baisser pour ramasser à la pelle — je pourrais ici, sur cette nappe, vous indiquer deux caches dans les collines, où il y en a de pleines caisses enterrées. Ce n'est même pas l'argent : on trouve tout l'argent qu'on veut, aujourd'hui, pour une opération sérieuse, politiquement correcte et présentant de bonnes garanties de gestion. Non, le problème, cher Paradis, le nerf de la guerre, le capital le plus précieux, celui dont, en tout cas, je suis en train de m'assurer avant de démarrer ce sont... les médias!

« Pourquoi les médias? parce que c'est par eux que tout passe, continue-t-il. Que c'est d'eux que tout dépend. Que ce sont eux qui, par la publicité qu'ils décident de donner ou non à une action, lui permettent ou non d'être. Que non contents de la reprendre, cette action, de la répercuter, d'en informer, comme on croit, les populations, ils ont le pouvoir bien plus énorme, et bien plus décisif, de lui conférer son existence même. L'important aujourd'hui, insiste-t-il en retrouvant sans s'en apercevoir son ton d'intellectuel parisien un peu doctoral, c'est, à la limite, moins l'action elle-même que son image. Et vous pouvez tout à fait concevoir, qu'est-ce que je dis? vous voyez couramment des groupes qui revendiquent des actions imaginaires; qui se précipitent pour revendiquer celles du voisin; qui séquestrent un type, enlèvent un môme, en échange non plus, comme jadis, de quelques milliards de lires, mais de quelques minutes d'antenne; bref qui sont engagés dans une lutte à mort dont l'enjeu n'est rien de moins que le contrôle de cette richesse nouvelle, décisive, stratégique : l'espace médiatique.

« Alors, je ne dis bien évidemment pas qu'un type qui veut lancer une organisation aujourd'hui doive se transformer en attaché de presse. Mais ce que je crois c'est qu'il a toutes les chances d'échouer s'il n'a pas une connaissance parfaite des mœurs, des principes, des modes de fonctionnement de l'univers journalistique du pays. Il faut qu'il sache qu'une action commise après sept heures du soir ne peut plus être reprise par les journaux du lendemain. Il faut qu'il ait des contacts — indirects, par personne interposée, mais des contacts tout de même — avec des gens de l'intérieur du journal. Il doit être capable de négocier avec eux, de leur offrir l'exclusivité d'un communiqué exceptionnel... La façon de rédiger le communiqué joue aussi. Son style. Son côté accrocheur aussi. Le fait de savoir faire la différence entre un coup qui n'intéressera que la locale du journal (et qu'il faut cibler en conséquence) et un autre qu'on peut faire monter jusqu'aux éditions nationales. Et puis il faut être capable, surtout, comme pour n'importe quel lancement, de deviner ce qui plaira, ce qui marchera, ce qui sera susceptible de faire mouche et de percer un peu dans un marché déjà saturé, vous le savez, d'organisations qui poussent comme des champignons et qui tirent dans tous les sens.

« Car c'est bien là que le bât blesse. Les médias sont, par principe, toujours preneurs. Je dirais même que nos intérêts sont profondément, objectivement liés. Et vous avez pu le voir par exemple quand, en pleine affaire Moro, sans l'ombre d'un scrupule, ils se sont battus comme des chiens pour avoir le privilège de publier le fameux communiqué numéro 10 dans lequel l'exécutif des Brigades rouges avait le culot d'adresser un message codé à sa « colonne romaine » ! Mais attention ! ils ne prennent pas n'importe quoi pour autant... car c'est comme tout : il y a des modes... des tendances... de la marchandise plus ou moins bonne... des trucs qui leur font vendre ou dont ils estiment au moins qu'ils leur feront vendre du papier — d'autres pas... La barre, d'une manière générale d'ailleurs, aurait plutôt tendance à monter... de plus en plus haut... de plus en plus difficile... Un enlèvement qui valait la une du *Corriere* il y a un an ne vaut plus que trente lignes en page intérieure... Une « jambisation », quinze... Un incendie d'usine, rien du tout... Et il est clair qu'après un événement aussi gros que l'assassinat de Moro (et c'est même, si vous voulez tout savoir, l'une de mes réserves les plus sérieuses) il sera de plus en plus difficile de les étonner, de les intéresser, bref, de faire l'événement.

« Bon. C'est mon problème, cela. Pour des raisons politiques, mais aussi morales, humanitaires, parce que le Liban est loin, que Rome n'est pas Beyrouth, que j'ai changé moi-même, compris certaines choses peut-être, il se trouve que je me refuse à aller plus haut encore (où d'ailleurs ? qu'est-ce qu'on pourrait bien imaginer de plus haut que la liquidation du pape de la vie politique italienne ?). Mais j'ai d'autres idées, vous verrez... Plus fines... Plus subtiles... J'en ai une surtout, qui devrait s'imposer tout de suite... Vous permettez que je ne vous en dise pas plus pour le moment, n'est-ce pas ? Patience ! Patience ! Retenez bien ce sigle, simplement : BCGC (Brigade Combattante de Guerre Civile) — vous risquez d'en entendre parler plus vite que vous ne pensez ! » Sur quoi, il se tait. Eclate de rire comme un enfant. Explique au maître d'hôtel qu'il est le sosie de Bourvil. Et me mène dans une maison close du Trastevere.

Que s'est-il passé ? Sont-ce les armes qui ont finalement manqué ? les hommes ? les médias ? A-t-il été trahi ? saboté par ses anciens amis ? A-t-il présumé de ses forces ? Est-ce, comme je l'ai pensé un temps, la faute des lois votées au lendemain de l'affaire Moro et qui ont obligé la plupart des brigadistes italiens à adopter des positions de repli ? Là non plus, je ne sais pas. Personne, je pense, ne saura jamais. Cela fait partie du mystère, décidément de plus en plus épais, de cette séquence de sa vie. Mais toujours est-il que je n'ai plus jamais réentendu parler de cette Brigade combattante de guerre civile qui devait, à l'entendre, révolutionner tout le pays. Et que, lorsqu'à la Noël 78, inquiet de n'avoir plus depuis presque huit mois la moindre nouvelle de lui, je me résous à faire une fois encore le voyage à Rome et que, ne trouvant plus personne via del Babuino, je me rends à tout hasard à son ancienne adresse de la via Monterone, j'ai la surprise de l'y retrouver, à la même place, dans les mêmes meubles, ayant apparemment réintégré, la queue basse, son ancienne organisation.

La queue basse est une expression bien faible pour dire l'état lamentable où je le retrouve. Ce n'est plus seulement de la fatigue, cette fois. Ni de l'accablement. Ni même de la crasse ou de la guenille. Je le trouve défait. Abîmé en profondeur. Presque enlaidi. Il a le regard terne et éteint des grands vaincus. Les traits empâtés, épaissis de la mauvaise graisse des gens qui se nourrissent mal ou qui boivent trop. Il se dégage de lui une drôle d'odeur âcre, un peu sure, qui me fait penser, je ne sais pourquoi, à une « odeur de vieux prêtre ». Il a même commencé à perdre ses cheveux — ses chers cheveux auxquels il tenait tant, qu'il disait volontiers dans sa jeunesse qu'il préférerait « crever » que de s'en priver. Et il les a « mal » perdus, par-dessus le marché, les tempes restant intactes et le milieu du front reculant en une vilaine petite langue qu'il ne cherche pas à cacher. Pour la première fois depuis que je le connais et que je m'émerveille, je crois vous l'avoir plusieurs fois dit, de sa miraculeuse jeunesse, je le trouve *vieilli*.

Il est sombre. Las. Désespéré comme il n'a jamais été. Capable de ruminer, sans rien dire, des pensées qui semblent le plonger dans un insoluble désarroi. Ne cherchant même plus à donner le change, à crâner. Et consentant tout au plus à lâcher, quand je l'ai beaucoup harcelé, des petites phrases sèches, laconiques (dont je ne parviens pas à croire qu'elles puissent être l'effet de sa tentative avortée — mais si puérile, au fond ! — d'aller créer sa propre « organisation terroriste ») sur « son échec... le naufrage de son existence... le grand froid qui le gagne... l'abîme où il se sent glisser et où la lumière du jour ne parvient déjà plus... la mort... le suicide... son âme inanimée déjà... Rome qu'il ne supporte plus et où il ne sent plus qu'un ramassis de ruines, un tombeau gigantesque, une ville morte, puant la mort, et où il ne faudrait venir que pour attendre sa propre mort... »

Que fait-il? A quoi occupe-t-il ses journées? A rien, justement. Rien de précis. Rien de concret. Rien d'autre que ses ruminations insensées. Et j'ai beau, pendant les deux semaines que dure cette fois-ci mon séjour, venir vingt fois, à l'improviste, à toutes les heures possibles du jour et de la nuit, je le trouve toujours là. Fidèle au poste. Tantôt nu sous une grosse robe de chambre à carreaux bruns que je ne lui avais jamais connue et qui lui donne l'air d'un vieillard cacochyme. Tantôt allongé sur son lit défait, en plein après-midi, son P 38 à portée de la main, un cendrier plein de mégots sur le drap à côté de lui et cette odeur âcre, toujours, qui flotte autour de son corps. Ou encore debout, en face de l'évier, avalant une vague conserve qu'il n'a pris la peine ni de réchauffer ni de servir dans une assiette.

Je le secoue, bien sûr. J'essaie d'en savoir plus. Je l'interroge sur cette mélancolie... cette solitude... pourquoi jamais une visite... jamais un coup de téléphone... Mais le bougre ne répond rien. A peine s'il entend. Secoue doucement la tête. Sourit d'un pauvre sourire craintif qui me fait encore plus de peine et me renforce dans l'idée que toute cette histoire devient de plus en plus folle, de plus en plus pathétique. L'hypothèse la plus plausible — qu'il ne dément du reste pas, quand je l'évoque — étant que c'est l'organisation qui lui fait payer quelque chose, son escapade sans doute, et qu'elle le lui fait payer au prix fort, en le tenant à l'écart, en quarantaine. Quinze jours passent donc ainsi. Sans l'ombre d'une explication. Et je m'apprête à rentrer, bredouille, lorsque survient un tout dernier épisode, plus bizarre encore et qui ne fera qu'épaissir devantage le mystère.

C'était le matin de mon départ. J'étais déjà parti, en fait. Lui, en tout cas, le croyait et me savait en route vers l'aéroport. Mais comme j'avais un peu d'avance j'avais eu l'idée de faire un crochet par la via Monterone histoire de l'embrasser une dernière fois. En sorte que je suis là, à l'improviste, dans la mansarde plus sale que jamais, la main sur la poignée de la porte, prêt à repartir et à prendre, cette fois-ci, vraiment congé, quand j'entends un bruit sur le palier. Une clef dans la serrure. La porte qui s'ouvre doucement. Je vois entrer une jeune femme brune, ingrate, avec un sac à provisions à la main. De grands yeux tristes qui mangent la figure, qu'elle promène de Benjamin à moi d'un air interrogateur. Benjamin, sur le coup, se trouble aussi. Il semble contrarié. Puis, au bout de quelques secondes, pensant à quelque chose qui le fait apparemment changer d'avis, il s'empresse vers la fille. Lui prend le sac à provisions des mains. Et, l'enveloppant d'un regard de tendresse que je ne lui avais jamais connu, même à l'époque de Malika, il me dit simplement : « je vous présente Serena — comme ça, vous savez tout ».

En fait de tout savoir je crois qu'à cet instant je ne comprends surtout plus rien. Et que je rentre à Paris la tête pleine de questions de plus en plus troublantes. A commencer, du reste, par celle-ci : s'il est si sombre, si las, si fatigué de Rome, de son atmosphère de mort, de cette femme peut-être aussi dont il ne semble guère fier, que ne se libère-t-il pas ? que n'envoie-t-il promener cette existence absurde ? qu'est-ce qui l'empêche de tout laisser tomber ?

5

La vérité (je l'ignore à ce moment-là — mais je ne vais pas tarder à la découvrir, dans les circonstances que l'on va voir) c'est qu'il ne souhaite que cela, bien sûr, « laisser tomber ». Et qu'à cette date, en 1979, après son année beyrouthine, ses premières années romaines, ses six derniers mois passés à essayer de trouver la formule de l'organisation miracle, il a fini par comprendre que cette vie n'était pas la sienne; qu'il y perdait son temps sinon son âme; et qu'il y avait peut-être bien, derrière ces chimères qu'il poursuivait, un énorme, fondamental malentendu. Seulement voilà : entre ce qu'il comprend et ce qu'il fait, entre ses repentirs et une éventuelle rupture, il y a toute une série d'obstacles qu'il n'avait pas prévus et qui vont achever de précipiter le drame.

Il faut savoir d'abord, pour comprendre ce qui va suivre, que l'organisation qu'il réintègre après son « escapade » n'a plus qu'un lointain rapport avec celle qu'il a quittée... Que les brigadistes n'aient jamais été des enfants de chœur, je vous l'accorde. Mais ils avaient une ligne, jusque-là. Ils avaient une stratégie. Leurs actions, leurs exactions, reposaient sur un minimum de discours, de légitimité idéologiques. Et même si cette légitimité était absurde, démente, criminelle, il reste qu'elle existait, qu'elle tempérait les choses et que le crime proprement dit, je veux dire le crime de sang, n'était encore à cette date — fin 77, début 78, à l'époque donc de son premier départ manqué — qu'exceptionnel voire accidentel. Alors qu'à son retour, tout est changé. Tout a basculé. Tout se passe comme si les militants de la première génération, tombant les uns après les autres sous les coups de la répression, avaient emporté avec eux tout leur bagage idéologique; comme si ceux qui les remplacent n'avaient plus qu'une idée en tête qui est de frapper pour frapper, de tuer pour tuer; comme si le style, les mœurs même de l'Organisation avaient perdu le peu de chaleur, d'esprit de solidarité diffuse qu'il croyait y avoir laissés; il a l'impression, pour tout dire, d'avoir quitté un appareil politique et de réintégrer, six mois plus tard, une filiale de la mafia !

Il faut savoir également qu'à ce changement de style a correspondu, pendant son absence toujours, un non moins brutal changement à la tête. Giorgio, le chef historique — qui n'était certes pas le plus proche de ses amis mais dont il partageait au moins une certaine vision politique du monde — est mort en effet. Les carabiniers l'ont abattu, une nuit, dans son lit, pendant qu'il dormait. Et l'homme qui lui a succédé, est, comme prévu, ce jeune brigadiste du nom de Valerio à qui l'opposaient, au temps où il était trésorier, de sordides histoires de remboursement de frais. Je ne connaissais pas ce Valerio. Mais il m'en avait parlé. Il m'avait cent fois décrit son front bas, ses cheveux gominés de mafioso endimanché, son sourire sournois, sa mentalité de petit tueur épais, sans principe ni scrupule, tout à fait typique de cette seconde génération qui était en train d'envahir l'Organisation. Et il était évident à mes yeux — il aurait dû être évident aux siens — qu'il

485

serait la dernière personne au monde à l'aider en quoi que ce fût — et surtout pas à « décrocher ».

D'autant que, comme pour aggraver encore les choses, il ne trouve rien de mieux à faire la semaine de son retour qu'à poser publiquement, devant la brigade rassemblée, la question de la mort de Giorgio. « Tout ça n'est pas clair, leur dit-il en substance. On ne meurt pas comme ça, par hasard, dans une planque ultra-secrète dont seuls les dirigeants savent l'existence. La précision même du coup, l'assurance des policiers, le fait qu'un militant aussi expérimenté que Giorgio ne se soit pas davantage méfié et qu'il n'ait pas eu le temps, semble-t-il, de saisir son revolver — tout est suspect dans cette affaire. Et c'est pourquoi je demande aux camarades présents de se pourvoir en commission d'enquête, etc. » La commission d'enquête est pourvue. Comme toute commission d'enquête digne de ce nom, elle s'empresse d'enterrer le dossier. Et tout ce qu'y aura gagné son inspirateur sera la rancune tenace de celui qu'il a implicitement désigné devant ses troupes comme le probable délateur.

Il faut peut-être dire enfin, pour que le tableau soit tout à fait complet, que Valerio a une raison privée aussi — mais les raisons privées ne sont-elles pas, dans ce genre d'histoires, les plus déterminantes ? — d'en vouloir à Benjamin. Il semble, en effet, que, tout laid, tout cruel, tout épais et barbare qu'il soit, cet homme est amoureux ! Et il l'est comme sont souvent, je crois, les gens de son espèce, c'est-à-dire timidement; hypocritement; n'osant pas, des années durant, se déclarer à son élue; n'ambitionnant si fort le pouvoir, peut-être, que pour mieux la conquérir un jour; mais ne tolérant plus, le jour venu, lorsqu'il se décide et se déclare, la moindre résistance à son désir... Or le hasard, le malheur, à moins que ce ne soit, plus simplement, l'extrême rareté des femmes dans l'Organisation, font que l'élue en question n'est autre que la Serena; et la résistance donc, l'homme à écarter et à abattre, l'inévitable Benjamin!

Pardon d'être un peu long. Mais j'essaie de vous faire comprendre quel peut être l'état d'esprit du nouveu « chef » quand « le Français », comme il l'appelle, vient l'informer de sa décision. « C'est fini, dit l'un, il ne faut plus compter sur moi... ces meurtres que je réprouve... ces jambisations que je refuse... je pars sans amertume, cela dit... sans colère... je ne suis pas, tu le sais bien, du genre mouton ni repenti... je pars, voilà tout... résolution irrévocable... et je viens simplement, loyalement, t'en informer... » L'autre, semble-t-il, ne dit rien. Il écoute. Il laisse le Français s'expliquer. S'empêtrer dans ses arguments. Je l'imagine sourire aux lèvres, bien calé dans son fauteuil, comme s'il jouissait d'avance du plaisir de la vengeance. Et quand il estime avoir assez joui, il se lève; ordonne à Benjamin ainsi qu'aux deux seconds couteaux qui assistaient à l'entretien de le suivre; et ils embarquent tous les quatre dans une vieille guimbarde qui attendait devant l'immeuble.

Ils roulent une bonne heure ainsi, sans échanger un mot. Arrivé dans les collines, à la sortie de la ville, Valerio fait descendre tout le monde. Tire du coffre de la voiture une bêche qu'il tend à Benjamin. Sous la menace de son revolver, il l'oblige à creuser un trou de la taille d'un homme. Et, quand l'ouvrage est achevé, il prend enfin la parole pour lui expliquer calmement, en bon petit chef mafieux qu'il est, qu'on ne quitte pas une organisation ainsi; qu'il lui sera beaucoup trop facile maintenant, puisqu'il se flatte, paraît-il, de n'avoir personnellement pas de meurtre sur la conscience, de passer de l'autre côté et de balancer les vieux copains; qu'il n'aura son visa de sortie donc (au sens propre et figuré car Valerio gardait, je crois, en lieu sûr les passeports de tous ses brigadistes) que lorsqu'il aura réparé ce manquement et qu'il se sera mis en règle, lui aussi, avec la loi sacrée du sang. Tuer donc ou rester — à moins qu'il ne préfère encore cette fosse qui reste ouverte et n'attendra plus que son cadavre : tel est le marché, diabolique, qu'il lui met entre les mains.

Mettez-vous à la place de Benjamin. Il n'est, je crois, ni couard ni particulièrement émotif. Mais il connaît assez Valerio pour savoir qu'il ne plaisante pas. Il mesure bien tout le poids, toute la densité de haine dans ses paroles. Où qu'il aille, à Rome, à Naples, à Milan ou à Padoue, il sait qu'il l'aura aux trousses. A l'étranger même, l'organisation a suffisamment d'amis, de relais, de correspondants de toutes sortes pour être capable de le retrouver et de le faire exécuter. Ne le pourrait-elle pas qu'il y aurait la mafia, la vraie, avec laquelle il soupçonne Valerio (comme c'est effectivement le cas, tous les spécialistes l'admettent aujourd'hui, pour nombre de chefs brigadistes de ces années) d'avoir fait secrètement alliance et qui se ferait un plaisir de rendre service sur un coup de ce genre. Bref, il se sent coincé. Piégé. A la discrétion de ce bandit. Et il passe les quelques semaines qui suivent, seul dans la mansarde de la via Monterone, sans autres visites que celles de la timide Serena, à tourner et retourner les solutions qui s'offrent à lui.

De trois choses l'une en effet. Il peut passer outre la menace et partir refaire sa vie dans un pays d'exil quelconque : mais c'est prendre le risque, je viens de le dire, d'être pourchassé sans répit et peut-être, au bout du compte, sans merci. Il peut accepter au contraire le marché proposé, choisir froidement sa cible, apprendre à la haïr, puis la tirer comme un lapin : le geste lui répugne désormais, il n'est plus certain d'en être psychologiquement capable — et c'est parce qu'il ne voulait plus justement de ça, parce qu'il souhaitait en sortir une fois pour toutes, parce qu'il espérait ne plus avoir, jamais, à tuer quiconque de cette façon, qu'il avait pris la décision de quitter l'Organisation. Ou bien enfin il cède, réintègre la vieille maison, reprend le collier d'une vie dont la seule pensée lui donne envie de mourir, prie le Ciel à la rigueur pour qu'il arrive à Valerio ce qui est arrivé à Giorgio : mais c'est retourner en attendant dans un univers où il sera fatalement conduit, un jour ou l'autre, dans le feu d'une action quelconque, à se servir de son revolver — à faire par hasard donc, et en risquant d'y laisser, en plus, sa peau, le geste qu'il refuserait aujourd'hui de faire en pleine conscience et qui, du même coup, le sauverait !

Risquer d'être tué autrement dit, pour avoir refusé de tuer — c'est l'hypothèse numéro un. Tuer pour partir alors qu'il partait pour ne pas tuer — c'est l'hypothèse numéro deux. Tuer demain une cible aveugle pour n'avoir pas à tuer aujourd'hui une cible choisie — c'est l'hypothèse numéro trois. En clair, cela s'appelle une impasse. Un cercle vicieux. Une situation bloquée. Un piège parfait, dont il sent le nœud couler, se resserrer un peu plus à chaque effort qu'il fait pour s'en dégager. Benjamin en était là, quand je l'ai vu la dernière fois. C'est de ce piège parfait qu'il essayait de se débrouiller. Son humeur, qui m'avait tant surpris, était celle d'un homme traqué, aux abois. Et je pense qu'il était au bord de se résoudre aux issues les plus désespérées lorsque peu à peu, à force de se répéter les termes de la même insoluble équation, il a tout de même fini par entrevoir un commencement de solution.

Je dis « un commencement » parce que c'est le genre de solutions qui n'arrivent jamais comme ça, d'un bloc, tout entières et tout armées. Elles approchent à tâtons d'abord. C'est à peine si on les entend venir. A peine si on y fait attention quand elles sont là. Y pense-t-on, que c'est pire encore : on les chasse, on les repousse, on les trouve si infâmes qu'on fait des vœux pour qu'elles ne reviennent plus. Benjamin a dû trouver horrible son idée. Il a dû la trouver infâme. Il a dû la maudire, la repousser de toute son âme. Je le vois, seul avec son bourdon, jurant ses grands dieux que jamais... au grand jamais... mieux vaudrait encore mourir... en finir là, tout de suite, sur son grabat... Et puis elle a dû revenir, la maligne. Insister. S'insinuer. Susurrer que ce serait si simple... si définitif... que ça règlerait tout, tout de suite... Je le vois se cabrant alors, résistant une dernière fois. Et puis, un matin, sans crier gare, sans qu'il sache vraiment pourquoi, elle a été là, triomphante, évidente : c'était « la » solution, voyons ! Et la seule question qui se posait encore était de savoir comment elle avait fait pour ne pas s'imposer avant...

Car c'était tout bête, au fond. Et le raisonnement était d'une impeccable simplicité. Article 1 : quoi qu'il fasse, à quelque hypothèse qu'il se rallie, il y aura toujours un tué. Article 2 : s'il doit de toute façon y avoir un tué, autant vaut que ce soit quelqu'un d'autre plutôt que lui, Benjamin. Article 3 : si ce doit être quelqu'un d'autre, il serait navrant que ce fût une victime innocente dont le seul crime aura été d'être là, un jour d'échauffourée, quand le monde est si plein de crapules, de salauds, de canailles en liberté. Article 4, enfin : s'il faut une franche canaille, quelle est celle d'entre toutes que, dans l'état d'abattement où il est, dans le désarroi politique où il nage, étant donné le peu de crédit qu'il conserve à ses slogans de naguère, quelle est la canaille donc qu'il aura le moins de mal — un peu de plaisir même, si possible... — à haïr et à braquer? Calculer... secouer... tourner bien le problème dans tous les sens. Il y a un homme et un seul qui réponde à ce portrait : cet homme, c'est Jean Delestret.

Benjamin, à présent qu'il est décidé, retourne voir ses « compagnons ». Il leur parle de Delestret. Leur raconte sa carrière politique. Leur dit qu'il est, en France, le prototype du « social-traître ». Il ne s'attarde pas trop sur sa guerre. Il ne leur révèle pas non plus les liens de parenté qui l'unissent à lui. Mais il leur signale qu'il le connaît un peu tout de même. Qu'il connaît certaines de ses habitudes. Et que ça permettra, n'est-ce pas, de gagner un temps précieux dans la préparation du coup. Valerio, un moment méfiant, opine. Il trouve l'idée correcte. Il est même ravi à la perspective — qui bluffera tellement, il le sent bien, le tout-terrorisme romain — d'être à la tête, lui, l'enfant des faubourgs, le petit voyou sans envergure, d'un groupe in-ter-na-ti-o-nal capable d'aller frapper jusqu'au cœur de Paris! Il y a bien quelque chose qui le chiffonne, à savoir que ce salaud de Français, prévenu qu'il lui faudra un chaperon, exige que ce soit la Serena; et que la Serena, de son côté, n'a pas vraiment l'air contre... Mais elle reviendra bien, cette garce. Elle reviendra même en rampant, en le suppliant de lui pardonner. Et il pardonnera ce jour-là. Il sera grand. Il sera magnanime.

Ce qu'il ne sait pas — et le saurait-il que cela ne changerait du reste rien à sa joie — c'est que « son » tueur, lui, est ailleurs; qu'il nourrit d'autres songes; qu'il est en train de résoudre le problème non seulement de sa « sortie », mais aussi de son « entrée »; ce qu'il ne sait pas c'est qu'il a le sentiment de voir pour la première fois clair dans l'épaisseur des malentendus, qui, depuis tant d'années, faisaient le tissu de sa vie... Oui, Benjamin, à cette date, comprend qu'il n'était entré, au fond, en terrorisme que pour tuer un jour « Oncle Jean ». Il est en train de comprendre qu'il avait passé toutes ces années dans l'attente inconsciente du jour où il solderait ce compte très ancien. Il est en train de prendre conscience que sa vie entière — le militantisme, les Palestiniens, Beyrouth, Rome à présent... — n'avait peut-être été qu'une interminable méprise, jamais avouée comme telle, mais qui allait, maintenant, grâce à un crétin de chef mafieux, trouver à se dissiper. C'est terrible à dire, mais je ne me rappelle pas l'avoir jamais trouvé si radieux, si heureux, si maître de lui comme de son destin qu'en ce jour de juin 1979 où je le vois débarquer dans mon bureau, à Paris, une petite valise à la main et accompagné de la Serena — plus triste, elle, et laide que jamais.

J'aurais dû m'inquiéter davantage, là aussi. Poser plus de questions. M'étonner de cet air béat qui ne le quittera plus pendant les sept ou huit semaines suivantes. J'aurais dû m'étonner de cette fille dont on pouvait comprendre à la rigueur qu'il se satisfît à Rome mais qui ici, à Paris, alors que les plus jolies femmes du monde recommençaient de lui ouvrir les bras, devenait franchement surréaliste. Je me reproche mon aveuglement à mille petits riens, mille regards furtifs, mille sourires énigmatiques, des bouts de conversation bizarres surpris entre la Serena et lui, des dîners qu'ils quittaient soudain, sans raison ni explication, mille détails qui auraient mille fois dû me donner l'éveil et qui, aujourd'hui, à la lumière réfléchie de l'événement, me semblent d'une aveuglante clarté !

Mais vous savez ce que c'est! On se dit que ça va passer. Que c'est l'habitude qui le tient. La période d'adaptation nécessaire. On se dit qu'à côté de ce dont on sort, des gouffres qu'on a évités, ces menues excentricités sont de la rigolade. On est tellement content de le revoir, surtout! de marcher dans les rues avec lui! de pouvoir lui parler! le toucher! discuter affaires directement, d'homme à homme! l'emmener dans le monde — « mon gauchiste », disais-je fièrement en le présentant ou même, provocateur, « mon terroriste repenti » (les gens, je pense, n'y croyaient pas, mais ça faisait de l'effet et ça me donnait l'impression, moi, d'exorciser le cauchemar!). Bref, je ne vois rien. Je n'entends rien. Je suis aussi convaincu qu'on peut l'être qu'il est là pour « se ranger... » changer de vie... vivre de ses rentes... écrire peut-être enfin cette fameuse thèse sur *Le Concept de nature chez Spinoza*, en chantier depuis quinze ans... Et je serai le premier surpris quand je découvrirai, le soir du crime, à quoi il avait, en fait, consacré son temps.

Il a commencé par prendre une petite chambre avec la Serena dans un hôtel miteux du Quartier latin. Je le savais, bien sûr. Je les y avais vus. Et j'avais même été frappé, un soir où j'avais tenu à monter, par la pauvreté, l'inconfort, l'extraordinaire précarité du lieu. Mais ça faisait partie à mes yeux des menues excentricités dont je parle. Et je l'avais cru sur parole quand il m'avait bredouillé qu'il « préférait ça pour commencer... qu'il se sentait moins dépaysé... l'avenue Ingres était si intimidante... si pleine de spectres, de souvenirs... » (La vérité était bien sûr qu'il la trouvait trop repérée; trop surveillée; qu'il avait besoin d'une base discrète, tranquille, plus anonyme; et qu'il avait besoin, en même temps, qu'elle ne fût pas trop loin de son théâtre d'opération, de la rue du Pont-aux-Dames.)

De là, il s'est mis en quête de l'arme du crime. Des armes, plutôt, car pour un coup de cette importance il faut toujours, lui avaient enseigné ses maîtres, en prévoir deux : une dans la ceinture, sur le ventre, prête à être dégainée; et une autre dans un sac, à portée de la main aussi, au cas où la première s'enrayerait. Où se les est-il procurées ? Comment ? Paris n'étant pas Rome et ce genre de joujou y circulant un peu moins librement que là-bas, ça lui a pris une bonne semaine. Il a plongé dans un milieu qu'il ne connaissait pas bien et qui était celui de notre bonne vieille pègre nationale. Il a risqué vingt fois l'arnaque, voire la provocation avant de trouver son affaire : un P 38, son arme favorite, dont il a toujours aimé la fiabilité, la légèreté, la rapidité de tir; et puis un énorme Beretta 92S à canon long qu'il connaît aussi un peu puisque c'est lui qui équipe les carabiniers italiens.

Puis encore, muni de ces trésors (pour la première fois de sa vie il s'est surpris à aimer ces armes, à les chérir, à les caresser même comme il avait souvent vu faire, mais pour s'en moquer alors, et sans comprendre le ressort de leur passion, ses anciens camarades italiens), il a commencé une période d'entraînement intensif — Beyrouth est si loin, n'est-ce pas ? —, tous les dimanches, pendant deux mois, dans une carrière abandonnée de la forêt de Fontainebleau où il passait la matinée à se refaire la main sur des cailloux. Cela aussi, je le savais. Je veux dire que je savais qu'il y allait. Je les voyais partir tous les deux, avec la Serena, comme des petits-bourgeois endimanchés en route pour une partie de campagne. C'est même ma domestique qui, le plus souvent, leur préparait leur pique-nique. Mais ce que j'ignorais, bien entendu, c'est que, dans le coffre de la voiture, sous les paniers à provisions, il y avait, bien rangés dans leur gaine, avec deux ou trois chargeurs de rechange, les deux engins de mort.

La Serena elle-même a été apparemment mise à contribution. C'est elle qui s'est présentée rue du Pont-aux-Dames, un matin, à l'heure où elle savait que Delestret était sorti et qu'elle ne trouverait que la femme de ménage. « Bonjour... je suis l'employée des PTT... un problème sur votre ligne... vous n'avez rien remarqué d'anormal, vraiment...? au central, si, ça se note... si vous voulez bien me conduire au branchement... à l'appareil... d'autres appareils peut-être, nous devons tout contrôler...? » Le coup classique, autrement dit... Vieux comme le monde... Mais malgré son accent italien, ça semble n'avoir pas trop mal marché... Et ça lui a permis, en tout cas, de rapporter à son amant une description assez exacte des lieux : immeuble, escalier, disposition de la loge de concierge, ascenseur, palier − et le plan, surtout, de cet appartement où il avait habité, il y a très longtemps, avec sa mère, mais dont il ne se rappelait plus rien.

C'est lui enfin, Benjamin, qui, pendant que je le croyais occupé à flâner au Quartier latin, à renouer avec ses anciens amis, à draguer peut-être ou à montrer à la Serena la tour Eiffel ou le musée Grévin, se chargeait de la tâche essentielle qui était de surveiller la future victime, d'étudier ses habitudes, de repérer ses itinéraires, de choisir tranquillement le lieu, l'heure, la façon dont il l'abattrait. N'était-ce pas risqué? Et Delestret n'allait-il pas finir par repérer cette ombre qui le suivait et qu'il n'aurait guère de peine, malgré le temps, à reconnaître? Sans doute. Mais outre que Benjamin était un as de la filature, outre aussi qu'il jugeait techniquement préférable que ce soit la même personne qui sente le « terrain » et qui, le jour venu, tienne l'arme du crime, je crois qu'il y avait dans le fait même de filer cet homme, d'entrer ainsi dans sa vie, de surprendre ses tics, ses manies, ses attitudes quand il se croyait seul, ses mines quand il allait à un rendez-vous, ses misères, ses faiblesses, ses maladies même ou ses vices, un plaisir auquel, pour rien au monde, il n'aurait pu renoncer.

Il était là, le soir quand il rentrait, le matin quand il se réveillait. Il l'accompagnait chez son coiffeur, son dentiste, son médecin. Il découvrait les restaurants qu'il aimait, les bars où il était connu. Il avait repéré son drôle de petit manège, certains jours, quand il descendait, entre midi et deux heures, l'œil furtif, aux aguets et qu'il appelait, de la cabine téléphonique en face de chez lui, un correspondant qui ne pouvait être, concluait-il, que son banquier suisse ou panaméen. Il faisait connaissance avec ses nouveaux amis. En reconnaissait quelques-uns d'autrefois. Il le suivait chez sa maîtresse, une petite rousse plantureuse et vulgaire qu'il eut le culot, un matin, d'amener avenue Ingres — et à qui il osa raconter Dieu sait quelles sottises, debout sur le trottoir, devant la grande maison aux volets clos. Un soir où, après dîner, il s'était contenté de la déposer en face de chez elle, il le suivit jusqu'au bois de Vincennes où, à voir la manière dont il discutait, hésitait, négociait peut-être et tâtait même la bête, comme pour s'assurer de son sexe véritable (Benjamin suivait à cinquante mètres, mais il jure avoir vu ça!), « le porc » avait manifestement ses habitudes.

Après deux mois de ce régime, Benjamin en savait assez. Ni la vie, ni la psychologie, ni l'emploi du temps de sa victime n'avaient plus de secret pour lui. Tout ce qu'il avait vu, tout ce qu'il avait deviné du personnage n'avait fait que le renforcer dans sa haine, dans son mépris, dans la conviction, surtout, qu'il accomplirait en le tuant — ce sont ses propres mots — « un acte qui, au-delà de ses propres intérêts, serait un acte de justice et d'humanité véritable ». Et, après avoir longuement pesé, avec la Serena, le pour et le contre des diverses formules qui semblaient se détacher, après avoir dix fois aussi — le soir du bois de Vincennes notamment — eu l'occasion de l'abattre froidement, dans le dos, sans laisser de trace et en s'acquittant au meilleur compte, donc, de son contrat avec Valerio, il a fini par se décider : il ferait ça face à face, de visage à visage et en prenant bien soin que « le porc » ait claire conscience de ce qui lui arriverait — la meilleure solution, dans ce cas, étant encore de l'attendre chez lui, un mardi soir, à l'heure où, avec une ponctualité d'apparence parfaite, il rentrait de son dîner hebdomadaire au Siècle.

Arrive le mardi qu'il a choisi.

C'est un beau mardi de juillet, très chaud, très gai, avec quelque chose de fiévreux, de précipité dans l'air.

Il a mal dormi la nuit précédente en effet. Paressé au lit toute la matinée, ce qui a achevé de le fatiguer.

A midi, il a pris une douche, fait l'amour avec la Serena, repris une douche. Il a essayé de manger, il n'a pas pu. Il est sorti acheter la presse, elle ne l'a pas intéressé. A cinq heures, de plus en plus énervé, il a dit à la Serena : « je vais rouler un peu en voiture, il ne faut pas que nous fassions le coup avec le réservoir trop plein »; la Serena n'a rien répondu mais elle savait qu'il y avait d'autres moyens, plus simples, de vider le réservoir.

A six heures, il est rentré. Il a tourné en rond dans la chambre. Il s'est recouché une petite heure. La Serena lui a apporté un dîner léger qu'elle était allée chercher chez un traiteur du boulevard Saint-Germain : il n'y a de nouveau pas touché. Il s'est dit que refaire l'amour le calme-rait peut-être : il avait très envie d'elle; il désirait comme jamais ce corps maigre, ingrat, qu'il pour-rait prendre vite, brutalement, sans souci de le faire jouir. Etrangement, il n'a pas pu.

Il a décidé de s'occuper de ses revolvers, alors. Il a graissé le Beretta. Vérifié le ressort du char-geur du P 38. S'est assuré pour la énième fois de leur tenue dans la main à tous les deux, de la souplesse de leur détente. Rassuré, il s'est endormi et c'est la Serena qui a dû le réveiller, tendrement, voluptueusement, en lui disant qu'il était neuf heures, qu'il ne fallait plus traîner.

Il a réussi à la prendre cette fois — debout, de dos, dans le cabinet de toilette, prétextant le temps qui pressait pour expliquer sa hâte. Elle lui a lancé un regard tendre, par-dessus son épaule, comme pour dire que ce n'était pas la peine de s'excuser, que ça allait très bien pour elle aussi.

Il s'est redouché alors, rasé de près, parfumé. Il n'a pas pu s'empêcher, devant sa glace, de se demander comment Oncle Jean le trouverait. Changé? Vieilli? Ou aurait-il ce regard terrible d'autrefois quand il rentrait de voyage et qu'il lui signifiait dans le même dixième de seconde qu'il lui trouvait le teint trop pâle, le cheveu trop long, la mine pas assez virile?

A tout hasard il a serré les dents, froncé les sourcils, contracté les maxillaires comme il fai-sait, étant enfant, seul devant la glace de sa mère quand Oncle Jean l'avait humilié. Cette idée l'a fait rire. Pourquoi ris-tu? a demandé la Serena. Rien, a-t-il répondu. Je me disais seulement que quand on tire dans la tête d'un homme ça doit faire le même bruit qu'un coup de bâton dans un melon.

La Serena lui a apporté ses vêtements. Chemise noire, pantalon brun, chaussures de tennis bleu marine. Technique de base du tueur professionnel : en cas de blessure, les taches de sang se voient moins sur les vêtements sombres.

Il a attendu une bonne heure encore. A récapitulé une fois de plus son plan. Vérifié, une fois de plus aussi, dans le cabinet de toilette, le fonctionnement de sa lampe torche. A dix heures et demie, juste au moment de partir, il a vomi : « l'estomac vide, a ronchonné la Serena... C'est absurde. Ça va nous mettre en retard ». Et à onze heures précises enfin, après avoir rechangé de chemise, enfilé un blouson de cuir trop chaud pour la saison mais nécessaire pour cacher le P 38, empoigné le sac de sport où sont rangés la lampe, des gants, le Beretta, plus une trousse de parfait cambrioleur que lui a vendue un fourgue de Pigalle, ils sont descendus tous les deux; ils ont rejoint la R 16 garée un peu plus bas dans la rue et dont j'ai oublié de préciser qu'ils l'avaient volée la veille : c'est elle qui a pris le volant, lui se tenant à ses côtés, son sac de sport à ses pieds — et les voilà en route pour la rue du Pont-aux-Dames.

Il pense à Jean encore, pendant le trajet. A sa mère. A Valerio. Il se demande à quoi songe la Serena surtout, si fermée à côté de lui. Sait-elle que c'est fini ? que c'est leur dernière balade ? que tout à l'heure, demain matin au plus tard, il lui dira : « voilà... ciao... salutations à Valerio... » Oui, bien sûr, elle s'en doute. Non, voyons, elle n'a pas de raisons de s'en douter. Elle doit croire qu'ils vont se retrouver à l'hôtel, après le coup; le commenter; faire la critique des erreurs commises; rédiger ensemble le rapport pour l'Exécutif; et puis après... Pauvre Serena ! Il n'avait jamais remarqué combien son nez était long... Ses sourcils touffus... Son menton en galoche... Et ces poils sous les bras, il faudra penser à lui parler de ces poils sous les bras... Surtout maintenant qu'il fait chaud et qu'elle se met en tête, cette conne, de porter des robes d'été qui... Non, d'ailleurs, il ne lui parlera plus de rien du tout puisque ce soir, de toute façon...

« Hou! Benjamain, tu rêves...? » C'est la Serena, justement. Et c'est vrai que, perdu dans ses rêves, il ne s'est pas rendu compte qu'ils étaient arrivés à l'angle de la rue Madame — là où il est prévu que la voiture stoppe et l'attende.

La rue Madame donc, à pied. La rue de Vaugirard. Le flic devant le Sénat, écrasé par la chaleur, qui ne le remarque pas. Ce blouson absurde, qui lui tient si chaud à lui aussi. L'Odéon, sortie de théâtre, prévu au programme. Et puis la rue du Pont-aux-Dames, à droite, qu'il a l'impression de connaître mètre par mètre, porche par porche, depuis le temps qu'il y planque.

Un, deux, trois — troisième étage. Un, deux, trois, quatre — quatrième passe-partout.

Voilà. Ça y est. Pas plus difficile que ça. Il est dans la place, maintenant. Il n'a plus, le plan de la Serena en tête, qu'à se diriger d'un pas sûr vers le grand bureau d'angle dont il a lui-même observé, six mardis de suite déjà, que c'est lui qui s'allume le premier quand Delestret rentre de dîner. Il y a un grand fauteuil, derrière le bureau, face à la porte. C'est là qu'il s'assied. C'est là qu'il attend.

A-t-il peur? Peur, non, ce n'est pas le mot. Un peu d'anxiété, tout au plus. De trac. Le genre de trac, quand il y pense, qu'il avait autrefois, à la veille d'une composition ou d'un oral d'examen. L'ennui aussi. L'ennui surtout. Les minutes de silence. Le temps si long, tout à coup. Il a eu le temps, depuis qu'il est arrivé, de s'installer; de s'habituer à la pénombre; d'explorer avec sa torche les meubles, les objets alentour; de vérifier à plusieurs reprises le silencieux du P 38; de plonger dix fois la main au fond du sac pour s'assurer que le Beretta y est toujours, en position, crosse en l'air, prêt à être empoigné au cas où...; il a même eu le temps de se souvenir d'une histoire lue jadis dans le journal intime de sa mère et où Delestret, depuis une fenêtre d'angle qui ne pouvait être que celle-ci, braquait un fusil à lunette sur le dernier messager de son père; et il ne s'est passé, pourtant, en tout et pour tout, que dix minutes, il en reste cinquante à tirer avant l'arrivée de l'oiseau — et il est en train de lui venir, pour ne rien arranger, une irrésistible envie de pisser.

Pas prévu au programme, ça, l'envie de pisser... Faut-il se retenir? Se mettre en quête des chiottes? Il se retient cinq minutes. Se met en quête cinq autres. « Dix en tout, se dit-il : toujours ça de gagné sur l'ennui » — ajoutant aussitôt qu'« au point où il en est, autant vaut continuer et tuer ce qui lui reste de temps en repérant mieux le terrain ».

Le voici donc, le faisceau de la lampe torche braqué devant lui, explorant la salle de bain. Le salon. Une chambre un peu mièvre qui doit être sa chambre d'enfant de naguère. Sa chambre à coucher à lui, Jean, où il repère au premier coup d'œil, posée sur la commode, un portrait de sa mère. Sans réfléchir, il l'empoche. A la réflexion, il le repose. Machinalement, il ouvre le premier tiroir où il trouve un monceau d'autres photos, pêle-mêle, montrant Delestret aux divers âges de sa vie, avec des copains, des femmes, sa femme bien sûr, des hommes politiques connus, des inconnus.

Distraitement, il furète. Pioche au petit bonheur. Rejette un à un ces clichés qu'il trouve plus insipides, sans intérêt les uns que les autres. Et il s'apprête à refermer le tiroir quand il a l'œil attiré par un cliché en particulier. Qu'est-ce qu'il a de spécial, ce cliché? C'est sa mère à nouveau. Mais en maillot de bain, allongée sur une plage, et encadrée par deux silhouettes, debout, où il n'a aucune peine à reconnaître Jean... et Edouard.

Ils sont beaux, tous les trois. Ils sont jeunes. Leur allure, leur coupe de cheveux, la forme de leur maillot de bain peut-être, attestent que la scène est ancienne, antérieure à la guerre en tout cas. Mais quelque chose dans l'expression de Mathilde, dans l'angle de son regard, dans le mouvement de cheveux qu'a fixé la caméra et qu'il reconnaîtrait entre mille, quelque chose dans son maintien, dans sa façon de s'alanguir dans le sable ou de croiser les jambes retient, plus spécialement encore, son attention : car il y comprend, il y voit ce que nul avant lui, depuis quarante ans, n'avait probablement vu sur ce cliché — à savoir que ce jour-là, à cet âge-là, avant la guerre donc, à la veille ou au moment de son mariage avec Edouard, c'est vers l'autre déjà, vers Jean, que la portait son désir.

« Le porc », songe-t-il, sentant monter en lui une bouffée de haine brutale, sauvage — qu'il n'a pas le temps, hélas, de savourer. Il a entendu, en effet, un bruit de pas sur le palier, puis une quinte de toux qu'il connaît bien et qui interrompt sa réflexion; il n'a plus vu passer les minutes, cette fois, et a tout juste le temps de retourner jusqu'au bureau, à son poste, avant que Delestret, ponctuel comme d'habitude, ait claqué la porte d'entrée.

Il est allé à la salle de bain d'abord. Puis, à la cuisine où il s'est servi un verre d'eau. Il l'entend tourner maintenant, vaquer dans les diverses pièces de l'appartement. Non mais, qu'est-ce que fabrique cet idiot ? Qu'est-ce qu'il attend ? Est-ce qu'il va, juste ce soir, lui faire le coup de ne pas entrer dans le bureau ?

Benjamin est prêt à se lever pour aller à sa rencontre quand la lumière s'allume : c'est le vieil homme, en chaussettes, qu'il n'avait pas entendu approcher — et qui le voit donc, lui, le premier.

« Tiens! qu'est-ce que tu fais là? » dit-il d'un ton égal comme si de trouver son filleul ici, dans son fauteuil, après quinze ans, ne le surprenait pas autrement. Benjamin ne dit rien. « Qu'est-ce que tu fais là? répète-t-il, comment es-tu entré? » Et comme Benjamin ne répond toujours rien, il s'approche, prend une chaise, la place de l'autre côté de la table, bien en face de lui et s'assied d'un air las, plein d'indulgence, à la façon d'un interrogateur qui attendra le temps qu'il faudra la réponse à la question posée.

La vérité, je pense, c'est que le vieil homme est moins à l'aise qu'il n'en a l'air. « Si ce garçon est là, chez moi, à minuit passé, c'est qu'il a une fou-tue bonne raison pour ça, doit-il se dire. Serait-il en difficulté, par hasard? Aurait-il besoin d'une aide? Il attend un enfant, peut-être? Va m'annon-cer qu'il se marie? A-t-il découvert une irrégula-rité dans la façon dont j'ai organisé, autrefois, la succession de sa mère? Un chantage? comme à l'époque de la banque Madler? » Les hypothèses les plus diverses, en fait, défilent dans sa tête. Il les examine très vite, les rejette, les reprend... « Te fatigue pas, dit enfin Benjamin : je suis venu pour te tuer. »

Quel effet ça peut bien faire à un homme d'en-tendre son beau-fils, ou n'importe qui d'autre, lui dire froidement, sans émotion : « te fatigue pas, je suis venu pour te tuer » — c'est une chose que, hélas, on ne saura jamais. Mais ce que l'on sait en revanche c'est que l'homme, qui s'apprêtait à se relever, se rassied. Qu'il fixe bêtement le revolver. Qu'il dit « oh, pardon » parce que son ventre s'est mis tout à coup à gargouiller. Et qu'il se met à parler surtout, oui à parler très vite, comme si le temps pressait et comme le soir où ils s'étaient rendu compte, avec sa femme, que le gamin était tombé sur le fameux journal.

« Oui, c'est moi, commence-t-il... C'est bien moi... Je le regrette, bien sûr, aujourd'hui... J'ai gardé le truc sur la conscience... Mais il ne faut pas m'en vouloir, mon petit gars... car c'est pour toi que j'ai fait ça... Pour notre bien à tous... Ça allait être si dur, déjà, entre nous deux... Si compliqué... Et ta mère qui venait tout compliquer encore avec ses idées romanesques...! ses recommandations...! sa façon de te donner, comme elle disait, « le dessous des cartes » avant de partir !... Alors quand j'ai trouvé le document — enfin, la bande, car, tu te souviens bien, c'était une bande — c'est vrai que j'ai préféré la subtiliser et que... »

Benjamin croit rêver. Il est venu tuer un homme qu'il hait d'une haine féroce, totale, absolue. Il le hait comme quand on hait vraiment : au-delà de toute raison, de toute justification. S'il en fallait vraiment une, de raison, s'il en fallait réellement une, de justification, ce serait d'avoir remplacé son père, d'avoir bafoué sa mère, de l'avoir lui-même brisé. Et voilà que cet homme, ce monstre, ce coupable absolu et définitif est en train de comprendre que s'il est venu là, cette nuit, c'est à cause d'une obscure histoire de testament disparu qu'il avait fini par oublier lui-même tant elle était peu de chose comparée à l'immensité de son crime — mais dont lui, Jean, se souvient; à laquelle il n'a jamais cessé, dirait-on, de penser depuis vingt ans; et qui semble être, à l'instant du jugement, la première et peut-être la seule faute notable dont il ait spontanément le remords.

La cocasserie du malentendu le fait sourire. Je dirais même qu'elle le déroute. Comme le déroute, probablement, le seul fait que cet homme parle. Comme le déroute aussi sa simple présence physique, charnelle. Comme le déroute encore cette absurde glouglou qui n'arrive plus à s'arrêter et dont il a sottement tenu à dire, comme pour s'excuser : « tu vois, fiston, toujours le foie... »

Oui, tout ça le déroute... Le désarçonne... Il ne savait pas qu'on pût se sentir si près d'un homme rien qu'à le voir ainsi, gêné d'un glouglou intempestif... Il lui faut faire un effort maintenant, un vrai ahan de l'esprit pour bien se souvenir combien il le haïssait tout à l'heure, combien il désirait le tuer... Ce désir de le tuer qui se passait de raisons il y a une minute, qui était, songeait-il, au-delà de toute raison −, il lui paraît si fragile soudain, si friable qu'il a besoin de le justifier, de l'étayer, de le renforcer de mille pensées...

Là, ça y est... C'est de retour... La chère vieille haine qui revient... qui grandit... Et puis non ! C'est retombé à nouveau ! Car l'homme, avisant sur le bureau, entre eux d'eux, l'ancienne photo que Benjamin, dans la précipitation de tout à l'heure, a emportée et déposée là, sans le vouloir, a souri. Il a eu l'air de dire (peut-être l'a-t-il même dit) : « eh oui, petit gars, c'était le bon temps − tu vois qu'on ne s'entendait pas si mal que ça, tous les trois ». Et ce regard, ce sourire, ont été comme un coup de grâce, cette fois, pour Benjamin : il a compris qu'il ne tirerait pas; qu'il ne pourrait plus tirer désormais; et, fourrant le P 38 dans le sac resté à ses pieds, il s'est levé tout doucement et a pris le chemin de la sortie...

A partir de là, tout se précipite. Je n'ai jamais cru, moi, que Delestret ait eu besoin de donner lui-même l'alerte. Je crois plutôt qu'un policier quelconque, le policier du Sénat peut-être, qu'il avait remarqué en arrivant, a repéré cet individu suspect, vêtu d'un blouson de cuir trop chaud pour la saison, qui sortait en courant d'un immeuble cossu de la rue du Pont-aux-Dames. Il le hèle − Benjamin ne répond pas. Il le somme

— Benjamin se met à courir. Il se met à courir aussi — Benjamin se met à courir de plus belle. D'autres flics se joignent à lui, dans un concert de sifflets, de sirènes, puis, après de nouvelles sommations, de coups de feu — Benjamin, tout en courant, sort le Beretta de son sac puis jette le sac qui le gêne. Et lorsque la Serena, alertée par le vacarme, arrive dans la rue de Vaugirard en marche arrière, à toute vitesse, il perd complètement la tête et, au lieu d'embarquer comme elle l'y invite sans doute, il met un genou à terre, vise et arrose la troupe lancée après lui.

Toute la scène — poursuite, arrivée de la voiture, tir sur les flics — n'aura pas duré, au total, plus d'une minute ou deux. Il en faudra sept ou huit de plus à la Serena pour semer ses poursuivants et déposer Benjamin en bas de chez moi. Il est deux heures et quelques du matin. Et il va passer le restant de la nuit, comme le soir du Saint-Georges, à me faire le récit que je viens de vous résumer. La seule chose qu'il ne sache pas encore — et qu'il apprendra le lendemain, dans les journaux — étant qu'il s'est rendu coupable, pour finir, du crime le plus impardonnable pour les policiers du monde entier : il a blessé deux des leurs et a tué un troisième.

6

VOILÀ. Vous connaissez la suite. Ou vous en connaissez, du moins, autant que moi puisque, à partir de ce moment, Benjamin va fuir, se cacher, vivre dans un état d'angoisse perpétuelle, se méfier de sa propre ombre c'est-à-dire aussi de ses plus vieux amis — et que je n'aurai plus donc avec lui aucun rapport direct.

La Serena, à ce que l'on sait, a réussi à prendre le large et à quitter tout de suite la France. Elle a tout fait, je pense, pour qu'il la suive. Elle a dû l'implorer. Le supplier. Lui faire le coup de l'amante déçue, désespérée. Lui promettre qu'elle serait son escorte, son esclave, qu'aucune femme au monde ne le servirait comme elle s'engageait à le faire.

Elle a dû lui remontrer qu'il n'avait pas le choix, de toute façon. Que toutes les polices le recherchaient. Qu'il fallait partir très vite, avant que ne se referme la souricière. Et qu'il n'y avait plus guère qu'à Rome, maintenant, auprès d'elle, à l'abri de la colonne retrouvée, qu'il serait en sécurité.

Voyant que ça ne marchait pas, elle a dû — car elle en était aussi capable — tempêter. Insulter. Imiter, pour vitupérer sa « lâcheté », son « sang de navet », son « manque de couilles », le langage imagé de sa camarade la « Poissonnière ». Je l'imagine même, à bout d'arguments, effondrée (car s'il y a bien une chose sûre, dans tout ça, c'est que cette fille l'aimait), lui crier qu'il n'avait pas le droit. Qu'il n'allait pas s'en tirer comme ça. Car son contrat n'était pas honoré. Ce flic tué par hasard là, dans l'affolement, ça ne compterait pas pour Valerio. Ce n'était pas pour ça qu'ils étaient venus. Et il restait redevable, donc, de sa dette de sang à la colonne.

Elle a tout dit, par conséquent, la pauvre. Tout fait. Le petit souillon au nez trop long et à la triste figure a dû devenir pour la circonstance une harpie, une mégère sublime, elle a dû retrouver toutes les armes, toutes les ruses, toutes les colères classiques de son sexe. Mais rien n'y a fait. Aucun chantage n'a eu raison de l'obstination de Benjamin. Et dans sa folie, dans la situation désespérée où il se trouve, il a pris — un peu tard mais il l'a prise — sa première décision raisonnable depuis dix ans : il a résolu de rester.

Pour quoi faire? C'est tout le problème, bien sûr. Car aussi « raisonnable » qu'il soit, il a tout de même, ne l'oublions pas, le meurtre d'un policier sur les bras. Son signalement est donné à toutes les frontières. A l'instar de ces héros de faits divers pour lesquels il prenait fait et cause dans son enfance, il a sa photo, maintenant, dans les journaux. La presse populaire, notamment, se déchaîne contre — parfois, d'ailleurs, pour... : mais ça n'arrange pas pour autant ses affaires! — ce fils de famille extravagant qui, avec son physique de jeune premier, sa fortune, sa réputation de séducteur, son père collabo, sa mère « tuberculeuse et tondue à la Libération » (sic), a tout pour déclencher la machine à rêver dans les chaumières. Le pouvoir politique lui-même s'en mêle, par la voix notamment du chef de cabinet du préfet de police, un certain Vignal (ex-gauchiste lui aussi, ex-ami de Benjamin...) qui vient expliquer à la télévision d'une voix grave, glacée, qu'« il s'agit manifestement là des soubresauts ultimes de l'esprit de subversion, mais que les Français ne doivent pas s'y tromper, le pouvoir saura réagir de manière exemplaire... » Sans être, bien entendu, l'ennemi public n° 1, Benjamin, en d'autres termes, est suffisamment repéré pour qu'il ne puisse pas prendre un avion, un train, un taxi même, pour qu'il ne puisse pas louer une voiture, se promener même dans la rue sans prendre de risques majeurs.

Tant pis. Qu'à cela ne tienne. Il a décidé de rester — il reste. Et fidèle au proverbe chinois qu'il aimait bien citer au temps de son maoïsme — « le coin sous la lampe est aussi le plus obscur » —, il choisit de se cacher en plein Paris, dans une pension de famille de la rue du Faubourg Saint-Martin, où il se dit que personne n'aura, a priori, l'idée de le chercher.

J'ai vu l'endroit. Après les faits, bien entendu, mais je l'ai vu. C'est une grande bâtisse grise, fort laide, quasi lépreuse déjà alors qu'elle n'a, manifestement, pas l'âge du siècle et qui, vue du dehors, si elle n'était adossée à un ancien couvent désaffecté et transformé en hôpital, passerait pour l'un de ces hôtels de passe un peu douteux qu'il affectionnait autrefois.

L'intérieur, pourtant, est propre. Coquet. Avec un côté salle à manger commune, toile cirée sur les tables, coin télé où les pensionnaires se retrouvent le soir après dîner, porte close après dix heures et interdiction de tapage nocturne, qui fleure bon sa province, son roman de Balzac ou de Simenon, et dont je ne me serais jamais douté qu'on pût encore le trouver là, à Paris, en plein quartier de la République, à la fin des années soixante-dix.

Léone, la patronne, une dame d'une soixantaine d'années, veuve d'un maquisard FTP du Limousin tombé en 43 sous la torture, est là, me dit-elle, depuis toujours. Elle a l'air rogue et fort en gueule de la fille de troupe vieillissante qui a appris, avec le temps, à « se faire respecter par les hommes ». Elle a une petite nièce avec elle qui avoue fièrement dix-huit ans même si elle n'en a pas plus de quatorze ou quinze — et qui rougit très fort quand je l'interroge sur Benjamin. Les gens qui sont là sont de braves gens aussi — un mélange hétéroclite d'étudiants, de retraités, de chômeurs un peu aisés ou de vieilles demoiselles qui se sentent plus en sécurité ici que dans un appartement, « avec tous les voyous qu'il y a maintenant dans Paris... »

L'ont-ils, l'ont-elles reconnu ? Savaient-ils l'identité réelle de cet homme encore jeune, mais si « triste » — c'est l'adjectif qui revient dans la plupart des témoignages que j'ai recueillis — que nul ne se souvient l'avoir jamais vu sourire ? Ils disent que non. Je pense que si. Mais je pense que son charme une fois de plus a joué. Sa gentillesse. Sa prévenance. Sa galanterie avec les dames. Sa civilité avec les messieurs. Cette fantastique qualité d'écoute que je lui ai toujours connue et qui devait lui permettre, le soir, au dîner, de prêter une attention passionnée à leur babil de VRP au chômage, d'étudiants en dentisterie ou de fonctionnaires des PTT rêvant de ce qu'ils feront à l'âge de la retraite. Sa séduction physique aussi. Ce qui lui reste de grâce. Cette mine « grave et sombre de bel archange foudroyé » dont m'a parlé la petite nièce et qui devait faire se pâmer les vieilles demoiselles.

Je pense que la patronne, surtout, a dû succomber et qu'en tout bien tout honneur (encore qu'avec ce zèbre on ne sache, au fond, jamais), elle l'a pris sous son aile, sous sa souveraine protection. Et je pense enfin, pour aller au fond du problème — c'est la seule explication de l'insouciance avec laquelle il s'est installé ainsi, au vu et au su d'une bonne vingtaine de personnes — que s'il a atterri là, chez elle, ce n'est pas tout à fait par hasard non plus ; l'endroit, sous ses dehors de gargote sage et gentiment petite-bourgeoise, était probablement lié à l'un de ces réseaux de solidarité nés avec la guerre d'Algérie, parfois même avec la Résistance et qui ont su, pour certains d'entre eux, reprendre du service dans la mouvance du post-maoïsme.

Bref, quelle que soit la raison, la réalité est bien là : lui qui, je vous l'ai dit, a peur de sa propre ombre, loge là sans presque se déguiser ; et le fait est que nul, pendant tout le temps où il y restera, ne songera apparemment à s'en émouvoir ni, à plus forte raison, à le dénoncer.

L'été passe ainsi. Puis le début de l'automne. Debout à l'aube, avant tout le monde, il commence sa journée par un brin de causette avec la patronne, dans sa cuisine, tandis qu'elle s'affaire autour du petit déjeuner. Il passe le reste de la matinée, puis le plus clair de l'après-midi, seul dans sa chambre, à lire, rêver, méditer, écrire aussi me dit-on (encore que, de ce dernier point, j'aie toutes les raisons de douter). Le soir, il dîne « en famille », ne dédaignant pas ensuite, soit de regarder la télévision avec tout le monde, soit de se retirer dans un coin du salon, pour commenter avec la « nièce » le livre qu'il lui a passé la veille. Et c'est ainsi qu'à ce rythme, soumis à ce régime d'oisiveté et de repos forcés, il reprend haleine. Refait ses forces. Retrouve un peu de confiance, de foi en l'avenir. Il cesse de sursauter à chaque craquement de plancher suspect. Il passe de vraies nuits, calme enfin, tout d'une traite. Il constate avec plaisir aussi que la presse parle de moins en moins, puis bientôt plus du tout, de lui et de son affaire. Alors, dans cet état d'esprit, un beau matin d'octobre — 1979, toujours — il se résout enfin, et pour la première fois depuis sa fuite, à me téléphoner.

Je me souviendrai toute ma vie, je pense, de ce coup de téléphone.

Sa voix d'abord, un peu brusque, comme s'il voulait couper court à d'éventuels épanchements. Son refus de me dire où il se trouve, s'il est même encore à Paris, de peur qu'il n'y ait, comme il dit « du monde avec nous sur la ligne ». Et puis très vite, sans perdre une seconde, l'objet de son appel : « cette femme, cher Alain... cette femme... comment cela, quelle femme ?... il n'y en a pas trente-six, que je sache... cette femme, voyons... Ça y est, vous avez compris ?... non, je vous en conjure, pas de noms... jamais de noms au téléphone... bon... vous y êtes, cette fois ? j'ai besoin de la voir jeudi... ce jeudi, oui, bien sûr... ou, si elle ne peut pas, le suivant... ou le suivant encore... à quinze heures précises, chez Benjamin Constant... non, Constant... Benjamin Constant... bon, ça ne fait rien... cherchez pas... dites simplement ça : jeudi, quinze heures, Benjamin Constant, elle comprendra ».

Sur quoi, il raccroche. Sans une explication de plus. Insolent, comme il avait toujours été. Me laissant comme un âne dans mon bureau à essayer de comprendre ce qu'il attend de moi; à en mesurer toute l'étrangeté; toute l'incongruité; à me demander si j'ai bien entendu; si je n'ai pas eu la berlue — cette fille, vraiment ? avec tout ce que je sais ? après tout ce qu'il m'en a dit ?

Mais j'ai beau m'interroger, hélas! J'ai beau trouver la chose cocasse. J'ai beau pester intérieurement contre ce qui m'apparaît au choix comme un caprice d'enfant gâté ou une palinodie. J'ai beau me dire que c'est effroyablement dangereux surtout — la police ayant pour règle bien connue, et efficace, de pister la fille pour arriver à l'homme. J'ai beau décider que je n'irai pas; qu'il ne me fera pas faire cette folie; que je n'ai jamais d'ailleurs — et ce n'est peut-être pas pour rien — pu supporter ce personnage. J'ai beau songer, plus fort encore! que j'ai aussi la ressource d'aller moi-même au rendez-vous (ce qui me permettrait par parenthèse de le voir, de me rendre enfin compte des choses par moi-même, au lieu de cette incertitude qui me ronge depuis trois mois) et là, de lui dire que j'ai fait ce qu'il m'a demandé mais que la fille est malade, absente, en voyage, introuvable, bref que, pour une raison ou pour une autre, je n'ai pas pu lui transmettre le message.

J'ai beau... J'ai beau... Je me rends bien compte, en fait, que je crâne; que je ne ferai rien de semblable; qu'on ne se conduit pas comme ça, de toute façon, avec un ami aux abois qui vient vous demander un service dont lui seul peut, c'est sûr, mesurer l'opportunité; qu'il en a peut-être vraiment besoin après tout, et pour des raisons qui ne sont pas celles que j'imagine. Je me rends bien compte que si je lui raconte que la fille n'a pas pu ou pas voulu venir il est capable d'y aller voir lui-même et de prendre ainsi, à cause de moi, des risques personnels plus grands encore. Et c'est pourquoi, tout bien pesé, je finis par me dire que je n'ai pas le choix. Je descends lentement, posément, jusqu'à la poste. Et là, en ayant bien conscience — non, d'ailleurs, « conscience » n'est pas le mot qui convient : en ayant l'intuition plutôt — qu'il n'est pas tout à fait exclu que je sois en train de commettre la plus grosse bêtise de ma vie, je compose l'indicatif, puis le numéro de la maison des Rosenfeld à Guebwiller.

C'est Constance, la sœur jumelle, qui m'a répondu.

« Ah! quelle histoire, s'est-elle exclamée, de sa petite voix mielleuse, dès qu'elle a compris que c'était moi... Oui, quelle histoire... On a suivi tout ça dans les journaux, vous pensez bien... Est-ce que vous avez des nouvelles?... »

Puis, sans attendre la réponse que je ne lui aurais de toute façon pas donnée, elle a enchaîné, très garce : « parce que Marie, elle, en revanche, ça ne va pas trop mal... Comment? Vous ne savez pas? elle n'habite plus là, voyons! Mariée, bien sûr... Et mère de famille avec ça... Vous ne voulez pas l'adresse, par hasard? Une petite seconde... La voici... »

Et c'est ainsi que j'ai atterri quelques heures plus tard, le soir même, dans un grand appartement bourgeois du centre résidentiel de Strasbourg où j'ai trouvé une Marie très en forme; presque embellie depuis Paris; à peine vieillie malgré les six ou sept ans passés; terriblement « mère de famille » en effet (Constance n'avait pas eu tort, sur ce point); et qui m'accueille avec un bébé braillard dans les bras, des odeurs de cuisine dans les cheveux et un jeune bellâtre, sanglé dans un blazer à écusson, qui ne la quitte pas d'une semelle et dont Benjamin aurait sûrement dit qu'il était « de la race des gueules de fesse ».

« Nicolas, mon fils », m'annonce-t-elle, en me montrant le bébé... « Mon mari, Damien », en désignant le bellâtre. Et, se tournant vers le « mari Damien » : « Alain Paradis... tu sais bien... cet ami de Paris dont je t'ai si souvent parlé... »

Oui, en effet, il a l'air de « savoir ». Non, malheureusement, ce qu'il « sait » n'a pas l'air d'être à mon avantage. Et j'en ai aussitôt pour preuve les regards hostiles, presque impolis, que je devine derrière les lunettes Ray Ban; les petites lèvres minces qu'il n'ouvre, de tout le dîner, que pour m'apprendre qu'il est notaire, fils de notaire, et que les affaires vont bien, merci; la façon qu'il a, au café, de poser la main sur la cuisse de sa femme en un geste propriétaire que je ne peux pas ne pas interpréter comme un muet défi à mon endroit; j'en ai pour preuve, encore, le fait qu'il prenne un soin vigilant à ne pas nous laisser seuls une seule seconde, pour un possible tête-à-tête.

Est-ce que ça va durer longtemps comme ça? me dis-je. Ne va-t-elle pas trouver un truc à la fin, un stratagème quelconque pour que je lui parle? Eh bien, non, justement! Elle se fout de trouver « un truc » ou non. Elle me traite comme un vieil ami qu'elle a retrouvé après quelques années d'absence. Pas un seul instant, elle ne semble douter que j'aie fait tous ces kilomètres pour l'entendre me débiter des banalités sur les charmes de la vie de province. Et au terme de la soirée, de plus en plus intrigué par cette aisance avec laquelle elle tient son rôle de bourgeoise alsacienne, délicieusement frivole et sosotte qui ressemble si peu à la grave jeune fille que j'ai connue, je finis quand même par comprendre : cette idiote est heureuse, bien sûr; tout simplement heureuse; tout stupidement heureuse...

Il n'y a qu'à voir son sourire. Il n'y a qu'à voir les regards humides qu'elle lui lance quand il la pelote. Ce sont des regards de chienne fidèle qui a enfin trouvé sa niche et qui, pour rien au monde, ne consentira à la quitter. Ce sont des sourires de femme soumise, matée, définitivement assujettie qui n'a pas assez de ses jours, pas assez de ses nuits, qui n'aura même pas assez de sa vie pour remercier son maître de lui avoir si généreusement pardonné. Et on aurait beau les scruter, les dépouiller, ces sourires et ces regards, je sais bien qu'on n'y trouverait trace ni d'amertume, ni de regrets, ni de chagrins...

L'idée me dégoûte un peu. Elle m'attriste aussi, à cause de Benjamin. Mais elle a le mérite au moins de m'ôter le dernier doute que je pouvais nourrir quant à l'intérêt de ma démarche. Et c'est sur le pas de la porte seulement, à l'instant de prendre congé, parce que le mari, allant chercher mon manteau, a été forcé de nous laisser dix ou vingt secondes seule à seul, que je lui ai très vite, pour la forme, en un ultime défi aussi peut-être, soufflé mon petit message; je ne suis pas sûr qu'elle ait entendu, encore moins enregistré — mais au moins ai-je la satisfaction d'avoir, moi, accompli mon devoir jusqu'au bout.

Et pourtant...

Il faut croire qu'il me restait beaucoup à apprendre des ressources de la psychologie des femmes. Il faut croire que je n'avais rien compris encore à leur duplicité, à leurs ruses, à leur sang-froid. Et il faut croire que je n'avais rien compris à cette femme-ci en tout cas et aux épouvantables calculs qui pouvaient se fomenter dans sa cervelle tandis qu'elle ronronnait sous les caresses de son époux.

Car imaginez-vous que je n'avais pas plus tôt tourné les talons que cette provinciale sage, rangée, parfaitement popote et apaisée que j'avais donc vue une minute plus tôt lancer à son Damien des regards de dévotion et à qui j'avais simplement soufflé, dans une embrasure de porte, et sans pouvoir dire si elle m'avait ou non entendu : « Benjamin est vivant... à Paris... il sera au Père-Lachaise, ce jeudi à quinze heures... » — imaginez-vous donc qu'il a, semble-t-il, suffi de cela pour qu'elle fasse ses bagages; qu'elle pose deux gros baisers (et peut-être, pour faire bonne mesure, quelques larmes) sur les joues de son enfant; qu'elle raconte au Damien une histoire absurde, cousue de fil blanc; qu'en cinq minutes, par conséquent, elle envoie par-dessus bord tout ce bonheur, patiemment construit au fil des années et qui m'avait moi-même abusé; et imaginez-vous que le fameux jeudi, un peu avant quinze heures, alors que j'étais venu au Père-Lachaise rendre compte à Benjamin de ma mission, en commenter avec lui l'échec, lui éviter en tout cas d'avoir à revenir la semaine suivante, c'est elle qui est là : oui, elle, Marie, il n'y a pas de doute possible, je l'identifierais à cinq cents mètres malgré sa houppelande noire — elle, en train de flâner, plus en avance que moi encore, aux abords de la tombe de Benjamin Constant.

Je me suis arrêté net, avant qu'elle ait pu m'apercevoir. De là où je suis, je l'observe quelques minutes avec ses chaussures plates, sa silhouette d'adolescente démodée et ses longs cheveux bruns serrés dans un catogan. Elle a l'air gaie d'ailleurs, cette gourde. Insouciante. Elle a une façon qui m'agace, moi, déjà — que dira, alors, son amant? — de balancer son sac au bout de son bras; de donner des coups de pied dans le gravier; de courser un chat gris autour de la tombe de Chopin; ou d'engager une conversation probablement stupide avec un groupe de vieilles, assises sur un banc, aux jambes entourées d'énormes bandes molletières et qui distribuent aux chats des poignées de nouilles froides. Mais il est trois heures bientôt et, sachant que Benjamin n'appréciera guère de me voir là, je préfère battre en retraite, prudemment, sur la pointe des pieds — vous laissant le soin d'imaginer, comme moi, les retrouvailles des tourtereaux.

D'après Léone, il l'a amenée à la pension le soir même, un peu avant sept heures. Il l'a inscrite sous le nom de sa sœur, Constance Rosenfeld. Et dès le premier jour, au dîner, il l'a solennellement présentée à la compagnie comme sa « fiancée » — ajoutant qu'ils allaient « se marier bientôt ».

Oui, elle semble très éprise et la brave Léone a les larmes aux yeux pour me décrire les regards amoureux, langoureux, follement passionnés et soumis qu'elle lui lance à table, devant tout le monde, quand, etc. Oui, bien sûr (cela m'étonne déjà plus mais je vous livre la chose pour ce qu'elle est : un témoignage de vieille femme émue, peu attentive, secrètement jalouse peut-être ou obscurément masochiste...) lui aussi semble l'aimer et ils passent de longues journées, tous les deux, enfermés dans la nouvelle chambre, plus spacieuse, qu'elle leur a donnée sous les toits.

Elle, pourtant, sort un peu. Elle lui achète les journaux, qu'il se remet à lire assidûment. Des livres nouveaux. Des friandises. Elle revient certains soirs avec des paquets mystérieux qu'ils ouvrent ensemble, dans leur chambre. Un après-midi, elle est même rentrée au volant d'une BMW d'occasion que Benjamin a pris le risque — lui qui ne sort en principe jamais — d'aller examiner, sur le trottoir, en face de l'hôpital, à quelques mètres de la maison.

La vérité (qui, à mon sens, devait sauter aux yeux même si Léone, aujourd'hui, prétend n'en avoir rien deviné) c'est qu'ils préparent évidemment leur fuite; et que c'est dans ce cadre qu'ils vont commettre l'erreur fatale qui va tout bouleverser.

On sait aujourd'hui ce que fut cette erreur — d'où elle vint et surtout de qui.

Benjamin avait, selon toute vraisemblance, bien recommandé à Marie de ne jamais faire d'achat qu'elle ne réglât comptant, avec l'argent qu'il lui donnait et qui restait, je suppose, des quatre-vingts millions de centimes que je lui avais moi-même remis quelques jours avant l'attentat manqué contre « Oncle Jean ».

Il n'avait pas dû insister là-dessus, sans doute — les mois de « travail » avec la Serena l'ayant habitué à se faire entendre vite, à demi-mot. Mais il l'avait dit, c'est sûr. Il n'avait pas pu ne pas le dire. Il lui donnait l'argent chaque fois, du reste, au coup par coup, ce qui valait tous les discours ou explications possibles. Et c'est de cette façon que, de fait, la petite avait réglé le gros revolver Parabellum, les deux faux passeports aux noms de M. et Mme Boulanger, de Bruxelles, les provisions, les livres, le camping-gaz, les sacs de couchage, les cartes routières ultra-détaillées de l'Est de la France et de la Belgique, bref, les innombrables menus — ou moins menus ! — objets qu'on a retrouvés dans la voiture, toute prête donc pour le grand départ (et qui avait été achetée comptant elle aussi à un garagiste de Luzarches qui fournissait, en prime, les fausses plaques et les faux papiers).

Seulement voilà, il y a une chose que Benjamin avait oublié de prévoir : c'est qu'on approchait du 15 février; que le 15 février était la date de son anniversaire; que Marie allait, comme autrefois, vouloir le couvrir de cadeaux; qu'en bonne bourgeoise qu'elle était, bien à cheval sur les principes, elle répugnerait à les payer sur l'argent qu'il lui confiait; et qu'elle ne trouverait rien de mieux que de les régler elle-même par des chèques tirés sur son compte en banque strasbourgeois.

La faute est là, bien sûr. Enorme. Monumentale. Car il faut que vous sachiez qu'elle n'a même pas eu l'idée, en plus, de changer de quartier; que pressée par le temps, déshabituée de Paris peut-être, ou tout simplement et tragiquement inconsciente, elle a fait ses petites emplettes personnelles, dans le périmètre exact (en gros, le quartier des Galeries Lafayette) dont Benjamin lui avait dit qu'il était assez passant, populeux, anonyme pour qu'elle pût y acheter sans grand risque les articles nécessaires à leur départ; que la police du coup, alertée par le mari depuis sa disparition et mise en éveil par cette série de chèques tirés tout à coup, dans un laps de temps si court et dans un périmètre si restreint, n'a plus eu qu'à truffer le périmètre en question d'inspecteurs en civil pour la repérer un matin, en train de choisir une tente, un camping-gaz ou des chaussures de marche; il faut que vous sachiez qu'en vertu du vieil et décidément infaillible principe dont je parlais il y a une minute, il a suffi de la suivre pour retrouver une piste perdue depuis des mois — et pour arriver un jour jusqu'à la pension de famille.

La suite, pour le coup, est très connue. Et ce qui ne l'est pas se devine, je crois, aisément. Les policiers n'ont aucun mal à introduire un indicateur dans les lieux, qui leur confirme la présence de l'homme qu'ils recherchent. Des dizaines d'entre eux, à pied, en voiture, dans les cafés voisins, sur les toits aussi, commencent à planquer jour et nuit. Ils suivent tous les jours Marie maintenant — qui, malgré les recommandations qu'a pu lui donner Benjamin, est trop peu professionnelle pour se douter de quoi que ce soit. Et ils comprennent ainsi, assez vite, que le couple est en train de se préparer pour la grande cavale.

Vont-ils attendre ce jour-là? Cueillir Benjamin au moment où il sortira? Non. La rue est trop passante. Il y a cet hôpital à deux pas. L'homme est trop dangereux, surtout, se dit-on, qui pourrait bien être capable de déclencher un massacre pour se sauver. Et c'est ainsi qu'un matin, à l'heure du laitier, une demi-douzaine d'inspecteurs se présentent à la porte de la pension;

réveillent Léone; se font indiquer le numéro de la chambre; et sans laisser à quiconque le temps de prévenir, se précipitent jusqu'à sa porte qu'ils tentent d'ouvrir à la volée.

Que se passe-t-il, alors, dans la chambre?

La porte, d'abord, résiste — que Benjamin, préparé de longue date à toutes les éventualités, avait barricadée comme chaque nuit

Il semble que, pour gagner quelques minutes, il ait crié aux policiers qu'il tenait Marie en otage et n'hésiterait pas à l'exécuter en cas d'assaut.

Il a dû rassurer Marie ensuite, lui expliquer que tout allait bien, qu'elle devrait rester ici, à l'intérieur, pendant qu'il fuirait, lui, par les toits — et qu'ils se retrouveraient, plus tard, très vite, quand il se serait tiré de ce guet-apens.

Il a enjambé l'appui de la fenêtre, puis pris position sur la gouttière dont il avait cent fois déjà testé la solidité — mais sans repérer, sur le toit au-dessus de sa tête, le policier qui l'attendait.

Le policier a visé.

Il a tiré.

Il a tiré encore.

Au troisième coup, il a touché la cible, que Marie a vue vaciller, hésiter comme un pantin désarticulé, et puis se retenir, à la dernière seconde, de son bras resté valide, à l'appui de la fenêtre voisine.

Mais elle s'est affolée, elle, Marie.

Elle a crié des mots incohérents.

Elle a hurlé à Benjamin qu'elle l'aimait... qu'elle accourait... qu'elle volait à son secours...

Benjamin a hurlé à son tour que non... surtout pas... il fallait qu'elle reste où elle était... ce n'était qu'une égratignure... il était hors de danger.

Elle n'a pas écouté, pas entendu peut-être, et s'est engagée à son tour, comme elle venait de le voir faire, sur la gouttière.

Le policier en face, interloqué par le spectacle de cette grande jeune femme maladroite, à demi nue et secouée de sanglots, a cessé instinctivement le feu.

Il l'a vue — tout le monde l'a vue — faire un pas, deux peut-être avec une grâce de danseuse, presque de funambule, au-dessus du vide, les bras tendus en avant.

Et puis, au troisième, avant que ni Benjamin ni personne d'autre aient pu l'arrêter, elle a paru hésiter, rebrousser chemin, rester comme en suspens — et elle a vacillé elle aussi, chancelé, basculé enfin dans le vide.

Il ne s'était pas écoulé plus de quelques secondes depuis le premier coup de feu et le corps de Marie gisait sur le trottoir, vingt mètres plus bas.

Confession de Benjamin

1

Il y a eu ma fuite sur les toits, courbé en deux, les coudes au corps, ma blessure qui saignait mais ne faisait pas encore mal, les balles qui sifflaient mais ricochaient sur les cheminées : il est si difficile d'atteindre un homme qui court.

Il y a eu le quartier bouclé. Les rues alentour bouchées. Le mugissement des sirènes de tous côtés. Les badauds à leurs fenêtres qui attendaient que je tombe à mon tour. Je me rappelle mon sentiment d'être une bête traquée, acculée, qui fait son dernier tour de piste avant que se ferme la souricière.

Il y a eu comme dans les mauvais films, ou les romans à happy end, ce vasistas qui s'est ouvert, cette main soudain tendue, cette pièce, cet escalier, la rue — ce visage providentiel dont je ne me rappelle rien sinon que c'était un visage de très jeune garçon.

Il y a eu Aubervilliers où, souffrant, pissant le sang, je me suis mis en quête, Dieu sait pourquoi, comme s'il n'y avait plus que lui au monde pour me sauver, de ce vieux camarade, perdu de vue depuis vingt ans, et dont je ne me rappelais que le surnom de l'époque : « Tony la Bastoche ».

Il y a eu le « vieux camarade », complètement méconnaissable avec sa trogne, sa blouse, sa corpulence de boucher embourgeoisé qui, sans poser de questions, avec le même naturel que si nous nous étions quittés la veille après un concert de Paul Anka, m'a accueilli et offert un coin dans son grenier.

Et il y a eu le mois passé dans le grenier à soigner ma plaie, refaire mes forces, reparler du bon vieux temps avec Tony quand « la patronne » n'était pas là — et à penser à Marie, le reste du temps, tenter de fixer son visage, le geste de ses mains à l'instant où elle est tombée et où elle semblait vouloir les accrocher au ciel.

Il y a eu le départ ensuite, un matin, dans la camionnette de boucherie, Tony au volant comme pour une livraison — et moi caché derrière, dans les quartiers de viande et les odeurs de viscères crues.

Il y a eu la frontière passée sans trop d'encombre en fin d'après-midi. Les adieux, émus, à Vevey. Genève, où j'ai pris de l'argent et où, ivre de cette liberté soudaine, j'ai retrouvé pour un mois — deux peut-être, je ne sais plus — ma chambre d'autrefois, au Beau Rivage.

Il y a eu Bruxelles. Zurich. Barcelone. Zurich encore l'année suivante. D'autres villes que j'ai oubliées. Des villes tristes. Des villes grises. Des villes en noir et blanc. Des villes que je traversais les yeux fermés, en somnambule, sans bien savoir pourquoi, comment, ce que j'y faisais, où j'allais. Ah! ce monde si plein de gens qui savent où ils vont...

Il a dû y avoir Trieste, où j'ai manqué me faire arrêter.

Lisbonne, où je n'ai retrouvé rien ni personne de l'époque où je prenais Otelo de Carvalho pour un héros de Shakespeare.

Ségovie — je ne sais par quel caprice j'ai atterri à Ségovie — avec ses hauts murs aveugles, ses

femmes aux hanches larges, son humanité pacifiée, somnolente, ses policiers eux-mêmes au
visage bon enfant et ce couvent de dominicains,
sous les fenêtres de ma chambre, où j'ai pensé
demander asile.

Il y a eu cet été torride à Berlin, où je me suis
senti soudain très vieux.

Ces quelques mois londoniens au milieu d'une
faune étrange dont je ne comprenais plus ni les
mœurs, ni la langue.

Il y a eu ces longues semaines que j'ai passées,
seul sur la plage d'Ostende, à me répéter son
nom ; ces soirées où je tentais de me rappeler un à
un, méthodiquement, les traits de son visage ; ces
nuits où je décidais de la revoir en rêve ; et cela
même qui m'échappait, ces images mêmes qui se
refusaient − le peu qui me restait d'elle qui s'ef-
faça lentement comme, après le ressac, le fameux
« visage de sable » des livres de ma jeunesse.

Il y a eu ce jour de l'année dernière où, fou de
chagrin et de remords, j'ai été à deux doigts de
retraverser la frontière : voir une fois, rien qu'une
fois, la petite tombe grise, noyée dans le brouillard − et vérifier si là-bas aussi, à Guebwiller, le
monde avait la même insolente persévérance.

Il y a eu... Il y a eu... Il y a Jérusalem, où je suis
arrivé, enfin, après quatre ans d'errance.

Pourquoi Jérusalem ? Pourquoi moi, Benjamin,
à cette heure-ci de mon existence, en ce lieu-ci
précisément ? Quelle est cette force obscure, qui
ne m'a dit ni ses mots ni ses raisons mais qui m'a
poussé, tiré, lentement attiré là ? D'où vient surtout − car c'est le vrai mystère − que loin de m'y
sentir en exil, déplacé, en partance encore ou de
passage, je m'y sente assigné au contraire, fixé,
arrivé ? Bref, d'où vient que ce soit ici, dans cette
ville inconnue, aussi étrangère à moi qu'il est pos-

sible de l'être, d'où vient que ce soit dans cette ville naine, presque provinciale si je la compare aux métropoles où je suis passé sans m'arrêter, d'où vient que ce soit dans cette cité close, étouffée, où les rues sont désertes à dix heures et où les polices, si elles le veulent encore, auront moins de mal que partout ailleurs à me trouver et me livrer, d'où vient que ce soit ici que, pour la première fois, j'ai la certitude que l'errance est à son terme ?

La beauté du lieu, sans doute. Cette éminente gravité qui l'imprègne. Cette terre dont il n'est pas un pouce, une pierre, un grain de poussière que l'on ne sente lourd de trois mille ans d'histoire. Les gestes quotidiens qu'il faut faire, qu'on fait comme partout ailleurs, parce que ce sont ceux de la vie, de l'amour, du commerce des choses ou des chairs, mais qui y ont un je ne sais quoi de faux, de mal à propos, de sacrilège.

Cette lumière bleue, tout à l'heure, à la tombée de la nuit, qui se reflétait dans l'or mat du dôme de la mosquée d'Omar et dont je me suis dit, non sans un peu de pompe : « une lumière venue du fond des âges ».

Ce calcaire rose de ma maison, cet argile couleur de miel de la synagogue en face, ces marbres, ces micas, la pierre calcinée des remparts ou ocre de la porte de Damas — toute cette minéralité riche, profuse, luxuriante comme une jungle, et qui est comme un recueil de la mémoire du monde.

Et puis l'air autour de moi, si grave lui aussi, si dense, si chargé de mystère, de promesse, de sainteté qu'il en devient, à certaines heures, quasi irrespirable.

Oui, sainteté... Ce mot qui me ressemble si peu... Ce mot qui, il y a un an encore, m'aurait probablement fait sourire... Ce mot que je ne me souviens pas d'avoir prononcé jamais — même à propos de Rome, autrefois... Et ce mot qui dit bien, pourtant, la singulière conversion qui m'a conduit, moi le tueur, le menteur, le mécréant, jusqu'à cette table, dans cette pièce — avec le sentiment, ai-je dit, de toucher enfin au but.

Jérusalem, ville sainte.

Et en même temps, ce n'est pas ça.

Car à peine l'ai-je écrit, ce mot, que je redoute ce qu'il peut suggérer d'ordre, de grâce, d'harmonie. Ce qu'il traîne après lui d'images de calme et de quiétude. Je redoute qu'il donne à penser que je sois ici, en ce lieu, non point seulement « au terme » — mais au repos, à l'arrêt, tous tumultes éteints, au diapason de moi-même et du monde.

Car c'est le contraire, il me semble, que signifie « sainteté » à Jérusalem.

Je ne connais pas un lieu au monde que l'on sente plus anxieux, plus chargé d'angoisses ou de menaces que cette terre en sursis qui vit depuis le commencement des temps dans l'imminence de l'apocalypse.

Et je n'en connais pas où, de surcroît, la guerre, la vraie, la seule vraie guerre qui tienne — celle que se font les idées, les imaginaires inconciliés, celle qui oppose les religions, les visions du monde antagoniques — ne semble rythmer à ce point la voix des hommes, régler à ce degré leurs gestes, leurs pas.

Histoire de ces rabbins creusant dans le plus grand secret, jusque sous les mosquées, la catacombe qui, pensent-ils, les mènera au Saint des Saints — et des imams qui, alertés, descendent à leur rencontre et les repoussent à coups de pelle, de pioche et de prières.

Histoire de cet édifice, au sommet du mont Sion, qui abrite à la fois une mosquée, le cénotaphe du roi David, le cénacle où le Christ prit son dernier repas.

Toutes ces histoires de querelles, de rivalités acharnées pour le contrôle d'une vieille pierre, l'appropriation d'un signe ou d'un sédiment − et la certitude qu'elles pourraient bien, ces querelles, embraser d'un seul coup la planète; ou qu'elles sont peut-être, à la fin des fins, la règle ou le secret de tous les embrasements planétaires possibles.

C'est pour cela aussi que je suis là. A l'écoute de ces histoires. Au plus près de ces embrasements. Comme si je me trouvais au nœud des choses : au lieu de leur plus haute vérité; au point le plus brûlant de la passion des hommes; à l'endroit où l'on entend le mieux le grand tohu-bohu que fait leur malentente; comme si c'était en ce lieu de « sainteté » que je trouvais enfin la clef métaphysique du seul problème qui m'aura vraiment intéressé au long de mon existence − et qui est celui, au fond, de la division, de la discorde, du déchirement entre les humains.

Jérusalem, œil du cyclone.

Et encore, n'est-ce pas tout.

Car je n'ai toujours pas dit, à l'inverse, la légèreté de Jérusalem. Sa lumière tendre aussi, inquiète, ce matin. Sa pierre sèche, dépouillée, qui semble s'élancer, s'évider vers les hauteurs. Ces corps effilés, subtils, comme tendus entre ciel et terre, que j'ai entr'aperçus l'autre soir, dans les ruelles grises du quartier orthodoxe de Mea Shearim.

Je n'ai pas dit la première ville au monde où je ressente si peu la pesanteur du lien de société. La seule où je sois sûr qu'on ne viendra pas me parler de ces « race », « racine », « souche », « terroir » ou autres fariboles qui, partout ailleurs, sont comme un empois qui grève l'identité des hommes. La seule où, parce qu'on s'y sent fils de la Loi et de sa sainte Lettre, on puisse être à la fois, sans contradiction ni chantage, d'ici et de là-bas; de ce lieu et puis de l'autre; enraciné — et toujours, pourtant, en exil. La seule ville réellement cosmopolite au sens où j'entendais le mot il y a quinze ou vingt ans et que je croyais alors antagonique du principe même de l' « Etat sioniste » — la seule ville dont le lien communautaire soit miraculeusement « allégé » par l'insistance, en lui, des valeurs de diaspora.

Je n'ai pas dit la Jérusalem qui fut, pendant deux mille ans, l'intarissable rêve d'un peuple — et je n'ai pas dit la Jérusalem qui reste, deux mille ans après, une ville de rêve et de mirage au cœur du même peuple, enfin ressuscité.

Je n'ai pas dit la Jérusalem invisible dont les remparts étaient de poussière et les plus hauts monuments de papier — et je n'ai pas dit la Jérusalem visible d'aujourd'hui qui garde, jusqu'en sa pierre, l'impalpable fondation de son origine.

Je n'ai pas dit Jérusalem ville juive — et, donc, ville de Marie.

Car Marie était juive, bien sûr.

Juive comme Jérusalem.

Juive comme les femmes juives qui vivent à Jérusalem.

Juive comme Esther, la jolie soldate blonde, première vraie femme que, hormis les putes de Hambourg, de Londres ou de Berlin, hormis la soubrette de Ségovie qui venait le matin, dans ma chambre, à l'heure de mon réveil, j'aie un peu désirée depuis que Marie est tombée.

Juive aussi comme les six millions de corps massacrés, dont témoigne cette forêt, plantée dans la rocaille, sur la route de Tel-Aviv, où je suis allé, ce matin, dès mon arrivée, me recueillir.

Juive comme l'homme, la femme, l'enfant juifs que livra mon père, un jour, à la Gestapo et dont je n'ai pas eu assez de ma vie pour expier le malheur.

Juive comme tous ces autres que j'ai continué d'insulter comme si ce n'était pas assez, en égrenant, à Beyrouth et ailleurs, mon chapelet de haine contre l'Etat juif rétabli.

Elle-même ne le savait pas, je crois. Je veux dire qu'elle ne se savait pas si juive. Et qu'il y avait quelque chose en elle qui se cabrait à l'idée de cette empreinte, indéchiffrable mais indélébile, dont il me revenait, moi le Gentil, de lui expliquer le sens.

Je me souviens du jour où elle m'avait avoué n'avoir jamais tenu une Bible entre ses mains.

Je me souviens de celui où elle m'expliqua crânement, si fière de sa trouvaille : « on ne naît pas juive, on le devient ».

Je me souviens de celui où elle me confia, en rougissant, qu'elle n'aurait probablement pas aimé un homme juif.

Je me souviens du trouble où la mettait le mot; de la façon qu'elle avait de ne le prononcer que du bout des lèvres, à voix soudain plus basse; je me souviens de la manière qu'elle avait de rougir quand, en sa présence, quelqu'un le prononçait — et de sa gêne, quand venait dans la conversation le « juif errant », le « peuple juif » ou l'hôpital de « Villejuif ».

Et je me souviens de sa résistance enfin, quand, les tout derniers temps, chez Léone, je lui disais que je voulais venir ici, avec elle, en Terre sainte et que je voulais l'y épouser selon les rites de sa religion.

Elle ne se savait pas si juive, non : mais c'est elle, en attendant, et une fois de plus, qui est morte — un matin, les bras au ciel : si je suis ici, sans elle, cette nuit, c'est bien évidemment à cause d'elle, Marie de mes remords.

Etrange d'ailleurs comme ici, à Jérusalem, me reviennent, très nettes, très distinctes, tels les reliefs d'un paysage libéré d'une longue brume ou les pièces d'un puzzle soudain recomposé, ces images d'elle que j'avais crues perdues, effacées à tout jamais.

C'est elle me souriant de ce sourire chétif, hésitant, qui m'agaçait toujours un peu.

C'est elle, il y a vingt ans, dans le sous-sol du tabac de la rue de Tournon où je l'avais trouvée si gauche, si malhabile pour m'aguicher.

C'est son goût, avant de me laisser la pénétrer, de se frotter longuement contre ma cuisse, au point que je craignais qu'elle ne finît par se blesser.

C'est sa peur panique de ma « chose », comme elle disait — et ses yeux exorbités, sa bouche ouverte comme pour crier, ses bras soudain très courts battant furieusement l'air, la première fois où je l'obligeai à y porter les lèvres.

C'est cette période ensuite, un peu avant Mai 68, que je ne suis pas sûr d'avoir ou vécue ou rêvée, et où elle s'est mise à réclamer tout à coup « la chose », à la téter comme une furieuse.

C'est ce jour où elle ne demandait rien, mais où je l'ai trouvée si belle, agenouillée dans sa baignoire, les mains posées à plat sur le rebord, les seins pointés vers moi, les lèvres tendres, la croupe cambrée, offerte — et où je n'ai pas résisté à la tentation de lui prendre d'une main les tétons et, de l'autre, de lui caresser le ventre, les cuisses, l'entrecuisse, puis les fesses, avant de trouver enfin la voie que je cherchais et où, tandis qu'elle hurlait, et se dressait hors de l'eau contre moi, j'ai d'un seul coup fourré les doigts.

C'est son babil, pendant l'amour, semblable à celui de toutes les amantes, encore qu'il me semble aujourd'hui plus amer, plus menacé — et dont me reviennent les bribes : « oh...! ainsi... tu me prends ainsi... dès que je t'ai vu... quand je t'ai vu marcher... oui, chéri, quand je te vois marcher, je sais que tu es ainsi... oh! chéri, tu sens... tu me sens... tu sens comme je m'ouvre... tu sens comme j'ouvre mes petites lèvres... tu vois comme je suis offerte... comme je suis brune pour toi... ah! frappe... casse bien ta petite amande... personne ne m'a fait ça... personne ne m'a cassée comme ça... oh! pardon... je ne voulais pas... je ne suis pas comme ça... ne sois pas triste mon amour... voilà... ne sois pas triste... tu sais bien que je serai punie... »

Et puis c'est son sourire revenu quand, pour la calmer, l'apaiser, lui montrer qu'elle n'était « pas ainsi » en effet, je me forçais à lui donner du « ma reine... ma princesse... ma douce vierge adorée... » — dont chaque syllabe devait, dans mon esprit, chasser un peu des miasmes qui lui brouillaient l'âme et le regard.

Ai-je aimé Marie? Non, bien entendu. Trop belle. Trop adroite. Trop savante aussi sans doute. Et puis n'étais-je pas — ne prétendais-je pas être, en mon insondable imbécillité? — de ces hommes qui n'auraient jamais aimé s'ils n'avaient entendu parler d'amour?

Autres souvenirs de Marie pourtant.

Elle me parlant d'amour, justement.

Elle me disant — et je n'entendais pas — qu'elle n'aimait que moi, qu'elle n'aimerait jamais que moi.

Elle me jurant — et je ne la croyais pas! —

qu'elle me suivrait au bout du monde, jusqu'à la mort s'il le fallait.

Elle si droite, si fidèle — et j'y voyais de la raideur ! — quand elle prenait comme des offenses les hommages que lui rendaient les autres hommes...

Elle si peu malicieuse — et nous ne savions y voir, avec Paradis, que la preuve, comique, de sa naïveté — que lorsque Beth vint un matin lui rapporter qu'on m'avait vu, dans un avion, en compagnie de Malika, elle se fâcha avec Beth et se plaignit à moi de sa noirceur.

Elle et Paradis dont elle perça si vite — avant moi... — la vérité.

Elle et Philippe Vignal dont elle comprit si tôt — plus tôt que moi encore — la pente, les penchants.

Elle si douce, si prévenante, tellement moins arrogante que moi, avec les serveurs, les chauffeurs, les chasseurs d'hôtels ou les livreurs.

Elle et maman, dont elle aurait voulu tout voir, tout savoir, tout entendre — convaincue, la malheureuse, que c'était en lui ressemblant qu'elle me gagnerait à tout jamais.

Elle qui ne comprenait pas que lorsque je « cherchais les disputes », c'était pour conjurer l'ennui que je sentais venir ; et elle qui ne comprit pas non plus le jour où, subitement, il n'y eut plus de disputes du tout.

Oh ! Marie... chère Marie... Marie si mal aimée, malgré ton visage si beau, tes longues cuisses brunes, tes fesses rondes et fermes qui se laissaient flatter... J'ai bien dû t'aimer un peu, tout de même, petite Marie, puisque c'est toi, n'est-ce pas, qu'à la toute dernière heure, pour ton malheur, je suis allé chercher.

Marie encore...

Marie enfin...

Marie quand, pour son malheur, à la toute dernière heure, etc.

Marie, la dernière nuit, ses « bagages faits » comme elle disait — la veille d'un départ qui tenait à la fois, pour elle, de l'aventure, du voyage de noces, des départs en vacances de son enfance...

Je nous revois ce soir-là — elle, assise, en train de coudre en chantonnant le ruban rouge et noir qu'elle avait couru acheter dans une mercerie de la rue Saint-Antoine.

Moi qui, nerveux, tendu, agacé sans doute et inutilement brutal, marmonne : « eh bien, petite, je te trouve bien gaie tout à coup ».

Elle, interdite, qui s'arrête de chanter comme s'arrête une boîte à musique, et qui, le doigt en l'air, son ouvrage retombé, m'adresse un regard apeuré.

Moi qui, pris de pitié et peu soucieux d'alourdir encore un climat que je trouve bien assez grave, corrige d'un ton badin : « mais bien sûr... tu as raison... moi aussi, je suis très gai... »

Elle, rassurée, qui m'explique : « c'est un nouveau ruban pour rafraîchir mon chapeau de paille; mais, de toute façon, j'en ai assez; il faut vite se coucher si on veut être en forme demain ».

Moi qui, lorsqu'elle me rejoint au lit avec sa natte défaite et sa longue chemise blanche qui la couvre des pieds jusqu'au menton, suis pris d'un désir violent, comme autrefois, pour la Serena, avant d'aller tuer Oncle Jean.

Elle qui rit comme une enfant, glousse comme une rosière, proteste qu'on n'a pas le temps, que ce n'est pas du tout le moment, qu'il faut dormir à présent, vu la route qui nous attend.

Moi qui, sourd à ses résistances que je prends pour des manières, insiste, redouble d'ardeur et commence de fouiller, sous la chemise, ses lèvres avec mes lèvres.

Elle qui s'obstine alors, s'insurge, se rebelle — et puis, lorsqu'elle consent, se met à geindre, soupirer, puis sangloter en bredouillant des mots sans suite, où il me semble entendre des excuses.

Et moi qui, ouvrant les yeux, comprends ce qui se passe — en haut, son visage baigné de larmes et en bas, sur le drap, sur les cuisses, tout autour de ma bouche, les traces d'un sang dont elle n'avait, comme d'habitude, pas osé parler clairement.

Marie, cette nuit-là, ne dormit guère... Elle dut ruminer jusqu'au matin son humiliation, sa honte... « Dors, m'avait-elle dit, comme pour se racheter : c'est moi, aujourd'hui, qui te veillerai... » Et elle était éveillée, en effet, quand on a commencé, à l'aube, de cogner à la porte...

Que s'était-il passé ? Le hasard... La police... Son imprudence à elle, Marie... Paradis, sans doute aussi... Toujours est-il que ç'aura été là sa dernière veille, sa dernière honte.

Paradis.

Quand ai-je compris l'identité, la personnalité véritables de Paradis ?

Tard, je crois...

Inexplicablement tard...

Beaucoup plus tard en tout cas, je l'ai dit, que la petite Marie qui allait répétant depuis des années déjà : « cet homme est le démon ».

Or j'avais les informations, pourtant.

Je connaissais la face cachée de sa vie.

Je n'ignorais rien, ou presque, des liens qu'il pouvait avoir avec tels ou tels services spéciaux.

J'étais la seule personne, à Paris, qui sût à quoi s'en tenir quand le cher, le charmant, le très libéral et très anticommuniste Alain Paradis annonçait qu'il avait besoin de repos et qu'il « se retirait pour quelques jours à la campagne — sans amis, sans femmes, sans téléphone... »

Je savais — j'étais seul, encore, à savoir — que c'est lui qui organisait mes propres voyages à Damas, Bagdad, Tripoli ou La Havane; lui qui, dans le secret, mais avec l'effrayante minutie des vrais grands comploteurs, avait préparé mon séjour dans les camps palestiniens de Beyrouth; lui aussi qui, à l'insu des intéressés eux-mêmes, était à l'origine de mon transfert à Rome, dans la colonne de Giorgio et Valerio; lui toujours qui, quelques années plus tard, au lendemain de la mort de Moro, était venu me convaincre d'en sortir et d'aller jeter les bases, à côté, d'une organisation plus « orthodoxe », plus « authentiquement marxiste » — une « organisation pilote », disait-il, appelée à faire « tache d'huile » et à rendre au terrorisme italien le « cap » qu'il avait perdu.

Mais enfin, c'était ainsi. C'était le jeu. Il me semblait parfaitement normal qu'Alain fût au centre d'un jeu stratégique complexe dont j'acceptais par avance les buts et les moyens. Et il me paraissait plus normal encore, il me paraissait même élémentaire, que le tout se passât dans une clandestinité totale et qu'il fît tout ce qu'il pouvait pour sauver les apparences; soigner sa façade d'honorabilité; maintenir la fiction, en un mot, de l'avocat bourgeois, mondain, parfois frivole, dont le plus inavouable crime était, si l'on grattait bien, de nourrir, tel Vautrin — ah! l'insistance rouée avec laquelle il évoquait, pour s'en défendre bien sûr, la repousser avec horreur, mais y fixer en même temps tous les soupçons, l'infâme piste Vautrin! — une secrète et coupable passion pour son Rubempré dégénéré.

Tout a changé, à l'été 79. Et il a suffi d'une nuit,

d'une seule, pour que se déchire le voile qui m'aveuglait.

Chez Alain, cette nuit-là.

Son salon clair et vaste. Son silence. Ses moquettes. Son absence d'objets, de meubles, de bibelots. Le fauteuil où je m'effondre comme une masse, au bord de la crise de nerfs. Lui, impassible. Elégant. A peine un peu tendu. Ni froissé ni débraillé malgré les deux heures et quelques du matin. Et moi qui, confiant, entreprends, comme à un ami, comme à mon seul ami, de raconter l'histoire, toute l'histoire, depuis mes ablutions de la rue du Dragon, mes pensées et mes gestes les plus intimes avant de partir, jusqu'à la fuite, les flics, la Serena, la fusillade — en passant, bien entendu, par le détail de mes états d'âme de faux tueur qui, au dernier moment, les yeux dans les yeux de sa victime, sent qu'il ne la tuera pas, qu'il ne tuera jamais plus.

Ce que je ne vois cependant pas, tandis que je lui parle, ce sont ses yeux à lui. Ou plutôt, si je les vois, je ne m'y attarde pas. Je ne remarque pas cette lueur mauvaise, à mesure que j'avance dans le récit. Je ne remarque pas les mâchoires crispées, les lèvres pincées, cet air faussement absent que je lui connais pourtant bien et qui est le signe, chez lui, d'une colère mal contenue. Je ne remarque pas la métamorphose lente mais sûre, et terrible, de son visage d'ami. Et ce que je ne prévois pas, c'est la fureur qui explose à la seconde où je m'arrête; c'est le mépris; c'est la dureté; c'est la distance — oui, c'était ça le plus imprévisible : la distance — qui s'établit d'un coup, comme si je devenais un étranger et que mon récit avait cassé vingt ans d'amitié et de complicité.

Ce n'est plus le même Alain. Ce n'est plus vraiment Alain. Il a la tête qu'ont les bourgeois quand on vient les taper de cent balles. Il a la tête du bien-pensant à qui l'on dit que son voisin de table est un repris de justice. Il a la tête de la fille, pelotée depuis deux heures, à qui l'on annonce au dernier moment qu'on a la syphilis. Il a la tête de quelqu'un dont je découvre qu'il ne m'avait jamais tenu que pour un pion, une pièce de l'échiquier, une marionnette docile et simple — et qui, lorsque le pion s'affole, que la marionnette casse ou se déglingue, envoie le tout se faire foutre, sans l'ombre d'un sentiment.

J'avais toujours su qu'Alain était un agent. Je découvrais à présent que je n'étais, moi, pour lui, ni « fils », ni « frère », ni « ami », ni « compagnon » — ni rien de ce que, vingt ans durant, abusé par sa comédie, je m'étais laissé conter.

Déception.
Commotion.
Déambulation, le matin venu, au hasard de la ville assoupie.

Et puis, le premier choc passé, la première incrédulité surmontée, une impression d'évidence au contraire et comme un formidable coup de phare rétrospectif qui éclaire toute la route d'une lumière neuve, irréfutable.

Je revois cette fameuse affaire de la banque Madler où j'ai toujours senti que tout s'était enclenché, et qui m'apparaît maintenant, sans équivoque, comme la provocation initiale, destinée à me ferrer.

Je revois ma première rencontre avec lui, au parloir de la prison, où il arriva, comme par hasard, avec sa vieille histoire toute ficelée, dont il — ils? — ne pouvait pas ne pas imaginer l'effet qu'elle me ferait, la façon dont elle nous lierait.

Je me revois, moi, à cet âge, proie si facile, au fond, pour les chasseurs de tête de la « Satan Corp. Ltd » — avec ce père qui me poursuivait, ces rêves de Résistance qui me hantaient, mon romantisme, ma liberté, l'argent qui ne gâtait rien, la prison qui arrangeait tout.

Je repense à Malika — sa façon d'entrer dans ma vie; sa façon d'en sortir; celle qu'elle eut, encore, d'y revenir; et si c'était Oncle Jean, après tout, qui avait vu juste? et si toute cette histoire était, en effet, « cousue de fil blanc » ?

A propos de Malika toujours me reviennent ces soupçons qui, cent fois, m'avaient effleuré; que, cent fois, j'avais repoussés; mais que mille indices, mille détails me semblent, tout d'un coup, accréditer : Alain et elle... avant moi... pendant moi... pour mieux, sans doute, me contrôler...

Mille histoires, mille anecdotes resurgissent, dont le mystère m'avait longtemps intrigué et que je m'explique mieux, maintenant : comptes ouverts en mon nom mais sans mon accord, à la Banque de l'Europe du Nord... manipulations financières occultes que je couvrais mais ne comprenais pas... ou son agacement, presque haineux déjà, quand il a commencé de comprendre que je flanchais, que je décrochais.

Et il n'est pas jusqu'à son dernier voyage à Rome, le lendemain de la scène des collines, quand il se rallia aux raisons de Valerio — qui ne m'apparaisse lui aussi comme l'élément, que dis-je? comme la couronne, le point d'orgue macabre de cette formidable manipulation dont je fus l'insoucieux objet pendant toutes ces années...

Voilà, oui, à quoi je pense, tandis que je marche dans Paris, ce matin-là.

Voilà les cruelles lumières qui me viennent tandis que je récapitule, au rythme de mon pas, les étapes de ma vie.

A midi, c'est fini.

Je suis arrivé, je ne sais comment, chez Léone, cette vieille amie de Lazare chez qui je sais trouver gîte et discrétion. Je sais, en sonnant à sa porte, que je ne reverrai plus jamais celui qui fut, si longtemps, le plus proche de mes familiers.

Attention, pourtant!

Oui, attention aux faux souvenirs! Et gare à la tentation de projeter sur le passé l'ombre des clartés du jour!

Car tout ce que je viens d'écrire, je l'écris ici, dans ma chambre de Jérusalem, au terme de cette nuit qui s'achève et où tout semble clair en effet, distinct, limpide.

Mais était-ce si clair déjà, alors? Avais-je compris, à ce point, que tout n'avait été, depuis le début, qu'une comédie barbare dont le régisseur s'appelait Alain Paradis? Et savais-je, comme je le sais, qu'il n'y avait, du régisseur, plus rien à attendre, désormais, que haine et trahison?

Pas sûr. Pas sûr du tout. Car si je ne l'ai jamais revu, le régisseur, il y a tout de même eu, à la fin, à l'avant-dernière heure, cet incompréhensible — et suicidaire! — coup de téléphone.

Je sais bien qu'il fallait que je le donne... Qu'il fallait transmettre, à tout prix, ce message à Marie... Qu'il fallait quelqu'un qui comprît vite, à demi-mot...

Je sais bien qu'il y avait du défi, aussi, dans ce geste... De la bravade... Quelque chose comme un réflexe de séducteur aux charmes contestés qui vérifie une dernière fois, avant de lâcher la prise, si ses armes sont vraiment si ébréchées.

Mais je crois qu'en réalité, et quelles que soient les raisons que j'en puisse donner après coup, ce geste était surtout irresponsable et sot — comme si j'avais sous-estimé au dernier moment, malgré

542

vingt ans de commerce avec le Mal, ses ressources de cynisme, de cruauté, et de vindicte; comme si j'avais réellement cru, dans ma désespérante inconscience, que cet homme pouvait me rendre encore, au point où nous en étions, le « tout dernier service » que je venais lui demander.

Tu parles d'un « tout dernier service » !

Lui n'attendait que cette occasion de retrouver ma trace; de la pister; de l'indiquer à qui de droit; et puis, sa besogne faite, d'attendre tranquillement, sans se salir les mains, que je veuille bien, au choix, tomber d'un toit, glisser sur une gouttière, mourir sous les balles d'un assassin en uniforme que l'on aurait pris la précaution d'avertir qu'il valait mieux tirer le premier — ou, au pis, si rien de tout ça ne réussissait, crever dans une geôle, par accident, comme il arrive parfois, à la veille d'un procès embarrassant.

L'accusation est terrible. Mais je sais, hélas, ce que je dis. Plus le temps passe, et moins je crois à cette rocambolesque histoire de Marie laissant traîner derrière elle, tel le Petit Poucet ses cailloux, les chèques qui, paraît-il, auraient mis la police sur la voie...

Admirable Paradis, quand j'y pense !

Admirable mélange de rouerie, de froideur, de haine passionnée de la vie et de mépris des hommes... Formidable duplicité, merveilleuse aisance dans le mensonge, le double jeu, la double vie — rouge le jour, noire la nuit... mondaine le matin, crapuleuse le soir... les duchesses à dîner qui le prennent pour un gigolo vieilli, les poseurs de bombes au déjeuner que fascinent sa puissance et son luxe... Et puis cette vieille interview à *France-Matin*, que j'ai là, sous les yeux, et où je reconnais bien sa façon — « moi, l'avocat floué... le père adoptif abusé... l'homme d'affaires déshonoré...

l'homme tout court brisé, anéanti par le chagrin autant que par le scandale... » : je l'imagine si bien, dans ses soirées, prenant encore le gant de me défendre et de ne point trop, en sa présence, laisser salir mon nom...

Où est-il, d'ailleurs ? Que fait-il ? A quoi pense-t-il en ce moment, pendant que j'écris ces lignes ? Qu'a-t-il dit de ma fuite ? a-t-il admiré la performance ? est-ce que ce n'était pas du bon, du grand, du génialissime Paradis ? Et quel effet cela lui fait-il de me savoir en vie, libre de mes mouvements, capable de parler donc; de raconter; de dire ce qu'il m'a dit et ce qu'il m'a caché; de livrer ce que je sais et ce que je soupçonne; de révéler nos années du diable et celles qu'il a vécues sans moi; de casser son jeu, autrement dit, et de dévoiler son vrai visage ?

Oh ! son vrai visage... Je ne suis même pas sûr qu'il existe, son vrai visage... Je ne suis pas sûr qu'il ne s'y trompe pas, lui aussi, comme moi, devant sa glace. Je ne jurerais même pas qu'il y tienne, si d'aventure il existe, à cet autre visage sous le masque. Et je le vois assez bien, si je me mettais à parler, à balancer tout ce que j'ai, à dire ce que contient par exemple le grand coffre de chêne noir en bas de la bibliothèque, à m'étonner des relations qu'il a, lui le héros, le gaulliste, l'incontestable résistant, avec ce fasciste bolivien, ce vieux médecin nazi réfugié en Syrie, ce banquier Dugenou dont les affaires genevoises ne sont pas précisément dans la ligne de Jean Moulin et du CNR – je le vois assez bien, donc, partir d'un de ces rires sardoniques dont il a le secret, jeter lui-même l'étincelle qui allumera le feu de joie, quitter sans regret l'habit du grand bourgeois aimé des femmes et des mondains; je le vois, dans un ultime pied de nez au sort, à la vie, à cette société qu'il méprise et manipule comme personne, se retrouver, tel Vautrin pour le coup, dans la peau d'un prêtre espagnol, me reconnaissant un soir, sur les bords du lac de Tibériade; tel le Daddy Rat de Walter Scott, dans celle du gouverneur de la prison où j'aurai bien, d'ici là, fini par échouer; ou bien, si le rôle n'était déjà pris, dans celle d'un Vidocq ou d'un Gaudet d'Arras — brigands et libertins devenus chefs de la police...

Eternel Paradis.

Le chef de la police.

Il y aurait un roman à écrire aussi, sur le chef de la police.

Le père flic, déjà, qu'il nous cachait avec tant de soins.

Maman Vignal, que nous connaissions, en revanche — si laide, si ingrate, et qui lui avait légué ses sécheresses.

L'écharpe de laine rouge à carreaux qu'il portait hiver comme été, en bibliothèque comme dans la rue, sur un long nez de perroquet, toujours un peu trop rouge.

Ce drôle de tic à la bouche, comme si les commissures passaient leur vie à commencer des sourires que les lèvres leur refusaient.

Ce visage triste qu'il avait, oh! oui, si triste, si revêche, qu'on se disait pour se consoler et pour donner à sa disgrâce un nom qui l'ennoblît que ce devait être l'air qu'avait Hegel quand Marx le décrit « si jeune et si vieux avant l'âge ».

Ce pessimisme, du coup; et je dis « du coup » parce que je ne pouvais interpréter cette noirceur, cette amertume, ces propos désabusés qu'il tenait sur les hommes, les femmes, le bonheur, les grands sentiments, le socialisme même, la Révolution ou les chances de l'offensive théorique chinoise sur le mouvement communiste international, autrement que comme un tribut payé à sa disgrâce.

Son militantisme, pourtant, dont nous admirions la ferveur, l'enthousiasme, presque la foi — ainsi que l'étonnant talent qui était le sien, dès qu'il prenait la parole, et même s'il n'y avait personne au monde pour partager son point de vue, de donner le sentiment qu'il s'exprimait au nom d'un mouvement, d'une grande armée déjà en route : Philippe Vignal parlait « comme un parti » au sens où l'on dit de quelqu'un qu'il parle « comme un livre ».

Et puis la bête d'Etat d'aujourd'hui ayant abjuré toute foi — ou l'ayant retournée, convertie en son contraire, à la façon de ces prêtres défroqués dont on raconte que Fouché, au moment de refaire à la France une police, alla les recruter par milliers : quelle drôlerie de l'entendre annoncer partout, dans les gazettes du monde entier, sur le même ton docte et sans réplique qu'il prenait pour nous expliquer jadis les aléas de l' « offensive du Têt » ou les « contradictions de l'impérialisme », qu'il ne connaîtra pas de repos tant que je serai, moi, « le subversif », en liberté !

Pourquoi, d'ailleurs ?

A quoi rime cet acharnement ?

Est-ce une haine de toujours ? un ressentiment longtemps retenu ? le reste de ces époques où il observait avec une sévérité que je croyais bienveillante et protectrice, mes habitudes de voyou doré, mon insouciance d'ancien enfant heureux ou mon aisance avec des femmes auxquelles il n'osait, lui, ni parler ni sourire ?

Serait-ce le souvenir, indéfiniment ruminé lui aussi, du jour où, chez moi, en ma présence, cette garce de Constance qui y était allée voir de près, révéla publiquement de quelles faiblesses intimes se nourrissaient ses rigueurs et ses raideurs ?

Ou serait-ce une part de lui-même, de son passé, de ses rêves d'adolescence, qu'il traque et expie à travers moi ?

Mystère.

Comme est mystérieuse toute l'histoire de cette génération aux destins entremêlés.

Comme est mystérieuse toute l'histoire de ce siècle illisible, chaotique — et dont nous sortons tous, en désordre, comme nous pouvons.

Je ne hais pas Philippe Vignal — je l'attends.

Un mot peut-être aussi, avant de finir, sur les autres...

Ceux que je n'attends plus... Ceux que nul n'attendra plus... Les derniers venus, premiers partis... Les derniers apparus, premiers disparus... Les acteurs clés du drame — mais qui n'en connaîtront plus l'issue...

La dernière fois où je les ai vus, c'était à Francfort, l'année dernière, dans cette chambre du Sofitel où je me laissais bercer par les images de la télévision et où je les ai vus apparaître tout à coup, devant moi, la bande au grand complet ou presque, dans ces vastes cages à fauves d'où sortaient leurs cris, leurs vociférations, leurs poings tendus. Et j'ai distinctement entendu mon nom alors, prononcé par le juge et repris aussitôt par le chœur, dans un concert d'injures en italien dont la véhémence arrivait à couvrir le commentaire du speaker — « pou... hyène... cochon... vendu... on lui fera bouffer ses couilles... on le pendra par ses boyaux... on fera des jambons avec son cul de Français... on le noiera dans son sang de fils de pute... »

Aujourd'hui, ils se sont tus.

L'un pour dix ans.

L'autre pour vingt.

La « Poissonnière » pour trente.

Cet autre, pour le restant de ses jours.

Valerio, lui, pour toujours : et sa tête sanglante

retrouvée un matin, paraît-il, dans la cuvette des chiottes de la prison.

Quant à la Serena, ma geôlière amoureuse, ma guichetière apprivoisée, celle qu'on m'avait affectée pour me tenir et me surveiller mais qui se prit, chemin faisant, à de tout autres jeux, elle n'était pas, je l'ai bien vu, dans la cage de Francfort; mais ça n'a été, pour elle aussi, que partie remise puisque, un mois plus tard à peine, seule sur une plage d'Ostie où l'avait forcée l'hallali, ses dernières cartouches tirées, elle préféra se noyer que passer le restant de ses jours encagée.

Oh! je ne leur en veux pas.

Qu'ils reposent en paix là où ils sont — enfants des mêmes ténèbres que moi... bâtards des mêmes monstres... fils naturels des mêmes chimères à corps de sauriens et visages d'humains...

Non : quoi qu'ils m'aient fait, je n'arrive pas à leur en vouloir; je n'arrive pas à les maudire puisqu'ils sont, je le sens bien, le fruit du même lapsus, du même hoquet, de la même gigantesque erreur de calcul à quoi se résume l'époque où nous nous sommes égarés. Et puis, quant à la Serena elle-même, la plus vilaine de mes compagnes, la plus ingrate de mes conquêtes, ne lui ai-je pas fait, après tout, le plus beau cadeau qu'un homme ait jamais fait à une femme — puisque je lui ai offert ni plus ni moins que mon « innocence ».

J'ai souvent repensé, depuis, à cette histoire.

Je me suis cent fois repassé le film de cette scène terrible : la meute lancée à mes trousses... la voiture qui arrive en marche arrière... moi les mains vides, qui cours comme un forcené... elle qui me lance un revolver, en empoigne un autre et, dans le quart de seconde où j'hésite et reprends souffle, tire froidement dans le tas...

Et cent fois, bien sûr, je me suis demandé comment j'avais pu si volontiers, et comme de gaieté de cœur, me laisser accuser à sa place d'un crime que je n'avais pas commis et dont je savais pourtant qu'il serait, à dater de ce jour-là, le plus lourd et, au fond, le seul grief que l'on retiendrait contre moi.

Il y avait le pacte avec Valerio, sans doute, que j'honorais ainsi — par la bande certes et par raccroc mais, pensais-je, une fois pour toutes.

Il y avait l'honneur, le peu de dignité qui me restait : je me voyais mal allant livrer la Serena pour un acte qu'elle avait commis avec moi, pour moi, et dans le seul but de me couvrir.

Il y avait le fait que je la quittais — et ce vieux réflexe que j'ai toujours eu, à la veille de quitter mes femmes, d'inventer les hommages, les attentions, les cadeaux de rupture les plus coûteux.

Le cadeau, là, cependant, était pour le moins extravagant; et je ne peux pas ne pas penser qu'il s'y mêlait d'autres raisons — plus sourdes, plus sournoises, plus intimes peut-être et qui n'avaient rien à voir ni avec Valerio, ni avec la Serena, ni avec le dénouement de mes aventures terroristes.

Je pense, en fait, qu'il ne me déplaisait pas d'abdiquer ainsi, gratuitement et sans raison, mon innocence.

Je crois, ce qui revient au même, que j'éprouvais une vraie jouissance à donner ainsi un corps à cette culpabilité vague, diffuse, flottante mais lancinante, qui me poursuivait depuis toujours.

Je crois que cette culpabilité sans crime qui était, au fond, ma croix, mon calvaire depuis l'enfance et qui aura été la vraie matrice de tous mes égarements futurs, trouvait là, enfin, objet où se fixer.

Je crois qu'aussi absurde, frivole, monstrueux que cela semble, un cadavre de policier ce n'était pas cher payé, ni par rapport à la société ni, à plus forte raison, par rapport à ma conscience, quand il me donnait le sentiment d'une identité neuve, d'une assiette un peu solide, d'un apaisement de mon tourment — l'impression d'une vieille plaie, purulente depuis quarante ans, et dont les lèvres, pour la première fois, auraient consenti à se rapprocher.

Aujourd'hui, de toute façon, il est trop tard.

Tard dans le siècle... Tard dans ma vie... Tard dans cette histoire que je sens bien qui touche, elle aussi, à son terme... Et le voudrais-je même, que les témoins — le témoin principal : la Serena — ne seraient plus là pour attester d'une vérité dont je suis, désormais, seul garant et survivant.

Mais je ne le veux pas.

Je n'ai pas de raison de le vouloir.

Je ne regrette rien de ce qui s'est passé.

Tout est bien ainsi, en cet état, en cet absurde mais bienheureux quiproquo où se sera soldée ma vie.

Vienne Vignal, à présent !

Vienne Paradis !

Viennent les policiers de Vidocq, les tueurs de Daddy Rat à moins que ce ne soit l'inverse !

Viennent, oui viennent donc le terme s'il doit y avoir un terme, la justice s'il doit y avoir justice, le châtiment si l'on tient au châtiment !

Rien ni personne ne m'ôtera plus, quoi qu'il advienne, le bonheur d'être ici, à cette table, dans cette inquiète clarté qui, tandis que j'écrivais, s'est glissée entre les persiennes et qui me rappellerait, si, d'aventure, je l'oubliais, que je suis à Jérusalem, ville sainte, ville juive, ville de Marie, ville de Benjamin retrouvé.

Mon nom, tout à l'heure, dans la Bible — qui veut dire à la fois « fils de ma peine » quand le profère la mère; « fils de la droite » quand le reprend le père; et puis enfin « loup affamé » à l'heure de la douzième bénédiction.

2

MÊME chambre.

Même heure.

Même bloc de papier, ouvert à la page abandonnée ce matin, quand l'aube m'a arrêté.

Et envie de raconter, cette fois, une histoire tout à fait extraordinaire qui vient de m'arriver.

Aujourd'hui donc.

Midi.

Comme tous les jours, à la même heure, je suis attablé « chez Saïd », dans la ville arabe, devant mes raviers d'olives, de houmous et de tehina. Il fait beau. Pas trop chaud. La voix d'Oum Kalsoum dont j'ai gardé le goût de mes séjours à Beyrouth et dans les pays arabes, me berce doucement. Et je suis plongé dans une de ces rêveries confuses, sans objet ni contour, où les relents du passé se mêlent aux impressions du moment, qui ont de plus en plus tendance à devenir mon lot et mon état — quand j'avise soudain, assis à une table voisine, un homme brun, légèrement plus jeune que moi, au physique de touriste à peine amélioré, qui me regarde avec une insistance non dissimulée.

D'instinct, je me raidis. Comme autrefois, à Rome, lorsqu'un inconnu semblait s'intéresser d'un peu trop près à moi, je cherche des yeux la sortie... l'autre sortie... j'évalue rapidement les possibilités de fuite... les obstacles... l'état de la rue... le rapport prévisible des forces... Dans le même temps, la machine mentale lancée à toute vitesse, j'envisage une à une les hypothèses — le flic... l'agent... le tueur qui va tirer froidement, sans sommation... le fouille-merde... le journaliste... le photographe qui m'a retrouvé et qu'il suffira d'éconduire...

Mais il faut croire que la « machine » est rouillée. Que mes réflexes ne sont plus tout à fait ce qu'ils étaient. Que mon adhérence au monde s'est entamée au fil des années. Car je laisse passer de précieuses secondes ainsi, immobile, sans réagir, incapable de prendre un parti — et laissant à l'inconnu tout le loisir de se lever; de s'approcher; de me demander d'un ton que je juge, sur le coup, faussement amène et courtois, si je suis bien Benjamin C., etc.; puis, enfin, de se présenter.

Il ne s'agissait pas d'un flic, en fait, ni d'un tueur, ni à proprement parler d'un fouille-merde, mais (ce qui ne vaut guère mieux!) d'un de ces écrivains inoffensifs qui tiennent, paraît-il, le haut du pavé à Paris et dont il a dû m'arriver, en effet, de voir la photo traîner dans un magazine.

Or, le plus fort c'est qu'au lieu de me lever, de le chasser, de lui dire qu'il me dérange et que je n'ai pas passé ma vie à fuir les zozos de son espèce pour tomber sur eux, ici, chez Saïd, au cœur de cette ville où je ne suis pas venu faire des mondanités — je n'ai rien dit, rien fait et l'ai implicitement autorisé, donc, à s'installer.

Pourquoi ?

L'ennui, je pense... Le désœuvrement... Une envie brusque, irraisonnée, à la façon des vieux, des grands malades ou des ermites, de parler, d'entendre une voix...

Une certaine forme d'indifférence... D'insouciance des conséquences... Quelque chose comme : « de toute façon... au point où j'en suis... plus grand-chose à perdre ni à gagner... les jeux sont faits, les dés jetés... »

La gentillesse du bonhomme... Sa courtoisie... Son aménité moins feinte, je m'en aperçois finalement, que je ne l'avais d'abord pensé... La manière sympathique qu'il a de m'aborder, de me parler, de me dire qu'il m'a reconnu, qu'il s'intéresse à mon histoire, qu'il serait tellement heureux que je veuille bien lui accorder quelques minutes, etc.

Quelque chose en lui, peut-être aussi... Je veux dire dans son allure... Sa physionomie... Cette vitalité, cet enthousiasme un peu naïfs, mais désarmants, et qui, sans que je sache trop pourquoi, malgré toutes les préventions que je peux avoir, m'attirent.

Car le fait, lui, est bien là : voilà un écrivain que je n'ai pas lu et que je n'ai pas envie de lire; voilà un « nouveau philosophe », puisque c'est ainsi qu'on appelle, paraît-il, ce genre d'individus à Paris, qui ne me semble, à vue de nez, ni très « nouveau » ni très « philosophe »; voilà un homme dont j'apprendrai, au fil des heures, que tout, ou presque, me sépare — depuis ses options, sa vision du monde, jusqu'à son passé, son itinéraire, le fait qu'il n'ait guère milité et qu'il se soit tenu en marge de la plupart des expériences qui m'ont, moi, éprouvé et formé; voilà un type dont il n'est pas jusqu'au roman familial qui ne soit très exactement l'opposé du mien, si j'en crois ce qu'il me dit bientôt de ses origines, de son judaïsme, de ce père Français libre, antifasciste de la première heure, dont il parle avec tant de fierté; et le voici, cet homme, qui, sans le savoir, sans le vouloir, sans que je le veuille moi-même ni sache encore une fois pourquoi, va — appelons les choses par leur nom — m'attirer, me retenir, me captiver assez pour que, non content de le laisser s'asseoir, je le laisse parler, l'écoute, puis parle à mon tour, et cela pendant rien de moins que cinq heures consécutives.

C'est lui, d'abord, qui parle.

De tout... De rien... De l'endroit où nous sommes et où il vient quelquefois... De la cuisine arabe... De la nourriture casher... De leurs mérites comparés... De la difficulté, de toute façon, de trouver des restaurants convenables à Jérusalem... De la ville elle-même... De ce qu'elle signifie pour lui... De ce qu'elle peut bien signifier pour moi, Benjamin, goy s'il ne s'abuse... pas spécialement branché sur le judaïsme... si ?... il ne savait pas... bizarre de me rencontrer ici, chez lui en quelque sorte... est-ce qu'il serait indiscret de m'interroger sur les raisons qui m'ont conduit à...?

Bon, bon, c'est indiscret, il le voit bien... N'a rien dit, dans ce cas... Retire évidemment sa question... Et, semblable à un artilleur retournant à la minute même la direction de son affût, il me bombarde d'un feu roulant de considérations diverses, parfaitement baroques et incohérentes, dont je vois bien qu'elles n'ont d'autre objet que de m'amadouer, de briser la glace entre nous.

Arrivent ainsi, pêle-mêle : ce qu'il pense du terrorisme... de la littérature... des conséquences de Yalta... des femmes... de la règle qui veut (?) qu'on puisse lire dans le regard d'un homme sa plus ou moins grande proximité de la date de sa propre mort... d'André Malraux... de ce moment crépusculaire où nous sommes (sic) et où les dieux nous ont quittés... de la supériorité de la peinture sur la musique et de la littérature sur la peinture... des grands romans qui sont toujours ceux dont la « non-écriture » (resic) aurait immanquablement provoqué la mort de leur auteur...

Il me demande ensuite si je veux des nouvelles de Paris et, sans attendre ma réponse, m'envoie une autre bordée d'informations sur la gauche... la droite... la droite dans la gauche et la gauche dans la droite... le fascisme qui repasse, les antifascistes qui roupillent... la folie d'Althusser, la mort de Sartre, celle de Barthes, de Lacan et de Foucault... la disparition un par un, donc, de « nos » maîtres à penser... le silence des intellectuels... la relève qui se fait mal...

Et puis, ce long préambule achevé, voyant que je me déride, que je baisse un peu la garde, que je lui pose même — à propos d'Althusser notamment, de la liquidation de l'héritage lacanien ou de tel ou tel camarade d'autrefois — quelques questions précises, il en vient, de proche en proche, à me parler... de moi.

Il me parle de moi tel qu'il me voit.

De moi tel qu'on me voit, de façon plus générale, dans le Paris d'aujourd'hui.

Il m'explique comment mon nom, quittant peu à peu la rubrique des faits divers dans les journaux, est en train de réapparaître autrement, de circuler dans d'autres cercles, de cheminer de manière plus discrète, plus souterraine.

« Oh ! rassurez-vous, précise-t-il en riant devant mon étonnement : ce n'est pas encore un mouvement de masse; nous ne sommes ni une secte ni une chapelle; mais c'est vrai que nous sommes quelques-uns à connaître votre nom, à avoir travaillé sur votre histoire; à y voir, comment dire?

une sorte de raccourci, de court-circuit du siècle... »

Et de me citer un livre sur la « tentation terroriste en France » où je serais nommé.

Un autre où j'apparaîtrais en bonne place au chapitre des « enfants perdus » de la génération communiste des années soixante.

Un article récent où mon cas serait disséqué par un savant professeur qui me présenterait comme « un produit typique du refoulement de la question pétainiste en France ».

Et lui-même, mon interlocuteur, qui aurait, en pensant à moi, commencé l'un de ses livres par la phrase : « je suis l'enfant naturel d'un couple diabolique : le fascisme et le stalinisme ».

Tout ça me semble, il faut bien le dire, un peu fou.

J'ai l'impression d'une farce, d'un malentendu, d'une erreur sur la personne.

J'ai l'impression de me revoir, moi, il y a trente ans, mais les rôles renversés, quand je tirais des « enseignements » de l' « affaire Fesch ».

Et il y a une ou deux choses dans ce qu'il me dit qui me font même un peu de peine : la réponse affirmative qu'il donne à la seule question concrète que je lui pose et qui est de savoir si, à Paris donc, on me juge ou non moralement coupable de la mort de Marie Rosenfeld; ou bien ce Constantin Lagrange, leader homosexuel notoire, dont il ne peut pas savoir qu'il n'est autre que mon vieux « Biquet » d'autrefois et qui vient de publier, m'apprend-il, un article « plein de fiel et de mauvaise foi » où je serais présenté comme « caractériellement fasciste ».

Mais enfin, soyons francs : je l'écoute; je ne perds pas un mot de ce qu'il me dit; je suis ému, secrètement flatté peut-être, à l'idée qu'il y ait là-bas, très loin, dans ce Paris que j'ai quitté et où je ne reviendrai sans doute jamais, des hommes, si peu nombreux soient-ils, pour qui le nom de Benjamin C. n'est pas synonyme d'infamie; et c'est alors qu'arrive le plus extraordinaire : car je me mets, à mon tour, à parler — entamant devant cet inconnu, ce personnage qui ne m'est rien et dont j'ai toutes les raisons, je le répète, de me méfier, un interminable monologue en forme de confession.

Je lui dis cette trop longue adolescence, d'abord : classique, banale, semblable aux adolescences de tous les temps, et collant, comme à plaisir, à tous les stéréotypes des adolescents de ce temps-là mais avec, tout de même, dans mon souvenir, quelque chose d'un peu plus sombre, crispé, convulsé et morbide... Nos jeux... Nos défis macabres... Cette fascination de la mort qui nous paraissait le fin du fin... Cette incapacité à supporter la vie qui nous semblait être signe de la plus haute dignité morale... Bill, le seul d'entre nous tous à être passé aux actes — et qui, chaque année, depuis, au jour anniversaire de sa mort, fait livrer d'outre-tombe à Beth, son ex-femme, une gerbe de chrysanthèmes...

Je lui dis ma haine, très tôt, de la France... De ses rites... De sa religion... Ah! cette religion de francité... Cette façon qu'ils ont d'être ensemble... Cette communion dans la bouffe, le pinard, les bérets, les bourrées... J'appelais ça le « pétainisme »... Mais un pétainisme éternel... Un pétainisme transhistorique et presque métaphysique dont je retrouvais aussi bien la trace dans un poème de Péguy, une église de campagne, un congrès socialiste ou le goût du cassoulet... A la base, cette idée simple comme toutes les obsessions : une France unanimement fasciste qui s'était, sur le cadavre de mon père, refait une vertu antifasciste...

Je lui parle de la guerre d'Algérie où j'ai, pour la première fois, affronté cette France de l'infamie... J'avais vingt ans. J'ignorais tout de la politique. Mais le jour où j'entendis le second mari de ma mère me faire l'éloge de la torture, le jour où je l'entendis instruire devant moi le procès des « fellaghas », le jour où je le vis, lui, le « socialiste » et le « résistant », rentrer en résistance, comme il disait, contre ce « nouvel abaissement de la France », je compris que l'antifascisme était à réinventer — et que ses travaux étaient à recommencer... Nous fûmes quelques-uns à le comprendre... Pas si nombreux qu'on croit... Pas si fêtés qu'on dit... Mais qui se sont reconnus là, dans la nuit, à demi-mot et à tâtons, tels les conjurés d'un drame en train de se renouer ou les membres d'une société secrète qui ne se dissoudrait plus jamais...

Je lui dis ce que représente Marx pour moi, au moment où je deviens marxiste... Marx le juif... Marx l'Allemand... Marx, le juif allemand dont j'avais, à demi-mot aussi, et avant que de le lire, compris qu'il incarnait tout ce que haïssait la France que je refusais... Marx, l'anti-France... Marx, l'anti-Vichy... Marx grand écrivain aussi... Grand romancier du *18 Brumaire* et des *Luttes de classes en France*... Marx que, jamais, je n'aurais laissé — ni ne laisserais du reste aujourd'hui — traiter en chien crevé... Staline ? Oh ! Staline... Il n'aurait pas fallu me pousser beaucoup pour me faire dire, à l'époque, que le vrai péché de Staline avait été un péché de style.

Et puis je lui dis pourquoi il ne faut pas assimiler tout ça à je ne sais quel « itinéraire militant » traditionnel... Pourquoi cette aventure que je lui conte n'est pas un épisode de plus dans la fastidieuse histoire du « socialisme », de l' « engagement », de la tentation « communiste » ou — tant qu'on y est ! — « totalitaire »... Comment quelque chose s'est déchiré en nous, par nous, autour de nous et de cet épisode « maoïste » qui vint tout de suite après, dans le tissu même où se tramait, depuis un siècle ou deux, la politique en France... Sait-il ce que nous entendions quand nous en appelions à « casser l'Histoire en deux » ? sait-il que nous étions sérieux, épouvantablement sérieux en ce délire et que c'était contre la « condition humaine » elle-même que nous avions conscience de nous insurger ?

Oui, il sait cela. Il m'a laissé dire, mais il sait. Et je lui dis l'autre face de l'histoire, alors — celle qu'il ne peut pas connaître, en revanche, puisque c'est moi, singulièrement qu'elle concerne.

Je lui dis cette vie absurde que je mène, en parallèle, avenue Ingres... Trop de luxe... Trop d'argent... Trop d'argent que je me paie le luxe de chérir ou de maudire, d'afficher ou de cacher selon l'humeur ou l'interlocuteur... Un argent auquel je n'entends rien... Un argent que je touche à peine... Un argent qu'il m'arrive même de prendre en horreur...

Je lui dis cette vie fausse, du coup... Factice... Frelatée... Cette vie sans visée, sans projet, sans trajet... Cette vie sans métier, tout simplement... Vie ratée à vingt ans... Vie de raté à vingt-cinq... Et le vieil étudiant qui, à trente, disait : « je suis asocial comme d'autres sont athées », ou : « je ne suis ni de cette société-ci ni de celle-là, puisque je suis rebelle à toute socialité » — quand il n'était qu'un oisif doublé d'un clochard argenté.

Je lui dis combien tout ce qui sortait de ma bouche me semblait sonner faux... Creux... Ou plutôt, comment cette « position sociale » était comme une fêlure qui entamait ce que je croyais et par où fuyaient, se liquéfiaient mes convictions les plus solides... Je claironnais « la cause du peuple » — et quelque chose, en moi, se moquait du peuple et de sa cause. J'en appelais à « changer l'homme en ce qu'il a de plus profond » — et c'est ce que j'en voulais changer qui m'était, je le savais bien, le plus précieux... Je souhaitais une « rébellion à nulle autre pareille » — et je me demandais si je ne la souhaitais pas si inouïe pour n'avoir pas à la vouloir... Dans les bons jours, je me consolais en me disant que j'étais de la race des aventuriers plus que des militants. Dans les mauvais, j'étais de celle des imposteurs plus que des aventuriers — et cela ne faisait qu'ajouter à l'irrémissible remords qui me tenait.

Et puis je lui dis ces grands moments d'effroi, enfin, où je découvrais qu' « imposteur » n'était pas assez encore — et qu'il y avait en moi plus bas, plus inavouable : moments où je me surprenais à haïr ce peuple imbécile, dos au feu, pot-au-feu...; nuits où je m'endormais, malgré moi, sur des visions d'humanité grouillante bestialisée, réduite à sa vérité de fourmilière en folie...; époque, chez Renault, après la mort d'Overney, où le seul mot de « prolétariat » suffisait à me donner la nausée...

J'aimais tant le genre humain que je finissais par le haïr. Et je crois que le rôle du répertoire politique où je me figurais le plus volontiers était celui du savant médecin venant guérir l'Homme des hommes, l'Humanité de ses humanoïdes, sa sublime et abstraite Idée des sujets concrets qui la gâtaient — et de l'en guérir, au besoin, à coups de fusil.

Car je lui raconte le temps des fusils.
Pourquoi, comment, quand ça a commencé...
Cette longue période indécise, au lendemain de

l'affaire Nogrette, où tout était possible, où rien n'était fatal...

Le retour de Beyrouth quand, la tête farcie d'images meurtrières, j'ai encore pensé m'arrêter, reculer — faire comme si rien n'était joué et que je pouvais revenir, si je le voulais, à cette virginité d'autrefois...

Et puis la mort d'un ami... Paris que je ne reconnais plus... L'âge d'homme qui est là, cette fois — et dont je ne sais désespérément rien faire... L'érotique enfin comme il se doit, au poste de commande...

Pourquoi « comme il se doit » ?

Enfin ! Ne sait-il pas que l'érotique est toujours, par principe, au poste de commande ?

Ignore-t-il que les traités politiques les plus solides sont les « traités des passions de l'âme » ?

Pour moi, en tout cas, c'était clair : il y avait eu Beyrouth, donc; il y avait eu La Havane; il y avait eu Damas, Bagdad, Berlin et le reste; il y avait eu ces forcenés de la violence, croisés et reconnus à chaque étape du parcours; il y avait eu Paradis bien sûr. Mais je crois que le déclic, le détonateur, le ressort dernier qui, à la dernière heure, devait déchaîner toutes ces raisons, aura été l'image d'une femme surprise un soir, sur son lit, en extase devant le visage sombre, mangé de barbe brune, d'un compagnon de Baader qui venait de mourir en prison.

Peu importe le nom du camarade de Baader. Mais je lui dis, en revanche, celui de cette femme : Marie... oui, la Marie du toit... la Marie dont la mort me serait, à l'entendre, imputée... la douce, la prude, la pudique et chère Marie, qui aurait été stupéfiée de savoir le rôle qu'elle avait, à son insu, joué dans cette affaire...

Je lui dis mes rêves de sainteté aussi, bien sûr, qui trouvent leur compte à cet engagement...

Ma volonté de pureté...

Le sentiment d'expier mes carences de clerc aux mains trop blanches, en les mettant à l'école de la vie...

Mon désir de soumettre l' « imposteur », l' « aventurier » qui étaient en moi à la rude discipline d'une école de fraternité et de terreur...

L'idée, enfin, que j'avais trouvé le moyen de me libérer de mes vraies hontes — c'est-à-dire du poids, de l'insistance de mon père dans ma tête.

Je lui dis la fin du délire, cinq ans plus tard. L'évidence grandissante des valeurs que je défends... des intérêts que je sers... des puissants dont je fais, nolens volens, le jeu...

Le jour où, dans une « réunion de colonne », écoutant les « camarades » procéder à l'analyse de nos « actions » de la semaine, j'ai eu la pénible sensation d'être en train de feuilleter, tout à coup, les pages les plus jaunies du plus vieil album de famille stalinien...

L'humanité qui me revient doucement, comme la mémoire à un amnésique, comme ses jambes à un paralytique — et cette querelle avec Valerio (notre première vraie querelle) le jour où, avec un acharnement sadique, il « jambisa » sous nos yeux, de huits coups de revolver dans la région de la rotule, le petit employé de banque qui avait osé lui tenir tête.

La certitude, bientôt, que rien ne nous liait d'autre qu'une obscure fraternité dans le Mal — ni amitié, ni solidarité ni, pour le coup, amours et érotique...

Et puis les vraies raisons, enfin... Les décisives... Celles qui allaient m'ébranler le plus profondément : cette action insensée, sans objet, contre le consulat israélien de Gênes; notre fixation à tous, maladive, sur le « complot sioniste »; l'histoire de Carlo, ce brigadiste d'une organisation rivale que l'on découvrit un matin exécuté sur une plage et dont le crime était, semble-t-il, de porter un nom attestant ses liens avec l' « internationale juive »; l'antisémitisme, carrément affiché, de Valerio ou celui, plus clandestin, de la « Poissonnière »; et puis ces deux toutes petites vieilles, serrées l'un contre l'autre sous le porche d'une maison de la via del Corso où nous venions de nous livrer à une « expropriation » qui avait mal tourné et au cours de laquelle Giorgio avait froidement abattu un passant — les deux petites vieilles, dis-je, dont je comprends, au moment où je fuis, que l'homme que l'on venait d'abattre était une sorte de neveu, d'homme de peine, de garçon de course, et que j'entends alors, distinctement, murmurer : « Des fascistes... ce sont les fils des fascistes... »

Ce jour-là, oui, j'ai compris. Elles ont été, ces deux vieilles, plus éloquentes, pour moi, que les plus doctes théories. Elles venaient, en une phrase, de m'avertir que mon père m'avait rattrapé; et que je n'avais jamais été si près de lui qu'en ce lieu où j'étais venu pour le fuir.

« Où en suis-je à présent ? » me demande-t-il.

Drôle de question, je lui réponds : je n' « en » suis nulle part, puisque je « suis » ici, à Jérusalem, qui était le seul endroit au monde où je concevais de clore ce parcours.

Reste, si c'est ce qu'il me demande, que je hais de toute mon âme cet univers aux abîmes duquel j'ai plongé... Je ne nourris plus à son endroit la moindre complaisance... Je ne ressens plus, lorsque j'y pense, la moindre nostalgie... Je ne crois plus que les Palestiniens soient ni le sel de la terre ni le nouveau peuple-christ... Je me suis trompé, voilà tout — sans excuses ni pardon.

Reste néanmoins que je ne me sens ni la force

ni le goût, pour autant, de partir en guerre... de m'insurger... de dénoncer... d'emplir la planète de mes protestations, dénonciations, vociférations, vitupérations d'éternel innocent, éternellement floué... D'autres le font − et le font bien. Moi, je crois que je ne le puis faire − et que, si je le faisais, ce serait mal.

Pourquoi ?

Dégoût moral, sans doute, pour toutes les formes d'abjuration.

Le peu de confiance que j'ai dans les vertus du savoir, les puissances de la science, l'effet concret qu'aurait un discours de vérité par moi tenu.

Le peu de foi qui me reste dans le monde même, ses mérites, les raisons que nous pourrions avoir de souhaiter le pérenniser.

Et puis ma conviction, enfin, que je ne demande à personne de partager, mais qui me désarme : c'est toujours la mort qui gagne... et le mal... et le diable... et ce diable-ci en particulier que je connais mieux que quiconque pour m'être mis sous son autorité.

Je lui dis, donc, pourquoi je crois la bataille perdue.

Je lui dis pourquoi c'est la barbarie qui, à la fin des fins, doit en principe l'emporter.

Je lui dis comment l'Europe me semble vivre à l'heure d'une formidable « fin de partie », point seulement politique ni militaire.

Je lui dis que lui-même, tout à l'heure, en évoquant la disparition « un à un » de nos « maîtres à penser », m'a confirmé dans ce sentiment.

Je lui dis encore que le peu que je sais de la littérature, de l'art, de la philosophie européens va dans le même sens − un âge entier de la culture englouti, sans réserve ni relève, sans ressource ni ressort.

Je cite Ivan Karamazov : « j'ai envie d'aller en Europe... je n'y trouverai plus qu'un cimetière, je le sais... je me prosternerai sur son sol, couvrirai ses pierres de baisers et de larmes, bien que mon cœur soit convaincu que c'est une nécropole et rien de plus ».

Je cite Hegel... Marx... mes philosophes d'autrefois... la « vieillesse de l'Esprit »... la « fin du temps occidental »... notre « Histoire » qui s'achève, qui boucle doucement sa boucle... les « derniers jours »... c'est la seule chose vraiment passionnante à étudier, les derniers jours d'une société...

J'expose mes théories sur le « soviétisme » : sa force... son effrayante santé... que ce n'est pas un « régime », mais une « culture »... pas une culture mais une « civilisation »... même pas « une » civilisation, mais « la » seule civilisation alternative à celle qui est en train de finir... que je l'ai vu marcher de l'intérieur, ce soviétisme... que je ne sais pas de quoi il joue... sur quoi, en nous, il prend appui... de quelles faiblesses, de quels horribles désirs il se nourrit... que les libéraux ont tort d'y voir une maladie, une perversion, une nécrose... que c'est un état normal au contraire... notre état normal peut-être... l'état le plus normal d'une humanité appliquée à la paix, à la survie, au bonheur à toute force... l'horreur, oui, mais l'horreur naturelle...

Et, emporté par mon élan j'explique comment, malgré lui, malgré les bons sentiments, malgré les bien-pensants; j'explique pourquoi, malgré les philosophes, anciens ou nouveaux, malgré les droits de l'homme, malgré toute cette fièvre, ce prurit, cette agitation si pathétique quand on l'observe d'ici, de Jérusalem; j'explique pourquoi et comment, donc, cette façon de penser et d'être ensemble que je nomme le « soviétisme » finira par triompher...

Il est six heures. Nous avons, depuis longtemps, quitté le restaurant. Nous sommes dans la rue, à la porte de mon hôtel, où il a fini par me raccompagner. Et les rôles, chemin faisant, se sont insensiblement renversés puisque c'est moi qui parle donc, qui pérore, qui le bombarde de mes vaticinations sur le cours et le destin du monde — tandis que lui m'écoute, sans répondre, hochant parfois la tête en signe d'acquiescement, ou me jetant au contraire des regards brefs, furtifs, où je crois lire un peu d'inquiétude.

Maintenant, il m'a quitté. Rentré en France, m'a-t-il dit, où l'attendent ses pétitions, protestations, manifestations et éditions.

Et moi, seul dans cette chambre claire, au bout de cette seconde nuit, je repense une dernière fois à cette étrange rencontre, à cette conversation plus étrange encore, à ce qu'il m'a dit, à ce qu'il ne m'a peut-être pas dit, à cette lueur d'inquiétude que j'ai cru déceler dans son œil; et je me demande surtout, songeant à ce que je lui ai raconté moi-même, si ce n'est pas ainsi que parlent les hommes qui vont mourir.

3

MALAISE.

Anxiété.

Inquiétude mal définie.

Cette rencontre d'hier, sans doute, qui m'a plus affecté que je n'aurais cru.

Toute cette vieille boue, ces vieilles plaies, que je n'aurais peut-être pas dû exhiber de cette façon.

Et puis ce besoin de parler, cet irrésistible désir de s'épancher, ces mots qui se pressent, qui se bousculent, cette débauche de mémoire que je ne sais plus comment arrêter et qui, ce soir, au seuil de cette troisième nuit, me conduit, contre toute attente, dans la zone de... ma première enfance!

Oui, je dis bien ma « première enfance ». Moi, Benjamin C., terroriste repenti et professionnel de la révolution, moi en qui les écrivains à la mode voient un « court-circuit du siècle », moi qui suis venu à Jérusalem pour y méditer et peut-être y expier, je ne vois rien venir, à l'orée de cette nouvelle nuit, que des souvenirs absurdes, puérils, presque mièvres.

Mais c'est ainsi, pourtant. Ça vient malgré moi, contre moi. Ça s'impose, pour des raisons que j'ignore, à moi. Et je dis exprès « ça vient », « ça s'impose », tant ces bouts de passé sont épars, diffus, arrivant au petit bonheur, sans suite ni cohérence, à la façon de ces anciennes épaves dont les débris remontent un à un, dans le désordre, au gré des courants et des marées. Ou mieux — car c'est encore trop que de dire « un à un » — ils font, ces bouts de passé, comme une brume, une fine poussière, une nébuleuse d'ombres légères, volages, à peine affirmées, mais qui flottent, ce soir, au-dessus de ma tête, qui tournoient autour de moi et dont je sais qu'elles ne me laisseront pas de repos tant que je ne les aurai pas fixées.

Ni récit donc ni confession. Ni nostalgie ni mélancolie. Ni mise en scène ni reconstruction et surtout pas de contrôle sur l'irruption du souvenir. Mais une série d'images simples qui me viennent comme des aveux, des remords ou des prières et que je consigne ainsi, au fil de la plume et de la mémoire.

L'enfance, secret des chefs — mais aussi des loups, des enragés ? Peut-être bien, après tout. Je ne vois pas, sans cela, comment je pourrais m'occuper, à l'heure où me cernent et se rapprochent tant de concrètes menaces, à tenter d'apprivoiser les chétifs et vains revenants de ma toute première histoire.

Image de l'avenue Ingres, par exemple, dont je revois la bâtisse de pierre claire, dressée sur trois étages et faisant si gracieusement contraste avec le gris des immeubles voisins.

Il fallait, pour y accéder, passer, outre la grille de fer noir et son buissonnement de lierre, un des derniers vrais jardins — avec pièces d'eau, carrés de fleurs, tas de sable pour les enfants, portique, bouquets de lilas bleus et de glycines, fleuris dès le printemps — que recelait encore, parfois, le Paris de ces années.

Et je peux aujourd'hui encore, rien qu'en fermant un instant les yeux, revoir dans leur détail, leur patine, leur éclat de ce temps-là, l'escalier de pierre blanche qui montait à la terrasse, les colonnades baroques, les balcons, les salons immenses où maman donnait ses fêtes, la bibliothèque, le grenier où je jouais, le bureau d'Oncle Jean et celui de mon père, le salon rouge du premier...

Je parle au passé, je m'en aperçois.

Mais c'est qu'il a beau y avoir eu des femmes avenue Ingres, une femme, des hommes, des discussions avec Philippe, des complots avec Paradis, de la politique, des chagrins, des partouzes, des armes parfois, des trahisons, des serments d'adultes, bref, elle a eu beau être, cette maison, ma maison pendant vingt ans et celle où j'ai passé, donc, l'essentiel de ma vie d'homme — elle reste à jamais, et avant tout, la maison de mon enfance; celle où j'ai, quinze ans durant, vécu auprès de maman vivante; celle dont tout l'horizon s'est longtemps limité, pour moi, au trio que formaient, pour me servir et pour honorer mes moindres caprices, Angèle, Odette et le vieux Lazare; celle qui, le soir venu, quand les parents étaient sortis, retentissait du joyeux écho de ces fameuses « corridas des culs » que j'organisais entre les deux premières, avec la bénédiction officielle du troisième — les deux gros postérieurs, jupes troussées et culotte baissée, s'entrechoquant furieusement jusqu'à ce que chute s'ensuive; celle où, après la guerre, quand la doctrine familiale officielle était que les écoles n'étaient plus bonnes qu'à « attraper la diphtérie » — et j'étais loin de me douter, bien entendu, de quelles diphtéries de l'âme on craignait de me voir contracter au contact de camarades trop bavards — ont défilé à longueur d'année des cohortes d'esclaves pensants qui étaient censés m'apprendre à lire, écrire, compter ou me tenir, mais que la brave Angèle passait son temps, disait-elle, à chasser de ses cuisines à coups de balai.

Elle reste, cette maison, celle où maman, parfaitement consciente, bien sûr, des failles de son système, mais résolue à y remédier « avec les moyens du bord », m'enseignait elle-même le piano; le dessin; les charmes de l'art abstrait qu'elle plaçait au-dessus de tout; ceux des Jazz Messengers et d'Art Blackey autant que de Wagner ou de Chopin; sans parler, bien entendu, des secrets de sa bibliothèque.

Voilà.

C'est tout bête.

C'est une image.

Image de moi « mondain », aussi, dans ces fameux déjeuners de Montfort-l'Amaury que maman ne manquait sous aucun prétexte et qui réunissaient, chaque dimanche, autour de grandes tables fleuries, les acteurs, les écrivains, les politiciens, les hommes du jour. Ma place était-elle là ? et que pouvaient-ils bien penser, tous, de ce gnome endimanché dont les pieds ne touchaient pas terre quand il s'asseyait et qui semblait aussi passionnément intéressé par les soubresauts de la guerre d'Indochine que par le dernier prix Goncourt ? Maman, je crois, n'en avait cure. Il lui suffisait que je fusse là, à ses côtés, tel un gentil « chevalier servant » qui lui « faisait honneur ». Et la seule concession qu'elle voulait bien faire au qu'en-dira-t-on était de m'enseigner les quelques techniques simples qui devaient me permettre, selon elle, de me tirer de « toutes les situations difficiles ». Il y avait la technique du regard vide, mais suffisamment fixe et figé pour suggérer l'extrême écoute. Le truc du sourire en coin, tout juste dessiné, mais dont la légèreté même indiquait l'entente à demi-mot. L'art de la mine étonnée, sourcil froncé et œil effarouché, censée faire au contraire l'aveu loyal d'une incompréhension totale. Le coup du hochement de tête appuyé, insistant et comme brusquement soulagé, pour le cas où, me disait-elle, m'aurait précédemment échappé une mimique déplacée ou mal venue. Ou celui enfin, suprêmement astucieux, des lèvres qui s'entrouvrent, hésitent, paraissent se raviser et puis se referment tout à coup — soit que la question qu'elles allaient poser ait trouvé seule sa solution, soit que je fusse pétrifié par le charme d'une anecdote, d'une théorie, d'un interlocuteur irrésistibles...

Chez nous, avenue Ingres, les choses allaient, si je puis dire, encore plus loin puisque j'étais proprement sacré, là, grand maître et ordonnateur de son goûter du vendredi. Je me revois, le matin de ces jours-là, sanglé dans ma robe de chambre de laine noire qui m'allait comme un uniforme et inspectant d'un air martial les salons encore déserts; descendant d'un pas aussi lourd et compassé que possible les marches de l'office où m'attendait, l'arme au pied, mon escouade de domestiques; passant le plus clair des heures qui suivaient à haranguer l'un, sanctionner l'autre, adresser au troisième des ordres brefs, sans réplique ou saluer de sonores bulletins de victoire le renfort des traiteurs qui se présentaient au fil des heures; et puis, vers quatre heures, maman ayant rituellement argué d'une migraine qui risquait bien, cette fois, de m'obliger à « recevoir son monde sans elle », je me revois essuyant la première salve des tout premiers coups de sonnette... La part d'enfance qui subsistait, grâce au Ciel, en moi, voulait que je fusse un général aux nerfs d'acier livrant, chaque semaine, la bataille du pont d'Arcole. La réalité, plus effrayante, faisait de moi un nain prétentieux et pitoyable qui n'avait pas son pareil pour baiser galamment la main d'une dame, serrer virilement celle d'un monsieur, se mêler à nouveau, comme à Montfort-l'Amaury, aux plus doctes discussions ou, du haut de son mètre trente, rassurer d'un geste protecteur ceux de nos invités qui, un peu tôt arrivés, semblaient craindre que leur ponctualité pût être interprétée comme un signe de vulgarité.

J'avais huit ans. Mais je pouvais en remontrer déjà, dans l'ordre de la singerie, aux plus habiles des snobs et des mondains.

Dans un autre ordre d'idées encore mais qui, dans l'esprit de maman au moins, participait incontestablement du même « projet pédagogique global », je me rappelle ces autres cérémonies où elle me menait et qui étaient les présentations de mode.

C'était la grande époque, je crois, de la haute couture parisienne. L'âge d'or de ces salons feutrés, merveilles de luxe et de gratuité où Dior, Fath, Balenciaga ou, bientôt, Chanel, célébraient, deux fois l'an, d'absurdes fêtes de beauté qui attiraient tout ce que Paris, Londres, Milan ou même New York comptaient de femmes élégantes.

C'était le temps où les mannequins s'appelaient toutes Bettina, cherchaient des maris américains, avaient le même indéfinissable accent aux sonorités vaguement anglo-saxonnes et commençaient d'inventer cette singulière démarche, mi-vive mi-paresseuse, pleine de morgue en même temps que de sensualité, dont elles ne se sont, depuis, plus départies.

Et j'avoue que, pour moi qui avais ma place assignée, donc, dans le saint des saints; qui en savais de l'intérieur les liturgies complexes; qui passais, avec le temps, pour une sorte d'habitué qu'on saluait quand il arrivait, qu'on remerciait quand il s'en allait et qu'on traitait avec les mêmes égards qu'un magnat californien, un producteur de cinéma célèbre ou un prince iranien; et qui, enfin, pour couronner le tout étais à tu et à toi avec ces prêtresses altières, hautaines, inaccessibles qu'étaient les fameux mannequins — j'avoue, donc, que, pour moi, entre huit et dix ou douze ans, ces endroits figuraient l'antichambre du paradis.

J'ai connu bien des femmes depuis ce temps. Je crois n'avoir été sevré ni de grâce ni de voluptés. J'en ai vu défiler plus d'une dans cette comédie assez gaie qu'aura, de ce point de vue, tout de même été ma vie. Et le fait est, lorsque j'y pense, qu'il n'en est guère qui, parmi celles qui ont vraiment compté, n'aient été peu ou prou conformes — à commencer, d'ailleurs, par la fière et longiline Marie — à ce modèle inaugural. Mais je n'en vois pourtant pas qui, jamais, sous quelque latitude et dans quelque circonstance que ce fût, m'ait autant ému que ces grands insectes effarouchés, à la silhouette sans grâce ni vraies promesses, au visage glacé et comme pétrifié de l'intérieur, à la taille coincée dans l'étau d'une guêpière, à la conversation bien souvent consternante de banalité — mais dont la langueur un peu compassée demeure aujourd'hui encore pour moi, je le répète, le vrai canon du beau et du voluptueux.

Maman le savait, je pense. Elle le prévoyait. Elle le voulait peut-être même. Et je l'ai toujours soupçonnée, dans son acharnement pédagogique, d'avoir voulu couvrir aussi ce domaine-là de mon éducation — comme s'il lui appartenait de modeler, au même titre que mon intelligence ou ma culture, la configuration de mon désir.

Une anecdote à ce propos. C'était une grande maison de la rue du Faubourg-Saint-Honoré, où

nous venions, comme dans les autres, de loin en
loin, mais pour laquelle elle avait, me semble-t-il,
une inclination particulière; où elle achetait, en
tout cas, bon nombre de ses toilettes; et où elle
avait cette habitude surtout, très singulière, qui
ne pouvait que nous y mener beaucoup plus souvent encore : à la veille d'un bal ou d'une réception particulièrement élégante, elle s'y faisait prêter des robes très belles, uniques, véritables pièces de collection assurées comme des bijoux ou
des tableaux, où elle était certaine, disait-elle, que
nul ne l'avait vue ni la reverrait jamais et où le
couturier, de son côté, trouvait, je suppose, son
compte à savoir qu'elle se montrerait...

J'ignore si cette pratique est encore courante
aujourd'hui (ni même si elle l'était à l'époque
dont je parle) mais je me rappelle très bien ces
longs après-midi d'essayages où des robes magni-
fiques s'entassaient sur les sofas; où maman, en
slip et soutien-gorge, les yeux brillants d'excitation, virevoltait de l'une à l'autre; où un essaim
de retoucheuses et de petites mains s'affairaient
autour d'elle et de ses caprices contradictoires; et
où Mme Chimet elle-même, petite quadragénaire
brune aux allures de mère maquerelle mais aux
fonctions de directrice, descendait de son bureau
pour venir apprécier d'un air rêveur « l'effet que
ferait celle-ci... la classe de celle-là... le dos de
cette troisième, plongeant bas sur les reins... et ce
fourreau tout simple, qui mettait si bien en valeur
le dessin de la croupe, le fuselage de la cuisse... »

J'étais là, moi, toujours. Forcément, impérative-
ment là. Requis de donner mon avis. Détournant
juste un peu la tête quand le regard ou le doigt de
Mme Chimet s'attardaient un peu trop sur la
cuisse ou la fesse. Mais ne perdant rien, en revanche, du seul spectacle qui, pour être franc, comptait pour moi : les allées et venues de la sublime
Andrea, mannequin permanent de la maison dont

je rêvais, depuis que j'avais entendu parler de son existence, de visiter un jour l'énigmatique... « cabine » !

La chose se fit par un après-midi d'été. Maman s'était attardée un peu plus que de coutume à l'un de ses essayages. Mme Chimet, l'œil plus gourmand que jamais, n'en finissait pas d'imaginer l'entrée fracassante de sa cliente (elle disait toujours « ma cliente » — ce qui me paraissait être, déjà, de la plus totale vulgarité) dans les salons des Tartempion. Là-haut, chez les comptables, on n'en finissait pas de remplir les polices d'assurance. Et moi, énervé par la chaleur et l'ennui, j'errais dans les couloirs à la recherche d'un peu d'air frais quand une main m'agrippa tout à coup par-derrière; m'attira dans l'ombre d'un cagibi que je n'avais pas remarqué; et se révéla, lorsque je me retournai, être celle d'Andrea elle-même — souriante pour une fois, avenante, ironique même, qui me demanda en pouffant si j'avais déjà vu « une autre culotte que celle de ma maman »...

Devant mon air surpris, elle referma la porte en riant de plus belle. Elle dégrafa les boutons du bas de sa robe. Elle attira mon visage contre elle, à hauteur de la bande de soie grège qui lui ceignait le ventre; elle resta ainsi, cuisses ouvertes, ventre offert, à murmurer simplement : « embrasse, oh! embrasse bien fort la petite culotte bien sale de ta sale petite salope... » Et moi, surpris donc, mais pas démonté pour autant, et flatté, je crois, qu'une créature aussi admirable pût attendre quelque chose — je ne comprenais pas bien quoi, mais quelque chose — du tout petit garçon que j'étais, je m'empressai, m'appliquai, me concentrai tant que je pus sur cette flatteuse mission qui m'incombait; j'embrassai, fébrilement, méthodiquement, tremblant de décevoir, brûlant de montrer qu'on n'avait pas eu tort de me faire confiance, la « sale petite culotte »; et, enhardi par ma propre habileté, je risquai même d'autres baisers, qu'elle n'avait pas expressément demandés mais dont je devinais qu'ils faisaient partie du jeu — ailleurs, plus loin, un peu plus bas, en écartant simplement le linge qui me gênait.

L'expérience fut, c'est le moins qu'on puisse dire, « instructive ». Je reniflai là des odeurs fortes, un peu âcres, qui ne ressemblaient à aucun des subtils parfums que maman m'avait appris à aimer. J'y goûtai d'étranges liqueurs, aigres au goût, presque sures, poisseuses sur mon visage. Je découvris d'autres lèvres aussi, cernées et comme noyées de sombre, dont je n'aurais jamais soupçonné l'existence, mais qui étaient bien là pourtant, frémissantes sous les miennes, palpitantes sous mes baisers. Mieux, lorsque je me jugeai assez rompu à l'exercice pour pouvoir lever les yeux une seconde de mon ouvrage, j'aperçus un visage étrange, tout parcouru de tics et de grimaces, qui n'avait plus rien à voir avec le masque figé de tout à l'heure. Et, comble de stupeur enfin, j'eus, en observant d'un peu plus près encore, la nette impression que ces baisers qu'elle m'avait elle-même réclamés, auxquels elle avait semblé tenir si fort et qui auraient donc dû, logiquement, ne lui procurer que du bonheur, la mettaient au contraire dans un état de souffrance manifestement intolérable... J'en étais là de mes étonnements quand une voix dans le couloir, familière et impérieuse, m'obligea à me redresser et, desserrant l'étreinte de la jeune femme, à interrompre l'expérience.

Andrea, grâce au Ciel, avait eu le temps de se reculotter. J'avais eu, de mon côté, celui de me débarbouiller. Mais Mme Chimet, néanmoins, comprit. Elle comprit tout en un coup d'œil. Et je compris, moi, surtout, à l'air d'indulgence poussée à bout qu'elle afficha dès qu'elle nous vit, à la mine spontanément confuse et coupable qu'afficha la jeune fille, à la façon qu'elles eurent toutes les deux — l'une sévère, l'autre honteuse — de se croiser sans un mot, sans une explication, comme si tout était dit, cent fois dit, éternellement dit, je compris, donc, que la scène, pour extraordinaire qu'elle m'ait semblé, l'était infiniment moins à leurs yeux. Maman en fut-elle informée? Je l'ignore. Car ni elle ni personne ne devait jamais m'en parler. Mais j'ai tendance à penser aujourd'hui que, de toute façon, l'eût-elle été, elle ne s'en fût pas plus formalisée que cela; et qu'elle aurait même été secrètement fière et flattée de ma précocité.

J'insiste sur maman. Je veux dire maman elle-même. Maman dans son charme, sa douceur, son malheur — cet insoupçonnable secret, aussi, que j'étais seul, je crois (sans qu'elle-même, d'ailleurs, sût que je savais) à avoir, au cours des années, fini par déchiffrer.

Mais n'anticipons pas. Car la voici d'abord, le soir, après dîner, quand Oncle Jean est en voyage, retenu à l'Assemblée, au Siècle où dans un dîner quelconque. Elle a mis l'un de ses déshabillés de satin gris ou or qui lui drapent la taille; dont la rigueur un peu stricte ne fait que souligner davantage encore sa grâce; qui sont, à mes yeux de l'époque comme à ceux de mon souvenir, le comble de la sophistication — et qu'elle a le culot, en toute conscience et bonne foi, de trouver simplement « confortables »...

Elle est assise donc, toute seule, sous la lampe la plus reculée du salon. Elle a posé près d'elle, sur une table, tel un fétiche ou un inséparable talisman, l'un de ces « cahiers » où je la vois parfois griffonner. Elle a un livre sur les genoux, à demi ouvert. Et elle peut rester ainsi toute la soirée, sans bouger ni ciller, perdue dans des pensées dont je ne devinerai l'objet que bien plus tard — et ne trouvant ni la force ni le temps, souvent, de se recomposer un visage quand il m'arrive de la surprendre.

Elle est triste, ces soirs-là. Immensément triste, c'est évident. Mais d'une tristesse si muette qu'elle décourage par avance les mots de la tendresse ou du réconfort; et qu'Oncle Jean lui-même a fini par « baisser les bras », comme il dit, et par décréter, quand il rentre et qu'il la trouve dans cet état, qu'elle souffre d'une de ces langueurs classiques, sans objet ni gravité, dont ce connaisseur de « bonnes femmes » avait appris à repérer les saisonnières récurrences...

Moi, je serre les poings. Je mords mes oreillers. Je maudis le Ciel de m'avoir fait si petit, si impotent. Et, l'âme enfiévrée d'images vengeresses et tendres pêchées au hasard de mes lectures, je me promets, quand je serai grand, de chasser l'ignoble butor comme un « marchand du temple »; de réveiller ma tendre maman comme « un prince charmant » sa belle; de l'épouser s'il le faut, de lui faire d'autres enfants. Je ne doute pas une seule seconde que je saurai, moi, Benjamin, apaiser son mystérieux tourment.

La voici une nuit d'orage. C'est un de ces orages d'automne, lents à venir, comme incertains d'eux-mêmes, qui ont longtemps rôdé, roulé avant d'éclater mais qui, une fois formés, dans leurs foudres et leurs fracas, n'en sont que plus violents — plus effrayants, pour un enfant.

Je me suis levé donc. J'ai dû longtemps hésiter. Me retenir. M'exhorter à plus de calme, de sang-froid devant l'épreuve. J'ai dû me répéter les mots de maman elle-même, me répétant à tout propos qu' « il ne fallait pas avoir peur... jamais... qu'elle voulait que je devienne un petit garçon courageux... ». Mais la tempête a été la plus forte... Le tumulte... Le vent qui semblait fouailler les murs de la maison... Les éclairs qui, malgré les volets et les rideaux, illuminaient jusqu'à mon lit... Je me suis levé, donc. J'ai enfilé ma robe de chambre. J'ai traversé, au pas de course, les couloirs glacés. Et je suis arrivé, tout essoufflé, suffoqué de ma propre audace, aux abords de la chambre maternelle quand, alerté par le rai de lumière qui filtrait par la porte entrebâillée, j'ai ralenti l'allure et suis tombé en arrêt.

C'est maman nue. Agenouillée à même la dalle. Le visage tourné vers la fenêtre grande ouverte sur le jardin. Et le corps aspergé de giclées d'eau que fait entrer le vent. Dans l'ombre où je me tiens, elle ne peut pas me voir. Mais moi, en revanche, je la vois bien. Je la détaille. Je remarque ses mains, jointes comme pour la prière. Ses épaules, légèrement arrondies. Sa tête qui dodeline d'avant en arrière, d'une façon un peu mécanique. Ce corps aveugle, si vulnérable. Et lorsqu'elle se redresse enfin et qu'elle tourne, une seconde, le visage dans ma direction, je suis sûr de ne pas me tromper : ce sont bien des larmes, là, sur ses joues, mêlées à l'eau de la pluie.

Machine arrière, toute. Chemin en sens inverse. Retour à ma propre chambre que je m'en veux, maintenant, d'avoir ainsi quittée. Et là, dans l'intimité de mon lit retrouvé, et jusqu'au petit matin, examen, traitement et analyse du spectacle dont je viens d'être le témoin et où je ne saurais dire ce qui m'épouvante le plus de cette nudité, de ces reins, de cette gorge, de ces fesses posées, abandonnées sur les talons, bref de cette chair souvent entrevue, certes, mais jamais à ce point, jamais dans cette évidence, jamais aussi parfaitement dépouillée de ses fards et de ses feintes —

ou bien, plutôt, de cette tristesse, décidément bien accablée, et dont je viens d'avoir une nouvelle preuve.

L'orage n'a pas cessé. Il ne s'apaisera, comme moi, qu'au matin. Mais je ne crois pas mentir en affirmant que ma peur, elle, est tombée.

Une autre nuit encore. Orageuse, à nouveau, il me semble. Mais un orage calmé, cette fois, depuis la fin de l'après-midi et qui a laissé un air moite. Des arbres chargés de pluie. Des odeurs de vase et de froid qui s'insinuent jusque dans les pièces. Un silence avare et grave, presque plus oppressant que le tumulte précédent. Et de gros nuages noirs, bien découpés par la lune, qui m'effraient quand ils passent devant mes fenêtres.

Ai-je réellement besoin de ça, pourtant, pour me sentir oppressé cette nuit-là ? Et n'est-ce pas, plutôt, l'occasion que j'attends depuis plusieurs semaines de renouveler, d'approfondir, d'éclairer peut-être la vision de ma mère nue devant sa fenêtre ? Aujourd'hui, je pense que oui. Je pense que c'est un prétexte. Et je crois que c'est froidement, les yeux ouverts, pleinement conscient de ce que je fais et de ce que je viens chercher, que je reprends, alors, le chemin de sa chambre — pour, sans façon maintenant, et sans hésitation, coller directement mon œil au trou de la serrure et découvrir un spectacle plus stupéfiant encore que la première fois.

C'est maman nue, toujours. Mais paisible. Allongée sur son lit à peine défait. L'œil flou, perdu quelque part du côté du plafond. Une cigarette à côté d'elle, en équilibre sur la table de nuit, qui achève de se consumer. Une autre dans sa main droite, tenue à bout de bras, très loin du corps, dont elle tire de temps à autre une longue bouffée, comme pour reprendre des forces. Et la main gauche surtout (qui retient toute mon attention) coincée, et comme prisonnière, entre ses deux cuisses jointes — non, pas « coincée », pas « prisonnière », mais mobile au contraire, agile, animée d'un léger mouvement de va-et-vient qui m'avait échappé au premier coup d'œil mais que je distingue à présent, en ajustant ma position. Que se passe-t-il ? Que fait cette main ? Que va-t-elle donc chercher là-bas, très loin, de plus en plus loin au creux des cuisses ? Quel est ce nœud qu'elle semble, avec une application de plus en plus farouche, s'acharner à démêler ? Et que signifient ces bruits surtout, ces bredouillis, ces soupirs que je perçois maintenant de l'autre côté de la cloison ?

Au bout d'une bonne dizaine de minutes de ce manège, le soupir est devenu murmure; le murmure miaulement; le miaulement halètement; ce halètement, à son tour, s'est résolu en un étrange couinement dont je suis incapable de distinguer la part exacte qu'y tiennent (car les deux y sont inséparables, je le jurerais) le plaisir d'un côté, le bonheur, l'éclat de rire nerveux, vite étouffé, mais folâtre — et puis la plainte de l'autre, le geignement, le sanglot. Et j'ai vu se peindre alors sur ce visage limpide et net qui, aussi loin que je me souvienne, avait toujours incarné à mes yeux des idées de paix, d'harmonie, une affreuse grimace, tout à fait semblable à celle qui m'avait tant étonné, une fois déjà, sur celui d'Andrea.

A dater de ce jour, mon siège est fait. Quant aux femmes en général, d'abord : je ne me déferai jamais plus de l'idée confuse, sotte, et qui, chaque fois qu'il m'est arrivé, dans mon âge mûr, de la leur exprimer, les a toujours fait rire, que le plaisir est, chez elles, nécessairement, substantiellement lié à des tourments épouvantables. Et quant à maman surtout, unique objet, pour l'heure, de mon souci, et dont j'ai découvert « au moins » ceci : elle est si triste, si incurablement mélancolique, qu'il n'est pas jusqu'à ses moments de volupté où ne se mêle donc, encore, une part de mélancolie.

Son secret maintenant.

Le vrai. Le sérieux. Celui que j'eus le plus honte, probablement, de pénétrer. Mais celui qui, en même temps, dut contribuer à me rassurer car je pus lui attribuer enfin toutes ces tristesses inexpliquées.

Comment cela se passa-t-il, cette fois? Et comment fus-je amené à percer à jour un mystère si bien préservé qu'elle n'en parlait même pas à son journal, pourtant contemporain?

Il y a eu cette manie que j'ai prise, d'abord, de l'épier constamment, consciencieusement, chaque fois que je le pouvais.

Il y a eu ces jours où elle rentrait de « ses courses » (longtemps, à la question de savoir quel métier faisait ma mère, j'ai répondu : « des courses ») plus tard que de coutume, les cheveux légèrement en désordre, l'œil brillant et le maquillage, en revanche, un tout petit peu trop soigné, comme s'il venait d'être refait.

Il y avait ces coups de téléphone furtifs, souvent brefs, qu'elle donnait depuis sa chambre, le soir, toujours à la même heure, quand Oncle Jean était absent, et pour lesquels elle empruntait cette voix spéciale, à la fois très basse, presque inaudible — et puis hachée, précipitée, comme si elle craignait d'être brusquement interrompue.

Il y avait ces mots si bizarres, si différents de ceux dont elle se contentait pour entamer une conversation avec des amis normaux; ces mots qu'elle lâchait très vite, en rafale, sans autre préambule, sans prendre la peine de se présenter et en raccrochant parfois aussitôt, avant que son

mystérieux correspondant ait eu le temps maté-
riel de lui répliquer.

Il y avait les fois — rares, mais il y en avait —
où la conversation durait un peu et où, l'oreille
collée à la porte, j'arrivais à glaner ces bouts de
phrases, encore plus inintelligibles : « je vous
embrasse... je vous vois... je suis là... je ne vous
quitte pas... nous sommes, vous le savez bien,
sous la tutelle invisible d'un ange... »

Et puis il y a eu, un ou deux ans plus tard, ce
brouillon de lettre sur lequel je tombai par
hasard; dont le ton me fit un instant songer qu'il
pouvait m'être destiné; mais dont il me fallut vite
admettre qu'il s'adressait à un autre — mon semblable, mon frère aîné, puisqu'elle lui parlait avec
les accents, les mots, les phrases de notre langue...

Mes plans, cette nuit-là, s'effondrèrent d'un
coup et, avec eux, tout ce qui pouvait demeurer de
mes fantasmagories enfantines : il y avait quelqu'un d'autre que moi pour, ayant pourfendu le
« marchand du temple », prendre Mathilde dans
ses bras.

Je me souviens de maman malade.

De maman souffrant le martyre.

De moi qui, sous prétexte que je l'avais un jour
entendue dire qu'elle « se sentait chez elle parmi
les livres plus que parmi les hommes », passais
mes journées enfermé dans sa bibliothèque — au
milieu de ses rêves, pensais-je, de sa mémoire, de
tous ces autres secrets que je n'aurais plus de
temps de découvrir.

Je me souviens du jour, la veille ou l'avant-
veille de sa mort où, dans un de ses derniers
moments de lucidité, elle fit venir Odette à son
chevet et lui confia ses fameux cahiers en lui
demandant de les brûler.

Je me souviens de moi, sur les pas d'Odette, lui expliquant comme un dément que « non... il ne fallait pas... elle n'avait pas vraiment voulu dire ça... les mourants, d'ailleurs, ne savent pas ce qu'ils disent... je voulais, j'exigeais ces cahiers ».

Je me souviens comment, quand je la vis résister, s'obstiner, insister qu'elle « ne pouvait pas... que c'était trop grave... une responsabilité trop lourde... la dernière volonté de Madame... Monsieur doit bien savoir que c'est sacré... », je me souviens comment je la menaçai de toutes les foudres de la terre — les miennes, celles d'Oncle Jean, celles du Bon Dieu s'il le fallait et, en attendant, celles du renvoi.

Et je me souviens de la cabane à outils de mon enfance, celle où j'avais si souvent célébré en rêve mes propres funérailles et où je reviens une fois encore, le soir des siennes, cacher entre deux planches mon précieux butin de papier.

Y est-il toujours ?

Quelqu'un le trouvera-t-il jamais ?

Et quel sens aura pour lui ce vieux grimoire indéchiffrable qui a tant compté dans mon existence ?

Oui, ces vieux, ces chers cahiers de Mathilde, qui nous ont, tous, tellement meurtris...

Oui, ces cahiers.

Une fois lus.

Une seule fois.

Jamais feuilletés ni rouverts depuis cette fameuse nuit d'il y a trente ans où, frissonnant, le cœur battant, je forçai la serrure du chiffonnier où je l'avais vue les ranger.

Même pas entrouverts ni parcourus, cinq ans plus tard, dans la cabane à outils, quand je les eus entre les mains pour la seconde fois, avant de les enterrer, à jamais, comme leur auteur.

Même pas la tentation de les parcourir, veux-je dire — terrorisé que j'étais par l'épouvantable livre noir, irradié pour moi de tant de malheurs et où je m'étais, une fois déjà, brûlé.

Et ces cahiers si présents pourtant. Si marquants. Si vivants. Si volubiles encore dans ma cervelle d'aujourd'hui. Ces cahiers qui, en fait, n'ont plus jamais cessé de me tarauder, de me travailler l'intelligence. Ces cahiers que j'ai passé ma vie, finalement, à revoir, réentendre, répéter parfois et reproduire. Ces pages entières, n'importe lesquelles, les plus intimes comme les plus politiques, celle qui me concernent et celles qui ne me regardent pas, que je serais capable, là, sur cette page, de recopier si je le voulais dans leur presque littéralité. Ma propre langue, d'ailleurs, sur cette page qui m'appartient, où j'ai l'impression, tout à coup, de retrouver des tours, des tropes, des tons qui appartiennent à la leur.

Oui, ma langue d'homme, ma langue savante, ma langue d'intellectuel de ce siècle et de ce moment, dont je me demande si elle ne doit pas au moins autant à cet ancien murmure, à ce babil de jeune femme d'un autre âge, qu'à bien des discours modernes qui m'auraient en principe, et comme la plupart des hommes de ma génération, façonné.

Ne serait-ce pas là, par hasard, la cause de mon silence ? La clef de cette longue, tenace impuissance à écrire qui a, toute ma vie, démenti les promesses que l'on me prêtait ? Savais-je, pressentais-je que, le jour où je m'y résoudrais, le jour où je prendrais une plume, ce serait pour me livrer, dans mes mots mêmes, dans les lettres que je tracerais, à cet aveu un peu absurde ?

Possible. Allez savoir ! Tout cela me paraît si confus... Si emmêlé... Je me sens moi-même, tout à coup, si harrassé...

Prodigieux, fabuleux cahiers en tout cas où l'essentiel, au fond, s'est joué — comme dans le plus inattendu des textes fondateurs.

Ce dont je me souviens moins bien, en revanche, c'est la lecture même, ses circonstances, voire même l'effet précis, concret, qu'elle me fit...

J'ai dit, en effet : « le cœur battant, en frissonnant » — ce qui, évidemment, ne veut rien dire.

Je pourrais ajouter : l'impression d'un viol, d'un sacrilège bien pire que les soirs où j'épiais par le trou de la serrure.

Je pourrais ajouter encore que, lorsque j'entrai dans la chambre interdite et fracturai la serrure du secrétaire, c'était moins par vraie « curiosité », comme elle et Oncle Jean l'ont cru, que par esprit de vengeance, mesure de rétorsion, parce que j'avais découvert, à je ne sais plus quel signe, qu'elle avait elle-même fouillé ma propre chambre, violé mes plus précieux secrets — œil pour œil, dent pour dent, cahiers de Mathilde pour carnets de Benjamin...

J'ai gardé l'impression, cela dit, une fois la lecture faite, d'un cataclysme inouï, ébranlant les assises même de ma mémoire, de mon imaginaire, de mes plus sûres tables de valeurs — ne devenais-je pas, d'un instant à l'autre, fils des ténèbres ? enfant de la malédiction ? chien, fils de chien, voué, sa vie durant, à cette chiennerie ?

J'ai le très très vague souvenir, en cherchant bien, de longues semaines de désarroi, et même de désespoir, où l'idée même d'avoir à vivre ainsi, d'arriver à l'âge d'homme avec ce fardeau sur les épaules m'apparaissait tout à coup insupportable.

Je sais aussi (je dis bien : « je sais » — je ne m'en « souviens » pas vraiment) qu'incapable de supporter, donc, cet ébranlement gigantesque, j'ai connu, dans les jours qui ont suivi, quelque chose qui ressemblait déjà de bien près aux tentations suicidaires de mon âge mûr.

Et puis je suppose que j'ai surmonté tout ça; que je l'ai admis; assumé; que, de ce qui venait de m'échoir comme une fatalité, j'ai, dans ma tête d'enfant, résolu de faire un défi.

Mais, encore une fois, tout cela reste vague. Flou. Je me le rappelle infiniment moins bien que telle ou telle des scènes que j'ai racontées jusqu'ici avec plaisir et en détail. Et c'est comme si s'était creusée là, autour de cet événement, aux abords de ce foyer de langue et de maléfices dont j'ai dit qu'il m'irradie jusqu'aujourd'hui, une grande poche d'ombre — et, donc, d'oubli.

Dans ma langue à moi : un refoulement.

De même pour mon père, si important dans cette histoire, si objectivement déterminant — et dont je suis en train de me rendre compte que je n'ai, depuis trois nuits, proprement rien trouvé à dire.

Sont-ce les souvenirs qui manquent, cette fois ? Les traces matérielles, solides, où s'appuyer ?

Oui, puisque je ne l'ai, aussi bien, guère connu et qu'il y a eu, longtemps, ce rempart de silence dressé entre lui et moi.

Mais non, en même temps, si je songe aux années que j'ai occupées à m'en forger, justement, des images. A en monter de toutes pièces. A me fabriquer un fantôme, un fantasme de père avec qui j'ai vécu aussi constamment, familièrement qu'avec un vrai.

Non, si je songe à toute cette première enfance où je passais mon temps, à partir de photos jaunies, de renseignements de seconde main, de bribes et de confidences glanées ici et là, d'un lapsus d'Odette, d'une indiscrétion de Lazare, d'un soupir de maman, d'un froncement de sourcils d'Oncle Jean, à me bricoler la mémoire que l'on m'avait ruinée — et qui prenait toute la valeur, du coup, tout le poids des choses acquises de haute lutte contre une adversité universelle.

Bref, les traces sont là.

Elles existent.

Je revois sa photo, par exemple, que m'avait donnée Odette en grand secret.

Je me revois, moi, abîmé, des heures, des jours, des nuits durant, dans la contemplation de ce visage fraternel et lointain.

Je me revois, certaines nuits, quand l'obsédant mystère de ce regard me poursuivait et m'empêchait de dormir, posant le cliché au pied de mon lit, en équilibre contre le montant; et je me vois éteindre la lumière puis fermer très fort les yeux pour mieux m'habituer à la pénombre; et puis, les yeux grands ouverts, que dis-je, écarquillés dans la direction du visage, rallumer ma lampe comme si j'allais surprendre ainsi, piéger, prendre sur le fait le secret qu'il me cachait.

Je me revois... Je me revois... Il faut que je me force, en fait, pour revoir... Il faut que je m'y oblige... Il faut que je m'y applique... Ce n'est pas le genre d'images qui me viennent seules, spontanément, comme celles de ces bonheurs d'enfance que j'ai consignées jusqu'à présent... Et, comme pour l'épisode de la nuit des cahiers, tout se passe comme si elles étaient déjà en train, tout doucement, sur la pointe des pieds, de sortir de ma biographie...

Comprenne qui pourra! Mais le fait est que c'est ici, à Jérusalem, dans cette ville sainte, dans cette ville juive, dans cette ville tout entière bâtie, et voulue, à la gloire de ce qu'un freudien appellerait « le nom du père » — le fait est que c'est ici que, pour mon bonheur, pour la paix de mon âme, se sera enfin forclos, dans ma tête, ce Nom.

Me rappelé-je mieux « Oncle Jean » ?

Oui certes. Car il y a toute l'enfance, là, en revanche. Toute l'adolescence.

Tout mon âge d'homme ensuite, où il ne m'a pas quitté, même si nous avons à peu près cessé de nous voir.

Mais je remarque que, de lui non plus, je n'ai rien dit.

Je n'ai pas dit mes haines d'enfant.

Je n'ai pas dit mes rages, mes colères.

Je n'ai pas dit la nuit — tiens, c'est vrai : je l'ai oubliée celle-là — où, bien avant l'époque où j'ai commencé d'espionner Mathilde, j'ai découvert qu'il n'avait d' « oncle » que le titre.

Je n'ai rien dit de nos disputes.

Je n'ai rien dit de notre toute dernière dispute, avenue Ingres, à ma sortie de prison.

Non, d'ailleurs. C'est inexact. Ce n'était pas la toute dernière. Car il y a cette ultime rencontre encore, huit ou dix ans plus tard, dont je n'ai rien dit non plus, dans le bureau de Paradis.

Je revois ce jour-là Oncle Jean buté, borné, répétant que « jamais... en aucun cas... faudrait lui passer sur le corps... c'est si peu de chose de toute façon... qu'est-ce qu'un minuscule paquet d'actions, un mandat d'administrateur ou deux peuvent changer à la marche des affaires ?... mais symboliquement, en revanche, il y tient... fidélité à la mémoire de Mathilde... et seule façon, surtout, pour lui, de garder l'œil sur moi... d'empêcher les sales pattes de l'avocat de se poser sur ma fortune... ».

Je revois Alain, tour à tour séduisant, insinuant, menaçant — tellement plus fin qu'Oncle Jean... tellement plus « chic »... tellement plus retors et rusé... et cette façon tellement « décontractée » qu'il avait de parler de tout ça, de toutes ces affaires d'argent, dans la langue des joueurs de poker où l'autre n'entendait rien...

Et puis, est-ce que je ne le revois pas, tant que j'y suis, trois ans plus tard, à Rome, au lendemain de la scène des collines ? Est-ce qu'il n'est pas troublant, à la réflexion, cet empressement qu'il mit à accepter une décision dont j'aurais parié, pourtant, qu'il la trouverait « absurde, sottement sentimentale, pas dans la ligne » ? Etait-ce bien une « décision », d'ailleurs, à ce moment-là ? étais-je résolu, vraiment, à ce meurtre d'Oncle Jean ? ou n'était-ce qu'une hypothèse encore, une tentation ? et une tentation qui aurait eu besoin, pour se conforter, de l'insistance, de la manigance, de l'insinuation discrète mais toujours aussi efficace de l'homme qui, jusque-là donc, jusqu'en ce geste ultime, jusqu'en ce pénultième faux pas, où j'avais le sentiment, pourtant, de me retrouver, de renouer avec ma plus profonde vérité, m'aurait manipulé ?

Oh ! je ne sais pas...

Je ne sais plus...

Je ne veux pas savoir, d'ailleurs, puisque ces souvenirs-là n'étaient pas, après tout, au rendez-vous de la nuit qui s'achève.

Une idée, simplement, avant de finir. Je la trouve drôle. Un peu burlesque. Mais elle n'est peut-être pas, au fond, si dénuée de justesse : je devrais, si j'en ai encore le temps, faire du vieil Oncle Jean mon légataire universel.

Mais ai-je encore le temps ?

Je n'en suis pas si sûr, justement.

J'en suis de moins en moins certain à mesure qu'approche le matin.

Car je sens les heures qui se pressent tout à coup...

Le temps qui s'épaissit...

Toutes ces images volages, volatiles d'hier soir, qui sont devenues solides à présent — d'autant plus pénibles, d'autant plus menaçantes...

Tous ces souvenirs, ces radieuses images du passé qui, loin de me charmer, de m'enchanter, me pèsent au contraire, m'accablent comme jamais.

Comme hier, à la même heure, au moment de poser la plume, je me demande, en fait, si une vie dont il ne reste « que ça » n'est pas surtout une *vie finie*.

4

Oui.

C'était ça.

C'est à ça que ressemble une vie qui se termine.

J'attendais mieux, c'est sûr. On m'avait fait, prêté surtout, d'autres promesses. Je me revois, enfant, préparant si pompeusement mes funérailles à venir. Je me revois, adolescent, méditant de marquer mon siècle, de l'illustrer en même temps que moi. Je me souviens des livres que je projetais d'écrire. Je m'entends encore claironnant que les grands romans sont ceux dont les mythes et les héros deviennent la plus trouble, la plus capiteuse tentation de leur époque — et, de ces romans-là, je ne doutais pas une seconde de devenir un jour l'auteur. J'imaginais une vie qui ressemblerait, déjà, à un destin — et un destin qui, d'emblée, serait marqué du sceau de l'exception.

Or, l'évidence est là : la seule chose un peu exceptionnelle dont cette vie m'ait fait cadeau, c'est son échec... sa faillite... sa banqueroute... cette banqueroute si parfaite, cet échec si total, que j'en viens, certains jours, à les saluer comme des exploits, à les chérir comme des œuvres — j'en viens, certains jours, à chérir mon échec comme Bill, autrefois, chérissait son faux roman...

Car, à part cela, rien... Rien qui émerge... Rien

qui demeure... Pas la moindre part de moi-même qui se puisse soustraire à la mort. Rien, non, qu'un dérisoire théâtre d'ombres où se seront succédé quarante ans de quiproquos... de malentendus... de rires imbéciles... de sanglots étouffés... quelques amis... quelques pantins... une femme ou deux, moins mal aimées que les autres... des pièges misérables déguisés en fatalités — et puis, au bout, ce lugubre rideau maculé de larmes et de sang.

Maigre résultat, si on le rapporte à la mise. A moins qu'à trop jouer, à jouer toutes les cartes à la fois...

Sûr en tout cas que j'ai perdu et qu'aujourd'hui, dans cette chambre où je me trouve pour la quatrième nuit consécutive, il ne me reste plus guère d'atouts — ni en jeu, ni dans la manche.

Les hommes, d'habitude, ont des amis, des parents, des familiers — je n'ai plus, moi, que ce grand tumulte des morts dans la tête : Bill, Marie, Valerio, la Serena, Mathilde, mon père, d'autres.

Les hommes, d'habitude, ont des témoins, des figurants, des êtres de rencontre qui feignent au moins de les écouter — je suis seul, sans auditeurs, sans autres témoins de mon murmure que le Ciel auquel je ne crois pas et moi-même que je ne supporte plus.

Les hommes ont des biens auxquels ils tiennent — ces fameux « biens de ce monde » qui les tiennent au monde : je n'ai rien, là non plus... rien à quoi je tienne... et les biens que je possède n'ont jamais été vraiment les miens...

Les hommes ont où aller surtout — des asiles, des refuges; pour moi la planète est fermée, bouclée de bout en bout, et je sais que, nulle part, je ne serai plus en sécurité.

Relu, tout à l'heure, par hasard, dans une

librairie française de Jérusalem, le texte d'excommunication prononcé il y a trois siècles contre Spinoza : « qu'il soit maudit le jour et maudit la nuit... Dieu puisse ne lui pardonner jamais. Nous ordonnons que nul n'ait commerce avec lui, par la parole ou par l'écrit, que nul jamais ne lui donne la moindre marque d'amitié, ne l'approche ou n'habite sous le même toit que lui, que nul ne lise ouvrage écrit ou composé par lui ».

A la réserve près des « ouvrages » que je n'ai ni « écrits » ni « composés » la malédiction s'applique bien aux hommes de mon espèce — qui n'ont plus le choix qu'entre un recyclage sans fin dans les mercenariats parallèles de l'univers de la terreur, ou bien...

Ou bien, cette lassitude.

Est-ce bien de la lassitude, pourtant ?

Est-ce « lassitude », vraiment, qu'il faut dire pour ce brisement, tassement, effondrement subit de l'être.

Ça a commencé par l'âme, il me semble — que je sentais devenir gourde, torpide et comme privée de nerfs, il y a trois nuits maintenant, quand je commençais d'écrire.

Puis ça a été le visage, dont j'ai découvert, d'un seul coup, le lendemain, devant ma glace, les peaux mortes, les dents jaunies, les premiers poils gris dans l'épaisse barbe blonde — cette grimace déjà pointant sous l'incarnat : et le même effroi, alors, que lorsque je m'apercevais, étant enfant, qu'en dépit de mes efforts, de mon attention, de l'extrême contention de mon esprit, je n'avais une fois de plus pas su saisir « le » moment où la nuit était tombée.

Puis, ça a été le corps... Mon corps si sûr... Mon corps si fidèle... Ce corps dont je disais — et ça les rassurait — qu'il ne me trahissait jamais. Ce corps dont je me disais — et c'était ma plus grande fierté — que je lui vouais une confiance quasi mystique... Et ce corps qui, aujourd'hui, auprès de la petite pute draguée à l'American Colony, s'est cabré... A lâché... Ce corps qui n'a plus obéi... Ce corps qui m'a manqué, avec l'entêtement des vieilles bêtes fourbues...

Et puis l'infernale ronde, alors... La course dans la ville... La recherche effrénée d'un autre corps que je n'ai, bien entendu, pas trouvé... Des grandes... Des grosses... Des vieilles... Des ingrates... Les mille et une figures de ce qu'Alain baptisait mon « sérail décomposé », rameutées pour l'occasion — et cette chair qui, décidément bien morte...

Tout est allé si vite... J'ai quarante ans, à peine passés : et je n'ai, comme au temps de mon enfance, pas « vu » la nuit tomber.

Ou plutôt non.

Ce n'est pas ainsi qu'il faut dire.

Et la vérité, la nouveauté, c'est que j'ai quarante ans passés et que, pour la première fois, je ne sens pas la nuit se lever.

Le plus étrange en effet dans mon état d'aujourd'hui, c'est que l'idée même de « moi jadis » — ce jadis d'il y a trois ou quatre jours encore — me paraît tout à coup très archaïque.

C'est que l'idée même que ce corps mort d'aujourd'hui ait pu être corps de chair et de désir me semble tout à coup d'une cocasserie — tiens, « cocasserie » : encore un mot de Mathilde — irrésistible.

C'est que la perspective même qu'il le redevienne, corps de chair et de désir, corps aimé ou aimant, loin de me réjouir, m'accable, me désole.

Le plus étrange c'était ce matin, au réveil, un peu avant midi, quand, l'espace de quelques secondes, même pas : l'espace d'un instant, je l'ai surpris, ce corps, en flagrant délit de bien-être... et je l'ai surprise, mon âme, en flagrant délit de consentement, d'unisson à ce bien-être... et je leur en ai voulu, à tous les deux, oh oui! tellement voulu, de ces aises qu'ils prenaient, de leurs vieilles habitudes incontrôlées...

La vérité, la vraie nouveauté, c'est que je n'ai plus envie de réveils et plus envie de bien-être... que je n'ai plus envie de sommeil et plus envie d'insomnies... que je n'ai plus envie de « Chez Saïd » demain, et plus envie d'écrire cette nuit... la vérité c'est qu'à ce jour, au point de mon chemin où je suis parvenu, cinq ans après la mort de Marie et vingt-cinq ans après la mort de Mathilde, sorti de la nuit des couteaux et entré dans celle d'Israël, il n'y a plus un état de vivant qui ne me soit insupportable.

Un signe qui ne trompe pas.

J'aimais, lorsque j'étais un jeune vivant, rêver des vies que je n'avais pas vécues.

J'aimais, plus encore que les vies parallèles, les vies non échues, non advenues...

Je me délectais de possibles, de virtualités, de vies qui pourraient être ou d'autres qui ne seraient plus, je jouissais de mes rendez-vous manqués, de mes occasions perdues.

Et je vivais dans l'idée qu'elle était, cette délectation, ma part de liberté — que tout était possible en effet, que rien n'était joué, que tout était, toujours, et perpétuellement, à recommencer.

Or voici que, récapitulant hier ma vie, je n'en ai vu revenir que des images échues — et quelles images! quelles échéances! les plus indubitables! les mieux figées dans le moins improbable des sédiments, puisque c'était celui de l'enfance!

Et voici que, songeant aujourd'hui — me forçant à songer — à l'idée, habituellement si douce, d'une vie autre, d'une vie effaçant celle-ci et la recommençant, d'une vie riche de nouveaux possibles et de nouvelles actualités, songeant à de nouvelles amours, à d'autres fêtes, à d'autres rires, à d'autres égarements même, j'ai eu le sentiment, pour la première fois, d'un exercice vain — et même un peu pénible.

Idée, pour la première fois, que tout est bien ainsi.

Idée, pour la première fois, que s'il fallait recommencer, c'est la même vie que je recommencerais.

Idée qu'une vie recommencée, n'importe laquelle, même la même, serait la plus cruelle des punitions.

Oui, signe bien éloquent : c'est à lui, probablement, que se connaissent les vieillards.

D'ailleurs, non.

Sottise.

Je viens d'écrire une sottise.

Car j'oublie la résistance, le prodigieux acharnement à vivre des vieillards.

J'oublie cette connaissance intime, incroyablement précise et opiniâtre, qu'ils finissent par acquérir d'eux-mêmes, de leurs tics, de leurs manies, de leur machine.

J'oublie ces vieux corps de vieillards que l'on dirait, à les voir vivre, survivre, projeter de vivre encore, s'arrondir et s'agiter dans le vivre, programmés pour l'éternité.

J'oublie leur géniale familiarité avec la mort, la façon qu'ils ont de la guetter, de l'apprivoiser, de la tenir à distance sans la lâcher des yeux. J'oublie leurs ruses... leurs feintes... les tours qu'ils lui jouent... les pièges qu'ils tendent au Piège... le goût qu'ils ont de s'y préparer pour mieux la déjouer... le soin qu'ils ont, le soir, dans leur lit, de se draper dans la pose qui pourrait être la dernière — en comptant bien, ainsi, être encore là le lendemain... Oh oui, prodigieuse, fascinante vitalité des vieillards — cette vitalité que je n'ai plus, cette vitalité que je n'ai jamais eue, cette vitalité que je n'aurai, en réalité, plus jamais.

Contrairement à Bill, contrairement à tous les suicidés de mon âge, contrairement à tous les incurables romantiques qui se tuent pour ne supporter point de vieillir, je chéris, moi, ce vieillard que j'aurais pu être : je le chéris comme mon absence d'œuvre; je le chéris comme cette vie manquée; je le chéris comme l'enfant que je n'ai pas eu — et que j'aurai, lui aussi, tant désiré.

Peur ?

Je mentirais, bien sûr, en disant que je n'ai pas peur... Je mentirais, en prétendant que je ne ressens pas, à évoquer tout cela, un peu du raidissement de la bête au seuil de l'abattoir, un peu du sursaut du condamné aux marches de l'échafaud... Je mentirais, en prétendant que, de la savoir si proche, si concrète, cette mort, qui n'avait jamais été pour moi qu'une tentation abstraite, une possibilité obscure, une éventualité lointaine avec laquelle je jouais aux heures de mon adolescence, ne me procure pas un frisson supplémentaire !

Mais, en même temps, non.

Je ne peux pas vraiment dire « peur ».

J'ai moins peur que je ne le croyais; j'ai moins peur que je ne le craignais.

J'ai infiniment moins peur que Bill par exemple, la Serena, Valerio ou même Mathilde.

Et la preuve en est ces lignes sur cette page, si paisiblement tracées, en prenant bien mon temps, alors que dans une heure, deux peut-être...

Je pense que d'avoir vu tant d'hommes mourir autour de moi m'aide à supporter l'idée.

Je suppose que de savoir — de croire au moins — que le monde me suivra, qu'il mourra derrière moi, m'aidera à franchir le pas.

Je suppose aussi que de ne tenir à rien, à personne, de ne plus vraiment me situer dans l'ordre réglé du monde, de ne plus vraiment faire sens avec la prose des choses, rend le geste facile encore et comme naturel.

Mais je crois surtout qu'il y a trop d'ardeur encore dans la peur... Trop de ferveur... Trop de fièvre... Trop d'émoi... Il faut être un vivant pour avoir peur de mourir : et je ne suis, moi, je l'ai dit, plus tout à fait ce vivant.

A quoi sait-on qu'on n'est plus tout à fait ce vivant ?

A quoi sent-on que tout est fini, joué — et que c'est bien elle, là, qui rôde, qui tournoie autour de soi, comme les jolis souvenirs d'hier ?

Oui, à quoi est-ce que je sens, à quoi est-ce que je reconnais que c'est elle, la mort — et pas son ombre, son apparence, un mirage qui se dissipera, tel un cauchemar, avec le jour ?

Je crois que je le sens, d'abord, à ce qu'il n'y a plus de jour, justement... A ce qu'il n'est plus question de jour du tout... A ce qu'il n'y a plus de trace, plus de promesse, plus de souvenir du jour au cœur de cette nuit... Je crois que je le sens à une certaine qualité de la nuit, très longue tout à coup... très lente... très opaque... une nuit plane... une nuit d'huile... une nuit comme un dimanche — ce fameux dimanche matin des *Possédés* où le temps était sans heures, où les heures étaient sans repères... une nuit aux heures plates, rases, sans avenir... La nuit la plus courte en même temps que la plus longue... Une nuit qu'on pense pouvoir indéfiniment prolonger — et une nuit dont on sait qu'elle sera la plus bornée de toutes... La nuit du plus grand malheur — celle de la plus grande béatitude...

Je reconnais que je vais mourir, sans appel ni recours, je sais que ce n'est pas un caprice du cœur ni une illusion de l'esprit, à ce temps pur, à cette pure durée, à cet état d'apesanteur où, cette nuit, je me déplace.

Je le sens à cet ordre qui semble, depuis cette nuit aussi, s'être appesanti sur le monde...

Ordre dans ma tête où, pour la première fois de ma vie, j'ai une idée et une seule... toute la force de l'âme sur elle mobilisée... tout ce moi épars, friable, dispersé en autant de miettes que j'ai joué — et raté — de personnges, occupé à la nourrir, cette idée, à la fixer.

Ordre dans ma vie que, pour la première fois également, je revois, relis, recompose avec tant de précision, de froide lucidité : chaque épisode à la suite... chaque énigme résolue... toutes les contradictions dénouées et les énigmes éclaircies...

Ordre dans la pièce même où je suis et où, pour la première fois encore, le moindre objet autour de moi me semble être à sa place, en son lieu : figé, pétrifié en sa nécessité...

Oui, je sens que je vais mourir à cette minéralité de toutes choses... A la façon qu'elles ont, soudain, d'être glacées, clouées à leurs places par un charme.

Ah! le divin désordre des vivants — l'accablante harmonie des mourants.

Et puis je sens que je vais mourir, enfin, et à l'inverse, à cette sourde violence des choses « en ordre » autour de moi... A leur consistance... A leur insistance... A leur véhémence... A cette présence brutale, agressive qu'elles ont soudain acquise...

Je sens que je vais mourir au fait que ces murs ne m'avaient jamais semblé aussi épais qu'aujourd'hui... ce cendrier aussi massif... cette pièce de monnaie, en train de rouler sur le plancher, aussi monstrueuse... mon pied lui-même aussi énorme... cette main qui écrit aussi absurdement « objective »... Bref, à ce que jamais les choses, dans cette chambre ni ailleurs, ne m'étaient apparues dotées d'un tel relief, d'une éminence aussi saillante.

Je me souviens d'avoir lu jadis, dans le journal de ma mère, que mon père, à la veille de son exécution, avait perdu l' « évidence du monde ».

A-t-il vraiment dit ça ?

Comme c'est étrange !

J'ai, moi, le sentiment inverse.

J'ai le sentiment de l'avoir retrouvée, cette évidence.

J'ai le sentiment d'être soûl, tout à coup, d'évidence.

J'ai le sentiment, moi qui ne les ai jamais aimés et qui n'y ai jamais pris garde, de mourir dans un assourdissant bourdonnement d'objets.

Tristesse.

Amertume.

Regrets de cette vie manquée.

Regrets de cette mort qui, fatalement, le sera aussi.

Comment ne pas me rappeler une dernière fois l'époque où je rêvais ma mort ?... l'époque où je la voulais belle, noble, ordonnée à de hautes valeurs ?... comment ne pas me rappeler ce temps, avenue Ingres, dans ma cabane, puis plus tard, en mon âge d'homme, où je cherchais des raisons de mourir comme on cherche des raisons de vivre? ce temps où je voulais donner un sens à ma mort autant qu'un sens à ma vie? Oui, comment ne pas me rappeler le temps où j'étais prêt à mourir pour peu que ce fût haut, debout, en affirmant quelque chose d'impérissable?

Aujourd'hui, rien de tel.

Rien qu'une mort pour rien, à l'image d'une vie pour rien.

Rien qu'une mort insensée, à l'image d'une vie privée de sens.

Néant, rien que néant, après une vie tout entière vouée au service du néant.

Et personne pour me pleurer; personne pour me regretter; personne pour qui mourir; personne pour savoir même que je serai mort — et mon cadavre retrouvé, un jour, par hasard.

On meurt comme on a vécu : en l'occurrence, comme un chien.

Reste ce texte, pourtant.

Le reste de cette vie sans reste.

La seule chose que j'y laisse, moi qui ne laisse rien.

Mon premier texte.

Mon dernier texte.

Ce texte où j'ai, quatre nuits durant, récapitulé mon existence.

Ce texte qui, au fil des nuits, m'est devenu comme un linceul.

Ce texte où j'ai dit mon père, et ma mère, et l'endroit de ses cahiers, et Paradis, et Oncle Jean.

Que vais-je en faire?

Que puis-je en faire?

Le brûler? le détruire? l'enterrer? l'emporter? le laisser ici, sur cette table — et advienne que pourra?

Une autre idée peut-être...

Une toute dernière idée...

Une idée absurde je le sais — mais pas plus, à tout prendre, que toute la comédie à quoi je me serai, quarante-deux ans, prêté.

Cette idée, c'est qu'il pourrait suffire d'un homme, d'un seul homme, d'une seule mémoire d'homme...

C'est qu'il suffit d'une tête d'homme, même stérile, même muette, pour, face au monde, face à la horde...

Ce n'est pas un rachat. Ce n'est pas une espérance. Mais ce n'est sans doute pas tout à fait le hasard non plus qui a mis, avant-hier, cet homme-ci sur mon chemin...

Il est tard.

Il est temps.

Il est l'heure de partir — comme il est dit, comme il est écrit : de peur que ne revienne le jour.

Mourir vite, maintenant. Sans grandiloquence ni cérémonie. Sans toilette funèbre ni mot de la fin. Mourir comme on rate une marche.

Ainsi s'achève la confession de Benjamin, telle qu'elle me parvint un jour à Paris sans autre explication.

Tout y était. Toutes les pistes de l'affaire. Tous ses fils entremêlés. Toutes les indications qui, disposées dans le désordre, allaient me permettre de remonter le cours d'une existence dont j'avais été, semble-t-il, l'un des témoins ultimes.

Il n'y manquait en vérité que l'expression du dernier acte — ce corps qui, mystérieusement, n'a jamais été retrouvé.

Table

IMPRIMÉ EN FRANCE PAR BRODARD ET TAUPIN
Usine de La Flèche (Sarthe).
LIBRAIRIE GÉNÉRALE FRANÇAISE - 6, rue Pierre-Sarrazin - 75006 Paris.

ISBN : 2 - 253 - 03850 - 4
30/6168/6